Wilhelm Schmidt

Geschichte der deutschen Sprache

Teil 2

Geschichte der deutschen Sprache

Begründet von Wilhelm Schmidt

Wilhelm Schmidt

Geschichte der deutschen Sprache

Ein Lehrbuch für das germanistische Studium

Teil 2: Althochdeutsch, Mittelhochdeutsch und Frühneuhochdeutsch

Begründet von Wilhelm Schmidt

Fortgeführt von Helmut Langner

12., verbesserte und erweiterte Auflage

herausgegeben von Elisabeth Berner und Norbert Richard Wolf

S. Hirzel Verlag Stuttgart

Autoren/Autorinnen der 6. und 7. Auflage (1993 und 1996)

Rudolf Bentzinger:	Kap. 4.4–4.5
Elisabeth Berner:	Kap. 1.7–1.8
Brigitte Döring:	Kap. 1.6
Hanna Harnisch:	Kap. 3
Erwin Koller:	Kap. 1.1
Helmut Langner:	Kap. 0 und 4.1–4.3
Horst Naumann:	Kap. 1.2 und 2
Norbert Richard Wolf:	Kap. 1.3–1.5

Autoren/Autorinnen der 8., 9. und 10. Auflage (2000, 2004 und 2007)

Rudolf Bentzinger:	Kap. 4.4–4.5
Elisabeth Berner:	Kap. 1.7–1.8 und 3
Brigitte Döring:	Kap. 1.6
Erwin Koller:	Kap. 1.1
Helmut Langner:	Kap. 0 und 4.1–4.3
Horst Naumann:	Kap. 1.2 und 2
Norbert Richard Wolf:	Kap. 1.3–1.5

Autoren/Autorinnen der 11. Auflage (2013)

Rudolf Bentzinger:	Kap. 4.4–4.5
Elisabeth Berner:	Kap. 1.7–1.8 und 3
Heinrich Hettrich:	Kap. 1.1
Wolf Peter Klein:	Kap. 1.6
Helmut Langner:	Kap. 0 und 4.1–4.3
Hans Ulrich Schmid:	Kap. 1.2 und 2
Norbert Richard Wolf:	Kap. 1.3–1.5

Autoren/Autorinnen der 12. Auflage, Teil 2 (2020)

Hans Ulrich Schmid:	Kap. 2
Elisabeth Berner:	Kap. 3
Rudolf Bentzinger:	Kap. 4

Bibliographische Information der Deutschen Nationalbibliothek
Die Deutsche Nationalbibliothek verzeichnet diese Publikation in der Deutschen Nationalbibliografie; detaillierte bibliografische Daten sind im Internet über http://www.d-nb.de abrufbar.

Teil 2	Teil 1	Teil 1 und Teil 2 im Set
978-3-7776-2777-9 (Print)	978-3-7776-2776-2 (Print)	978-3-7776-2775-5 (Print)
978-3-7776-2824-0 (E-Book)	978-3-7776-2822-6 (E-Book)	978-3-7776-2823-3 (E-Book)

2020 S. Hirzel Verlag
Birkenwaldstraße 44, 70191 Stuttgart
Printed in Poland
Satz: abavo GmbH, Buchloe
Druck + Bindung: Druckerei Dimograf Sp.z.o.o., Polen
Umschlaggestaltung: deblik, Berlin

Vorwort zum zweiten Teil

Im Vorwort zum ersten Teil haben wir erklärt, dass und warum wir uns entschieden haben, das überaus verdienstvolle Werk ‚Geschichte der deutschen Sprache', begründet von Wilhelm Schmidt, zu teilen und in zwei Bänden herauszubringen. Das bewährte Konzept der Einheit von Sprachgeschichte und historischen Grammatiken, das man in der Sprache moderner Wissenschaftspolitik als ‚Alleinstellungsmerkmal' bezeichnen könnte, bleibt erhalten, was sich schon in der Kapitelzählung manifestiert. Teil 1 wird – das Dictum Hans Ulrich Schmids sei hier wiederholt – die Kultur enthalten, Teil 2 die Struktur. Das heißt auch, dass die ‚interne' Sprachgeschichte sich hauptsächlich in Teil 2 findet. Nur die Kapitel 1.1, 1.7 und 1.8 – schließlich gibt es keine indogermanische und germanische sowie keine neuhochdeutsche Grammatik in unserem Buch – behandeln auch Probleme der Sprachstruktur im engeren Sinn. Dazu erhält jeder Teil sein Literaturverzeichnis und seine Register.

Der zweite Teil erfüllt drei Aufgaben:

- Die drei Darstellungen der alt-, mittel- und frühneuhochdeutschen Grammatik sollen die Informationen liefern, die den Bau der jeweiligen Sprachstufe auf allen strukturell relevanten Ebenen beschreiben.
- Die drei Grammatik-Kapitel liefern die Informationen, die zum Verständnis, zur Lektüre und zur Analyse altdeutscher Texte nützlich und notwendig sind. Da die ‚großen' Grammatiken dieser Sprachstufen über die Anforderungen, die man an Lehrbücher stellt, weit hinaus gehen und deshalb über weite Strecken für Studierende unübersichtlich werden, bedarf es eines grammatischen Lehrbuchs, das hiermit vorliegt.
- Die drei Grammatiken sind nicht nur synchrone Beschreibungen des grammatischen Baus, sondern darüber hinaus Darstellungen strukturgeschichtlicher Vorgänge, wodurch der erste Teil des Lehrwerkes ideal ergänzt wird, zumal die Strukturgeschichte in die jeweiligen Grammatiken eingebettet und somit erklärungsmächtig wird. Zudem können Darstellungen einzelner Phänomene durch die drei Kapitel hindurch gelesen werden, etwa – um ein Beispiel anzuführen – die Ablautreihen, wodurch auch in solchen Bereichen Strukturgeschichte(n) offenbar werden.

Nach dem Ableben Helmut Langners hat Rudolf Bentzinger auch die erste Hälfte der Grammatik des Frühneuhochdeutschen als Autor übernommen. Dafür sei ihm gedankt. Dem Andenken Helmut Langners ist auch der zweite Teil der ‚Geschichte der deutschen Sprache' gewidmet.

Potsdam und Würzburg
im Juni 2020

Elisabeth Berner
Norbert Richard Wolf

Vorwort zur 12. Auflage

„Die bewährte Konzeption des Buches als Kombination von Sprachgeschichte und drei Kapiteln der historischen Grammatik bleibt weiterhin das Charakteristikum des Lehrbuchs, das auf diese Weise seinen Platz auch innerhalb der nicht wenigen neuen Darstellungen zur deutschen Sprachgeschichte behalten wird." Mit diesen Worten endete das Vorwort zur 11. Auflage.

Auch wenn die 12. Auflage nun doch anders aussieht, an der Konzeption hat sich nichts geändert. Geändert hat sich allerdings die Erscheinungsweise des Werkes. Die Gründe dafür sehen wir in zwei grundlegenden Umständen:

- Das Germanistik-Studium hat durch die Modularisierung im Gefolge der sog. Bologna-Reform eine völlig neue Struktur erhalten. Ziel ist jetzt der Abschluss des Studiums als Baccalaureus bzw. Bachelor. Dadurch ist auch ein neuer Büchertyp entstanden, der das ‚Bachelorwissen' zusammenfassen und darstellen soll und sich daher häufig auf ‚Basics' beschränkt. In dieser Situation scheint ein umfassendes Werk wie die Schmidt'sche Sprachgeschichte als Studienbuch nicht mehr so notwendig.
- Zudem hat sich ein neues fachliches Paradigma etabliert: Die Sprachgeschichte, die alle wesentlichen Aspekte, vor allem auch der ‚äußeren' Sprachgeschichte oder besonders der kulturellen Aspekte der Sprachentwicklung fokussiert, ist im akademischen Unterricht an vielen Orten durch die ‚historische Linguistik/Sprachwissenschaft' abgelöst worden. Es geht nicht mehr um die Entwicklung, die Geschichte einer Sprache, sondern um sprachliche, besonders um grammatische Kategorien und Funktionen und deren Wandel, meistens dargestellt auf der Basis von ‚universalen' Prinzipien.

Unter diesen Voraussetzungen haben wir uns nach mehreren Gesprächen mit dem Verlag, schweren Herzens, entschlossen, das Werk zu teilen und in zwei Bänden herauszubringen. Das Konzept der Einheit von Sprachgeschichte und historischen Grammatiken bleibt erhalten, was sich schon in der Kapitelzählung manifestiert. Tl. 1 wird, wie das HANS ULRICH SCHMID bei einem Autorentreffen formuliert hat, die Kultur enthalten, Tl. 2 die Struktur. Das heißt auch, dass die ‚interne' Sprachgeschichte sich hauptsächlich in Tl. 2 findet. Nur die Kapitel 1.1, 1.7 und 1.8 – schließlich gibt es keine indogermanische und germanische sowie keine neuhochdeutsche Grammatik in unserem Buch – behandeln auch Probleme der Sprachstruktur im engeren Sinn. Dazu erhält jeder Teil sein Literaturverzeichnis und seine Register.

Zunächst wird Tl. 1 in einer Neuauflage vorgelegt. Die Kapitel 1.1 bis 1.8 wurden überarbeitet, neuere Forschung wurde eingearbeitet. Auch jüngere und jüngste Entwicklungstendenzen des Deutschen werden beschrieben. Allerdings wollen wir nicht mit dem oft zu beobachtenden Trend mitgehen, nur neuere Literatur anzuführen; wir sind vielmehr der Meinung, dass es auch eine unserer wesentlichen Aufgaben ist, das in Erinnerung zu halten, was wir schon wissen (können). Das Rad muss nicht immer neu erfunden werden, und neue Speichen machen doch kein neues Rad aus. Kapitel 0 wurde neu geschrieben.

Am 9. Juni 2020 ist HEINRICH HETTRICH, der in der 11. und in der 12. Auflage für das Kapitel 1.1 ‚Vorgeschichte der deutschen Sprache' verantwortlich war, gestorben. Sein umfassendes Wissen, seine Bereitschaft zu gemeinsamer Arbeit sowie sein Interesse an Sprache und Sprachgeschichte haben unsere Arbeitsatmosphäre und schließlich auch unser Buch entscheidend mitgeprägt. Er wird fehlen und nur schwer zu ersetzen sein.

Aufs Neue weisen wir darauf hin, dass die Schmidt'sche Sprachgeschichte, nicht nur von der 6. Auflage an, ohne HELMUT LANGNER nicht das wäre, was sie geworden ist und was sie ist. HELMUT LANGNERS wissenschaftliches Ethos, sein Fleiß und seine Präzision, schließlich sein feiner Humor und seine Freundschaftlichkeit fehlen uns; sie sollen auch diese Auflage kennzeichnen. HELMUT LANGNER ist am 5. September 2014 gestorben. Die 12. Auflage ‚seiner' Sprachgeschichte sei seinem Andenken gewidmet.

Potsdam und Würzburg
im Juni 2020

ELISABETH BERNER
NORBERT RICHARD WOLF

Inhaltsverzeichnis*

Inhaltsverzeichnis Teil 2

* Um die Übersichtlichkeit des Inhaltsverzeichnisses zu wahren, sind die Abschnitte unterster Ordnung (also diejenigen mit fünf Stellen innerhalb der dekadischen Gliederung des Buches) ausgespart worden.

Inhaltsverzeichnis Teil 1

Verzeichnis der Abbildungen und Karten

Teil 2

Teil 1

Tafelanhang

Online verfügbar unter: http://hirzel-extras.de/2775

Abkürzungsverzeichnis

Sprachwissenschaftliche Termini

abg.	altbulgarisch
Adj.	Adjektiv
Adv.	Adverb
afr.	altfranzösisch
ags.	angelsächsisch
ahd.	althochdeutsch
aind.	altindisch
air.	altirisch
Akk.	Akkusativ
Akt.	Aktiv
alem.	alemannisch
and.	altniederdeutsch
anfränk.	altniederfränkisch
anglofries.	anglofriesisch
anord.	altnordisch
aobd.	altoberdeutsch
as.	altsächsisch
awest.	awestisch
bair.	bairisch
balt.	baltisch
best.	bestimmt
dän.	dänisch
Dat.	Dativ
Dekl.	Deklination
Demonstr.-	Demonstrativ-
dt.	deutsch
els.	elsässisch
engl.	englisch
etym.	etymologisch
fem.	feminin
Fem.	Femininum
finn.	finnisch
flekt.	flektiert
fränk.	fränkisch
fries.	friesisch
frmhd.	frühmittelhochdeutsch
frnhd.	frühneuhochdeutsch
frz.	französisch
Fut.	Futur
Gen.	Genitiv
germ.	germanisch
got.	gotisch
gr.	griechisch
gramm.	grammatisch
hd.	hochdeutsch
hess.	hessisch
Hs(s).	Handschrift(en)
ide.	indoeuropäisch
idg.	indogermanisch
Imp.	Imperativ
imperf.	imperfektiv
Imperf.	Imperfekt
ind.	indisch
Ind.	Indikativ
Inf.	Infinitiv
Instr.	Instrumental
Interrog.-	Interrogativ-
intr.	intransitiv
ir.	irisch
isl.	isländisch
it.	italienisch
Kas.	Kasus
kelt.	keltisch
Kom.	Komparativ
Konj.	Konjunktiv
Konjug.	Konjugation

Kons.	Konsonant
kontrah.	kontrahiert
lat.	lateinisch
lett.	lettisch
lit.	litauisch
Lok.	Lokativ
Ma(a).	Mundart(en)
mask.	maskulin
Mask.	Maskulinum
md.	mitteldeutsch
mhd.	mittelhochdeutsch
mlat.	mittellateinisch
mnd.	mittelniederdeutsch
nd.	niederdeutsch
ndfränk.	niederfränkisch
ne.	neuenglisch
neutr.	neutral
Neutr.	Neutrum
nhd.	neuhochdeutsch
nl.	niederländisch
nnd.	neuniederdeutsch
nnl.	neuniederländisch
Nom.	Nominativ
nord.	nordisch
nordgerm.	nordgermanisch
obd.	oberdeutsch
obfränk.	oberfränkisch
obl.	obliquus
obsächs.	obersächsisch
omd.	ostmitteldeutsch
oobd.	ostoberdeutsch
ostfränk.	ostfränkisch
ostgerm.	ostgermanisch
P.	Person
Part.	Partizip
Pass.	Passiv
perf.	perfektiv
Perf.	Perfekt
Pl.	Plural
Plusqu.	Plusquamperfekt
portug.	portugiesisch
Pos.	Positiv
Poss.-	Possessiv-
Präp.	Präposition
Präs.	Präsens
Prät.	Präteritum
Prät.-Präs.	Präterito-Präsens
Pron.	Pronomen
provenz.	provenzalisch
Redupl.	Reduplikation
redupl.	reduplizierend
refl.	reflexiv
rheinfränk.	rheinfränkisch
rip.	ripuarisch
roman.	romanisch
russ.	russisch
sächs.	sächsisch
schles.	schlesisch
schwäb.	schwäbisch
schwed.	schwedisch
Sg./Sgl.	Singular
slaw.	slawisch
span.	spanisch
st.	stark flektierend
sth.	stimmhaft
stl.	stimmlos
Subst.	Substantiv
Superl.	Superlativ
sw.	schwach flektierend
thür.	thüringisch
toch.	tocharisch
trans.	transitiv
Ugspr.	Umgangssprache
ugsprl.	umgangssprachlich
unbest.	unbestimmt
urgerm.	urgermanisch
uride.	urindoeuropäisch
urnord.	urnordisch
Vok.	Vokativ
vorahd.	voralthochdeutsch
vorgerm.	vorgermanisch
Wb.	Wörterbuch
westgerm.	westgermanisch
wmd.	westmitteldeutsch
Wz.	Wurzel
*	erschlossene Form
<	entstanden aus
>	geworden aus

Quellen

Althochdeutsche Literatur

FT	Fränkisches Taufgelöbnis	
HL	Hildebrandlied	
LL	Ludwigslied	
LS	Lex Salica	
MZ	Merseburger Zaubersprüche	
N	Notker	
O	Otfried	
P	Physiologus	
T	Tatian	
WS	Wessobrunner Schöpfungsgedicht	

Mittelhochdeutsche Literatur

GO	Gottfried von Straßburg	
H	Hartmann von Aue	
HE	Wernher der Gartenære, Helmbrecht	
MF	Minnesangs Frühling	
MR	Mainzer Reichslandfrieden	
NL	Nibelungenlied	
WA	Walther von der Vogelweide	

Frühneuhochdeutsche Literatur

Literatur des 14./15. Jh.

B	5. Bibel. Etwa 1476– 1478 von Frisner/Sensenschmidt gedruckt	obd.
BE	Berliner Evangelistar und andere von G. Feudel untersuchte omd. Texte	omd.
BM	Beichte des Cunrad Merbot von Weida	omd.
C	C. Hätzlerin	schwäb.
DS	D. Schilling	alem.
E	A. v. Eyb	obd.
K	Religiöse Lieder des 14./15. Jh.	
KW	Urkundensprache der Kanzlei Wenzels	omd.
MB	Mentel-Bibel (1466)	obd.
R	J. Rothe	omd.
SB	Schwabenspiegel	omd./nd.
SW	H. Steinhöwel	schwäb.
UK	Urkundensprache der Kanzlei Karls IV.	omd.
UW	Urkundensprache der Vögte von Weida, Gera und Plauen	omd.
W	N. v. Wyle	alem.

Literatur des 16. Jh.

A	J. Turmair (Aventinus)	bair.
AG	J. Agricola	omd.
BR	S. Brant	els.
BT	B. Pirstinger	bair.
F	J. Fischart	els.
FR	F. Frangk	omd.
G	Geiler von Kaiserberg	alem.
HG	A. Hugen	obd.
HU	U. v. Hutten	obd.
KK	Kursächs. Kanzleisprache	omd.
L	M. Luther	omd.
OE	A. Oelinger	els.
P	M. Pfinzing	obd.
S	H. Sachs	obd.
SN	J. Sleidan	wmd.
TH	Theuerdank	obd.
TS	G. Tschudi	alem.
ZA	Zwölf Artikel	obd.
ZB	Züricher Bibel von 1571	alem.

Literatur des 17. Jh.

AS	Abraham a S. Clara	obd.
D	S. Dach	omd.
FL	P. Fleming	omd.
KR	Kromayer	omd.
LO	D. C. v. Lohenstein	omd.
OP	M. Opitz	omd.
SL	J. Schottelius	omd.
ST	M. Schultes	obd.
Z	Ph. v. Zesen	omd.

2 Althochdeutsch

2.1 Einleitung

2.1.1 Zeitliche Einordnung

Das Althochdeutsche ist die älteste schriftlich bezeugte Entwicklungsphase des Deutschen. Das Deutsche hat sich aus den Dialekten germanischer Großstämme in einem langwierigen Umbildungsprozess herausgebildet. Durch sprachlichen Ausgleich ist es allmählich zu einer Einheit zusammengewachsen. Eine entscheidende Voraussetzung für diesen Prozess war der politische Zusammenschluss der germanischen Großstämme der Franken, Alemannen, Baiern, Thüringer und Sachsen zunächst unter fränkischer Hegemonie und dann im deutschen Reich. Nachdem unter Ludwig dem Deutschen im 9. Jh. das karolingische Ostreich entstanden war, vollzog sich die endgültige Trennung der deutschen Reichsteile von den romanischen. Großen Einfluss auf die Entwicklung der deutschen Sprache übte auch die Ausbreitung des Christentums aus.

Die Entstehung des Frankenreiches ist eine wesentliche geschichtliche Voraussetzung und die deutlich spürbare Auswirkung der Zweiten Lautverschiebung ist die zentrale sprachliche Erscheinung für den Übergang der germanischen Stammessprachen zum Deutschen. Damit steht fest, dass die Anfänge des Deutschen in der Zeit nach 500 n. Chr. entstanden sind. Bis um die Mitte des 8. Jh. fehlen schriftliche Zeugnisse jedoch weitgehend (vgl. 1.2.2). Eines der ganz wenigen einigermaßen datierbaren Sprachzeugnisse ist die um 600 entstandene Wurmlinger Lanzenspitze mit dem in Runen eingravierten Namen *Dorih*. Ob die *h*-Rune am Wortende allerdings tatsächlich als Beweis für die Lautverschiebung anzusehen ist, ist jedoch unsicher (DÜWEL 2008, 62). Die literarische Überlieferung des Althochdeutschen setzt – wenn auch noch sehr sporadisch – um 750 ein. Im Laufe des 11. Jh. vollzieht sich infolge der aus dem Germanischen ererbten Stammsilbenbetonung die durchgreifende Abschwächung der unbetonten Nebensilbenvokale zum Murmelvokal ə („Schwa-Laut"). Dieser Prozess markiert den allmählichen Übergang vom Alt- zum Mittelhochdeutschen.

Da die Schreibsprache des Frühmittelalters das Lateinische war und Lesen und Schreiben in den kirchlichen Zentren ausschließlich am Lateinischen gelehrt und gelernt wurde, versuchte man die lateinische Schrift auch für gelegentliche Aufzeichnungen in der Volkssprache zu verwenden. Es ist nicht übertrieben, wenn man mit Blick auf die Proportionen des Überlieferten sagt, dass die althochdeutsche Schriftlichkeit ein sehr kleines Nebenprodukt der lateinischen ist. Dennoch war die erste Verschriftung volkssprachlicher Texte eine Leistung von nicht zu überschätzender kulturhistorischer Bedeutung. Denn erst über das Schriftmedium konnte sich in einem Jahrhunderte andauernden Prozess aus den alten Stammesdialekten die deutsche Literatursprache entwickeln.

2.1.2 Räumliche Gliederung

Die Grenze des althochdeutschen Sprachgebietes nach Norden zum Altniederdeutschen hin wird durch Erscheinungen der Zweiten Lautverschiebung bestimmt. Diese Grenze bildete sich im 6. und 7. Jh. heraus. Die ältesten Stufen der fränkischen (Mittelfränkisch, Rheinfränkisch, Südrheinfränkisch, Ostfränkisch) und der oberdeutschen Mundarten (Alemannisch, Bairisch) treten schon in althochdeutscher Zeit mit charakteristischen Merkmalen hervor (BRAUNE 2018, 7–12). Thüringische Texte aus althochdeutscher Zeit sind nicht überliefert.

Auch das Langobardische in Oberitalien hat an der Althochdeutschen Lautverschiebung teilgenommen. Es ist aber bereits im 9. Jh. infolge ethnischer Assimilation der Sprecher an die romanische Umgebung untergegangen. Langobardische Texte sind nicht überliefert. Die Rekonstruktion dieses Dialekts muss sich vor allem auf das Namenmaterial und Einzelwörter in lateinischen Texten stützen (AUSENDA 2009).

2.2 Schriftgeschichte

Die Aufzeichnung althochdeutscher Texte erfolgte in karolingischer Minuskel, einer Schrift, die sich im 8. Jh. auf der Grundlage älterer Typen herausgebildet hatte (SCHNEIDER 1999, 19–25) und die (in Varianten) auf dem westeuropäischen Kontinent gebräuchlich war (vgl. Abb. 4 und 5). Einige Texte, beispielsweise die „Baseler Rezepte“ (um 800), sind in insularer Minuskel geschrieben. Auf insulare Einflüsse sind auch vereinzelte Graphien in Texten zurückzuführen, die sonst in karolingischer Minuskel geschrieben sind, so die *p*-ähnliche *w*-Rune im „Hildebrandslied“ (Abb. 4, z. B. vorletzte Zeile: *was her* ‘war er’ und *ni waniu ih* ‘nicht glaube ich’) und die Schreibungen *đ* und *ƀ* im „Heliand“ für einen dentalen bzw. labiovelaren Frikativ. Die Graphie *đ* kommt vereinzelt auch im althochdeutschen „Tatian“ vor (zu ganz sporadischen Verwendungen der Runenschrift in ahd. Glossen vgl. NIEVERGELT 2009).

Da es kein auf das deutsche Phonemsystem zugeschnittenes Alphabet gab, sondern mit dem lateinischen ein fremdes adaptiert wurde, musste es zwangsläufig zu Problemen bei der Umsetzung von Lauten in Schriftzeichen kommen. Eine feste Phonem-Graphem-Beziehung hat sich erst in einem langen Prozess entwickelt. Deshalb gibt es im Althochdeutschen teilweise erhebliche Abweichungen und Schwankungen in der Schreibung. Diese werden durch Dialektunterschiede noch verstärkt. Aus diesen Gründen ist der phonetische und phonematische Wert der einzelnen Schriftzeichen sehr schwer zu bestimmen. Teilweise wurden – wie später auch – in der Schreibung ältere Formen länger bewahrt als in der gesprochenen Sprache. Unterschiede zwischen geschriebener und gesprochener Sprache entstanden auch durch das in vielen Skriptorien nachweisbare Bemühen, verhältnismäßig einheitliche Schreibformen zu verwenden (BRAUNE 2018, 23–30; GREEN 2001).

2.2.1 Vokale

Im althochdeutschen Vokalismus muss zwischen den Vokalen der Stammsilben und denen der Nebensilben unterschieden werden, weil sich beide unterschiedlich entwickeln. Die Vokale der Nebensilben neigen infolge ihrer Unbetontheit leichter zum Verfall, zur Reduzierung und zum Schwund und verändern sich stärker und schneller. Das wird deutlich, wenn man eine Vaterunserversion des 8. Jahrhunderts (aus St. Gallen) mit einer mittelhochdeutschen Version des 12. Jahrhunderts vergleicht:

	Althochdeutsch	Mittelhochdeutsch
1	*Fater unseer, thû pist in himile*	*uater unser, du bist in den himelen*
2	*uuîhi namun dînan*	*geheilegot werde din name*
3	*qheme rîhhi dîn*	*zǒ chome uns din riche*
4	*uuerde uuillo diin*	*din wille werde eruollet*
5	*sô in himile sôsa in erdu*	*hie nerde als da ze himele*
6	*prooth unseer emezzihic kip uns hiutu*	*Gib uns, herre, unser tagelich brôt*
7	*oblâz uns sculdi unseero*	*unde uergib uns unsere sculde*
8	*sô uuir oblâzêm uns sculdikêm*	*als uuir uergeben unseren scolaren*
9	*enti ni unsih firleiti in khorunka*	*La uns niht uerleitet werden, herre, in die bechorunge des ewigen todes*
10	*ûzzer lôsi unsih fona ubile*	*sunder du erlose uns, herre, uon alleme ubele*

Einige Wortentsprechungen zeigen deutlich den phonetischen „Erosionsprozess“: *unseer/unser* und *himile/himelen* (1), *rîhhi/riche* (3), *uuillo/wille* (4), *erdu/nerde* (5 – das *n* ist Relikt der Präposition *in*), *sculdi/sculde* und *unseero/unsere* (7), *khorunka/bechorunge* (9), *lôsi/erlose*, *fona/uon* und *ubile/ubele* (10).

Im Folgenden wird vor allem der Vokalismus der Stammsilben behandelt.

Kürze und Länge der betonten Vokale werden in den Handschriften meistens nicht graphisch unterschieden. Längenkennzeichnungen durch Zirkumflex (ˆ) oder Akut (´) werden in alt- und mittelhochdeutschen Handschriften zwar da und dort verwendet, ebenso Doppelschreibungen (vgl. *unseer* und *unseero* im zitierten althochdeutschen Vaterunser), sie sind aber die Ausnahme und kommen nur bei besonders sorgfältigen Schreibern vor. Sie sind für die Feststellung von Vokallänge und -kürze natürlich von großer Bedeutung. Auch der Vergleich mit den nächstverwandten germanischen Sprachen, z. B. dem Gotischen, kann aufschlussreich sein.

Das Althochdeutsche kennt folgende Kurzvokale: *a, ë, e, i, o, u*. Dass es zwei phonetisch ungleiche kurze *e*-Laute gab, ist dadurch bedingt, dass neben einen alten, schon aus dem Germanischen (teilweise aus dem Indogermanischen) ererbten *e*-Laut ein „neues“ *e* trat, das durch Umlaut des kurzen *a* vor *i, î* und *j* der Folgesilbe entstanden ist (vgl. 2.3.2.3). Zur Unterscheidung wird hier das „alte“ *e* in Übereinstimmung z. B. mit der Althochdeutschen Grammatik (BRAUNE 2018) als *ë* notiert. Das Umlaut-*e* bleibt im Folgenden ohne diakritischen Zusatz (gelegentlich wird dafür auch unterpungiertes *ę* verwendet). In den althochdeutschen Handschriften wird allerdings kaum eine solche Unterscheidung gemacht. Nur sehr selten begegnen Schreibungen wie *ę* oder *ae* für das Umlaut-*e*. Der Lautwert des *ë* muss offener gewesen sein, der des Umlaut-*e* geschlossener.

Althochdeutsche Langvokale, die nachfolgend (außer in Textzitaten, die in originaler Schreibweise erfolgen) stets durch Zirkumflex gekennzeichnet werden, sind *â, ê, î, ô, û*.

Die althochdeutschen Diphthonge wurden (anders als nhd. *ei, eu* und *au*) noch separat wie zwei einzelne Vokale ausgesprochen. Innerhalb des Althochdeutschen entwickelten sich *ai* > *ei*, *au* > *ou*, *eo* > *io* > *ie*. In der althochdeutschen Diphthongierung entwickelten sich germ. *$\hat{e}_2$ > *ia* > *ie* und germ. **ô* > *uo*. Durch Umlaut von *eo* (vor *i* und *u*) entstand *iu*.

2.2.2 Konsonanten und Halbvokale

Die Konsonanten des Althochdeutschen nach der Zweiten Lautverschiebung und die Halbvokale werden unter Einbeziehung häufiger Schreibvarianten (in Klammern) durch folgende Zeichen wiedergegeben (Braune 2018, 229–241):

Halbvokale	*w* (*uu*, *vv*)		*i* (*j*)
Liquiden	*l*	*r*	
Nasale	*m*	*n*	
stl. Explosivlaute	*p*	*t*	*k* (*c*)
sth. Explosivlaute	*b*	*d*	*g*
stl. Frikativlaute	*f* (*ff*, *u*, *v*)	*ʒʒ* (*ʒ*), *s*	*ch* (*h*, *hh*)
sth. Frikativlaute	*w* (*u*, *uu*)	*th* (*dh*)	*j* (*i*)
Hauchlaut			*h*
Affrikaten	*pf* (*ph*)	*tʒ* (*z*, *zz*)	*kch* (*kh*, *ch*, *cch*)

Das *w* wurde bilabial ausgesprochen, also ähnlich wie heute engl. *water*, das *th* im älteren Althochdeutschen wie engl. *th* in *thunder*. Es entwickelte sich im Laufe des 9. Jh. zu *d*.

Die Schreibung der Konsonanten ist in den althochdeutschen Texten noch uneinheitlicher als die der Vokale. Die Übersicht führt nur die häufigsten Varianten an.

Für germ. **f* (also nicht *f* < **p* der Zweiten Lautverschiebung) wird im Althochdeutschen gelegentlich *u* geschrieben, und zwar meist im Inlaut, seltener im Anlaut, nie aber im Auslaut. In den normalisierten Texten (in Grammatiken und Textausgaben) steht dafür *v*. Das aus germ. **p* entstandene *f*/*ff* dagegen wird nie als *u* wiedergegeben, sondern immer durch *f* oder *ff*.

Während das stimmhafte germ. **s* im Althochdeutschen beibehalten und auch weiter als *s* geschrieben wird, erhält der aus germ. **t* entstandene dentale Frikativ das Zeichen *ʒ*/*ʒʒ*. Die (allerdings nicht bei allen Schreibern systematisch durchgehaltene) Tendenz ist einfaches *ʒ* im Auslaut, nach Langvokalen und Diphthongen, *ʒʒ* im Inlaut nach Kurzvokal, also *daʒ* ‘das’ (Auslaut), *ûʒan* ‘außen’ (Inlaut nach Langvokal), *lieʒun* ‘ließen’ (Inlaut nach Diphthong), aber *waʒʒar* (Inlaut nach Kurzvokal).

In der Aussprache waren *ʒ* und *s* geschieden. Erst im 13. Jh. trat Vermischung bzw. Zusammenfall beider Laute ein. In Grammatiken und Textausgaben wird für den stimmlosen Frikativlaut oft das Zeichen *ʒ* bzw. *ʒʒ* verwendet, um ihn deutlich von der Affrikata *z* (= [*tʒ*]) zu unterscheiden.

Das germ. **h* ist im Inlaut vor Konsonanten und im Auslaut stimmloser Frikativlaut (*ach*-Laut) geblieben. Das Wort ahd. *naht* ‘Nacht’ ist folglich nicht wie nhd. *Naht* auszusprechen, sondern wie *Nacht*. Im Anlaut (z. B. *habên* ‘haben’) und im Inlaut zwischen Vokalen (z. B. *lîhan* ‘leihen’) ist es dagegen zum Hauchlaut geworden. Orthographisch werden beide Laute häufig durch ein und dasselbe Zeichen (*h*) wiedergegeben. In der Aussprache müssen sie aber je nach der Stellung im Wort deutlich voneinander unterschieden werden.

Der stimmhafte Frikativlaut *th* erscheint oft auch als *dh*, seltener als *d*, vereinzelt auch als *đ*. Außerdem gibt es im Althochdeutschen noch eine Reihe von Doppelkonsonanten (Geminaten).

Obwohl in den verschiedenen Skriptorien kein einheitliches Althochdeutsch geschrieben wurde, verstand man, was anderswo aufgezeichnet wurde. Ein Beispiel ist die einzige erhaltene Handschrift des „Tatian“, die auf St. Galler Bestellung in Fulda angefertigt worden ist, und zwar (wenn auch mit Varianten im Detail) in dem für Fulda typischen ostfränkischen Schriftdialekt. Dann wurde sie nach St. Gallen verbracht, der dortigen Bibliothek einverleibt und, wie Gebrauchsspuren zeigen, dort auch benützt.

Ein Vergleich zwischen Übersetzungen des „Vaterunser“ aus dem alemannischen, bairischen, rheinfränkischen und dem ostfränkischen Sprachraum zeigt vom Schriftbild her zwar Varianten, die aber das Verständnis des Textes kaum beeinträchtigt haben dürften (Texte aus BRAUNE 1994, 11, 34, 56, 73):

I (St. Gallen, 8. Jh.) *Fater unseer, thu pist inhimile, uuihi namun dinan, qhueme rihhi din,*
II (Freising, 9. Jh.) *Fater unsêr, dû pist in himilum. Kauuîhit sî namo dîn. Piqhueme rîhhi dîn.*
III (Weißenburg 9. Jh.) *Fater unsêr, thu in himilom bist, giuuîhit sî namo thîn, quaeme rîchi thîn,*
IV (Fulda 9. Jh.) *Fater unser, thû thâr bist in himile, sî giheilagôt thîn namo, queme thîn rîhhi*
V (Notker, um 1000) *Fater unser dû in himile bist. Dîn namo uuerdo geheîligot. Dîn rîche chome.*

I *uuerde uuillo din, so in himile sosa in erdu.*
II *Uuesa dîn uuillo, sama sô in himile est, sama in erdu.*
III *uuerdhe uuilleo thîn, sama sô in himile endi in erthu.*
IV *sî thîn uuillo sô her in himile ist, sô sî her in erdu,*
V *Dîn uuillo gescéhe in erdo fone menniscon, also in himile fone angelis.*

I *prooth unseer emeʒʒihic kip uns hiutu,*
II *Pilipi unsraʒ emi ʒʒîgaʒ kip uns eogauuanna.*
III *Broot unseraʒ emeʒʒîgaʒ gib uns hiutu,*
IV *unsar brôt tagalîhhaʒ gib uns hiutu,*
V *Unser tágelicha brôt kib uns hiûto.*

I *oblaʒ uns sculdi unseero, so uuir oblaʒem uns sculdikem,*
II *Enti flâʒ uns unsro sculdi, samo sô uuir flâʒʒamês unsrêm scolôm.*
III *endi farlâʒ uns sculdhi unsero, sama sô uuir farlâʒʒem scolôm unserêm,*
IV *inti furlâʒ uns unsara sculdi, sô uuir furlâʒemês unsarên sculdîgôn,*
V *Unde únsere sculde belâʒ uns, also ouh uuir belaʒen unseren sculdigen.*

I *enti ni unsih firleiti in khorunka,*
II *Enti ni princ unsih in chorunka*
III *endi ni gileidi unsih in costunga.*
IV *inti ni gileitêst unsih in costunga.*
V *Unde in chorunga ne leîtest dû únsih.*

I *uʒʒer losi unsih fona ubile.*
II *Uʒʒan kaneri unsih fona allem suntôn.*
III *auh arlôsi unsih fona ubile.*
IV *ûʒouh arlôsi unsih fon ubile.*
V *Nube lôse unsih fóne ubele.*

2.3 Lautlehre

2.3.1 Phonembestand (9. Jahrhundert, ostfränkisch)

2.3.1.1 Vokalische Phoneme

Kurze Vokale				
	vorn	neutral	hinten	Beispiele
hoch	*i*		*u*	*rinnan* 'rinnen', *sun* 'Sohn'
mittel	*ë e*		*o*	*nëman* 'nehmen', *gesti* 'Gäste', *korn* 'Korn'
tief		*a*		*gast* 'Gast'
Lange Vokale				
hoch	*i:*		*u:*	*zît* 'Zeit', *hûs* 'Haus'
mittel	*e:*		*o:*	*lêra* 'Lehre', *nôt* 'Not'
tief		*a:*		*tât* 'Tat'
Diphthonge				
hoch	*ie*		*uo*	*mieta* 'Miete, Lohn', *guot* 'gut'
	io			*biotan* 'bieten'
	iu			*hiutu* 'heute'
mittel	*ei*		*ou*	*bein* 'Knochen', *boum* 'Baum'

Die Diphthonge sind nach dem ersten Bestandteil eingeordnet. Dieses als „normalalthochdeutsch" bezeichnete Vokalsystem ist das Ergebnis mehrerer Lautwandlungen. Im Alemannischen sind *oa* und *ua* älter als *uo*, ebenso *ea* und *ia* älter als *ie*. Im Laufe der althochdeutschen Periode bis zum Übergang ins Mittelhochdeutsche treten weitere Veränderungen ein: Sekundärumlaut, Phonemisierung der Umlautallophone (SCHMID 2017, 65–70), Übergang *iu* > *ü:*, *ia* und *io* > *ie*, Nebensilbenabschwächung.

2.3.1.2 Konsonantische Phoneme

	Artikulationsstelle				
Artikulationsart	labial	dental	guttural		glottal
			palatal	velar	
Explosive					
Fortes (stl)	*p*	*t*		*k*	
Lenes (sth.)	*b*	*d*		*g*	
Frikative					
Fortes (stl.)	*f*	*ʒ*	*s*	*χ*	
Lenes (sth.)			*j*		
Affrikaten	*pf*	*tʒ*		*kχ*	
Nasale	*m*	*n*			
Liquiden		*lr*			
Hauchlaut					*h*

Neben den in der Übersicht aufgeführten einfachen Konsonanten sind für das Althochdeutsche auch Doppelkonsonanten (Geminaten) typisch, die vor allem aus der westgermanischen Gemination (vgl. 2.3.3.4) und der Zweiten Lautverschiebung (vgl. 2.3.3.1) resultieren. Sie besitzen z. T. Phonemwert, z. B. /*f*/ wie in *ofan* 'Ofen' gegenüber /*ff*/ in *offan* 'offen'. Für diese Opposition kurzer und langer Konsonanten gibt es im Neuhochdeutschen keine Entsprechung (BRAUNE 2018, 132–139).

Die Affrikaten *pf* und *tʒ* sind durch die Zweite Lautverschiebung entstanden. Sie stellen eine charakteristische Neuerung gegenüber dem Altniederdeutschen und den übrigen germanischen Sprachen dar. Im Bairischen und Alemannischen tritt neben *pf* und *tʒ* auch die Affrikata *kχ* auf.

Im Alt- und Mittelhochdeutschen hatten *s* < germ. **s* und *ʒ* < germ. **t* Phonemstatus, d. h. ahd./mhd. *was* 'war' und ahd./mhd. *waʒ* 'was' bildeten beispielsweise ein Minimalpaar. Der Zusammenfall beider *s*-Laute ist erst für das Spätmittelhochdeutsche anzunehmen. Die Verschriftung französischer Lehnwörter im Mittelhochdeutschen und mittelhochdeutscher Lehnwörter in slawischen Kontaktsprachen deutet darauf hin, dass *s* palatal (ähnlich dem Anlautkonsonanten in nhd. *Genie*) ausgesprochen wurde (PAUL 2007, 170).

2.3.2 Vokalismus

2.3.2.1 Ablaut

Der Terminus Ablaut wurde von JACOB GRIMM geprägt. Er bezeichnet den regelmäßigen Wechsel bestimmter Vokale in etymologisch zusammengehörigen Wörtern oder Wortformen, der durch die indogermanischen Akzentverhältnisse bedingt ist. Der Ablaut ist folglich aus dem Indogermanischen ererbt. Zwei Arten des Ablauts sind zu unterscheiden (MEIER-BRÜGGER 2010, 145–153):

1. der quantitative Ablaut oder die Abstufung, bei der sich die Quantität des jeweiligen Vokals verändert, und
2. der qualitative Ablaut oder die Abtönung, bei der die Qualität des entsprechenden Vokals wechselt.

Die Abtönung wurde wahrscheinlich durch einen „musikalischen“, die Abstufung dagegen durch einen „dynamischen“ Akzent verursacht. Beide müssen sich zu verschiedenen Zeiten entwickelt haben.

Der quantitative Ablaut umfasste ursprünglich drei Stufen:

a) die Grundstufe (auch „Voll-“, „Normal-“ oder „Hochstufe“),
b) die Dehnstufe,
c) die Schwundstufe (auch „Nullstufe“).

Durch den qualitativen Ablaut entstanden verschiedene Vokalqualitäten in akzenttragenden Silben, so dass zwischen einer ersten und einer zweiten („abgetönten“) Grundstufe unterschieden werden muss. Das Ergebnis des qualitativen Ablauts ist z. B. der idg. *e*/*o*-Ablaut (> germ. *e*/*a*-Ablaut).

Auf der Basis dieses quantitativen und qualitativen Lautwechsels entstanden bestimmte Ablautreihen, die vor allem bei der Flexion der starken Verben eine entscheidende Rolle spielen, aber auch für die Wortbildung von Bedeutung sind (vgl. *trinken*, *Trank*, *Trunk*).

Der Ablaut ist in den germanischen Sprachen gut erhalten und teilweise noch weiter ausgebaut worden. Im Althochdeutschen sind im Wesentlichen sechs Ablautreihen zu unterscheiden. Die Ablautverhältnisse der althochdeutschen starken Verben beruhen bei den Reihen 1–5 auf dem idg. *e*/*o*-Wechsel, der im Germanischen zu einem *e*/*a*-Wechsel geworden ist. Innerhalb dieser Reihen wirkt sich zusätzlich der quantitative Ablaut aus:

idg. *ei – i*	ahd. *î – i*	*snîdan – snitum – gisnitan* 'schneiden – (wir) schnitten – geschnitten'
eu – u	*iu (io) – u (o)*	*liogam – lugum – gilogan* 'lügen – (wir) logen – gelogen'
e – ê	*ë – â*	*bëran – bârum* 'tragen – (wir) trugen'
e – ə	*ë – ë*	*trëtan – gitrëtan* 'treten – getreten'
e – –	*ë – u (o)*	*wërfan – wurfum – giworfan* 'werfen – (wir) warfen – geworfen'

Beispiele für qualitativen Ablaut im Verbalsystem:

idg. *ei – oi*	ahd. *î – ei*	*snîdan – sneid* 'schneiden – schnitt'
eu – ou	*io (iu) – ou*	*liogan (liugu) – loug* 'lügen (ich lüge) – log'
ë – o	*ë – a*	*bëran – bar* 'tragen – trug'

Die 6. Ablautreihe basiert zwar ebenfalls auf dem idg. *e/o*-Wechsel, doch ist es aufgrund besonderer Entwicklungen im Germanischen zu einem *a/ô*-Wechsel (> ahd. *a/uo*) gekommen (MEIER-BRÜGGER 2010, 150).

In einer weiteren Reihe – meistens als 7. Ablautreihe bezeichnet – sind Verben zusammengefasst, die im Gotischen den Stamm des finiten Präteritums durch Reduplikation (Verdoppelung des Konsonanten des Stammanlauts) oder durch Reduplikation plus Ablaut bildeten: *háitan – haíháit* 'heißen – hieß', *letan – laílot* 'lassen – ließ' (weil im Gotischen für den Diphthong *ai* ebenso wie für kurzes *e* die Schreibung *ai* galt, gilt in Grammatiken die Konvention, dass *ái* den Diphthong bezeichnet, *aí* den Kurzvokal). Einiges spricht dafür, dass die Reduplikation auf einer frühen Stufe nicht nur bei Verben der 7. Klasse vorhanden war, sondern zur Formenbildung auch bei anderen Verben gegeben war. Sie ist jedoch, weil der Ablaut alleine zur Kennzeichnung der Tempusstufe ausreichte, als redundant aufgegeben worden. In der ursprünglich ablautlosen 7. Klasse wurde sie noch länger fortgeführt.

Die verschiedenen Stufen des Ablauts verteilen sich folgendermaßen auf die Flexionsformen der ahd. Verben:

Inf. und Präs.:	1. Grundstufe
1. u. 3. Sgl. Prät.:	2. („abgetönte") Grundstufe (1. bis 5. Ablautreihe)
2. Sgl. Prät.; Pl. Prät.:	Schwundstufe (1. bis 3. Ablautreihe) oder Dehnstufe (4. bis 6. Ablautreihe)
Part. Prät.:	Schwundstufe (1. bis 4. Ablautreihe) oder wie 1. Grundstufe (5. und 6. Ablautreihe)

2.3.2.2 Kombinatorischer Lautwandel: Alternanz

Bei den hier zu beschreibenden Hebungs- und Senkungsvorgängen handelt es sich jeweils um Veränderungen der Stammsilbenvokale unter dem Einfluss der Vokale der nachfolgenden Silben, also um regressive Assimilation, die wohl durch den germanischen Anfangsakzent beeinflusst wurde (BRAUNE 2018, 82–86).

ë* zu *i

Die „Hebung" *ë* > *i* ist im Germanischen sehr früh bezeugt (BRAUNE 2018, 48–51). Das Gotische hat germ. *ë* generell zu *i* umgewandelt (z. B. got. *niman* und *giban* gegenüber ahd. *nëman* und *gëban*). Das Westgermanische hat diese Veränderung jedoch nur unter bestimmten Bedingungen durchgeführt, und zwar in folgenden Fällen:

vor Nasal + Konsonant:

idg.	**bhend-*	ahd.	*bintan*	'binden'
lat.	*ventus*		*wint*	'Wind'
lat.	*census*		*zins*	'Zins' (Lehnwort)

vor einem *i* oder *j* in der Folgesilbe:

ahd.	*bërg – gibirgi*	'Berg – Gebirge'
	ërda – irdisk	'Erde – irdisch'
	gëban – gibit, dazu auch *gift* < **gifti*	'geben – gibt', 'Gabe, Gift'

vor einem *u* der Folgesilbe:

idg.	**sedhus*	ahd.	*situ*	'Sitte'
lat.	*securus*		*sichur*	'sicher'
ags.	*felo*		*filu*	'viel'
ahd.	*gëban*		*gibu*	'(ich) gebe'

Die Hebung des *ë* zu *i* erfolgte ausnahmslos vor Nasal + Konsonant und vor *i* oder *j* der Folgesilbe, dagegen nur teilweise vor *u*. Wenn in der Folgesilbe *a*, *e* oder *o* stand, blieb das *ë* erhalten, z. B. in *ërda* 'Erde', *hërza* 'Herz', *ih gëbe, du gëbest* 'ich gebe, du gebest' (Konj.); *gëbo* 'Geber', *hëlfo* 'Helfer'.

_i_ zu _ë_

Bereits in vorliterarischer Zeit wurde das *i* > *ë*, wenn in der Folgesilbe ein *a*, *e* oder *o* standen (Braune 2018, 51–53):

as.	*wika*	ahd.	*wëhha*	'Woche'
lat.	*bicarium*		*bëhhâri*	'Becher' (Lehnwort)
lat.	*pix* (*Gen. picis*)		*pë(c)h*	'Pech' (Lehnwort)

Diese „Senkung" *i* > *ë* vollzog sich aber nicht regelmäßig. So haben z. B. alle Part. Prät. der 1. Ablautreihe das *i* erhalten, obwohl in der Folgesilbe *a* stand. Deshalb heißt es ahd. *gigriffan* 'gegriffen', *giritan* 'geritten' usw.

_u_ zu _o_

Das *u* wird zu *o* gesenkt vor *a*, *e*, *o* der Folgesilbe:

idg.	**jugom*	>	ahd.	*joch*	'Joch'
germ.	**gulþa*	>		*gold*	'Gold'
ahd.	*tugun*	aber:		*tohta*	'taugen, taugte'
ahd.	*hulfun*	aber:		*giholfan*	'helfen, geholfen'

Entwicklung von germ. _eu_

Die Veränderung germ. *eu* > ahd. *eo* > *io* steht im Zusammenhang mit der Senkung *u* > *o*. Während der erste Teil des Diphthongs (*e*) erhalten blieb, wurde der zweite Teil (*u*) vor a, *e* und *o* der Folgesilbe zu o:

idg.	**theutâ*	germ.	**þeudô*	ahd.	*theot, thiot*	'Volk'
		germ.	**beuđan*	ahd.	*beotan, biotan*	'bieten'

Vor *i* und *u* erfolgte Umlaut zu *iu*. Im Bairischen entwickelte sich durchwegs germ. **eu* > *iu* (Braune 2018, 74–81). Dieses *iu* entwickelte sich gegen Ende der althochdeutschen Periode zu einem Langvokal, der dann mit dem Umlaut des *û* zusammenfiel.

2.3.2.3 Kombinatorischer Lautwandel: *i*-Umlaut

Unter „Umlaut“ versteht man die Veränderung eines vorangehenden Vokals unter dem Einfluss eines nachfolgenden. Zu diesem Thema ist (vor allem aus strukturalistischer Sicht) viel gemutmaßt und geschrieben worden (Zusammenfassung und Literaturhinweise in BRAUNE 2018, 82–85). Der Umlaut wird jeweils nach dem verursachenden Faktor (also dem Folgevokal) benannt. Ist ein *i*, *î* oder *j* der Auslöser, spricht man zusammenfassend von „*i*-Umlaut“. Ein durch *a* verursachter Umlaut ist demnach als „*a*-Umlaut“ (dazu BRAUNE 2018, 85 f.) zu bezeichnen.

Schon im 8. Jh. wird der *i*-Umlaut von kurzem *a* sichtbar. Er wird deshalb als „Primärumlaut“ bezeichnet, während die Umlautungen aller anderen Vokale (sofern sie überhaupt umlautfähig sind) unter vergleichbaren Bedingungen in den Texten erst im Übergang zum Mittelhochdeutschen fassbar werden (GÜTTER 2003). Sie werden als „Sekundärumlaut“ bezeichnet (SCHMID 2017, 65–69).

Primärumlaut
Der Umlautungsprozess wird um 750 in der Schrift erkennbar und ist im 9. Jh. im Wesentlichen abgeschlossen. Hier kommt, weil Glossen und Textquellen noch weitgehend fehlen, dem frühen Namenmaterial besondere Bedeutung zu. Personennamen wie *Egihelm*, *Eggiolt* und Örtlichkeitsnamen wie *Blenchibrunnon* (in der „Hammelburger Markbeschreibung“) kommt hier Beweiskraft zu. Primärumlaut ist auch in den übrigen westgermanischen Sprachen und im Altnordischen eingetreten. Beispiele:

ahd. *gast* ‘Gast’	*gesti* ‘Gäste’
ahd. *lang* ‘lang’	*lengiro* ‘länger’
ahd. *trank* ‘trank’	*trenken* (< **trankjan*) ‘tränken’
lat. *asinus*	ahd. *esil* ‘Esel’

Umlaut kann auch dann erfolgen, wenn ein mit *i* anlautendes Pronomen dem Stamm eng angeschlossen folgt:

gab imo	> *geb imo*	‘gab ihm’
warf iȥ	> *werf iȥ*	‘warf es’
nam ih	> *nem ih*	‘nahm ich’

In solchen Fällen ist der Umlaut später wieder beseitigt worden. Unter bestimmten Bedingungen konnte sich der Umlaut im Althochdeutschen nicht durchsetzen. Man unterscheidet zwischen gesamtalthochdeutschen und speziell oberdeutschen Umlauthinderungen.
a) Gesamtalthochdeutsche Umlauthinderungen: Der Umlaut trat nicht ein, wenn die *i*-haltige Silbe einen stärkeren Nebenton trug (z. B. *kraftlîh* ‘stark, gewaltig, mächtig’, *irstantnissi* ‘Auferstehung’) oder wenn zwischen den Vokalen bestimmte umlauthindernde Konsonantenverbindungen standen:

ht	*mahti* ‘Mächte’, *nahti* ‘der Nacht’
hs	*wahsit* ‘wächst’
Konsonant + *w*	*garwita* ‘gerbte, bereitete’

b) Oberdeutsche Umlauthinderungen: Im Bairischen und Alemannischen verhinderten noch weitere Konsonanten oder Konsonantengruppen den Primärumlaut, allerdings nur tendenziell und nicht systematisch:

l + Konsonant	*haltit* 'hält', *altiro* 'älter'
r + Konsonant	*starchiro* 'stärker', *arbi* '(das) Erbe'
germ. *h*	*ahir* 'Ähre', *slahit* 'schlägt'
ahd. *h* (< germ. *k*)	*sahhit* 'streitet', *gimahhida* 'Gemeinsamkeit'

Sekundärumlaut und Umlautung weiterer Vokale
Diese Umlauthinderungen sind im Mittelhochdeutschen beseitigt worden. Der in diesen Fällen verspätete Umlaut wird aus chronologischen Gründen als „Sekundärumlaut" bezeichnet. In mehrsilbigen Wörtern lautete *i* oder *j* der dritten Silbe den Stammvokal ebenfalls um, wenn vorher eine Angleichung der Mittelsilbe an die dritte Silbe erfolgt war:

apfuli	**apfili*	*epfili*	'Äpfel'
managî	**manigî*	*menegî*	'Menge'

Neben dem kurzen *a* sind wahrscheinlich auch die übrigen umlautfähigen Vokale schon im Althochdeutschen umgelautet gesprochen worden. Nur so ist das Paradox zu erklären, dass erst in mittelhochdeutschen Texten Umlautschreibungen erscheinen, obwohl das den Umlaut bewirkende *i* oder *j* der Folgesilbe bereits zu (unwirksamem) *e* abgeschwächt worden bzw. völlig geschwunden war (zu den mittelhochdeutschen Verhältnissen vgl. 3.3.2.3).

Rückumlaut
Als Rückumlaut bezeichnete JACOB GRIMM die Erscheinung, dass bei den schwachen Verben der 1. Klasse, den einstigen *jan*-Verben (vgl. 2.4.1.2), im Präteritum nicht umgelautete Stammvokale auftreten, obwohl im zugehörigen Präsens Umlaut vorliegt (z. B. ahd. *branta* zu *brennen* 'brennen', mhd. *hôrte* zu *hœren* 'hören'). Er war der Ansicht, in den umlautlosen Formen des Prät. sei zunächst ebenfalls Umlaut vorhanden gewesen, später aber wieder „zurück"genommen worden. Diese Auffassung hat sich als unzutreffend erwiesen, denn in den Formen mit „Rückumlaut" war der potenzielle Umlautfaktor *i* synkopiert worden, ehe er wirksam werden konnte. Der praktische Terminus „Rückumlaut" ist jedoch beibehalten worden.

Bedingung für das Eintreten des Rückumlauts ist, dass eine „lange" (andere Bezeichnung: „schwere") Stammsilbe vorliegt, d. h., dass entweder kurzer Stammvokal und Mehrfachkonsonanz im Stammauslaut oder Langvokal/Diphthong und Einfachkonsonanz im Stammauslaut vorliegt. In solchen Fällen wurde der Mittelsilbenvokal *i* früh synkopiert. Beispiele: ahd. *wenten* – *wanta* 'wenden – wandte' (Kurzvokal und Mehrfachkonsonanz), mhd. *hœren* – *hôrte* 'hören – hörte' (Langvokal und Einfachkonsonanz). Als lang oder schwer gelten auch solche Stammsilben, die auf *pf*, *tz* oder *ck* ausgehen (also ahd. *stepfen* – *stafta* 'stapfen – stapfte' *setzen* – *saȥte* 'setzen – setzte', *decken* – *dakta* 'decken – deckte') sowie Stammsilben auf *tt* (*retten* – *ratta* 'retten – rettete') und *ll* (z. B. *zellen* – *zalta* 'zählen – zählte'). Teilweise gibt es aber auch Varianten ohne Rückumlaut wie *zelita* und *retita*. Hier ist der Bindevokal *i* nicht synkopiert worden und konnte folglich Umlaut auslösen.

2.3.2.4 Althochdeutsche Monophthongierung

Bei der Monophthongierung und der Diphthongierung handelt es sich ebenfalls um qualitative Veränderungen der Stammsilbenvokale. Sie vollziehen sich jedoch ohne Einfluss durch einen Vokal der Folgesilbe.

***ai* zu *ê*.** Die Monophthongierung des germ. *ai*, ahd. meist schon *ei*, zu langem *ê* ist auf wenige Fälle beschränkt. *ei* wird im Althochdeutschen nur dann zu *ê*, wenn *r*, *h*, oder *w* folgt (BRAUNE 2018, 69–71):

got.	*maiza*	ahd.	*mêro*	'mehr'
	saiws		*sêo*	'See'
	aihts		*êht*	'Besitz'

***au* zu *ô*.** Germ. **au*, ahd. meist *ou*, wird vor *r*, *h* und Dentalen (*d*, *t*, *z*, *s*, *n*) zu *ô* monophthongiert. Dieser Monophthongierungsvorgang hat sich im Althochdeutschen konsequenter durchgesetzt als **ai* > *ê* (BRAUNE 2018, 71–73).

got.	*dauþus*	ahd.	*tôd* 'Tod'	got.	*laun*	ahd.	*lôn* 'Lohn'
	rauþs		*rôt* 'rot'		*ausô*		*ôra* 'Ohr'
	stautan		*stôȥan* 'stoßen'	lat.	*caulis*		*kôl* 'Kohl' (Lehnwort)
	laus		*lôs* 'los'	got.	*háuhs*		*hôh* 'hoch'

Im Sgl. Prät. der starken Verben der Ablautreihe 2 (b) finden sich deshalb zahlreiche monophthongierte Formen:

ahd.	*gioȥan* 'gießen'	*gôȥ* 'goss'
	kiosan 'wählen'	*kôs* 'wählte'
	ziohan 'ziehen'	*zôh* 'zog'

Die beiden Monophthongierungsvorgänge laufen zeitlich nicht parallel. Die Entwicklung **ai* > *ê* ist im 8. Jh. abgeschlossen. Der Wandel **au* > *ô* setzt erst im 8. Jh. ein und ist im 9. Jh. vollzogen. Im Altsächsischen wurde die Monophthongierung generell durchgeführt, also auch:

got.	*stains*	as.	*stên*	gegenüber	ahd.	*stein*	'Stein'
anord.	*draumr*	as.	*drôm*			*troum*	'Traum'

2.3.2.5 Althochdeutsche Diphthongierung

Germ. **ê*$_2$ zu ahd. *ia*. Im 8./9. Jh. wird germ. *ê*$_2$ (vgl. 1.2.4.1) im Althochdeutschen zu *ia* diphthongiert. Seit der Mitte des 9. Jh. wird *ia* zu *ie*, das auch im Mittelhochdeutschen als Diphthong erhalten bleibt. Beispiele:

as.	*mêda*	ahd.	*miata*	'Miete, Lohn'
got.	*hêr*		*hiar*	'hier'
as.	*hêt*		*hiaȥ*	'hieß'
as.	*rêd*		*riat*	'riet'
lat.	*spēculum*		*spiagal*	'Spiegel' (Lehnwort)
lat.	*tēgula*		*ziagal*	'Ziegel' (Lehnwort)

Germ. **ô* zu ahd. *uo*. Der Wandel von germ. **ô* > *uo* wird in den Quellen des 8. und 9. Jh. greifbar, setzt aber nicht überall zum selben Zeitpunkt ein. Die ältesten Belege (auch mit der Schreibweise *oa*) sind alemannisch. „Nachzügler“ ist das Bairische. Beispiele:

got. *fôtus*	ahd. *fuoȥ*	'Fuß'
brôþar	*bruoder*	'Bruder'
sôkjan	*suohhan*	'suchen'
fôr	*fuor*	'fuhr'

Die Diphthongierung erfolgte nur in den betonten Stammsilben. Die Nebensilben behalten die alten Monophthonge (got. *salbôda*, ahd. *salbôta* 'salbte'). Im Altsächsischen fehlt die Diphthongierung völlig: as. *hêr* 'hier' entspricht ahd. *hiar* und as. *fôt* ahd. *fuoȥ* 'Fuß'.

2.3.2.6 Vokaldehnung durch Nasalschwund

Der Nasal *n* war im Germanischen vor *χ* zum gutturalen *ŋ* geworden (etwa wie *ng* in *singen*). In der Folge schwand er, hinterließ aber insofern eine Spur, als der vorangehende kurze Vokal der Stammsilbe nasaliert und „ersatzgedehnt" wurde. Im Alt- und Mittelhochdeutschen ist die so entstandene Vokallänge noch erhalten. Ahd. *brâhta* 'brachte' (vgl. engl. *brought*) geht zurück auf germ. **branχta*, ahd. *dâhta* 'dachte' (vgl. engl. *thought*) auf **þanχta*. In beiden Fällen entwickelte sich die Konsonantengruppe *-anχ-* über *-ãχ-* zu *âχ*. Die gängige althochdeutsche Schreibweise für den Frikativ *χ* vor Vokal ist <*h*>. Ebenso zu erklären sind ahd. *fâhan* (< **fanχan*) und *hâhan* (< **hanχan*). Bei diesen Verben ist jedoch später das Präsens nach dem Präteritum (ahd. *fiang* bzw. *hiang*) umgebildet worden. Deshalb heißt es heute *fangen* und *hängen*.

2.3.2.7 Vokalismus der Nebensilben

Die Nebensilben nahmen aufgrund ihrer Unbetontheit eine andere Entwicklung als die betonten Stammsilben (BRAUNE 2018, 86–111).

Vokalismus der Endsilben
Die Endsilben weisen im Althochdeutschen folgende Vokale auf:

Kurzvokale	*a e i o u*
Langvokale	*â ê î ô û*
Diphthong	*iu* (nur in der Flexion des Adjektivs und des Pronomens)

Die Abschwächung der „vollen" Endvokale zu *e* wird bereits in althochdeutschen Quellen aus dem 9. Jh. sichtbar. Sie breitete sich im 10. Jh. weiter aus. Im 11. Jh. sind die alten Vokale weitgehend verdrängt. Im Bereich des Endsilbenvokalismus unterscheiden sich die Texte zum Teil erheblich voneinander. Endergebnis der Vokalschwächung ist in der Regel ein reduziertes *ə* (meist <*e*> geschrieben), das an die Stelle aller übrigen Vokale tritt und damit das Abgrenzungsmerkmal zur mittelhochdeutschen Periode schlechthin ist. Nur das Alemannische bewahrt noch in mittelhochdeutscher Zeit teilweise „volle" Vokale in den Endsilben.

Vokalismus der Mittelsilben
Die Vokale der Mittelsilben in drei- und mehrsilbigen Wörtern entwickeln sich im Althochdeutschen noch schneller zu unbetonten *e* oder *ə* als die Vokale der Endsilben. Sie sind weniger fest als die Endsilbenvokale und daher auch größeren Schwankungen unterworfen. Kurzvokale gaben vor Einfachkonsonanz ihre Qualität früher auf als vor Mehrfachkonsonanz oder als Langvokale. Mittelsilbenvokale, die durch ihre „Schwere" einen stärkeren Nebenton tragen, halten sich teilweise bis ins Mittelhochdeutsche

(vgl. ahd. *scrîbâri* – mhd. *scrîbære* 'Schreiber', ahd. *kuninginna* – mhd. *küniginne* 'Königin', ahd. *firstantnissa* – mhd. *verstantnisse* 'Verständnis').

Zudem wurden im Althochdeutschen unbetonte Mittelsilbenvokale sehr häufig (aber nicht regelmäßig) an einen Folgevokal angeglichen:

wuntar 'Wunder' – *wuntorôn* neben *wuntarôn* und *wunterôn* 'wundern'
zwîval 'Zweifel' – *zwîvolôn* 'Zweifel, zweifeln'

Gelegentlich erfolgte auch Assimilation an den Vokal der Stammsilbe:

scînan 'scheinen' – *scînintaʒ* (statt *scînantaʒ*) 'scheinendes'

Im Althochdeutschen entwickelt sich eine ganze Anzahl neuer Mittelsilbenvokale („Sprossvokale") nach Abfall ursprünglicher Endungen:
Zwischen Konsonanten und *l, r, m, n* im Auslaut entstand ein Sprossvokal *a*:

got.	*fugls*	ahd.	*fogal*	'Vogel'
	hlûtrs		*hlûtar*	'lauter, rein'
	taikns		*zeihhan*	'Zeichen'
germ.	**faþ-ma-*		*fadam, fadum*	'Faden'

Auch zwischen *l* oder *r* und nachfolgendem Konsonanten sowie vor *w* entstanden im Althochdeutschen Zwischenvokale:

bifëlhan/bifëlahan	'anvertrauen, empfehlen'
farwa/farawa	'Farbe'

Vokalismus der Vorsilben
Stehen die Vokale der Vorsilben vor dem Wortakzent, werden sie bereits im Althochdeutschen reduziert. Dies gilt immer bei Verben mit festem Präfix, die den Wortakzent auf der Stammsilbe haben, also für Verben auf *za-/zi-/ze-* 'zer-', auf *ant-/int-* 'ent', auf *ur-/ar-/ir-* 'er-', auf *far-/for-/fer-/fir-/fur-* 'ver-', auf *bi-/be-* 'be-' und auf *ga-/gi-/ge-* 'ge-'. Die Abschwächung beginnt in den fränkischen Dialekten, wo sich früh *i*-Formen durchsetzen, vgl. *zifaran* 'zergehen', *intfaran* 'entfliehen', *irfaran* 'erfahren' ,*gifaran* 'wandeln' gegenüber *zuofaran* 'heranfahren', *ûzfaran* 'herausfahren'.

Bei Nominalbildungen auf *ant-*, *ur-*, *bi-*, *in-*, *furi-* liegt der Akzent auf dem Präfix, während bei Wortbildungen mit *ga-* und *za-* wie bei den Verben die Stammbetonung gilt. Die Folge ist, dass betonte Nominalpräfixe nicht abgeschwächt werden (bis heute *Úrlaub, Ántwort*), unbetonte aber der Reduktion unterliegen (z. B. *gibírgi* > *Gebírge*).

2.3.3 Konsonantismus

2.3.3.1 (Alt-)Hochdeutsche oder Zweite Lautverschiebung

Die Althochdeutsche (= Zweite) Lautverschiebung hat zu einer nachhaltigen Umstrukturierung des Konsonantensystems geführt. Betroffen sind die germanischen Tenues **p, *t, *k* und die Medien **b, *d, *g* (< **ƀ, *đ, *ǥ*). Man spricht daher von der Tenues- und Medienverschiebung (Braune 2018, 117–132).

Durch die Tenuesverschiebung wurde der Phonembestand stark erweitert: Als neue Phoneme treten die Affrikaten *pf, tʒ* und *kχ* auf. Außerdem hat sich die Zahl der Wörter mit den Doppelfrikativen *ff, ʒʒ* und *χχ* vergrößert.

Die Lautverschiebung ist ein umfangreicher Prozess, der sich über mehrere Jahrhunderte hingezogen und sich in den einzelnen Dialektgebieten unterschiedlich ausgedehnt und ausgewirkt hat. Ihr Beginn wird für das 5./6. Jh. n. Chr. angesetzt, liegt also vor der Zeit, aus der Handschriften überliefert sind. Vieles spricht dafür, dass sie sich von Oberdeutschland, vom Bairischen und Alemannischen her, nach Norden hin ausgebreitet hat. Ihr Ergebnis ist die bis heute gegebene deutliche Trennung des hochdeutschen Konsonantismus vom niederdeutschen und innerhalb des hochdeutschen Konsonantenstandes, eine Differenzierung, die ein wichtiges Kriterium für die Abgrenzung der Dialekte ist.

Um 800 war die Hochdeutsche Lautverschiebung abgeschlossen, breitete sich aber in einigen Gebieten auch danach noch weiter aus.

Tenuesverschiebung
Die germanischen stimmlosen Verschlusslaute **p, *t, *k* werden je nach ihrer Stellung im Wort verschoben, und zwar in folgender Weise:

a) zu den Affrikaten ahd. *pf, tʒ, kχ* im Anlaut, inlautend und auslautend nach den Konsonanten *l, r, m, n* und in der Gemination (zur schriftlichen Umsetzung vgl. 2.2.2),
b) zu den stimmlosen Doppelfrikativen ahd. *ff, ʒʒ, χχ* im Inlaut zwischen Vokalen. Im Auslaut nach Vokalen erfolgt Vereinfachung zu *f, ʒ, χ*.

Germ. **p, *t, *k* > ahd. *pf, tʒ, kχ*. Die Verschiebung von **t* > *tʒ* ist gleichmäßig über das ganze (alt-)hochdeutsche Gebiet verbreitet. Dialektunterschiede gibt es hier nicht.

got.	*tiuhan*	as.	*tiohan*	ahd.	*ziohan* 'ziehen'
	haírto		*hërta*		*hërza* 'Herz'
	satjan		*settian*		*setzen* 'setzen'

Unverschoben bleibt **t* in den Verbindungen **tr, *χt, *ft, *st*. In Verbindung mit **s* werden auch **p* und **k* nicht verschoben. Es bleibt also durchwegs bei *st, sp, sk* (dieses wird im Spätalthochdeutschen zu *sch*). Die Konsonantenverbindungen **st, *sp, *sk* sind auch von der Ersten = Germanischen Lautverschiebung nicht betroffen worden, weshalb das Althochdeutsche in diesem Punkt mit dem Gotischen übereinstimmt:

**tr*	got.	*triggws*	ahd.	*gitriuwi* 'treu'
**χt*		*nahts*		*naht* 'Nacht'
**ft*		*luftus*		*luft* 'Luft'
**st*		*stains*		*stein* 'Stein'

Die Verschiebung von germ. **p* > ahd. *pf* zeigen u. a. folgende Wörter:

as.	*pund*		ahd.	*pfund* 'Pfund'
	plëgan			*pflëgan* 'pflegen'
	skeppian			*skepfen* 'schöpfen, erschaffen'
	dorp	seit 9. Jh.		*dorpf* > *dorf* 'Dorf'
	hëlpan			*hëlpfan* > *hëlfan* 'helfen'

Die Dialekte weisen hier gewisse Eigenheiten auf. Deshalb wird als Kriterium bei der Einteilung der Dialekte oft die Verschiebung von germ. **p* herangezogen: Im Inlaut und im Auslaut nach *l* und *r* wird fast im gesamten hochdeutschen Sprachgebiet **p* > *pf*. Eine Ausnahme bildet das Mittelfränkische. Dort heißt es *dorp, hëlpan*. Im Anlaut und in der Gemination wird im Bairischen, Alemannischen und Ostfränkischen **p* >

pf. Im Mittel- und Rheinfränkischen bleibt **p* jedoch unverschoben, z. B. *appel* (gegenüber bair./alem. *apfel*), *pund* (gegenüber bair./alem. *pfund*). Beispiele für unverschobenes *p* nach *s* sind ahd. *spil* 'Spiel', *spinnan* 'spinnen', *sprâhha* 'Sprache'.

Die Verschiebung von **k* > *kχ* ist nur im Bairischen und Alemannischen durchgeführt, in allen fränkischen Dialekten bleibt *k* erhalten. Beispiele:

got.	*kaúrn*	bair./alem.	*chorn, khorn*	aber fränk.	*korn*	'Korn'
as.	*wërk*		*wërch, wërcch*		*wërk*	'Werk'
	wekkian		*wechan, wecchan*		*wecken*	'wecken'

In der Verbindung *sk* bleibt *k* auch im Bairischen und Alemannischen unverschoben, z. B. in *skeidan* 'scheiden', *skôni* 'schön', *fisk* 'Fisch'.

Germ. *p, *t, *k > ahd. *ff, ʒʒ, χχ*. Diese Verschiebung erstreckt sich über das ganze (alt-)hochdeutsche Sprachgebiet bis zur niederdeutschen Grenze.

as.	*slâpan*	ahd.	*slâffan* > *slâfan*	'schlafen'
	opan		*offan*	'offen'
	ëtan		*ëʒʒan*	'essen'
	lâtan		*lâʒan*	'lassen'
	hwat		*hwaʒ*	'was'
	makon		*mahhôn*	'machen'

Wie diese Beispiele zeigen, tritt im Auslaut und nach langem Vokal im Inlaut Vereinfachung der Doppelkonsonanz auf.

Im Mittelfränkischen wurde das auslautende *t* in den Pronominalformen *that, it, wat, allet* nicht von der Verschiebung betroffen. 'Das Wasser' heißt hier demnach *that waʒʒar*.

Medienverschiebung

Die Medienverschiebung betrifft die stimmhaften Verschlusslaute vorahd. **b, *d, *g*, die aus den germanischen stimmhaften Frikativen **ƀ, *đ, *ǥ* hervorgegangen sind. Während vor der Tenuesverschiebung **p, *t, *k* auf dem gesamten Sprachgebiet gleichermaßen vorhanden waren, ist für vorahd. **ƀ, *đ, *ǥ* kein einheitlicher Stand in allen Dialekten vorauszusetzen. Daraus ergeben sich Varianten bei der Lautverschiebung.

Verschiebung von vorahd. *b > bair./alem. *p*. Der stimmhafte Frikativ germ. **ƀ* ist im Mittelfränkischen und im Altsächsischen im Anlaut, im Inlaut nach *m* und in der Gemination zu *b* geworden. Sonst ist er als stimmhafter Frikativ erhalten geblieben (<*v*> oder <*f*> geschrieben):

Mittelfränk. *bëran* 'tragen', *lamb* 'Lamm', *sibbia* 'Sippe', aber: *gëvan* 'geben', *gaf* 'gab'.

Im Ost- und Rheinfränkischen wird <*b*> geschrieben, was auf Aussprache als stimmhafter Verschlusslaut schließen lässt. Beispiele:

bëran, lamb, sibbia, gëban, gab.

Im Bairischen und Alemannischen wurde germ. **b* zu *p* verschoben (vor allem im Bairischen wird bis ins Frühneuhochdeutsche die *p*-Schreibung konserviert). Beispiele:

fränk.	*gëban*	bair.	*këpan*	'geben'
	sibun		*sipun*	'sieben'
	bëran		*përan*	'tragen'
	sibba		*sippa*	'Sippe'

Im Alemannischen steht *p* nur anlautend und in der Gemination.

Diese Verschiebung von **b* > *p* wird jedoch im Spätalthochdeutschen zum Teil wieder rückgängig gemacht. Ausgenommen davon ist die Gemination. Im 11. Jh. heißt es also *bëren, gëben,* aber: *sippa.*

Verschiebung von vorahd. **d* > ahd. *t*. Der stimmhafte Frikativlaut germ. **đ* ist bereits in voralthochdeutscher Zeit zum Verschlusslaut **d* geworden und wird im Bairischen, Alemannischen. und Ostfränkischen stets zu *t*. Im Rhein- und Mittelfränkischen bleibt das alte *d* meist unverschoben. In der Gemination wird jedoch auch im Rheinfränkischen **dd* > *tt*:

as.	*dohter* 'Tochter'	*bindan* 'binden'	*biddian* 'bitten'
rheinfränk.	*dohter*	*bindan* und *bindan*	bitten
ostfränk, bair., alem.	*tohter*	*bintan*	bitten

Otfrid (südrheinfränk.) verwendet im Anlaut vorwiegend <*d*>, im In- und Auslaut dagegen überwiegend <*t*>, z. B. *dag* 'Tag', *drinkan* 'trinken', aber: *biatan* 'bieten', *stunta* 'Stunde', *liut* 'Leute'. Besonders auffällig ist Otfrids Schreibung von 'tot' und 'Tod': Das Adjektiv schreibt er meist *dot*, das Substantiv *tod*. – Im Spätalthochdeutschen ist *nt* zu *nd* geworden, beispielsweise:

binten > *binden* 'binden', *henti* > *hende* 'Hände'.

Verschiebung von vorahd. **ǥ* > bair./alem. *k*. Der stimmhafte Frikativ germ. *ǥ* ist für eine voralthochdeutsche Phase als **g* und als **ǥ* anzusetzen. Im Gesamtfränkischen steht dafür *g*:

as. *gëban* 'geben', *ôga* 'Auge', *liggian* 'liegen' – fränk. *gëban, ouga, liggen.*

Im Bairischen und Alemannischen wurde **g* häufig zu *k* verschoben, und zwar stets in der Gemination, oft im Anlaut, jedoch seltener im Inlaut:

likkan 'liegen', *rukki* 'Rücken', *këban* 'geben', *kot* (as. *god*) 'Gott'
aber auch *gëban, got; ouga,* z. T. *ouka* 'Auge'.

Seit dem 11. Jh. wird *k* jedoch wieder durch *g* verdrängt. Nur in der Gemination bleibt es erhalten, z. B.

as. *hruggi* 'Rücken' – ahd. (bair. und alem.) *hrucki, rukki* (vgl. auch *bb* >*pp*).

Übersicht über die Zweite Lautverschiebung:

	Tenuesverschiebung			Medienverschiebung		
Germanisch	*p*	*t*	*k*	*ƀ*	*đ*	*ǥ*
Voralthochdeutsch	*p*	*t*	*k*	*ƀ, b*	*d*	*ǥ, g*
Ripuarisch	*p*[2]*, ff, f*	*tʒ, ʒʒ, ʒ*[1]	*k, hh, h*	*ƀ, b*	*d*	*g*
Moselfränkisch	*p*[2]*, ff, f*	*tʒ, ʒʒ, ʒ*	*k, hh, h*	*ƀ, b*	*d*	*g*
Rheinfränkisch	*p, ff, f*	*tʒ, ʒʒ, ʒ*	*k, hh, h*	*b*	*d, t*	*g*
Ostfränkisch	*pf, ff, f*	*tʒ, ʒʒ, ʒ*	*k, hh, h*	*b*	*t*	*g*
Alemannisch	*pf, ff, f*	*tʒ, ʒʒ, ʒ*	*kch, hh, h*	*b, p*	*t*	*g, k*[3]
Bairisch	*pf, ff, f*	*tʒ, ʒʒ, ʒ*	*kch, hh, h*	*p*	*t*	*g, k*[3]

1 Ausnahmen sind: *dat, it, wat, allet*

2 Im Rhein- und Moselfränkischen wird nach *l* und *r* die Tenuis *p* zu *f*. Es heißt dort also *hëlfan* 'helfen', *dorf* 'Dorf', aber: *përd* 'Pferd'.

3 Diese Verschiebung bleibt nur in der Gemination erhalten. In den übrigen Stellungen wurde sie später zum Teil rückgängig gemacht (vgl. 4.3.2.1).

2.3.3.2 Entwicklung der germanischen stimmlosen Frikative *f, *þ, *χ im Althochdeutschen

Im Germanischen gibt es neben den stimmhaften Frikativen *ƀ, *đ, *ǥ, die sich noch auf voralthochdeutscher Stufe zu *b, *d, *g weiterentwickelt haben und dann von der Zweiten Lautverschiebung betroffen worden sind, die in der Ersten Lautverschiebung entstandenen stimmlosen Frikative *f, *þ, *χ. Auch diese Konsonanten unterliegen gewissen Veränderungen.

Germ. ***f*** bleibt im Althochdeutschen erhalten. Es unterschied sich jedoch in der Lautqualität von dem neuen, aus germ. *p entstandenen *f* oder *ff*. Während germ. *f oft als <*u*> geschrieben wird, wird das aus germ. *p entstandene *f* nie durch <*u*> wiedergegeben. Es ist deshalb anzunehmen, dass diese Verschriftung mit <*u*> eine Erweichung des *f* ausdrückt. In Grammatiken und Textausgaben wird statt <*u*> auch <*v*> geschrieben, z. B. Nom. *hof* 'Hof', Gen. *hoves*; got. *filu*, ahd. *filu* oder *vilu* 'viel'.

Germ. ***þ*** (got. *þ*, as. *th*, *đ*) wandelte sich im Laufe des Althochdeutschen und des Altsächsischen zu *d*. Diese Entwicklung ist im gesamten Sprachgebiet unter Einschluss des Altsächsischen erfolgt. Sie zeigt sich zuerst im 8. Jh. im Bairischen; es folgt das Alemannische. Im 9. Jh. hat sich das *d* auch im Ostfränkischen durchgesetzt, im 10./11. Jh. im Mittelfränkischen, danach im Niederfränkischen und Altsächsischen. Diese sprachliche Veränderung wird mitunter auch zur Zweiten Lautverschiebung gerechnet (BRAUNE 2018, 220–226), ist aber eher als jüngere Folgeerscheinung zu bewerten.

got.	*þaúrnus*	as.	*thorn*	ahd.	*þorn, dorn*	'Dorn'
	þreis		*thrî*		*thrî, drî*	'drei'
	aírþa		*ërtha*		*ërtha, ërda*	'Erde'

Germ. ***χ*** wird im Althochdeutschen im Allgemeinen als <*h*> geschrieben. Der Lautwert dieses gutturalen Frikativlautes hat sich jedoch zum großen Teil verändert. Im Silbenanlaut hat sich *χ zum Hauchlaut entwickelt, z. B. *hano* 'Hahn', *hant* 'Hand', *fliohan* 'fliehen', *ziohan* 'ziehen'. Im Inlaut vor Konsonanten und im Auslaut dagegen ist es, auch wenn <*h*> geschrieben wird, Frikativlaut geblieben, z. B. ahd. *sah* 'sah', *zôh* 'zog', *naht* 'Nacht'. In dieser Stellung fiel es lautlich und graphisch mit dem aus germ. *k durch die Zweite Lautverschiebung entstandenen *h* zusammen.

In der Konjugation tritt daher ein geregelter Wechsel von Hauchlaut und Frikativ auf, z. B. 1. Sgl. Präs. *ziuhu* '(ich) ziehe' (Lautwert von <*h*> ist [*h*]), 1. Sgl. Prät. *zôh* 'zog', Imp. Sgl. *ziuh* 'zieh' (Lautwert von <*h*> ist jeweils [*χ*]).

Beim Adjektiv stehen sich die unflektierten und die flektierten Formen gegenüber: *hôh* 'hoch' (<*h*> für [*χ*]), aber: *hôher* 'hoher' (<*h*> für [*h*]), *nah* 'nahe' (<*h*> für [*χ*]), aber: *nâhôr* 'näher' (<*h*> für [*h*]). Die davon abgeleiteten Adverbien heißen *hôho* und *nâho* und das mit *î* abgeleitete Substantiv *hôhî* 'Höhe' (jeweils mit <*h*> für [*h*]).

Gelegentlich findet sich ein <*h*> an Stellen, an die es historisch gesehen nicht „gehört", so z. B. bei Verben, deren Wurzel auf einen Vokal endet, vermutlich, um einen Hiat zu überbrücken; so steht neben *sâan* auch *sâhan* 'säen', neben *bluoan* auch *bluohan* 'blühen'. Umgekehrt fehlt mitunter das <*h*> im Inlaut, wo es etymologisch gesehen stehen müsste: *sëan* statt *sëhan* 'sehen', *sëe* statt *sëhe* u. a. Beide Erscheinungen gelten als Beweis dafür, dass germ. *χ im Silbenanlaut zum Hauchlaut geworden ist.

Im Wortanlaut vor Konsonanten ist germ. *h im Ahd. geschwunden. In den frühen althochdeutschen Quellen wird das *h* in den Konsonantenverbindungen *hl-*, *hn-*, *hr-*, *hw-* noch geschrieben:

as. *hlûd*	ahd. *hlût*	>	*lût* 'laut'
hnîgan	*hnîgan*	>	*nîgan* 'neigen'
hruggi	*hrukki*	>	*rukki* 'Rücken'
hwît	*hwîʒ*	>	*wîʒ* 'weiß'

2.3.3.3 Grammatischer Wechsel

Unter „grammatischem Wechsel" versteht man den Wechsel von *d* – *t* (wie in nhd. *schneiden – geschnitten*), *h* – *g* (nhd. *ziehen – gezogen*), *f* – *b* (nhd. *Hefe* gegenüber *heben*), *s* – *r* (nhd. *Verlust* gegenüber *verlieren*) in Wörtern oder Wortformen gleichen Stammes. Im Althochdeutschen konnten auch *h* – *w* (ahd. *lîhan* 'leihen' – *giliwan* 'geliehen') und *h* – *ng* (*fâhan* 'fangen' – *fiang* 'fing', vgl. 2.3.2.6) wechseln. Diese Alternanzen sind aber später beseitig worden.

Die Regularitäten des grammatischen Wechsels werden durch das „Vernersche Gesetz" beschrieben (vgl. 1.1.2.2.2). Dieser Konsonantenwechsel, dessen Folgen, wie die Beispiele zeigen, noch im Neuhochdeutschen nachwirken, ist bereits in einem vorgermanischen Stadium eingetreten (Braune 2018, 142 f.).

Am deutlichsten zeigt sich der grammatische Wechsel im Althochdeutschen in der Flexion der starken Verben. Da im Indogermanischen der Wortakzent im Präs. und im Sgl. Prät. auf dem Stamm lag, im Pl. Prät. und im Part. Prät. dagegen auf der Endung, wechselt im Althochdeutschen (und vielfach darüber hinaus) der Konsonant des Präsens und des Sgl. Prät. mit dem des Pl. Prät. und Part. Prät.

Der grammatische Wechsel ist nicht auf die Verbflexion beschränkt, sondern zeigt sich auch in der Wortbildung. Zum Beispiel gehören zu *snîdan* 'schneiden', *snita* 'Schnitte', *snit* 'Schnitt; Ernte', *snitâri* 'Schnitter' (letztlich auch nhd. *schnitzen*), zu *lîdan* 'gehen' gehört *leitan* 'führen', zu *kiosan* 'wählen' *-kuri* 'Wahl' (in nhd. *Kür* und *Kurfürst*), zu *heffen* 'heben', *heva* 'Hefe' und *habuh* 'Habicht'.

2.3.3.4 Gemination

Unter „Gemination" versteht man die Verdoppelung von Konsonanten, die verschiedene Ursachen haben kann.

Die westgermanische Konsonantengemination (Braune 2018, 135–141) ist eine Neuerung, die nur in der Sprachengruppe Althochdeutsch, Altsächsisch, Altniederfränkisch, Altfriesisch, Altenglisch auftritt (das Gotische und das Altnordische waren daran nicht beteiligt). In den genannten westgermanischen Sprachen wurden Konsonanten unter dem Einfluss eines unmittelbar folgenden *j*, seltener auch durch *w*, *r*, *l*, *n*, *m* verdoppelt. Von der Gemination durch *j* sind alle einfachen Konsonanten (außer *r*) betroffen, sofern ihnen ein kurzer Vokal vorausgeht:

ahd. *bitten*, as. *biddian* (got. *bidjan*); ahd. *setzen*, as. *settian* (got. *satjan*);
bair. *sippea*, *sippa*, as. *sibbia* (got. *sibja*).

Im Althochdeutschen ist, wie die Beispiele zeigen, das *j* schon geschwunden. Selten und nur in sehr frühen Quellen ist *j* noch als *e* erhalten geblieben wie bei *sippea*. Da *j* häufig in Ableitungssilben vorkam, trat in entsprechenden Wörtern oft Gemination auf, z. B. bei den maskulinen und neutralen *ja*- und den femininen *jô*-Stämmen (vgl. 2.4.2.1):

mask. ahd.	*hrucki, hruggi* (germ. **hrugja-*)	'Rücken'
neutr. ahd.	*kunni* (got. *kuni,* Gen. *kunjis*)	'Geschlecht'
fem. ahd.	*hella* (got. *halja*)	'Hölle'

Auch bei einer Reihe von Verben ist *j*-Gemination eingetreten. Bei den starken Verben sind es die sogenannten *j*-Präsentien (vgl. 2.4.1.1), bei den schwachen Verben die kurzsilbigen *jan*-Verben. Hier zeigt das althochdeutsche Konjugationssystem deutlich, wo einstmals ein *j* vorhanden war und wo nicht:

ih zellu, du zelis, er zelit, wir zellemês, ir zellet, sie zellent ('ich zähle' usw.)

Wie oben erwähnt, wurde das *r* von der Gemination im Westgermanischen nicht betroffen. Im Althochdeutschen gibt es jedoch auch Fälle von Gemination des *r*. Ursache ist die Lautqualität des *j*: Während es nach den übrigen Konsonanten Halbvokal war, wurde es nach *r* wahrscheinlich zu einem weichen palatalen Frikativlaut und blieb auch als solcher erhalten. Deshalb ist neben ahd. *nerien* 'nähren' auch *nerren* belegt. Gelegentlich trat *j* > *g* ein. Zu ahd. *scara* 'Schar' gehört *scerio* 'Anführer einer Schar', das sich zu *scergo* weiterentwickelt hat. Darauf geht nhd. *Scherge* zurück. Auf ahd. *ferio* (< germ. **farja*) geht nhd. *Ferge* zurück, ein mittlerweile allerdings kaum noch gebräuchliches Wort für 'Fährmann'.

Die Gemination vor *w, r, l, n, m* ist viel seltener als die vor *j*. Sie hat kaum eine Auswirkung auf das Deutsche gehabt. Vor *r* und *l* konnten die germanischen Verschlusslaute **p, *t, *k* verdoppelt (und später entsprechend verschoben) werden, z. B.

ahd. *akkar/ackar* – got. *akrs* 'Acker', ahd. *bitter* – anord. *bitr,* got. *baitrs* 'bitter',
ahd. *aphul* < westgerm. **appla* < germ. **apla* 'Apfel'.

Gemination durch Assimilation. Bereits im Germanischen hat es eine große Anzahl von Doppelkonsonanten gegeben. Besonders häufig waren **ll, *mm, *nn* und **ss*. Diese Geminaten sind Ergebnisse von Assimilation (**ln* > **ll, *nw* > **nn* u. ä.). Da diese Geminaten in allen germanischen Sprachen in gleicher Weise auftreten, spricht man auch von gemeingermanischer Gemination. Hierzu gehören z. B. ahd. *brinnan,* intr. 'brennen, in Flammen stehen' und ahd. *brennen* 'anzünden, zum Brennen bringen'. Dem letzteren entspricht got. *brannjan,* as. *brennian*. Beide Formen weisen bereits Gemination auf, ein Beweis dafür, dass es sich um eine gemeingermanische und nicht um eine westgermanische Gemination handelt. In der Konjugation des Präsens bleibt die Gemination erhalten, z. B. *stellen, ih stellu, du stellis, er stellit.*

Auf althochdeutscher Stufe entstanden weitere Geminaten (Braune 2018, 140 f.), z. B. *stimna, stemna* 'Stimme' > *stimma, nemnen* 'nennen' > *nennen*. Das Wort 'Stern' lautete im Althochdeutschen meistens *stërno*. Eine assimilierte Nebenform in fränkischen Dialekten war *stërro*.

Gemination durch Vokalausfall. Bisweilen sind Doppelkonsonanten durch den Ausfall eines Vokals zwischen zwei gleichen Konsonanten entstanden, z. B.

elilenti > *ellenti* 'Fremde, anderes Land', *hêriro* > *hêrro* 'Herr, Herrscher';
eigentlich 'der Ältere, Ehrwürdige'.

Sehr häufig ist diese Erscheinung auch beim Präteritum der schwachen Verben eingetreten, z. B.

leitta < *leitita* 'leitete', *ratta* neben *retita* 'rettete' u. a.

Gemination durch die Zweite Lautverschiebung. In der ahd. Lautverschiebung sind aus den inlautenden germ. **p, *t, *k* die Doppelfrikative ahd. *ff, ȝȝ, χχ* geworden, z. B. ahd. *offan, eȝȝan, mahhôn* (vgl. 2.3.3.1).

Vereinfachung der Gemination. In vielen Fällen begegnet geregelte Vereinfachung der Gemination, und zwar im Wortauslaut, z. B.

swimman 'schwimmen' – *swam* 'schwamm', *kunnan* 'können' – *kan* 'kann',
Gen. *fëlles* 'Felles' – Nom. *fël* 'Fell',

und vor Konsonanten, z. B.

brennan 'in Brand stecken' – Prät. *branta*;
kussen 'küssen' – Prät. *kusta, grimmêr* 'grimmiger' – Adv. *grimlicho.*

Diese Vereinfachung erfolgte deshalb, weil der zweite Teil der Geminaten keine neue Silbe zu eröffnen hatte. Oft erfolgte die Vereinfachung der Gemination durch Analogie, besonders häufig in der Konjugation des Präsens. Neben *bitten, ich bittu* (< **biddiu*) steht *du bitis, er bitit.* Nach dem Muster dieser beiden Formen konnten dann auch der Infinitiv und die übrigen Formen analog umgebildet werden.

2.3.3.5 Notkers Anlautgesetz

In den Schriften Notkers von St. Gallen findet sich eine besondere Regelung der Schreibung von *p, t, k* und *b, d, g* im Anlaut (BRAUNE 2018, 145 f.). Diese Regelung ist abhängig vom Auslaut des vorangehenden Wortes: *p, t, k* stehen am Anfang eines Satzes und nach *p, t, k, b, d, g, f, h, s, j,* die nach Notker im Auslaut stimmlos sind; *b, d, g* dagegen stehen nur nach den Sonoren, d. h. nach allen Vokalen und nach *l, r, m, n.* Diese Regel gilt auch für den zweiten Teil eines Kompositums. Es wechseln also beim gleichen Wort stimmhafte und stimmlose Verschlusslaute:

Ter bruoder 'der Bruder'	aber:	*unde des pruoder* 'und des Bruders'
Tes koldes 'des Goldes'	aber:	*unde demo golde* 'und dem Gold'
erdcot 'Erdgott'	aber:	*fiurgot* 'Feuergott'
erdpûwo 'Erdbewohner'	aber:	*himilbûwo* 'Himmlesbewohner'

Nicht von dieser Regel betroffen ist ahd. *t* (< germ. **d*). Es bleibt in der Regel auch nach stimmhaften Lauten erhalten, z. B. *tes tages* 'des Tages' – *unde demo tage* 'und dem Tag'. Insgesamt gibt Notkers Schreibung Feinheiten der oberdeutschen Aussprache wieder.

2.4 Formenlehre

2.4.1 Das Verb

Das althochdeutsche Verbalsystem kennt – übereinstimmend mit dem Neuhochdeutschen – vier synthetische (d. h. in einer Wortform ausgedrückte) grammatische Kategorien. Dies sind:

1. Person: 1., 2., 3. Person.
2. Numerus: Singular und Plural. Ein Dual für die Zweizahl wie noch im Germanischen existiert nicht mehr (vgl. 1.1.1.5.3).
3. Tempus: Präsens und Präteritum. Das Präsens wird meistens auch bei Zukunftsbezug verwendet. Futurumschreibungen mit *skulan* 'sollen' oder mit *wellen* 'wollen' kommen zwar vor, sind aber selten. Das Präteritum ist das allgemeine Tempus der Vergangenheit. Es entspricht dem lateinischen Imperfekt und auch dem erzählenden

Perfekt. Sehr häufig erscheinen aber schon in den ältesten Texten Umschreibungen mit *haben, eigan* 'haben' oder *wësan* 'sein' mit dem Part. Prät. Verbgefüge, die als Plusquamperfekt gedeutet werden können, sind im Althochdeutschen sehr selten. Für die Vorvergangenheit wird undifferenziert das einfache Präteritum verwendet.

4. Modus: Indikativ, Konjunktiv und ein vom Präsensstamm gebildeter Imperativ.

Ein synthetisches Passiv wie noch im Gotischen existiert im Althochdeutschen nicht mehr, doch sind bereits Ansätze zur Ausbildung eines analytischen Passivs mit *wërdan* 'werden' und *wësan* 'sein' greifbar.

Von den meisten Verbalstämmen können drei Verbalnomina gebildet werden: Infinitiv und Part. Präs. sowie Part. Prät. (zur Stammbildung vgl. 2.4.1.1 und 2.4.1.2). Das Part. Prät. dient zur Bildung sowohl von Perfekt- als auch von Passivperiphrasen. Modalverbgefüge, die auch eine temporale Bedeutungskomponente aufweisen können, werden mit dem Infinitiv gebildet. Beispiele:

Perfektperiphrasen: *ich haben iz funtan in mir* 'ich habe es gefunden in mir' (mit *habên*); *Uuir eigun iz firlâzan* 'wir haben es verlassen' (mit *eigan*); *fram ist gigangan In ira tagun* 'sie ist (schon) vorgerückt in ihren Tagen' (mit Formen von *sîn*).

Passivperiphrasen: *Din namo uuerdo geheiligot* 'dein Name werde geheiligt' (mit *wërdan*); *gihorit ist thin gibet* 'erhört (worden) ist dein Gebet' (mit Formen von *sîn*).

Modalverbgefüge: *mit geru scal man geba infahan* 'mit dem Speer soll ein Mann eine Gabe entgegennehmen' (modal); *nu scal mih suasat chint suertu hauwan* 'nun wird mich mein liebes Kind mit dem Schwert erschlagen' (temporal).

Nicht selten sind Umschreibungen mit 'sein' und Part. Präs.: *sie uuárun iro hénti zi gote héffenti* 'sie hoben ihre Hände zu Gott empor'.

Je nach der Bildungsweise von Prät. und Part. Prät. werden die althochdeutschen Verben in zwei Hauptgruppen eingeteilt – in starke und schwache Verben (die Benennung geht auf Jacob Grimm zurück). Daneben gibt es Reste anderer Gruppen, die gewisse Besonderheiten zeigen.

2.4.1.1 Starke Verben

Die starken Verben bilden ihre finiten Präteritumsformen mit Ablaut (vgl. 2.3.2.1). Das Part. Prät. zeigt ebenfalls Ablaut, zusätzlich aber auch das Präfix *gi-* und ein *n*-Suffix. In einigen Subklassen kann zum Ablaut auch noch Umlaut treten (vgl. 2.3.2.3).

Damit alle Formen eines starken Verbs mit dem entsprechenden Stammvokal richtig gebildet werden können, sind im Allgemeinen fünf Grundformen zu nennen:

1. Infinitiv (z. B. *hëlfan* 'helfen'); dessen Stammvokal gilt für alle Präsensformen außer dem Sgl. Ind. und Imp.,
2. 1. Sgl. Präs. Ind. (*hilfu* 'ich helfe'); sie ist maßgebend für den Sgl. Präs. Ind. und die 2. Sgl. Imp.,
3. 1./3. Sgl. Prät. Ind. (*half* 'ich/er half'),
4. 1. Pl. Prät. Ind. (*hulfum* 'wir halfen'); sie wird zur Bildung aller übrigen Präteritalformen – und auch der 2. Sgl. Prät. Ind.! – benutzt,
5. Part. Prät. (*giholfan* 'geholfen').

Als Beispiel für die althochdeutsche starke Flexion wird im Folgenden das Paradigma *hëlfan* 'helfen' angeführt. Die an zweiter Stelle genannten Formen sind stets die jüngeren. Zur Bestimmung der althochdeutschen Verbformen sind genau wie im Neuhochdeutschen Person, Numerus, Tempus und Modus anzugeben, z. B. *hëlfamês*: 1. Pl. Präs. Ind. (die Angabe des Genus Verbi erübrigt sich, weil es im Deutschen kein synthetisches Passiv, sondern ohnehin nur aktivische Formen gibt). Die einzelnen Elemente dieser Verbform sind:

hëlf-	Wurzel
-a-	Themavokal
-mês	Flexionsendung

Fehlt der Themavokal, dann handelt es sich um „athematische" Verben (vgl. 2.4.1.4), eine im Wesentlichen voralthochdeutsche (germanische, indogermanische) Kategorie. Im Althochdeutschen hat sich die Flexion der thematischen und athematischen Verben bis auf einzelne Formen angeglichen, deshalb ist es wenig sinnvoll, für das Althochdeutsche und jüngere Sprachstufen noch pauschal von „athematischen" Verben zu sprechen. Folgende Übersicht zeigt das Zusammenspiel von verbaler Stammbildung und Konjugation am Beispiel von *hëlfan*:

Paradigma

Infinitiv hëlfan

Präsens

Indikativ	Konjunktiv
hilfu (*o*)	*hëlfe*
hilfis (*-ist, -est*)	*hëlfês* (*-êst*)
hilfit (*-et*)	*hëlfe*
hëlfumês (*-amês, -emês, -êm, -ên*)	*hëlfêm* (*-amês, -emês, -ên*)
hëlfat (*-et*)	*hëlfêt*
hëlfant (*-ent*)	*hëlfên*

Imperativ
Sgl. *hilf*, Pl. *hëlfat*

Partizip
hëlfanti (*hëlfenti*)

Präteritum

Indikativ	Konjunktiv
half	*hulfi* (*-e*)
hulfi (*-e*)	*hulfis* (*-îst*)
half	*hulfi*
hulfum (*-umês, -un, -en*)	*hulfim* (*-îmes, -în*)
hulfut (*-et*)	*hulfît*
hulfun (*-en*)	*hulfîn*

Partizip
giholfan (*-en*)

Einige Anmerkungen zur starken Flexion

Präsens

Infinitiv
Der Inf. hat die Endung *-an*, die im späteren Althochdeutschen zu *-en* abgeschwächt erscheint. Dazu haben die westgermanischen Sprachen flektierte Formen auf *-nnes* (Gen.) und auf *-nne* (Dat.) ausgebildet, z. B. *ziti thes rouhennes* 'Zeit des Räucherns', *Elisabeth uuard gifullit zît ziberanne* 'für Elisabeth war gekommen die Zeit zu gebären'.

Präsens Indikativ

Die 1. Sgl. hat nach dem 9. Jh. statt *-u* ein *-o* in der Endung. Die Endung der 2. Sgl. wird im 9. Jh. um *-t* erweitert, das wahrscheinlich aus enklitisch angefügtem *thu, du* entstanden ist. Die ältere Form für 'du hilfst' ist *hilfis*, die jüngere *hilfist*. Das *i* der 2. Silbe erscheint seit dem 10./11. Jh. abgeschwächt als *e*. Bei *quëdan* 'sagen' existieren in der 2. und 3. Sgl. auch zusammengezogene Formen (*quîs, quîst* statt *quidist* 'du sprichst'; *quît* statt *quidit* 'er spricht'). Die Form der 3. Sgl. *wirt* statt *wirdit* 'er wird' ist erst im Spätalthochdeutschen belegt.

Die 1. Pl. hat als älteste Endungsform *-mês*. Später drangen die kürzeren Formen auf *-êm, -ên* aus dem Konj. Präs. auch in den Ind. Präs. ein. Die 2. Pl. hat die regelmäßige Endung *-et*. Die Variante *-at* steht vor allem im Alemannischen. Hier endet die 2. Pl. auf *-nt* statt auf *-t*. Diese Form hat sich wahrscheinlich unter dem Einfluss der 3. Pl. entwickelt. In der 3. Pl. hatten die starken Verben ursprünglich die Endung *-ant*, die schwachen Verben der Klasse 1 dagegen *-ent*. Sehr früh erfolgten Vermischung und Ausgleich. Im 9. Jh. überwiegen im Bairischen und Alemannischen die Formen auf *-ant* und im Fränkischen die Formen auf *-ent*.

Präsens Konjunktiv

Die 1./3. Sgl. hat die Endung *-e*, im Bairischen häufig *-a*. Die 2. Sgl. erhält seit dem 10. Jh. nach dem Vorbild des Ind. meist *-t*. Die Endung der 1. Pl. lautete ursprünglich *-êm*; sie ist in den ältesten Quellen deutlich vom Ind. unterschieden. Später trat jedoch eine Vermischung der Formen ein. Dadurch erscheinen dann auch im Konj. Formen auf *-amês* oder *-emês*, während der Ind. die Konjunktivendungen übernahm, die schließlich sogar die ursprünglichen Indikativformen verdrängten.

Die 1. Pl. (der „Adhortativ") ist ursprünglich mit der 1. Pl. Ind. (*hëlfamês*) identisch und deutlich abgehoben gegen die 1. Pl. Konj. (*hëlfêm*). Schon im 9. Jh. wird dafür aber auch die 1. Pl. Konj. verwendet, die die alte, mit der 1. Pl. Ind. Präs. gleichlautende Imperativform verdrängt.

Imperativ

Nur die 2. Sgl. hat im Imperativ eine eigene Form. Als solche fungiert der reine, endungslose Präsensstamm (z. B. *rît* zu *rîtan* 'reiten'). In den meisten Reihen ist jedoch unter dem Einfluss der 2. Sgl. Ind. Präs. Umlaut eingetreten (z. B. *gib* zu *gëban* 'geben' nach *gibis* 'gibst'). Die 2. Pl. Imp. ist mit der 2. Pl. Ind. formgleich.

Partizip Präsens

Die unflektierte Endung des Part. Präs. lautet *-nti* (*-anti*, häufig auch *-enti* mit Umlaut). Im Übrigen flektiert das Part. Präs. im Ahd. stark und schwach wie ein Adjektiv.

Präteritum

Präteritum Indikativ

Die 1. und 3. Sgl. sind endungslos. Die 2. Sgl. hat die Endung *-i* und wird vom Pluralstamm gebildet (vgl. 2.3.2.1). Es handelt sich bei dieser Bildungsweise um eine Besonderheit, die alle westgermanischen Sprachen teilen.

Die 1. Pl. hat in den ältesten Quellen die Endung *-m*. Vom 9. Jh. erfolgt Abschwächung zu *-n*. Daneben erscheint im 9. Jh. auch die Form *-mês*, die wahrscheinlich aus dem Präs. übernommen wurde. Die 2. Pl. hat (ebenso wie Präsens) im späteren Alemannischen (von Notker bis ins Mittelhochdeutsche) stets die Endung *-nt* (z. B. *hulfent* 'ihr halft').

Präteritum Konjunktiv
Der Flexionsvokal *i* erscheint vor nachfolgendem Konsonanten lang (*î*), im Auslaut kurz (*i*) und später als *e*. Die 2. Sgl. nimmt *-t* an (vgl. Präs. Ind. und Konj.). Die 1. Pl. endet ursprünglich auf *m*. Seit dem 9. Jh. wird daneben auch wie im Ind. Prät. und im Präs. *-mês* verwendet. Wie im Ind. so endet auch im Konj. die 2. Pl. im späteren Alem. auf *-nt*.

Partizip Präteritum
Das Part. Prät. der starken Verben enthält das Suffix *-n*. Es flektiert wie ein Adjektiv stark und schwach. Im Althochdeutschen werden die Part. Prät. der einfachen und der trennbar zusammengesetzten Verben mit dem Präfix *gi-* gebildet. Die mittels anderer Präfixe abgeleiteten und die untrennbar zusammengesetzten Verben dagegen haben wie auch im Neuhochdeutschen niemals *gi-*:

giholfan 'geholfen', *ginoman* 'genommen'; *abaginoman* 'abgenommen'
aber: *binoman* 'benommen', *firnoman* 'vernommen'; *untarnoman* 'unternommen'

Das Präfix *gi-* hat im Althochdeutschen überdies perfektivierende Funktion. Das heißt, eine Handlung oder ein Vorgang wird als vollständig abgeschlossen gesehen. Wenn beispielsweise das „Hildebrandslied" mit den (formelhaften) Worten beginnt *Ik gihorta đat seggen* 'ich hörte das erzählen', dann wird mit *gihorta* zum Ausdruck gebracht, dass das erzählende 'Ich' die folgende Geschichte vollständig (nicht etwa nur andeutungsweise) gehört hat. Im Neuhochdeutschen besteht diese Ausdrucksmöglichkeit nicht mehr. Verben, die an sich schon perfektivische Bedeutung haben, weil sie qua lexikalischer Bedeutung bereits einen Handlungsabschluss zum Ausdruck bringen, bilden deshalb im Althochdeutschen (und auch noch später) das Part. Prät. ohne *gi-*:

quëman	Part. Prät.	*quëman* oder *quoman*	'gekommen'
findan		*funtan*	'gefunden'
bringan		*brungan* oder *brâht* (schwache Nebenform)	'gebracht'
wërdan	meist	*wortan*, selten *giwortan*	'geworden'
trëffan		*troffan*, neben *gitroffan*	'getroffen'

Ablautreihen
Im Althochdeutschen werden die Tempusstämme der starken Verben im Wesentlichen durch den Ablaut unterschieden (vgl. 2.3.2.1).

Tritt grammatischer Wechsel in der Verbalflexion auf, so stimmen dabei einerseits Präs. und Sgl. Prät. und andererseits Pl. Prät. und Part. Prät. in den stammschließenden Konsonanten überein (vgl. 2.3.3).

1. Ablautreihe
Diese Reihe umfasst im Althochdeutschen zwei Untergruppen (BRAUNE 2018, 379–382):
a) Sgl. Prät. mit *ei*, also **î, î – ei, i – i**

î	*î*	*ei*	*i*	*i*	
rîtan	*rîtu*	*reit*	*ritum*	*giritan*	'reiten'
grîfan	*grîfu*	*greif*	*griffun*	*gigriffan*	'greifen'

Mit grammatischem Wechsel:

snîdan	*snîdu*	*sneid*	*snitum*	*gisnitan*	'schneiden'
rîsan	*rîsu*	*reis*	*rirum*	*giriran*	'steigen; fallen'

In diese Reihe gehören auch *bilîban* 'bleiben', *bîtan* 'warten', *(h)nîgan* 'sich neigen', *scrîban* 'schreiben', *stîgan* 'steigen' u. a.

b) Sgl. Prät. mit *ê* (vgl. 2.3.2.4)

î	*î*	*ê*	*i*	*i*	
spîwan	*spîwu*	*spê(o)*	*spiwum*	*gispiwan*	'speien'

Mit grammatischem Wechsel:

lîhan	*lîhu*	*lêh*	*liwum*	*giliwan*	'leihen'
zîhan	*zîhu*	*zêh*	*zigum*	*gizigan*	'zeihen, beschuldigen'

In diese Reihe 1b gehören noch *dîhan* 'gedeihen', *rîhan* 'aufreihen' und einige andere.

2. Ablautreihe

Diese Ablautreihe gliedert sich wie Reihe 1 in zwei Gruppen (BRAUNE 2018, 382–385):

a) Sgl. Prät. mit *ou* (vgl. 2.3.2.2)

***eo* (*io*)**	***iu***	***ou***	***u***	***o***	
fleogan > *fliogan* (obd. *fliugan*)	*fliugu*	*floug*	*flugum*	*giflogan*	'fliegen'
kleoban > *klioban* (obd. *chliuban*)	*kliubu*	*kloub*	*klubum*	*gikloban*	'spalten'

Auch: *biogan* 'biegen', *liogan* 'lügen', *sliofan* 'schlüpfen', *triofan* (obd. *triuffan*) 'tropfen, triefen' u. a. Dazu gehören außerdem die drei Verben *(bi)lûchan* '(ver)schließen', *sûfan* 'saufen' und *sûgan* 'saugen'. Sie haben zwar im gesamten Präs. den Vokal *û*, stimmen aber sonst in allen anderen Formen mit dieser Reihe überein:

û	***û***	***ou***	***u***	***o***	
sûfan	*sûfu*	*souf*	*suffun*	*gisoffan*	'saufen'

b) Sgl. Prät. mit *ô* (vgl. 2.3.2.4)

***eo* > *io* (obd. *iu*)**	***iu***	***ô***	***u***	***o***	
beotan > *biotan* (obd. *biutan*)	*biutu*	*bôt*	*butum*	*gibotan*	'bieten'
fleoȥan > *flioȥȥan* (obd. *fliuȥȥan*)	*fliuȥu*	*flôȥ*	*fluȥȥum*	*giflоȥȥan*	'fließen'

Hierher gehören auch: *dioȥan* 'tosen', *gioȥan* 'gießen', *nioȥan* 'nutzen, genießen', *skioȥan* 'schießen' u. a.

Mit grammatischem Wechsel:

keosan > *kiosan* (obd. *chiusan*)	*kiusu*	*kôs*	*kurum*	*gikoran*	'wählen'
seodan > *siodan* (obd. *siudan*)	*siudu*	*sôd*	*sutum*	*gisotan*	'sieden'
zeohan > *ziohan* (obd. *ziuhan*)	*ziuhu*	*zôh*	*zugum*	*gizogan*	'ziehen'

3. Ablautreihe

Die 3. Ablautreihe enthält Verben, die nach dem Stammvokal *i* (< **ë*) Nasal und Konsonant oder Doppelnasal bzw. nach *ë* Liquida und Konsonant oder auch Doppelliquida haben (BRAUNE 2018, 385–390):

a) Nasal und Konsonant oder Doppelnasal, also **i, i – a, u – u**

i	*i*	*a*	*u*	*u*	
klimban	*klimbu*	*klamb*	*klumbum*	*giklumban*	'klimmen'
bintan	*bintu*	*bant*	*buntum*	*gibuntan*	'binden'
swimman	*swimmu*	*swam*	*swummum*	*giswumman*	'schwimmen'
rinnan	*rinnu*	*ran*	*tunnum*	*girunnan*	'rinnen'

Mit grammatischem Wechsel:

findan	*findu*	*fand*	*funtum*	*funtan*	'finden'

Auch: *krimman* 'verletzen', *rimpfan* 'rümpfen', *slintan* 'verschlingen', *spinnan* 'spinnen' u. a. Für das Verb *bringan* 'bringen', das eigentlich in diese Reihe gehört, lassen sich im Althochdeutschen nur ganz wenige starke Präteritalformen nachweisen. Das Prät. *brâhta* 'brachte' wird in der Regel schwach mit Rückumlaut, Nasalschwund und Ersatzdehnung gebildet (vgl. 2.3.2.6). Daneben finden sich dagegen in den ältesten Quellen eigentlich zu erwartende starke Formen (*brungan* sowohl '(wir/sie) brachten' als auch 'gebracht').

b) Liquida + Konsonant oder Doppelliquida

ë	*i*	*a*	*u*	*o*	
hëlfan	*hilfu*	*half*	*hulfum*	*giholfan*	'helfen'
wërfan	*wirfu*	*warf*	*wurfum*	*giworfan*	'werfen'
swëllan	*swillu*	*swal*	*swullum*	*giswollan*	'schwellen'
wërran	*wirru*	*war*	*wurrum*	*giworran*	'verwirren'

Mit grammatischem Wechsel:

swëlhan	*swilhu*	*swalh*	*swulgum*	*giswolgan*	'verschlingen'
wërdan	*wirdu*	*ward*	*wurtum*	*wortan*	'werden'

In diese Reihe gehören: *bërgan* 'bergen', *gëllan* 'schallen', *gëltan* 'gelten', *skërran* 'scheren, kratzen', außerdem solche Verben, deren Stamm zwar auf Doppelkonsonanz auslautet, bei denen aber die Liquida dem Stammvokal *ë* vorausgeht, z. B. *brëstan* 'bersten', *drëskan* 'dreschen', *flëhtan* 'flechten', *irlëskan* 'erlöschen'. Dieser Gruppe hat sich auch *fëhtan* 'fechten' angeschlossen.

4. Ablautreihe

Der 4. Ablautreihe gehören Verben an, deren Stamm nach dem Vokal *ë* nur einfache Liquida oder einfachen Nasal enthält (Braune 2018, 390–392). Der Pl. des Prät. weist dehnstufiges *â* (< germ $*\hat{e}_1$) auf (vgl. 2.3.2.1).

ë	*i*	*a*	*â*	*o*	
stëlan	*stilu*	*stal*	*stâlum*	*gistolan*	'stehlen'
bëran	*biru*	*bar*	*bârum*	*giboran*	'tragen'
nëman	*nimu*	*nam*	*nâmun*	*ginoman*	'nehmen'

In diese Reihe gehören *hëlan* 'hehlen', *swëran* 'schmerzen', *zëman* 'ziemen' und andere sowie eine Gruppe von Verben, die nach dem Stammvokal *ë* ein ahd. *ch/hh* aus germ. **k* haben und bei denen zumeist ein *r* vor dem Vokal steht, z. B. *brëchan* 'brechen', *rëchan* 'rächen', *sprëchan* 'sprechen', *trëchan* 'ziehen', *stëchan* 'stechen' und als Ausnahme *trëffan* 'treffen'.

5. Ablautreihe

Die 5. Ablautreihe umfasst alle Verben, die nach dem Stammvokal *ë* auf einen einfachen Konsonanten (aber nicht auf Liquida oder Nasal) ausgehen (BRAUNE 2018, 392–395). Der Pl. Prät. enthält wie Reihe 4 dehnstufiges *â*. Das Part. Prät. wird mit dem *ë* der Grundstufe gebildet (vgl. 2.3.2.1).

ë	***i***	***a***	***â***	***ë***	
gëban	*gibu*	*gab*	*gâbum*	*gigëban*	'geben'
pflëgan	*pfligu*	*pflag*	*pflâgum*	*gipflëgan*	'pflegen'

Mit grammatischem Wechsel:

lësan	*lisu*	*las*	*lârum*	*gilëran*	'lesen'
wësan	*wisu*	*was*	*wârum*	nicht belegt	'sein'
quëdan	*quidu*	*quad*	*quâtum*	*giquëtan*	'sprechen'

Der grammatische Wechsel verschwindet bei diesen Verben z. T. schon im Althochdeutschen. Nur bei *wësan* wird das *r* im Pl. Prät. beibehalten und später sogar auf den Sgl. Prät. übertragen, vgl. ahd./mhd. *ich was – wir wâren*, nhd. *ich war – wir waren*. Für *wësan* ist im Althochdeutschen noch kein Part. Prät. belegt.

Hierher gehören auch *mëȥȥan* 'messen', *trëtan* 'treten', *wëban* 'weben', *wëgan* 'wiegen' u. a. sowie einige Verben, die im Präs. ursprünglich ein *j* hatten. Das führte zur Gemination des stammschließenden Konsonanten und zum Umlaut des *ë* zu *i* (vgl. 2.3.2.3). Das *j* stand nur im Präsens. Deshalb spricht man von *j*-Präsentien. Nur im Präs. wurde also der stammauslautende Konsonant geminiert.

i	***i***	***a***	***â***	***ë***	
bitten	*bittu*	*bat*	*bâtum*	*gibëtan*	'bitten'
liggen	*liggu*	*lag*	*lâgum*	*gilëgan*	'liegen'
sitzen	*sitzu*	*saȥ*	*sâȥum*	*gisëȥȥan*	'sitzen'

Der Wechsel von *tz – ȥ* bei *sitzen* (noch heute *sitzen – saß!*) ist dadurch bedingt, dass in der Zweiten Lautverschiebung vorahd. geminiertes **tt* > *tz*, aber einfaches **t* > *ȥȥ* (*ȥ*) wurde (vgl. 2.3.3.1).

6. Ablautreihe

Die 6. Ablautreihe (BRAUNE 2018, 395–398) enthält eine Reihe von Verben mit meist einfacher Konsonanz im Stammauslaut (zu den Ablautverhältnissen vgl. 2.3.2.1).

a	***a/e***	***uo***	***uo***	***a***	
graban	*grabu/grebis*	*gruob*	*gruobum*	*gigraban*	'graben'
faran	*faru/feris*	*fuor*	*fuorum*	*gifaran*	'fahren'

Hierher gehören z. B. auch *skaban* 'schaben', *spanan* 'verlocken' (vgl. *Gespenst*), *stantan* 'stehen', *tragan* 'tragen', *wahsan* 'wachsen', *waskan* 'waschen', *watan* 'waten'.

Mit grammatischem Wechsel:

slahan	*slahu/slehis*	*sluog*	*sluogum*	*gislagan*	'schlagen'

Auch: *dwahan* 'waschen', *lahan* 'verwehren, verbieten'. Bei 'schlagen' wurde das durch grammatischen Wechsel bedingte *g* schon im Althochdeutschen auf die Formen des Sgl. Prät. übertragen, später sogar auf das ganze Paradigma.

Die 6. Ablautreihe weist wie die 5. einige Verben auf, die ursprünglich *j*-Präsentien waren und deshalb im gesamten Präsens Umlaut und die entsprechenden konsonantischen Veränderungen (vgl. 2.3.3.4) haben:

e	***e***	***uo***	***uo***	***a***	
skepfen	*skepfu*	*skuof*	*skuofum*	*giskaffan*	'erschaffen'
swerien	*sweru*	*swuor*	*swuorum*	*gisworan*	'schwören'

Bei *swerien* ist die eigentlich zu erwartende Form **giswaran* nicht belegt. Es scheint früh Analogie zur 4. Klasse eingetreten zu sein (vgl. *giboran*).
Mit grammatischem Wechsel:

heffen	*heffu/hevis*	*huob*	*huobum*	*gihaban*	'heben'

7. Ablautreihe (ehemals reduplizierende Verben)
In dieser Reihe sind alle jene Verben zusammengefasst, die noch im Germanischen ihr Präteritum mittels Reduplikation bzw. mittels Reduplikation und Ablaut bildeten (vgl. 2.3.2.1). Das Althochdeutsche hat anstelle der Reduplikation einen jüngeren Vokalwechsel, der sich in synchroner Sicht als Ablaut darstellte. Je nach dem Vokal des Prät. lässt sich die Reihe in zwei Gruppen gliedern (BRAUNE 2018, 398–404).

a) Präs. und Part. Prät. *a*, Prät. *ia*

a	***a/e***	***ia***	***ia***	***a***	
fallan	*fallu/fellis*	*fial*	*fialum*	*gifallan*	'fallen'
gangan	*gangu/gengis*	*giang*	*giangum*	*gigangan*	'gehen'

Auch: *bannan* 'gebieten', *haltan* 'halten', *spaltan* 'spalten', *waltan* 'walten, herrschen' u. a.

b) Präs. und Part. Prät. *â*, Prät. *ia*

â	***â***	***ia***	***ia***	***â***	
râtan	*râtu*	*riat*	*riatum*	*girâtan*	'raten'
slâfan	*slâfu*	*sliaf*	*sliafum*	*gislâfan*	'schlafen'

Auch: *bâgan* 'streiten', *blâsan* 'blasen', *brâtan* 'braten', *lâȥan* 'lassen' u. a.

c) Präs. und Part. Prät. *ei*, Prät. *ia*

ei	***ei***	***ia***	***ia***	***ei***	
heiȥan	*heiȥu*	*hiaȥ*	*hiaȥum*	*giheiȥan*	'heißen, nennen'
skeidan	*skeidu*	*skiad*	*skiadum*	*giskeidan*	'scheiden'

Auch: *meiȥan* 'scheiden', *sweifan* 'winden', *zeisan* 'pflücken' u. a.

d) Präs. und Part. Prät. *ou*, Prät. *io*

ou	***ou***	***io***	***io***	***ou***	
houwan	*houwu*	*hiow*	*hiowum*	*gihouwan*	'hauen'
loufan	*loufu*	*liof*	*liofum*	*giloufan*	'laufen'

e) Präs. und Part. Prät. *ô*, Prät. *io*

ô	***ô***	***io***	***io***	***ô***	
skrôtan	*skrôtu*	*skriot*	*skriotum*	*giskrôtan*	'schneiden'
stôȥan	*stôȥu*	*stioȥ*	*stioȥum*	*gistôȥan*	'stoßen'

f) Präs. und Part. Prät. *uo*, Prät. *io*

uo	***uo***	***io***	***io***	***uo***	
ruofan	*ruofu*	*riof*	*riofum*	*giruofan*	'rufen'
wuofan	*wuofu*	*wiof*	*wiofum*	*giwuofan*	'scheien, weinen'

Auch: *bluoȝan* 'opfern', *fluochan* 'fluchen'.
Die Diphthonge *ia* und *io* werden im Spätahd. zu *ie* abgeschwächt; dadurch verschwinden die Unterschiede im Prät.

Übersicht über die Konjugation der starken Verben
In der folgenden Übersicht sind nur die häufigsten Formen berücksichtigt. Sie entsprechen im Wesentlichen denen des althochdeutschen „Tatian" und damit dem ostfränkischen Lautstand der 1. Hälfte des 9. Jh. Regionale Sonderformen oder Besonderheiten einzelner Texte können nicht aufgeführt werden (dazu BRAUNE 2018, 354–375).

1. Reihe		2. Reihe		3. Reihe		4. Reihe	5. Reihe		6. Reihe		7. Reihe
Präsens											
Indikativ											
snîdan	*zîhan*	*biogan*	*biotan*	*bintan*	*wërdan*	*nëman*	*gëban*	*bittan*	*graban*	*skepfen*	*heiȝan*
snîdu	*zîhu*	*biugu*	*biutu*	*bintu*	*wirdu*	*nimu*	*gibu*	*bittu*	*grabu*	*skepfu*	*heiȝu*
snîdis(t)	*zîhis(t)*	*biugis(t)*	*biutis(t)*	*bintis(t)*	*wirdis(t)*	*nimis(t)*	*gibis(t)*	*bittis(t)*	*grebis(t)*	*skepfis(t)*	*heiȝis(t)*
snîdit	*zîhit*	*biugit*	*biutit*	*bintit*	*wirdit*	*nimit*	*gibit*	*bittit*	*grebit*	*skepfit*	*heiȝit*
snîdemês	*zîhemês*	*biogemês*	*biotemês*	*bintemês*	*wërdemês*	*nëmemês*	*gëbemês*	*bittemês*	*grabemês*	*skepfemês*	*heiȝemês*
snîdet	*zîhet*	*bioget*	*biotet*	*bintet*	*wërdet*	*nëmet*	*gëbet*	*bittet*	*grabet*	*skepfet*	*heiȝet*
snîdent	*zîhent*	*biogent*	*biotent*	*bintent*	*wërdent*	*nëment*	*gëbent*	*bittent*	*grabent*	*skepfent*	*heiȝent*
Konjunktiv											
snîde	*zîhe*	*bioge*	*biote*	*binte*	*wërde*	*nëme*	*gëbe*	*bitte*	*grabe*	*skepfe*	*heiȝe*
snîdês	*zîhês*	*biogês*	*biotês*	*bintês*	*wërdês*	*nëmês*	*gëbês*	*bittês*	*grabês*	*skepfês*	*heiȝês*
snîde	*zîhe*	*bioge*	*biote*	*binte*	*wërde*	*nëme*	*gëbe*	*bitte*	*grab*	*skepfe*	*heiȝe*
snîdemês	*zîhemês*	*biogemês*	*biotemês*	*bintemês*	*wërdemês*	*nëmemês*	*gëbemês*	*bittemês*	*grabemês*	*skepfemês*	*heiȝemês*
snîdêt	*zîhêt*	*biogêt*	*biotêt*	*bintêt*	*wërdêt*	*nëmêt*	*gëbêt*	*bittêt*	*grabêt*	*skepf*	*heiȝêt*
snîdên	*zîhên*	*biogên*	*biotên*	*bintên*	*wërdên*	*nëmên*	*gëbên*	*bittên*	*grabên*	*skepfên*	*heiȝên*
Imperativ											
snîd	*zîh*	*biug*	*biut*	*bint*	*wird*	*nim*	*gib*	*bitt*	*grab*	*skepf*	*heiȝ*
snîdemês	*zîhemês*	*biogemês*	*biotemês*	*bintemês*	*wërdemês*	*nëmemês*	*gëbemês*	*bittemês*	*grabemês*	*skepfemês*	*heiȝemês*
snîdet	*zîhet*	*bioget*	*biotet*	*bintet*	*wërdet*	*nëmet*	*gëbet*	*bittet*	*grabet*	*skepfet*	*heiȝet*
Partizip											
snîdenti	*zîhenti*	*biogenti*	*biotenti*	*bintenti*	*wërdenti*	*nëmenti*	*gëbenti*	*bittenti*	*grabenti*	*skepfenti*	*heiȝenti*
Präteritum											
Indikativ											
sneid	*zêh*	*boug*	*bôt*	*bant*	*ward*	*nam*	*gab*	*bat*	*gruob*	*skuof*	*hiaȝ*
sniti	*zigi*	*bugi*	*buti*	*bunti*	*wurti*	*nâmi*	*gâbi*	*bâti*	*gruobi*	*skuofi*	*hiaȝi*
sneid	*zêh*	*boug*	*bôt*	*bant*	*ward*	*nam*	*gab*	*bat*	*gruob*	*skuof*	*hiaȝ*
snitumês	*zigumês*	*bugumês*	*butumês*	*buntumês*	*wurtumês*	*nâmumês*	*gâbumês*	*bâtumês*	*gruobumês*	*skuofumês*	*hiaȝumês*
snitut	*zigut*	*bugut*	*butut*	*buntut*	*wurtut*	*nâmut*	*gâbut*	*bâtut*	*gruobut*	*skuofut*	*hiaȝut*
snitun	*zigun*	*bugun*	*butun*	*buntun*	*wurtun*	*nâmun*	*gâbun*	*bâtun*	*gruobun*	*skuofun*	*hiaȝun*
Konjunktiv											
sniti	*zigi*	*bugi*	*buti*	*bunti*	*wurti*	*nâmi*	*gâbi*	*bâti*	*gruobi*	*skuofi*	*hiaȝi*
snitîs	*zigîs*	*bugîs*	*butîs*	*buntîs*	*wurtîs*	*nâmîs*	*gâbîs*	*bâtîs*	*gruobîs*	*skuofîs*	*hiaȝîs*
sniti	*zigi*	*bugi*	*buti*	*bunti*	*wurti*	*nâmi*	*gâbi*	*bâti*	*gruobi*	*skuof*	*hiaȝi*
snitîmês	*zigîmês*	*bugîmês*	*butîmês*	*buntîmês*	*wurtîmês*	*nâmîmês*	*gâbîmês*	*bâtîmês*	*gruobîmês*	*skuofîmês*	*hiaȝîmês*
snitît	*zigît*	*bugît*	*butît*	*buntît*	*wurtît*	*nâmît*	*gâbît*	*bâtît*	*gruobît*	*skuofît*	*hiaȝît*
snitîn	*zigîn*	*bugîn*	*butîn*	*buntîn*	*wurtîn*	*nâmîn*	*gâbîn*	*bâtîn*	*gruobîn*	*skuofîn*	*hiaȝîn*
Partizip											
gisnitan	*gizigan*	*gibogan*	*gibotan*	*gibuntin*	*wordin*	*ginoman*	*gigëban*	*gibëtan*	*gigraban*	*giskaffan*	*giheiȝȝan*

2.4.1.2. Schwache Verben

Die schwachen Verben (umfassend BRAUNE 2018, 404–419) bilden im Gegensatz zu den starken das Präteritum und das Partizip Präteritum mittels *t*-Suffix ohne Ablaut. Daher sind hier jeweils nur drei Grundformen zu nennen:

Inf.	*suochen*	'suchen'
Sgl. Prät.	*suochta*	'suchte'
Part. Prät.	*gisuochit*	'gesucht'

Die schwachen Verben des Althochdeutschen sind mehrheitlich germanische, westgermanische, teilweise auch erst althochdeutsche Neubildungen. Sie wurden meist sekundär von starken Verben oder von anderen Wortarten abgeleitet (vgl. 1.1.2.2.1). Es gibt jedoch auch einige ältere primäre (nicht abgeleitete) Verben, die schwach flektieren.

Im Althochdeutschen sind – je nach dem Bildungsmorphem des Infinitivs – drei Klassen von schwachen Verben zu unterscheiden (eine im Gotischen noch vorhandene Klasse mit *nan*-Verben, z. B. *full-nan* 'voll werden', ist im Althochdeutschen verschwunden). Die althochdeutschen Klassen sind:

1. Verben mit (nur noch resthaft erhaltenem) *j*-Thema oder *jan*-Verben, z. B. *suochen* 'suchen';
2. Verben mit *ô*-Thema oder *ôn*-Verben, z. B. *salbôn* 'salben';
3. Verben mit *ê*-Thema oder *ên*-Verben, z. B. *habên* 'haben'.

Einige Anmerkungen zur Flexion der schwachen Verben
Die Konjugation der schwachen Verben, insbesondere der 1. Klasse, stimmt weitgehend mit der der starken überein. Die 2. und 3. Klasse der sw. Verben unterscheiden sich von der starken Flexion vor allem durch die Themavokale *ô* und *ê*, die in allen drei Stammformen beibehalten werden. Grundsätzliche Differenzen zeigen sich bei folgenden Formen:

Präsens
Indikativ
Die 1. Sgl. der 1. Klasse hat wie die starken Verben die Endung *-u* (später *-o*), bei der 2. und 3. Klasse dagegen *-m*, später *-n*, vgl. *zellu* 'ich zähle', *salbôm, -ôn* 'ich salbe', *habêm, -ên* 'ich habe'.

Konjunktiv
Die 1. Klasse flektiert genau wie die starken Verben. In der 2. und 3. Klasse dagegen stehen wie bei den starken Verben kurze und lange Formen nebeneinander, also

salbô	neben	*salbôe*
habe	neben	*habêe*

Die kurzen Formen treten v. a. im Fränkischen, die langen im Bairischen und Alemannischen auf.

Imperativ
Während die 2. Sgl. Imp. der starken Verben immer endungslos auftritt, z. B. *nim* 'nimm', haben die schwachen Verben stets vokalische Endung, z. B. *suohhi* 'suche' (*jan*-Verben), *salbo* 'salbe' (*ôn*-Verben), *habe* 'habe' (*ên*-Verben).

Präteritum

Indikativ

Die 1. und 3. Sgl. aller schwachen Verben haben die Endung *-ta*, während die starken Verben endungslos sind, z. B. *suochta* '(ich/er) suchte' gegenüber *nam* '(ich/er) nahm'.

Die 2. Sgl. hat in allen drei schwachen Klassen die Endung *-ôs(t)*, bei den starken Verben (die hier zudem die Ablautstufe des Plurals zeigen) dagegen *-i*: *suochtôs(t)* '(du) suchtest', gegenüber *nâmi* '(du) nahmst'.

Der Plural wird bei starken und schwachen Verben gleich flektiert: *nâmum, nâmut, nâmun*, parallel dazu *suohtum, suohtut, suohtun*. Nur das Alemannische weist einige Besonderheiten auf: Die starken Verben enden zwar auch auf *-um, -ut, -un*, die schwachen Verben aber auf *-ôm, -ôt, -ôn*, z. B. *suohtôm* '(wir) suchten', *suohtô(n)t*, '(ihr) suchtet', *suohtôn* '(sie) suchten'.

Konjunktiv

Starke und schwache Verben haben im Auslaut *i*, später *e*, vor einem Endkonsonanten aber *î*. Das Alemannische macht auch hier eine Ausnahme: 1. und 3. Sgl. der starken Verben haben *-i*: *nâmi*, 1. und 3. Sgl. der schwachen dagegen *-î*, obwohl es sich um einen Auslaut handelt: *suochtî*.

Klasse 1 (jan-Verben)

Die *jan*-Verben enden im Althochdeutschen auf *-en*. Man unterscheidet nach der Quantität der Stammsilben zwei Gruppen: kurzsilbige und langsilbige einschließlich der mehrsilbigen (zu dieser Klasse von Verben s. umfassend RIECKE 1996).

Präsens

Der Vokal der Stammsilbe bleibt im Wesentlichen unverändert. Das im Germanischen vorhandene *j* ist im Althochdeutschen bis auf geringe Reste (wie *nerien* 'nähren') geschwunden, hat aber Spuren hinterlassen, und zwar im Umlaut und in der (westgermanischen) Gemination:

Umlaut trat im althochdeutschen Präs. immer dann ein, wenn die Stammsilbe einen Vokal *a* enthielt. Gemination erfolgte im Präs. der kurzsilbigen Verben mit Ausnahme der 2. und 3. Sgl. Ind. und der 2. Sgl. Imperativ (vgl. 2.3.3.4).

zellen *zellu* aber: *zelis* *zelit* 'zählen'

Im späteren Althochdeutschen setzen sich von diesen Formen aus im Präsens die einfachen Konsonanten durch: *zelen, zelu* usw. (BRAUNE 2018, 295–297). Verben mit *tz, pf, ck* haben dagegen die Gemination auf alle Formen des Präs. übertragen und sie auch später beibehalten:

setzen *setzu* *setzis* *setzit* (nicht: *seʒʒit*)

Bei lang- und mehrsilbigen schwachen Verben ist die westgermanische Konsonantengemination im Fränkischen überhaupt nicht, im Bairischen und Alemannischen nur teilweise eingetreten. Alte (schon germanische) Gemination wurde dagegen in allen Formen beibehalten (z. B. *stellen – stellu – stellis – stellit*).

Präteritum

Im Germanischen hatte das Prät. die Endung **-ida* (> ahd. *(i)ta*). Im Althochdeutschen ist das *i* bei den lang- und mehrsilbigen *jan*-Verben synkopiert worden:

bei	langsilbigen				
	nach langem Vokal	*hôren*	–	*hôrta*	‘hören’
	nach Diphthong	*suochen*	–	*suohta*	‘suchen’
	nach kurzem Vokal und Mehrfachkonsonanz	*zucken*	–	*zukta*	‘zücken’
bei	mehrsilbigen	*angusten*	–	*angusta*	‘sich ängstigen’
		mahalen	–	*mahalta*	‘sprechen, versprechen’

Da das *i* noch vor Beginn des Umlautprozesses schwand, stehen also bei den Verben mit Stammvokal *a* die nicht umgelauteten Formen des Präteritums (z. B. *stalta, branta*) den umgelauteten des Präsens gegenüber (*stellen, brennen*). Diese Erscheinung bezeichnete JACOB GRIMM irrtümlich als „Rückumlaut“ (vgl. 2.3.2.3).
Die kurzsilbigen Verben haben im Allgemeinen das *i* im Prät. erhalten, so dass auch hier Umlaut eintreten konnte:

dennen – *denita* ‘dehnen’

Es gibt aber auch germanische kurzsilbige Verben, die im Althochdeutschen ebenfalls *i*-Ausfall zeigen:

a) auf germ. **pj, *tj, *kj* > westgerm. **ppj, *ttj, *kkj* > ahd. *pf, tz, ck*. Die Langsilbigkeit ergab sich erst nach der Gemination:

decken – *dahta/dakta* ‘decken’
setzen – *saʒta* ‘setzen’
stepfen – *stafta* ‘stapfen, schreiten’

b) auf germ. *d* – Präs. ahd. *tt*:

retten – *ratta* ‘retten’

c) auf germ. *l* – Präs. ahd. *ll*:

zellen – *zalta* ‘(er)zählen’

Die unter b) und c) genannten Verben haben häufig Nebenformen mit *i*, also *ratta* neben *retita*, *zalta* neben *zelita*.

Das Part. Prät. hat in allen Formen *i*, wenn auch im Prät. ein *i* vorhanden war, z. B. *ginerit, gineritêr*. Hatte das Prät. dagegen kein *i*, so erschienen alle flektierten Formen des Part. Prät. ebenfalls ohne *i*, z. B. *gisaʒtêr, gihôrtêr*. Nur in der unflektierten Form des Part. Prät. ist *i* vorhanden, z. B. *gisetzit, gehôrit*.

Klasse 2 (ôn-Verben)
Der Themavokal *ô* bleibt in allen Stammformen erhalten, also:

salbôn *salbôta* *gisalbôt* ‘salben’

Ebenso z. B. *dionôn* ‘dienen’, *korôn* ‘prüfen’, *mahhôn* ‘machen’, *offanôn* ‘öffnen’, *rîhhisôn* ‘herrschen’. Die Flexion im Einzelnen ist aus der nachfolgenden Tabelle zu ersehen.

Klasse 3 (ên-Verben)
Der Stamm für alle drei Formen lautet auf -*ê* aus, also:

lëbên *lëbêta* *gilëbêt* ‘leben’

Das *ê*-Thema ist jedoch weniger fest als das *ô* der 2. Klasse. Schon im 9. Jh. tritt häufiger *a* an seine Stelle, z. B. *sagata, habant*.

Auch: *altên* ‘alt werden’, *dagên* ‘schweigen’, *darbên* ‘darben’, *folgên* ‘folgen’, *klëbên* ‘kleben’, *lërnên* ‘lernen’, *rîfên* ‘reifen’, *sagên* ‘sagen’ u. a.

Das Verb *habên* 'haben' weist seit dem 11. Jh. die kontrahierte Form *hân* auf, die sich dann im Mittelhochdeutschen als Nebenform von *haben* etabliert hat.

Manche der angeführten Verben schwanken in der Flexion. Sie gehören entweder in die 2. oder auch in die 3. Klasse, z. B.

klagôn	aber auch	*klagên*	'klagen'
zilôn	aber auch	*zilên*	'zielen, sich bemühen'
fastôn	aber auch	*fastên*	'fasten'

Schwankungen zwischen 1. und 2. bzw. zwischen 1. und 3. Klasse sind selten.

Übersicht über die Konjugation der schwachen Verben

Klasse 1		Klasse 2	Klasse 3
suochen	*zellen*	*salbôn*	*habên*
Präsens			
Indikativ			
suochu	*zellu*	*salbôm (-ôn)*	*habêm (-ên)*
suochis(t)	*zelis(t)*	*salbôs(t)*	*habês(t)*
suochit	*zelit*	*salbôt*	*habêt*
suochemês	*zellemês*	*salbômês*	*habêmês*
suochet	*zellet*	*salbôt*	*habêt*
suochent	*zellent*	*salbônt*	*habênt*
Konjunktiv			
suoche	*zelle*	*salbo*	*habe*
suochês(t)	*zellês(t)*	*salbôs(t)*	*habês(t)*
suoche	*zelle*	*salbo*	*habe*
suochêm (-ên)	*zellêm (-ên)*	*salbôm (-ôn)*	*habêm (-ên)*
suochêt	*zellêt*	*salbôt*	*habêt*
suochên	*zellên*	*salbôn*	*habên*
Imperativ			
suochi	*zeli*	*salbo*	*habe*
suochet	*zellet*	*salbôt*	*habêt*
Partizip			
suochenti	*zellenti*	*salbônti*	*habênti*
Präteritum			
Indikativ			
suohta	*zalta* oder *zelita*	*salbôta*	*habêta*
suohtôs(t)	*zaltôs(t)* oder *zelitôs(t)*	*salbôtôs(t)*	*habêtôs(t)*
suohta	*zalta* oder *zelita*	*salbôta*	*habêta*
suohtum (-un)	*zaltum (-un)* oder *zelitum (-un)*	*salbôtum (-un)*	*habêtum (-un)*
suohut	*zaltut* oder *zelitut*	*salbôtut*	*habêtut*
suohtun	*zaltun* oder *zelitun*	*salbôtun*	*habêtun*
Konjunktiv			
suohti	*zalti* oder *zeliti*	*salbôti*	*habêti*
suohtîs(t)	*zaltîs(t)* oder *zelitîs(t)*	*salbôtîs(t)*	*habêtîs(t)*
suoht	*zalti* oder *zeliti*	*salbôti*	*habêti*
suohtîm (-în)	*zaltîm (-în)* oder *zelitîm (-în)*	*salbôtîm (-în)*	*habêtîm (-în)*
suohtît	*zaltît* oder *zelitît*	*salbôtît*	*habêtît*
suohtîn	*zaltîn* oder *zelitîn*	*salbôtîn*	*habêtîn*
Partizip			
gisuochit	*gizalt* oder *gizelit*	*gisalbôt*	*gihabêt*
gisuohtêr	*gizaltêr* oder *gizelitêr*	*gisalbôtêr*	*gihabêtêr*

2.4.1.3 Präterito-Präsentien

Die Präterito-Präsentien (BRAUNE 2018, 420–425) sind Verben, deren Präsens die Form eines ablautenden Präteritums zeigt. Sie sind aus dem indogermanischen Perfekt entstanden (*ih weiȥ* 'ich habe gesehen und weiß also'; vgl. lat. *no-v-i*). Die alten Präsensformen sind verloren gegangen, weil die Präteritalformen Präsensfunktion übernommen haben. Die Flexion ist aber weiterhin die des Präteritums und entspricht der der starken Verben. Nur die 2. Sgl. hat davon abweichend ein *-t*, die ursprüngliche Endung der 2. Sgl. Prät. (BRAUNE 2018, 420).

Es entstanden im Laufe der Entwicklung wieder neue Präteritalformen, die den Stammvokal des alten Pl. Prät. (jetzt Pl. Präs.) beibehielten und nach dem Vorbild der schwachen Verben ein *t*-Suffix annahmen. Sie stehen somit als Mischform zwischen den starken und den schwachen Verben. Inf. und Part. Präs. werden ebenfalls nach denselben Stammformen neu gebildet, sind aber nicht bei allen Verben belegt. Formen des Part. Prät. treten im Althochdeutschen sehr selten auf.

Im Althochdeutschen existieren elf Präterito-Präsentien, z. T. aber nur mit lückenhaft belegten Flexionsformen. Sie werden in der Reihenfolge der Ablautreihen angeführt, zu denen sie ursprünglich gehörten.

Übersicht über die Präterito-Präsentien

Aus der 1. Ablautreihe					
1.	*wiȥȥan*	*weiȥ/wiȥȥum*	*wissa/wëssa/ wista/wësta*	*giwiȥȥan*	*'wissen'*
2.					'ich habe'
		ahd. nur *eigun* belegt			'haben'
		dazu das Adjektiv *eigan*			'eigen'
Aus der 2. Ablautreihe					
3.		*toug/tugun*	*tohta*		'taugt, nützt'
Aus der 3. Ablautreihe					
4.	*unnan*	*an/unnun*	*onda*		'gönnen'
	giunnan	*gian/gunnun*	*gionsta* (*gunde*)		'gönnen'
5.	*kunnan*	*kan/kunnun*	*konda* (*kunda*)		'wissen, verstehen, können'
6.	*durfan*	*darf/durfun*	*dorfta*		'benötigen, bedürfen'
7.		*gitar/giturrun*	*gitorsta*	*gitorran*	'wagen'
Aus der 4. Ablautreihe					
8.	*skolan/skulan*	*skal/skulun*	*skolta*		'sollen'
9.		*ginah* (nur so belegt)			'genügt'
Aus der 5. Ablautreihe					
10.	*magan*	*mag/magun*	*mahta*		'können, vermögen'
	mugan	*mugun*	*mohta*		
Aus der 6. Ablautreihe					
11.		*muoȥ/muoȥun*	*muosa* (später *muosta*)		'in der Lage sein, können, mögen, müssen'

2.4.1.4 Besondere Verben

Als „athematische“ (oder auch „Wurzelverben“) werden diejenigen Verben bezeichnet, bei denen im Indogermanischen und Germanischen die Flexionsendungen ohne

Themavokal direkt an die Wurzel traten. Im Althochdeutschen gehören vier Verben zu dieser Gruppe: *sîn* 'sein', *gân/gên* 'gehen', *stân/stên* 'stehen' und *tuon* 'tun'. In der 1. Sgl. Ind. Präs. zeigen diese Verben die Endung *-m* (später *-n*). Außer beim Verb 'sein' besteht weitgehend Gleichlauf mit der Flexion der „thematischen" Verben (BRAUNE 2018, 425–431). Die Endung *-m* geht auf idg. **-mi* zurück, weshalb diese Verben auch gelegentlich als *mi*-Verben bezeichnet werden.

Das Verb *sîn* 'sein'
An der Bildung der einzelnen Flexionsformen sind unterschiedliche Verbalstämme beteiligt. Eine solche unregelmäßige Formenbildung bezeichnet man als „suppletiv" (vgl. auch lat. *su-m, es-t*).

Präsens	
Indikativ	Konjunktiv
bim, bin	*sî*
bist	*sîs(t)*
ist	*sî*
birum, birun	*sîn*
birut	*sît*
sint	*sîn*

Die übrigen Formen werden von dem starken Verb *wësan* (5. Ablautreihe) gebildet (vgl. 2.4.1.1). Es ergeben sich also folgende Stammformen:

sîn/wësan	*bim*	*was*	*wârun*	Part. Prät. nicht belegt

Die Verben *gân/gên* 'gehen' und *stân/stên* 'stehen'
Die althochdeutschen Verben 'gehen' und 'stehen' lauten im Alemannischen meist *gân, stân*, im Bairischen und Fränkischen dagegen *gên, stên*. Neben diesen Präsens-Kurzformen stehen auch *gangan* (Klasse 7) und *stantan* (Klasse 6), die wie die übrigen Verben ihrer jeweiligen Klasse flektieren. Das finite Prät. und das Part. Prät. werden generell von diesen Vollformen gebildet, lauten also *giang* (wie *hiaȝ*) und *stuont* (wie *fuor*) usw. Die Flexion der präsentischen Kurzformen ist:

Indikativ		Konjunktiv	Imperativ	
gâm, gân	*gêm, gên*	*gê*		
gâs(t)	*gês(t)*	*gês(t)*	*(gang)*	
gât	*gêt*	*gê*		
gâmês, gân	*gêmês, gên*	*gên*	*gâmês*	*gêmês, gên*
gât	*gêt*	*gêt*	*gât*	*gêt*
gânt	*gênt*	*gên*		

Das Verb *stân/stên* flektiert ebenso. Der Konj. *gê, stê* tritt sehr selten auf. Meist werden die entsprechenden Formen von der Langform aus gebildet und lauten *gange* und *stante*. Auch der Sgl. Imp. heißt *gang* 'geh' und *stant* 'steh' (BRAUNE 2018, 429–431.).

Das Verb *tuon* 'tun'
Die einzelnen Quellen weisen im Präsens sehr unterschiedliche Formen auf (BRAUNE 2018, 427–429). Die folgende Übersicht basiert auf dem Stand des (ostfränkischen) „Tatian". 1. Pl. Konj. ist dort nicht belegt. Die angegebenen Formen sind die (südrheinfränkischen) Otfrids. 1. und 3. Sgl. Prät. zeigen reduplizierende Formen:

Präsens			Präteritum	
Indikativ	Konjunktiv	Imperativ	Indikativ	Konjunktiv
tuon	*tuo(e), tûe*		*tëta*	*tâti*
tuos(t)	*tûês, tûes*	*tuo*	*tâti*	*tâtîs(t)*
tuot	*tuo(e), tûe*		*tëta*	*tâti*
tuomês, tuon	*duên, duen (Otfrid)*		*tâtum, -un*	*tâtîmês, tâtîn*
tuot	*tuot*	*tuot*	*tâtut*	*tâtît*
tuont	*tuon*		*tâtun*	*tâtîn*
Part. Präs. *tuonti*				
Part. Prät. *gitân*				

2.4.1.5 *wellen* 'wollen'

Der Ind. Präs. dieses Verbs ist historisch gesehen ein alter Optativ (BRAUNE 2018, 431 f.). Der Sgl. Präs. Ind. flektiert deshalb formal noch wie ein alter Konjunktiv. Alle übrigen Präsensformen und das Präteritum haben die Flexion der schwachen Verben der 1. Klasse (*wolta, woltôs(t)* usw., vgl. 2.4.1.2).

Im Fränkischen wurde der Stammvokal *o* aus dem Präteritum auch auf den Pl. Präs. und den gesamten Konj. Präs. übertragen und verdrängte dort das *e* aus dem Stamm.

Indikativ			Konjunktiv		
willu, wili, wile			*welle*	fränk.	*wolle*
wili, wilis			*wellês(t)*		*wollêst*
wili, wile, wilit			*welle*		*wolle*
wellemês, wellên	fränk.	*wollemês*	*wellemês*		*wollemês*
wellet		*wollet*	*wellêt*		*wollêt*
wellent		*wollent*	*wellên*		*wollên*

2.4.2 Das Substantiv

Das althochdeutsche Substantiv weist wie das neuhochdeutsche drei Kategorien auf: Numerus (Singluar und Plural), Genus (Maskulinum, Femininum und Neutrum) und Kasus. Von den insgesamt acht indogermanischen Kasus sind im Althochdeutschen vier erhalten geblieben: Nominativ, Genitiv, Dativ, Akkusativ. Im älteren Althochdeutschen sind in einigen substantivischen Flexionsklassen und bei einigen (Pronomina) auch noch Formen des Instrumentals erhalten. In Ortsangaben früher Urkunden ist vereinzelt auch noch ein alter Lokativ bewahrt (BRAUNE 2018, 252).

Ursache für den Rückgang der Kasus ist „Kasussynkretismus", d. h. formaler Zusammenfall zuvor unterschiedener Formen aufgrund von spezifischen Entwicklungen im Bereich der Flexionssilben.

Die Deklination der Substantive richtet sich nach dem „Thema", d. h. einem Vokal, einem Konsonanten oder einer Kombination aus beidem zwischen Stamm und eigentlicher Flexionsendung. Im Althochdeutschen ist die Zerlegung des Wortes in Stamm + Thema + Endung nur noch in einigen Fällen möglich, z. B. Gen. Pl. *zung-ôn-o* (vgl. 2.4.2.2.1). In der Mehrzahl der Formen sind im Althochdeutschen Thema und Endung bereits zu einem einzigen Flexiv verschmolzen. Bei einigen wenigen Substantiven sind Besonderheiten der Flexion daraus zu erklären, dass schon im Indogermanischen kein „Thema" vorhanden war. Man spricht hier von Resten „athematischer Flexion" (oder „Wurzelnomina"). Die in Betracht kommenden Wörter haben sich aber bereits weitgehend den thematischen angeschlossen.

2.4.2.1 Vokalische (starke) Deklination

Die vokalische Deklination kennt entsprechend dem Thema, das in germanischer Zeit an die Wurzel trat, *a*-, *ô*-, *i*- und *u*-Stämme (Braune 2018, 249–282).

2.4.2.1.1 a-Deklination

Die Klasse der *a*-Stämme setzt die indogermanische *o*-Deklination fort und umfasst wie diese Maskulina und Neutra (z. B. auch lat. *lup-o-rum*, Gen. Pl. zu *lupus* 'Wolf' und *verb-o-rum* zu *verbum* 'Wort').

a-Stämme

		Maskulina	Neutra	Neutra
Sgl.	Nom., Akk.	*tag* 'Tag'	*wort* 'Wort'	*lamb* 'Lamm'
	Gen.	*tagas, -es*	*wortas, -es*	*lambes*
	Dat.	*taga, -e*	*worta, -e*	*lambe*
	Instr.	*tagu, -o*	*wortu, -o*	*lambu, -o*
Pl.	Nom., Akk.	*tagâ, -a*	*worto*	*lembir*
	Gen.	*tago*	*wort*	*lembiro*
	Dat.	*tagum, -om, -un, -on*	*wortum, -om, -un, -on*	*lembirum, -om, -un, -on*

Im Gen. und Dat. Sgl. sind die mit *e* gebildeten Formen die Normalformen (*tages, tage*). Im Dat. Pl. ist *-um/-un* mehr im Bairischen und Alemannischen, *-om/-on* mehr im Fränkischen üblich.

Die meisten althochdeutschen Maskulina, auch mehrsilbige, flektieren wie *tag, z. B. bërg* 'Berg', *fisk* 'Fisch', *geist* 'Geist', *nît* 'Neid', (*h*)*ring* 'Ring', *himil* 'Himmel', *kuning* 'König', *sluʒʒil* 'Schlüssel', *truhtin* 'Herr(scher)'. Ebenso flektieren die auf Konsonant endenden maskulinen Eigennamen wie *Hartmuot* oder auch *Petrus*. Nur im Akk. gilt hier die Endung *-an* (*Hartmuotan, Petrusan*).

Neutra dieser Klasse sind z. B. *barn* 'Kind', *fël* 'Fell', *jâr* 'Jahr', *sêr* 'Schmerz'. Mehrsilbige *a*-Stämme sind: *honag* 'Honig', *houbit* 'Haupt, Kopf', *knuosal* 'Geschlecht', *magatîn* 'Mädchen' und Diminutiva wie *kindilîn* 'Kindlein'.

iz-/az-Stämme

Eine Gruppe von Substantiven, die den Plural mit *-ir-* bilden, kann hier ebenfalls eingeordnet werden, denn sie zeigt im Singular weitgehend die Flexion der *a*-Stämme. Diachron gesehen handelt es sich aber um alte idg. *es-/os*-Stämme > germ. *iz-/az*-Stämme. Das stimmhafte *z* erscheint im althochdeutschen Pl. als *r* („Rhotazismus"). Im Sgl. sind nur noch in ganz frühen althochdeutschen Quellen *r*-haltige Formen wie Dat. Sgl. *chalbire* '(dem) Kalb' oder *rindares* '(des) Rindes' belegt.

Wie *lamb* flektieren im Althochdeutschen nur wenige Wörter: *blat, ei* (Pl. *eigir, eier*), *farh* 'Ferkel', (*h*)*rind* 'Rind', (*h*)*ris* 'Reis, Zweig', *huon* 'Huhn', *kalb* 'Kalb'. Doch nimmt die Zahl der Wörter mit *ir*-Plural allmählich zu, d. h., der deutlichere *er*-Plural wird auf Wörter übertragen, die ursprünglich nicht hierher gehörten (zur Weiterentwicklung im Mittelhochdeutschen siehe 3.4.2, im Frühneuhochdeutschen 4.4.2). Das *-i* der Endung bewirkte Primärumlaut von kurzem *a* (z. B. *kalb* – *kelbir*), im Mittelhochdeutschen auch Sekundärumlaut (z. B. *huon* – *hüener*).

Durch Erweiterung des *a*-Themas mit den Halbvokalen *j* und *w* entstanden die *ja*- und *wa*-Stämme.

ja-Stämme

		Maskulina	Neutra
Sgl.	Nom., Akk.	*hirti* 'Hirte'	*kunni* 'Geschlecht, Sippe'
	Gen.	*hirtes*	*kunnes*
	Dat.	*hirtie, -e*	*kunnie, -e*
	Instr.	*hirtiu, -u, -o*	*kunniu, -u, -o*
Pl.	Nom., Akk.	*hirtâ, -a, -e*	*kunni*
	Gen.	*hirteo, -io, hirto*	*kunneo, -io, hirto*
	Dat.	*hirtum, -un, -on, -im, -in*	*kunnum, -un, -on, -im, -in*

Das alte *j* ist im Althochdeutschen schon weitgehend geschwunden. Im Nom., Akk. Sgl. ist *j* nach Abfall der Kasusendungen im absoluten Auslaut zu *i* geworden. In den ältesten Quellen zeigen Dat. und Instr. Sgl. und Gen. Pl. noch Reste des *ja*-Themas (*i* oder *e* geschrieben). Als Auswirkung des *j* auf die Wurzel ist häufig Gemination anzutreffen.

Wie *hirti* flektieren nur wenige Maskulina, z. B. *hirsi* 'Hirse', *(h)rucki* 'Rücken', *(h)weizi* 'Weizen', besonders aber die Nomina agentis auf *-âri, z. B. buochâri* 'Schriftgelehrter, Schreiber', *fiskâri* 'Fischer', *lêrâri* 'Lehrer', *luginâri* 'Lügner'.

Die Neutra, die nach dem Muster von *kunni* flektieren, sind zahlreicher. Beispiele sind *arbi* 'Erbteil', *enti* 'Ende; Stirn', *netzi* 'Netz', *rîhhi* 'Herrschaft, Reich, Land'. Hierher gehören auch die Kollektivbildungen mit *gi-i,* wie *gibeini* 'Gebein(e)', *gibirgi* 'Gebirge', *gizungi* 'Sprache', und viele Ableitungen auf *-nissi,* wie *firstandnissi* 'Verstand', *wârnissi* 'Wahrheit' u. a.

wa-Stämme

Zu den *wa*-Stämmen gehören nur sehr wenige Maskulina und Neutra. Das *w* erscheint im Auslaut als *-o*, und zwar im Nom. und Akk. Sgl. In den übrigen Formen stimmt die Deklination mit den *a*-Stämmen überein. Vor der Endung erscheint jedoch noch das „thematische" *-w-*. So ergibt sich z. B. für 'See' folgende Flexion: Sgl. *sêo, sêwes, sêwe, sêo*; Pl. *sêwa, sêwo, sêwum, sêwa.* Weitere Beispiele dieser nicht sehr umfangreichen Gruppe sind *bû* 'Bau', *(h)lêo* 'Erdhügel', *klêo* 'Klee', *snêo* 'Schnee' und die Neutra *horo* 'Schmutz', *(h)rêo* 'Leichnam', *knêo* 'Knie', *scato* 'Schatten'. Da im 9. Jh. *-o* nach *ê* schwindet, heißt es mhd. *klê, sê, snê.*

2.4.2.1.2 ô-Deklination

Die Klasse setzt die indogermanische *â*-Deklination (z. B. lat. *stell-a-m*, Akk. Sgl. zu *stella* 'Stern') fort. Sie umfasst deshalb wie diese nur Feminina. Neben den „reinen" *ô*-Stämmen gibt es auch *jô*-und *wô*-Stämme. Die *jô*-Stämme zeigen noch einige Besonderheiten, die *wô*-Stämme dagegen flektieren genauso wie die *ô*-Stämme. Ehemalige *wô*-Stämme sind: *brâwa* 'Braue', *farwa* 'Farbe', *(h)riuwa* 'Reue', *triuwa* 'Treue' u. a.

ô-, wô- und jô-Stämme

		ô-/wô-Stamm	jô-Stamm frühahd.	ab 9. Jh.
Sgl.	Nom., Akk.	*gëba* 'Gabe'	*suntia, -ea, -e*	*sunta*
	Gen.	*gëbu, -o, -a*	*suntia, -ea, -e*	*sunta*
	Dat.	*gëbu, -o*	*suntiu*	*suntu*
Pl.	Nom., Akk.	*gëbâ*	*suntia, -eâ, -e*	*suntâ*
	Gen.	*gëbôno*	*sunteôno*	*suntôno*
	Dat.	*gëbôm, -ôn, -on*	*sunteôm*	*suntôm, -ôn*

Nom. und Akk. sind schon im Althochdeutschen gleichlautend. Das zeigt sich noch an Eigennamen wie *Brunihilt, Hiltigunt.* Im 9. Jh. besteht die Tendenz, auch Gen. Sgl. und Dat. Sgl. auszugleichen. Allmählich dringen die Dativformen immer mehr in den Gen. ein.

Die Zahl der *ô*-Stämme ist groß. Dazu gehören z. B. *ërda* 'Erde', *êra* 'Ehre', *fëhta* 'Gefecht', *lêra* 'Lehre', *zala* 'Zahl', auch die Nomina actionis auf *-unga* wie *manunga* 'Mahnung', *samanunga* 'Versammlung'.

Die *jô*-Stämme, die ursprünglich noch das *j* haben, fallen im 9. Jh. mit den *ô*-Stämmen zusammen. Das *j* hat, wo es möglich war, Konsonantengemination und Umlaut hervorgerufen, z. B. *hellia/hella* (got. *halja*) 'Hölle' (vom ablautenden Präteritalstamm *hal-* des Verbs *hëlan* 'verbergen'), *minnea* 'Liebe, Zuneigung'. Eine größere Gruppe bilden die movierten (d. h. von Maskulina abgeleiteten) Feminina wie *forasagin* 'Prophetin', *kuningin* 'Königin', *esilin* 'Eselin'. Sie zeigen im Nom. Sgl. die alte Kurzform (ohne *-a* wie *gëba*). Die obliquen Kasus haben aufgrund der *j*-Gemination Doppel-*n*, lauten also Gen. Sgl. *kuninginna,* Dat. *kuninginnu,* Akk. *kuninginna.* Seit dem 11. Jh. erfolgt auch hier Angleichung des Nom. Sgl. an den Akk. Es heißt also *kuniginne.* Im Mittelhochdeutschen ist diese Form die reguläre (vgl. 3.4.2.1.3).

2.4.2.1.3 i-Deklination

Die Klasse der *i*-Stämme, die auf eine indogermanische *i*-Deklination (z. B. lat. *febr-i-s* 'Fieber') zurückgeht, umfasst noch Maskulina und Feminina. Die Maskulina stimmen im Sgl. mit den *a*-Stämmen überein. Nur wenige Wörter (*risi* 'Riese', *wini* 'Freund') zeigen abweichend davon noch im Nom. Sgl. die Endung *-i.* Im Pl. ist Umlaut eingetreten, sofern der Stammvokal umlautbar war. Die Feminina haben im Sgl. Gen. und Dat. die Endung *-i* und demzufolge, wo es möglich ist, ebenfalls Umlaut.

		Maskulina	Feminina
Sgl.	Nom., Akk.	*gast* 'Gast'	*stat* 'Stadt, Ort, Stelle'
	Gen.	*gastes*	*steti*
	Dat.	*gaste*	*steti*
	Instr.	*gastiu, gestiu, gastu*	-
Pl.	Nom., Akk.	*gesti*	*steti*
	Gen.	*gestio, -eo, -o*	*stetio, -eo, -o*
	Dat.	*gestim, -in, -en*	*stetim, -in, -en*

Eine ganze Anzahl Maskulina flektiert wie *gast,* u. a. *apful* 'Apfel', *bah* 'Bach', *liut* 'Volk', *slag* 'Schlag', *wirt.* Noch zahlreicher sind die Feminina, z. B. *arn* 'Ernte', *stat* 'Stadt, Stätte', *sûl* 'Säule', besonders die Abstrakta auf *-scaf(t), -heit* und *-t,* z. B. *dëganheit* 'Tapferkeit', *gomaheit* 'Persönlichkeit'; *lantscaf* 'Landschaft', *fart* 'Fahrt', *fluht* 'Flucht', *tât* 'Tat'.

2.4.2.1.4 u-Deklination

Die *u*-Stämme setzen eine idg. *u*-Klasse fort (vgl. lat. *fruct-u-s* 'Frucht'). Diese umfasste ursprünglich Maskulina, Neutra und Feminina, ist im Althochdeutschen aber nur noch in wenigen Resten erhalten. Mask. *u*-Stämme sind noch *fridu* 'Friede', *hugu* 'Sinn', *situ* 'Sitte'. Schon im Althochdeutschen bestand die Tendenz zur Angleichung an die *i*-Deklination.

Von den Feminina zeigt nur noch *hant* 'Hand' Reste der alten Flexion, und zwar im Dat. Pl. *hantum, -un, -on.* Sonst flektiert *hant* nach der *i*-Deklination (deshalb hat noch der Pl. nhd. *Hände* Umlaut). Die alte umlautlose Form zeigen aber noch die Wörter *vorhanden, zuhanden, abhanden*. Ein ursprünglich *u*-stämmiges Neutrum ist *fihu* 'Vieh'. Aber nur im Nom., Akk. Sgl. hat sich die alte Form mit Endung *-u* erhalten.

2.4.2.2 Konsonantische (schwache) Deklination

Den größten Anteil an den konsonantischen Stämmen haben die *n*-Stämme.

2.4.2.2.1 n-Deklination

Auch diese althochdeutsche Klasse ist auf eine entsprechende indogermanische zurückzuführen (z. B. auch lat. *opinio-n-is*, Gen. Sgl. zu *opinio* 'Meinung'). Sie umfasst Substantive aller drei Genera:

		Maskulina	Neutra	Feminina
Sgl.	Nom.	*hano* 'Hahn'	*hërza* 'Herz'	*zunga* 'Zunge'
	Gen.	*hanen, -in*	*hërzen, -in*	*zungûn*
	Dat.	*hanen, -in*	*hërzen, -in*	*zungûn*
	Akk.	*hanon, -un*	*hërza*	*zungûn*
Pl.	Nom., Akk.	*hanon, -un*	*hërzun, -on*	*zungûn*
	Gen.	*hanôno*	*hërzôno*	*zungôno*
	Dat.	*hanôm, -ôn*	*hërzôm, -ôn*	*zungôm, -ôn*

Bei den Maskulina und Neutra ist die Endung *-en* fränkisch, *-in* bairisch und alemannisch. Es gibt sehr viele Maskulina, die wie *hano* flektieren, z. B. *garto* 'Garten', *namo* 'Name', *scado* 'Schaden' u. a. Hierher gehören auch die im Althochdeutschen noch zahlreichen Nomina agentis, die von Verben abgeleitet worden sind, z. B. *boto* 'Bote', *forasago* 'Prophet', *gëbo* 'Geber' u. a. Häufig war das *n*-Thema durch *j* erweitert (in ältester Zeit als *e* oder *i* erhalten), das im 9. Jh. jedoch bereits geschwunden ist. Es ist indirekt aber noch an der verursachten Konsonantenverdopplung und ggf. am Umlaut zu erkennen wie z. B. in *erbo* – älter *erbeo* (got. *arbja*) 'der Erbe', *gisello* – älter *giselleo* 'Geselle', *reccho* – älter *wreccheo* 'Verbannter', *willo* – älter *willeo* 'Wille'. Die Gruppe der Neutra umfasst nur wenige Wörter. Es sind *hërza* 'Herz', *ora* 'Ohr', *ouga* 'Auge', *wanga* 'Wange' und das nur im Plural verwendete *hîwun* 'Ehegatten, Familie' (Singular: *hîwo* 'Gatte' und *hîwa* 'Gattin').

Die Zahl der Feminina ist groß, z. B. *bluoma* 'Blume', *diorna* 'Mädchen', *forasaga* 'Prophetin', *quëna* 'Frau', *sunna* 'Sonne', *tûba* 'Taube'. Wie bei den Maskulina, so gibt es auch bei den Feminina die Erweiterung des *n*-Themas durch *j*, sofern möglich mit den entsprechenden Folgen Gemination und Umlaut. Hierzu gehören z. B. *frouwa* '(vornehme) Frau', *mukka* 'Mücke', *winia* 'Freundin', aber auch die Substantive mit dem alten Suffix *-în* (das diachron gesehen eine Ablautform zu den mit *j* erweiterten *n*-Stämmen darstellt). Die Deklination dieser Wörter hat sich durch den Abfall des *n* von der ursprünglichen *n*-Deklination weit entfernt.

Sgl.	Nom.	*hôhî(n)*
	Gen.	*hôhî(n)*
	Dat.	*hôhî(n)*
	Akk.	*hôhî(n)*
Pl.	Nom., Akk.	*hôhî(n)*
	Gen.	*hôhîno*
	Dat.	*hôhîm, -în*

Die mit *î* gebildeten Formen sind vorherrschend. Die größte Zahl der so flektierenden Wörter sind die Adjektivabstrakta auf *-î*, wie *finstrî* 'Finsternis', *menigî* 'Menge', *tiufî* 'Tiefe' u. a.

2.4.2.2.2 Reste anderer konsonantischer Deklinationen

Im Althochdeutschen gibt es nur noch wenige *ter-* und *nt*-Stämme. Die Klasse der *ter*-Stämme bilden fünf Verwandtschaftsbezeichnungen, die Maskulina *fater* und *bruoder* sowie die Feminina *muoter, tohter* und *swester.*

Sgl.	Nom.	*bruoder*
	Gen.	*bruoder*
	Dat.	*bruoder*
	Akk.	*bruoder*
Pl.	Nom., Akk.	*bruoder*
	Gen.	*bruodero*
	Dat.	*bruoderum, -un, -on*

Die Feminina haben im Althochdeutschen diese Deklination gut bewahrt. Dagegen zeigt *fater* neben den alten Formen oft bereits solche der *a*-Deklination und flektiert dann: Sgl. Nom., Akk. *fater*, Gen. *fateres*, Dat. *fatere*; Pl. Nom., Akk. *faterâ, -a*, Gen. *fatero*, Dat. *faterum, -un, -on.*

Die *nt*-Stämme sind ursprünglich substantivierte Präsenspartizipien. Im Althochdeutschen ist ihre besondere Deklination nur noch resthaft erhalten bei *friunt* 'Freund' (zu germ. **frijon* 'lieben') und *fîant* 'Feind' (zu ahd. *fiên* 'hassen'). Sie haben sich weitestgehend der *a*-Deklination angeschlossen. Relikt der alten Flexionsweise ist noch die endungslose Form im Nom., Akk. Pl.

Sgl.	Nom., Akk.	*friunt*
	Gen.	*friuntes*
	Dat.	*friunte*
Pl.	Nom., Akk.	*friunt, fiunta*
	Gen.	*friunto*
	Dat.	*friuntum, -un, -on*

Zu dieser Deklination gehören ursprünglich auch andere Partizipien wie *hëlfant* 'Helfer', *heilant* 'Heiland', *wîgant* 'Kämpfer', die aber sämtlich in die *a*-Deklination übergegangen sind.

2.4.2.3 Besondere Formen der Deklination

Wurzelnomina sind Substantive, deren Flexionsendung ohne Thema an die Wurzel tritt. Wurzel und Flexionsstamm treffen also zusammen. Da die Wurzel dieser Wörter auf einen Konsonanten endet, werden sie meist der konsonantischen Deklination zugeordnet.

Wurzelnomina sind Maskulina und Feminina. Sie sind aber nahezu restlos zur *i*-Deklination übergegangen. Von den Maskulina hat nur *man* 'Mensch, Mann' einige alte Flexionsformen bewahrt.

Sgl.	Nom., Akk.	*man*
	Gen.	*man, mannes*
	Dat.	*man, manne*
Pl.	Nom., Akk.	*man*
	Gen.	*manno*
	Dat.	*manum, -un, -om, -on*

Auch bei *fuoȝ* ‘Fuß’ und *ginôȝ* ‘Gefährte, Genosse’ sind noch Reste alter Formen erhalten. Bei den Feminina zeigt noch *naht* ‘Nacht’ alte Flexionsformen.

Sgl.	Nom., Akk.	*naht*
	Gen.	*naht*
	Dat.	*naht*
Pl.	Nom., Akk.	*naht*
	Gen.	*nahto*
	Dat.	*nahtum, un, on* (vgl. nhd. *Weihnachten*)

Wie *naht* flektiert auch *bruoh* ‘Hose’ und *buoh* ‘Buch’. Sie werden meist nur im Pl. verwendet. Zu den Wurzelnomina gehören ursprünglich auch *burg* ‘Stadt’ und *brust* ‘Brust’, für die neben Formen der *i*-Deklination noch einige wenige Reliktformen belegt sind: Gen. Dat. Sgl. *burg* neben *burgi* – Dat. Pl. *brustum* neben *brustin*, Nom. Akk. Pl. *brust* neben *brusti*.

2.4.3 Das Adjektiv

Wie bei den Substantiven ist auch bei den Adjektiven zwischen starker und schwacher Flexion zu unterscheiden. Während jedoch die Substantive entweder der starken oder der schwachen Deklination angehören, flektieren die Adjektive (wie auch noch im Neuhochdeutschen) sowohl stark als auch schwach. Maßgeblich ist die syntaktische Funktion. Ein Adjektiv wird dann schwach flektiert, wenn es attributiv gebraucht wird und zudem ein Demonstrativpronomen oder ein bestimmter Artikel vorausgeht. In allen anderen Fällen gilt die starke Flexion, die bei der Wortart Adjektiv auch die ursprüngliche ist. Die schwache Flexion ist eine Neuerung des Germanischen (zum althochdeutschen Adjektiv generell BRAUNE 2018, 297–321).

2.4.3.1 Starke Deklination

Die starke Adjektivflexion entspricht ursprünglich der Deklination der *a*-stämmigen Maskulina und Neutra und der *ô*-stämmigen Feminina (vgl. 2.4.2.1.1 und 2.4.2.1.2). Sie ist aber weitgehend durch die Deklination der Pronomen beeinflusst worden.

		Maskulinum	Neutrum	Femininum
Sgl.	Nom.	1. *guot* 2. *guotêr*	1. *guot* 2. *guotaȝ*	1. *guot* 2. *guotiu, -u*
	Gen.	*guotes*	*guotes*	*guotera*
	Dat.	*guotemu, -emo*	*guotemu, -emo*	*guoteru, -o*
	Akk.	*guotan*	1. *guot* 2. *guotaȝ*	*guota*
	Instr.	*guotu, -o*	*guotu, -o*	-
Pl.	Nom.	*guote (guot)*	*guotiu, -u (guot)*	*guoto (guot)*
	Gen.	*guotero*	*guotero*	*guotero*
	Dat.	*guotêm, -ên*	*guotêm, -ên*	*guotêm, -ên*
	Akk.	*guote*	*guotiu, -u*	*guoto*

Im Nom. Sgl. aller Genera ist eine längere („flektierte“) und eine kürzere („unflektierte“) Form zu unterscheiden. Letztere ist nur scheinbar unflektiert. Es ist eigentlich die alte Form der entsprechenden Substantivdeklination. Bei attributiver Verwendung ohne Artikel oder Pronomen können beide Formen verwendet werden, also *guotêr man* ebenso wie *guot man*. Im Plural dagegen steht attributiv nur die flektierte Form (*guote man* 'gute Männer', *guotiu kint* 'gute Kinder', *guoto quënûn* 'gute Frauen').

In prädikativer Verwendung wird häufiger die unflektierte Form verwendet (*dër man ist guot*), seltener die flektierte (*dër man ist guotêr*). Die Verwendung der Kurzform im Plural beruht auf einer Übertragung aus dem Singular.

Wie bei den Substantiven unterscheidet man auch bei den Adjektiven zwischen „reinen" *a-/ô*-Stämmen und *ja-/jô-* oder *wa-/wô*-Stämmen. Dieser Unterschied macht sich nur noch in der unflektierten Form des Nom. Sgl. bemerkbar. Sie endet bei den ehemaligen *ja-/jô*-Stämmen auf *-i*, z. B. *mâri* 'berühmt', bei den (nur wenigen) ehemaligen *wa-/wô*-Stämmen auf *-o*, z. B. *garo* 'gar'. Die flektierten Formen dieser Wörter lauten im Mask. *mârêr* und *gar(a)wêr*. Bei den *wa-/wô*-Stämmen tritt das *w* vor die Flexionsendung.

2.4.3.2 Schwache Deklination

Die schwache Adjektivflexion stimmt mit der Flexion der substantivischen *n*-Stämme überein (vgl. 2.4.2.2.1).

		Maskulinum	Neutrum	Femininum
Sgl.	Nom.	*guoto*	*guota*	*guota*
	Gen.	*guoten, -in*	*guoten, -in*	*guotûm*
	Dat.	*guoten, -in*	*guoten, -in*	*guotûn*
	Akk.	*guotun, -on*	*guota*	*guotûn*
Pl.	Nom., Akk.	*guotun, -on*	*guotun, -on*	*guotûn*
	Gen.	*guotôno*	*guotôno*	*guotôno*
	Dat.	*guotôm, -ôn*	*guotôm, -ôn*	*guotôm, -ôn*

2.4.3.3 Deklination der Partizipien

Die Partizipien werden im Althochdeutschen wie die Adjektive stark und schwach dekliniert. Die unflektierte Form des Part. Präs. stimmt zu der der *ja-/jô*-Stämme, die des Part. Prät. zu der der *a-/ô*-Stämme. Als Beispiel dienen Formen des starken Verbs *nëman* 'nehmen':

		Part. Präs.	Part. Prät.
st. Dekl.	unflekt.	*nëmanti*	*ginoman*
	flekt. (Nom.)	*nëmantêr/-aʒ/iu*	*ginomanêr/-aʒ/-iu*
sw. Dekl.	(Nom.)	*nëmanto/-a/-a*	*ginomano/-a/-a*

2.4.3.4 Komparation

Regelmäßige Steigerung
Im Althochdeutschen gibt es zwei Möglichkeiten der Komparation:

a) den Komparativ mit der Endung *-iro*, den Superlativ mit *-isto*;
b) den Komparativ mit der Endung *-ôro*, den Superlativ mit *-ôsto*. Bei den einsilbigen Adjektiven bilden die *ja-/jô*-Stämme Komparativ und Superlativ fast durchweg mit den *i*-Formen, die *a-/ô*-Stämme dagegen sowohl mit den *i-* als auch mit den *ô*-Formen. Es heißt also:

	suoȝi 'süß'	(*ja*-Stamm)	–	*suoȝiro*	–	*suoȝisto*
aber:	*hêr* 'vornehm'	(*a*-Stamm)	–	*hêrôro*	–	*hêrôsto*

Die mehrsilbigen Adjektive weisen überwiegend die Formen mit *-ô-* auf, z. B.

managfalt – managfaltôro – managfaltôsto

Komparativ und Superlativ werden im Althochdeutschen im Gegensatz zum Neuhochdeutschen nur schwach dekliniert.

Unregelmäßige Steigerung
Einige Adjektive weisen keine regelmäßigen Komparativ- und Superlativformen auf. Diese Adjektive bilden den Komparativ und den Superlativ als Suppletivformen von anderen Wortstämmen, die ihrerseits keinen Positiv haben.

guot	'gut'	–	*beȝȝiro*	–	*beȝȝisto*
ubil	'schlecht'	–	*wirsiro*	–	*wirsisto*
mihhil	'groß'	–	*mêriro, mêrôro mêro*	–	*meisto*
lutzil	'klein'	–	*minniro*	–	*minnisto*

Daneben gibt es noch eine Reihe von Steigerungsformen, die nicht von Adjektiven, sondern von Adverbien und Präpositionen gebildet worden sind. In der Komparation werden sie aber als Adjektive verwendet. So gehören z. B. zum Adverb *êr* 'vorher' der Komparativ *êriro* 'früherer' und der Superlativ *êristo* 'frühester, erster', zu *fora, furi* 'vor' *furiro* 'vorderer, vornehmerer' und *furisto* 'vorderster, vornehmster'.

2.4.3.5 Adjektivadverbien

Im Althochdeutschen können aus Adjektiven Adverbien gebildet werden, indem an den Stamm ein *-o* angefügt wird, z. B. *hôh – hôho* 'hoch', *mahtig – mahtigo* 'mächtig', *snëll – snëllo* 'stark'. Bei den *ja*-Stämmen mit umlautfähigem Vokal erscheint das Adjektiv mit Umlaut, das Adverb jedoch ohne Umlaut, z. B. *engi – ango, semfti – samfto, festi – fasto* (worauf nhd. *fest* und *fast* zurückgehen). Das Adverb zum Adjektiv *guot* heißt *wola* (vgl. engl. *good – well*). Die Steigerung der Adverbien auf *-o* erfolgt wie die der Adjektive, jedoch wird im Komparativ nur *-ôr*, im Superlativ *-ôst* und selten *-ist* verwendet, z. B. *fasto – fastôr – fastôst* (selten *fastist*), *lango – langôr – langôst* (selten *langist*).

Zu den Adverbien *wola, ubilo, mihhilo* und *lutzilo* sind die Steigerungsformen wie bei den entsprechenden Adjektiven unregelmäßig.

wola	'gut'	–	*baȝ*	–	*beȝȝist*
ubilo	'schlecht'	–	*wirs*	–	*wirsist*
mihhilo	'groß'	–	*mêr*	–	*meist*
lutzilo	'klein'	–	*min*	–	*minnist*

2.4.4 Das Pronomen

2.4.4.1 Personalpronomen

Man unterscheidet zwischen „ungeschlechtigen" Pronomina (Personalpronomina der 1. Person 'ich' und der 2. Person 'du'), bei denen keine Genusdifferenzierung besteht, und „geschlechtigen" mit Formendifferenzierung nach Maskulinum, Femininum und Neutrum (BRAUNE 2018, 331–336).

		geschlechtig		ungeschlechtig		
		1. Person	2. Person	3. Person		
				Mask.	Neutr.	Fem.
Sgl.	Nom.	*ih*	*dû, du*	*ër, hër*	*iʒ*	*siu, sî, si*
	Gen.	*mîn*	*dîn*	*sîn*	*ës, is*	*ira, iru*
	Dat.	*mir*	*dir*	*imu, imo*	*imu, imo*	*iru, iro*
	Akk.	*mih*	*dih*	*in(an)*	*iʒ*	*sia, sie*
Pl.	Nom.	*wir*	*ir*	*sie*	*siu*	*sio*
	Gen.	*unsêr*	*iuwêr*	*iro*	*iro*	*iro*
	Dat.	*uns*	*iu*	*im, in*	*im, in*	*im, in*
	Akk.	*unsih*	*iuwih*	*sie*	*siu*	*sio*

Außer den hier aufgeführten Formen, gibt es noch dialektale Varianten. Im Nom. Sgl. ist *ër* die vorherrschende Form; *hër* zeigt mit dem *h*-Anlaut eine vermittelnde Zwischenstellung zwischen ahd. *ër* und as. *hë* (vgl. engl. *he*).
Zu den ungeschlechtigen Pronomina gehört auch das Reflexivpronomen:

Sgl.	Gen.	*sîn (ira)*	Pl.	*(iro)*
	Dat.	*(imu, iru)*		*(im)*
	Akk.	*sih*		*sih*

Die (in der Übersicht eingeklammerten) ursprünglichen Formen sind im Althochdeutschen weitgehend verloren gegangen. Vorhanden sind noch *sih* (Akk., Sgl. Pl.) und *sîn* (Gen. Sgl.), das nur für Mask. und Neutr. gebräuchlich ist und auch die Stelle des alten Genitivs des maskulinen geschlechtigen Pronomens eingenommen hat. Im Plural wird als Reflexivum das geschlechtige Pronomen verwendet.

2.4.4.2 Possessivpronomen

Das Possessivpronomen entspricht dem Genitiv des geschlechtigen Personalpronomens. Für das Neutrum wird die maskuline Form verwendet (Braune 2018, 336–338).

Sgl.	*mîn*	*dîn*	*sîn*	*sîn*	*ira*
Pl.	*unsêr*	*iuwer*	*iro*		

Die Possessivpronomina flektieren wie starke Adjektive. Im Nom. Sgl. wird sowohl die unflektierte als auch die flektierte Form verwendet, also *mîn*, aber auch *mînêr, mînaʒ, mîniu* usw.

2.4.4.3 Demonstrativpronomen

Das einfache Demonstrativpronomen
In den ältesten Quellen (auch im „Tatian“) gilt oft noch *th-* im Anlaut. In der folgenden Übersicht ist diese Variante nicht eigens berücksichtigt (Braune 2018, 338–342).

		Mask.	Neutr.	Fem.
Sgl.	Nom.	*dër*	*daʒ*	*diu*
	Gen.	*dës*	*dës*	*dëra, -u, -o*
	Dat.	*dëmu*	*dëmo*	*dëru, -o*
	Akk.	*dën*	*daʒ*	*dea, dia*
	Instr.	*diu*	*diu*	
Pl.	Nom., Akk.	*dea, dia, die, dê*	*diu*	*deo, dio*
	Gen.	*dëro*	*dëro*	*dëro*
	Dat.	*dêm, -n*	*dêm, -n*	*dêm, -n*

Dieses einfache Relativpronomen wird auch als Artikel und Relativpronomen verwendet (zu frühen Belegen s. GLASER 1999). Beim Femininum wird die Dativform schon im 9. Jh. mitunter auch für den Genitiv gebraucht. Später setzt sich diese Form für den Genitiv generell durch. Der alte Instrumental tritt sehr häufig in präpositionaler Fügung oder auch univerbiert auf, z. B. *bithiu* (jünger *bidiu*) 'deshalb', *innan thiu* (*diu*) 'unter-, währenddessen'.

Das zusammengesetzte Demonstrativpronomen

Hierbei handelt es sich ursprünglich um eine Verbindung aus dem einfachen Demonstrativpronomen und der nicht deklinierbaren Partikel *se* (BRAUNE 2018, 342–345). Daher wird zunächst nur der erste Bestandteil dekliniert. Nach einer Reihe von Übergangsformen nimmt es später Endflexion an. Diese im Althochdeutschen entstehenden Formen werden wie starke Adjektive flektiert (vgl. 2.4.3.1):

		Mask.	Neutr.	Fem.
Sgl.	Nom.	*dëse(r)*	*ditz*	*dësiu, disiu*
	Gen.	*dësses*	*dësses*	*dësera*
	Dat.	*dësemu, -o*	*dësemu, -o*	*dëseru*
	Akk.	*dësan*	*ditz*	*dësa*
	Instr.		*dës(i)u*	
Pl.	Nom., Akk.	*dëse*	*dësiu, disiu*	*dëso*
	Gen.	*dësero*	*dësero*	*dësero*
	Dat.	*dësêm, -n*	*dësêm, -ên*	*dësêm, -n*

Interrogativpronomen

Im Anlaut steht in den ältesten Quellen noch *hw-* (vgl. 2.3.3.2). Das Interrogativpronomen kennt keinen Plural und kein Femininum. In der Übersicht sind einfachheitshalber nur die *w*-Formen verzeichnet (Weiteres s. BRAUNE 2018, 345 f.):

		Mask.	Neutr.
Sgl.	Nom.	*wër*	*waʒ*
	Gen.	*wës*	*wës*
	Dat.	*wëmu, -o*	*wëmu, -o*
	Akk.	*wën(an)*	*waʒ*
	Instr.		*wiu*

Auch hier erscheint der alte Instr. häufig in präpositionalen Fügungen wie *mit wiu* 'womit' oder auch univerbiert *bîhwiu, bihwiu* 'weshalb'. Das Interregativpronomen wird nur substantivisch verwendet. Nachfolgende Substantive stehen im Gen., z. B. *wer manno* 'welcher Mann' (wörtlich: 'welcher der Männer').

Pronominale Wortgruppen

Im heutigen Deutschen stimmen die Pronomina, mit denen Relativsätze eingeleitet werden, die nicht auf eine individuelle Größe Bezug nehmen, sondern – verallgemeinernd – auf eine Gesamtheit, mit dem Interrogativpronomen überein, z. B. *wer andern eine Grube gräbt, fällt selbst hinein* oder *was sich liebt, das neckt sich*. Im Althochdeutschen wurden beispielsweise Subjektsätze, die etwas allgemein Gültiges aussagen, mit einer Wortgruppe *sô (h)wër sô, sô (h)waʒ sô* o. ä. eingeleitet (HARM 2001). In dem Bruchstück einer althochdeutschen Übersetzung der „Lex Salica" beispielsweise, in dem die Strafmaße für verschiedene Arten von Schweinediebstahl festgelegt sind, beginnt eine Reihe von Sätzen mit *so hwer so*, z. B. *so hwer so farah forstilit fon đemo slage* 'wer Ferkel stiehlt aus dem Verschlag'. Aus der Wortgruppe entwickelten sich zum Mittelhochdeutschen hin die verallgemeinernden Relativpronomina *swër, swaʒ* usw. Im Frühneuhochdeutschen wurde die anlautende Konsonantengruppe *sw-* > *w-* reduziert. Damit war dieses Relativpronomen mit dem Interrogativpronomen zusammengefallen.

2.4.5 Zahlwörter

2.4.5.1 Kardinalzahlen

Eins. Ahd. *ein* flektiert wie Adjektive stark und schwach (vgl. 2.4.3.1). Der Nom. Sgl. lautet:

	Mask.	Neutr.	Fam.
st.	*ein*	*ein*	*ein*
	einêr	*einaȥ*	*einiu*
sw.	*eino*	*eina*	*eina*

Daraus entwickelt sich im späteren Althochdeutschen allmählich der unbestimmte Artikel (dazu OUBOUZAR 1999).

Zwei und drei. Nom. und Akk. dieser beiden Zahlen sind je nach Genus der Bezugsgröße verschieden. Gen und Dat. stimmen in den drei Genera überein:

	Mask.	Neutr.	Fem.
Nom., Akk.	*zwêne*	*zwei*	*zwâ, zwô*
Gen.		*zweio*	
Dat.		*zweim, -n*	
Nom., Akk.	*drî*	*driu*	*drîo*
Gen.		*drîo*	
Dat.		*drim, -n*	

Vier bis zwölf. Stehen die Zahlen 4 bis 12 als Adjektiv vor einem Substantiv, so bleiben sie unflektiert. Sie lauten dann: *feor* (*fior*), *fimf* (*finf*), *sëhs, sibun, ahto, niun, zëhan* (*zëhen*), *einlif, zwelif* (z. B. *sibun korbi* 'sieben Körbe'). Werden sie dagegen dem Substantiv nachgestellt oder werden sie substantivisch gebraucht, so flektieren sie wie die Substantive der *i*-Deklination, z. B. *mit knehton sibinin* 'mit sieben Knechten'.

Dreizehn bis neunzehn. Diese Zahlen sind Zusammensetzungen mit *zëhan* 'zehn': *drîzehan, fiorzëhan, finfzëhan, sëhszëhan, sibunzëhan, ahtozëhan, niunzëhan.* Sie flektieren auch wie *zëhan.* Bei *drîzëhan* kann auch der erste Bestandteil flektiert werden.

20 bis 100. Die Zehner von 20 bis 100 sind Zusammensetzungen mit *-zug*: *zweinzug, drîzug, fiorzug, finfzug, sëhszug.* Ahd. *-zug* entspricht got. *tigus* 'Zehner', einer Nebenform zu *taíhun* 'zehn' (*g* und *h* alternieren nach den Gesetzmäßigkeiten des grammatischen Wechsels). 70 bis 100 werden in den ältesten Quellen nicht mit *-zug*, sondern mit *-zo* gebildet, z. B. *sibunzo.* Schon im 9. Jh. hat aber *-zug* den alten Bestandteil *-zo* verdrängt. Die Zahlen lauten also: *sibunzug, ahtozug, niunzug, zëhanzug* 'hundert' (eigentlich 'zehnzig'). Die Zahlen auf *-zug* sind undeklinierbar und werden immer substantivisch gebraucht. Nachgestellte Substantive erscheinen im Genitiv, z. B. *feorzuc wëhhono* '40 der Wochen'.

100 bis 1000. Im Althochdeutschen heißt 'hundert' überwiegend *zëhanzug.* Auch die anderen Hunderter können auf diese Weise gebildet werden, z. B. *zwiro zëhanzug* '200' (wörtlich: 'zweimal hundert'), *drîstunt zëhanzug* '300' (d. h. 'dreimal hundert'). Meistens werden aber die mehrfachen Hunderter mit *hunt* 'hundert' gebildet, z. B. *zwei hunt, thriu hunt.* Dabei wird *hunt* wie der Plural eines *a*-stämmigen Neutrums (vgl. 2.4.2.1.1) gebraucht.

Ahd. *dûsunt* (älter *thûsunt*) 'Tausend' ist ein Substantiv mit uneinheitlicher Flexion. Wird ihm ein Substantiv nachgestellt, so steht dieses im Gen., z. B. *thûsunt scrito* 'tausend Schritte'.

2.4.5.2 Ordinalzahlen

1. *êristo* oder *furisto* (vgl. 2.4.3.4)
2. *ander* (flektiert: *anderêr, anderaʒ, anderiu*)
3. *dritto*
4. *feordo* usw.
13. *dritto zëhanto*
14. *feordo zëhanto*
20. *zweinzugôsto*
30. *drîzugôsto*

Während die Ordinalzahlen zu ‘ein’ und ‘zwei’ nicht aus der gleichen Wortwurzel wie die entsprechenden Kardinalzahlen gebildet werden, basieren alle übrigen Ordinalzahlen darauf. Die Ordinalzahlen von 13 bis 19 sind aus der undeklinierten Ordinalzahl der Einer und dem Bestandteil *zëhanto* zusammengesetzt. Die Zehner werden mit Hilfe des Superlativmorphems *-ôsto* gebildet, z. B. *zweinzugôsto* ‘zwanzigster’. Die Ordinalzahlen flektieren wie schwache Adjektive (BRAUNE 2018, 321–330).

2.5 Zum Satzbau

In diesem Kapitel können nur einige elementare Gegebenheiten der Syntax des Althochdeutschen kurz zur Sprache kommen. Eine immerhin zum Teil verständlich geschriebene Einführung in die historische Syntax, in der auch Aspekte des Althochdeutschen berücksichtigt werden, ist FLEISCHER/SCHALLERT 2011. Eine brauchbare umfassendere und theorieneutrale Darstellung speziell der Syntax des Althochdeutschen, die nicht nur Einzelaspekte aufgreift, fehlt bislang jedoch.

Einige Beispiele aus dem „Hildebrandslied“ können zumindest ansatzweise verdeutlichen, dass zentrale Merkmale des deutschen Satzbaus (Satztypen, Satzarten und Satzglieder, Möglichkeiten der syntaktischen Verknüpfung) schon im Althochdeutschen (und mit Sicherheit auch auf noch älteren, prähistorischen Sprachstufen) vorhanden waren.

1. Gliedsätze und Gliedteilsätze (Attributsätze), zeigen schon überwiegend End- oder Späterstellung des finiten Verbs (die übergeordneten Sätze sind eingeklammert):

   Objektsatz: (*Ik gihorta đat seggen,*) *đat sih urhettun ænon muotin* ‘(ich hörte das sagen,) dass sich Herausforderer einzeln gegenübertraten’. – (*wettu irmingot, quad Hiltibrant,*) *dat du neo dana halt mit sus sippan man dinc ni gileitos* ‘(ich mache Gott zum Zeugen, sagte Hildebrand,) dass du nie bisher mit einem so eng verwandten Mann einen Kampf begonnen hast’. – (*dat sagetun mi sęolidante westar ubar wentilsęo*), *dat inan wic furnam* ‘(das sagten mir Seefahrer vom Westen über das Wendelmeer,) dass ihn der Kampf hinraffte’. – (*her fragen gistuont fohem wortum,*) *hwer sin fater wari* ‘(er begann mit wenigen Worten zu fragen,) wer sein Vater wäre’. Die beiden letzten Sätze sind gleichzeitig Beispiele für indirekte Reden.

   Temporalsatz: (*gurtun sih iro suert ana, helidos ubat hringa*) *do sie to dero hiltiu ritun* ‘(sie gürteten sich ihre Schwerter um, die Krieger über die Panzer,) als sie zum Kampfe ritten’.

   Lokalsatz: (*ih wallota sumaro enti wintro sehstic ur lante,*) *dar man mih eo scerita in folc sceotantero* ‘(ich zog umher sechzig Sommer und Winter [d. h. dreißg Jahre],) wo man mich stets einreihte in die Schar der Schützen’.

Vergleichssatz: (*pist also gialtet man,*) *so du ewin inwit fortos* '(du bist ein ebenso alter Mann,) wie du immerzu Hinterlist übtest' (oder kurz: 'du bist so alt wie hinterhältig').

Konditionalsatz: *ibu du mi enan sages* (*ik mi de odre uuet*) 'wenn du mir einen nennst (dann weiß ich den anderen)'. – (*doh maht du nu aodlihho,*) *ibu dir din ellen taoc* (*in sus heremo man hrusti giwinnan, rauba birahanen*) *ibu du dar enic reht habes* '(doch kannst du nun leicht,) wenn dir deine Kraft dazu reicht, (von einem so alten Mann die Rüstung erbeuten,) wenn du dazu irgendein Recht hast'.

Relativer Attributsatz: (*dat sagetun mi usere liuti, alte anti frote,*) *dea erhina warun* '(das sagten mir unsere Leute, alte und weise,) die früher gelebt haben'.

2. Nominalgruppen von unterschiedlicher Art und verschiedenem Umfang:

   Possessivpronomen und Substantiv: *iro saro* 'ihre Rüstungen', *iro gudhamun* 'ihre Kampfgewänder', *iro suert* 'ihre Schwerter', *dinu speru* 'mit deinem Speer'; nachgestellt: *fateres mines* 'meines Vaters'.

   Demonstrativpronomen und Substantiv: *dero hregilo* 'dieser Rüstungen', *desero brunnono bedero* 'dieser Rüstungen beider', *bi desemo riche* 'bei diesem Reich'.

   Präposition, Possessivpronomen und Substantiv: *mit dinem wortun* 'mit deinen Worten', *in dinem hrustim* 'an deiner Rüstung', *mit sinu billiu* 'mit seiner Streitaxt'.
   Adjektiv und Substantiv: *heroro man* '(der) ältere Mann', *fohem uuortum* '(mit) wenigen Worten'.

   Präposition, Adverb, Adjektiv und Substantiv: *mit sus sippan man* 'mit einem so eng verwandten Mann', *in sus heremo man* 'von (einem) so alten Mann'.

   Genitivfügungen mit vorangsetelltem Genitiv: *Hiltibrantes sunu* 'Hildebrands Sohn' *degano dechisto* 'der Krieger liebster', mit nachgestelltem Genitiv: *argosto ostarliuto* 'der Ärgste der Ostleute'.

3. Partizipialkonstruktionen: *cheisuringu gitan* 'aus Kaisermünzen gefertigt', *giwigan mit wabnum* 'zertrümmert mit Waffen'.

4. Modalverbgefüge mit Distanzstellung: *nu scal mih suasat chind suertu hauwan* 'nun wird mich mein liebes Kind mit dem Schwert erschlagen'. – *mit geru scal man geba infahan* 'mit dem Speer soll ein Mann eine Gabe entgegennehmen'. – *doh maht du nu aodlihho, ibu dir din eilen taoc in sus heremo man hrusti giwinnan, rauba birahanen* 'doch kannst du nun leicht, wenn dir deine Kraft dazu reicht, von einem so alten Mann die Rüstung erbeuten'; hier stehen zwischen dem Modalverb *maht* und dem infiniten *birahanen* mehrere Satzglieder, darunter sogar ein eingeschalteter Konditionalsatz.

   Teilweise steht (schon) ein Subjektpronomen, teilweise (noch) die reine Verbalform: *Ik gihorta* 'ich hörte', *ibu du mir ęnan sage* 'wenn du mir einen sagst'. *her furlœt* 'er verließ', aber auch: *wettu irmingot* '(ich) mache Gott zum Zeugen', *pist also gealtet man* '(du) bist ein ebenso alter Mann', *garutun se iro guđhamun, gurtun sih iro suert ana* '(sie) bereiteten ihre Kampfgewänder, (sie) gürteten sich ihre Schwerter um' (Fleischer/Schallert 2011, 195–212).

Im Althochdeutschen beginnen oder verfestigen sich einige zukunftsweisende Entwicklungen:

1. Durch die Veränderung der Flexionsmorpheme (Reduktion, Schwund) ist die grammatische Eindeutigkeit vieler Formen nicht mehr gewährleistet. Die Folge ist, dass auf Ersatzformen zurückgegriffen wird (Artikel beim Substantiv, Personalpronomen beim Verb, Umschreibungen von Kasus und Tempora).
2. Die sprachliche Erfassung komplexer Sachverhalte erfordert eine genauere Kennzeichnung der kausalen, konditionalen, modalen, relativen, demonstrativen Bezie-

hungen durch entsprechende Sprachmittel. In der Folge kommt es zu stärkerer Ausdifferenzierung der Hypotaxe, zur Weiterentwicklung satzverknüpfender Pronomina, Pronominaladverbien und Konjunktionen und zur Verfestigung der Satzgliedstellung.
3. Die zunehmend verwendeten analytischen Tempusformen führen dazu, dass der verbale Rahmen stärker hervortritt (FLEISCHER/SCHALLERT 2011, 121–144).

Es ist bei alledem zu berücksichtigen, dass alle Schreibkundigen dieses Zeitraumes am Lateinischen geschult wurden und oftmals auch von lateinischen Vorlagen ausgingen. Dennoch wurden bestimmte Eigenheiten der deutschen Sprache im Schreibgebrauch gegenüber dem lateinischen Usus weitgehend durchgesetzt, so die Abfolge Adjektiv + Substantiv auch gegenüber einer Abfolge Substantiv + Adjektiv in lateinischen Vorlagetexten, ebenso Pronomen + Substantiv gegenüber Substantiv + Pronomen im Lateinischen. Am längsten hat sich die im Lateinischen übliche Wortstellung in einigen festen Wendungen erhalten, z. B. *pater noster* > *Vater unser* (vgl. im „Hildebrandslied" *fateres mines* 'meines Vaters').

2.5.1 Der einfache Satz

Die vorherrschende Grundstruktur des deutschen Satzes ist seit jeher zweigliedrig. Die meisten Sätze enthalten mindestens Subjekt und Prädikat. Hinzutreten können weitere Satzglieder, vom Prädikatsverb geforderte Ergänzungen, ferner Adverbialbestimmungen, Infinitiv- und Partizipialkonstruktionen sowie abhängige Sätze, die in sich selbst wiederum komplex strukturiert sein können. In den Quellen des Althochdeutschen ist alles das bereits vertreten. Das Repertoire reicht von kurzen Minimalsätzen (z. B. *ih bim alt* 'ich bin alt') bis zu umfangreichen Strukturen (siehe oben das Konditionalsatzgefüge aus dem „Hildebrandslied"). Die Verbvalenz bedingt ein-, zwei-, drei- und vierstellige Satzmuster (grundlegend s. GREULE 1999). Beispiele:

Einwertig: *thaz magatin slafit* 'das Mädchen schläft'.
Zweiwertig: *inti uuas* (1:) *thaz folc beitonto* (2:) *Zachariam* 'und das Volk wartete auf Zacharias'
Dreiwertig: *Inti gibit* (1:) *Imo* (2:) *truhtin* (3:) *sedal dauides sines fater* 'und Gott gibt ihm den Thron Davids, seines Vaters'.
Vierwertig: (1:) *mit lon* (2:) *er* (3:) *iu* (4:) *iz firgelte* 'mit einer Belohnung vergelte er es euch' (Otfrid).

2.5.2 Die Parataxe

Als „Parataxe" bezeichnet man das unverbundene Nebeneinander von Sätzen, zwischen denen zwar eine sachliche oder logische Beziehung besteht, die aber nicht explizit durch Konjunktionen oder Subjunktionen zum Ausdruck gebracht wird. Wenn von einander unabhängige Sätze mit einer Konjunktion (am häufigsten 'und') verbunden sind, spricht man von „syndetischer Parataxe". Konjunktionsloses Nebeneinander ist „asyndetische Parataxe". Beispiele für asyndetische Parataxe enthält das „Hildebrandslied":

Asyndetische Parataxe: *sunufatarungo iro saro rihtun, garutun se iro gudhamun, gurten sih iro suert ana,* 'Sohn und Vater richteten ihre Rüstungen her. (Sie) bereiteten ihre Kampfkleidung vor. (Sie) gürteten sich ihre Schwerter um' (nicht temporal: 'nachdem Sohn und Vater Rüstungen hergerichtet und ihre Kampfkleider vorbereitet hatten, gürteten sie sich ihre Schwerter um'). – *du bist dir alter Hun, ummet spaher, spenis mih mit dinem wortun, wili mih dinu speru werpan* '(du) versuchst mich mit deinen Worten. Willst mich mit dem Speer zu Fall bringen' (nicht kausal und final: 'weil du alter Hunne unglaublich schlau bist, versuchst du mich mit deinen Worten, damit du mich mit deinem Speer zu Fall bringen kannst').

Ein Beispiel für syndetische *inti*-Parataxe aus dem „Tatian“: *Elisabeth uuârlihho uuard gifullit zît ziberanne Inti* (!) *gibar Ira sun Inti* (!) *gihôrtun thaz thô Ira nahiston Inti Ira cundon thaz truhtin mihhilosota sína miltida mit Iru Inti* (!) *gifahun mit Iru* 'Für Elisabeth aber ging die Zeit zu gebären zu Ende. Und sie gebar ihren Sohn. Und es hörten ihre Bekannten und Verwandten, dass der Herr sich ihrer erbarmt hatte. Und sie freuten sich mit ihr'. Allerdings ist die Abfolge von Sätzen, die mit *inti* verbunden sind, schon im lateinischen Text vorgebildet: *Elisabeth autem Impletum est tempus pariendi et peperit filium suum, et audierunt uicini et cognati eius quia magnificauit dominus misericordiam suam cum illa et congratulabantur ei.*

2.5.3 Die Hypotaxe

„Hypotaxe“ ist die Verknüpfung von Elementarsätzen zu über- und unterordnenden Gefügen. Auch dafür bietet das „Hildebrandslied“ Belege (vgl. oben).

Der vermutlich älteste Typ abhängiger Sätze ist der Relativsatz. Im Althochdeutschen werden Relativsätze wie auch im Neuhochdeutschen mit Relativpronomen (*thër, thiu, thaʒ* bzw. *dër, diu, daʒ*) angeschlossen: *der si doh nu argosto* [...] *ostarliuto, der dir nu wiges warne* 'der soll nun doch der übelste der Ostleute sein, der dich vom Kampf abhält'. Der Attributsatz *der dir nu wiges warne* mit Bezug auf *ostarliuto* ist relativ mit *der* angeschlossen.

Die häufigste althochdeutsche Subjunktion ist *thaʒ* (*daʒ*) 'dass'. Oft steht im übergeordneten Satz ein Korrelat *thaʒ* (*daʒ*) wie z. B. in den Anfangsversen des „Hildebrandsliedes“ (wo allerdings die altsächsische Wortform *đat* oder *dat* verwendet ist): *Ik gihorta đat* (Korrelat) *seggen, đat* (Subjunktion) *sih urhettun ænon muotin* 'ich hörte das sagen, dass sich Herausforderer einzeln gegenübertraten'. – *dat* (Korrelat) *sagetun mi usere liuti, alte anti frote, dea erhina waren, dat* (Subjunktion) *Hiltibrant haetti min fater* 'das sagten mir unsere Leute, alte und weise, dass mein Vater Hildebrand geheißen habe'. Ähnlich der Anfang des „Wessobrunner Gebetes“: *Dat* (Korrelat) *gafregin ih mit firahim firuuiʒʒo meista, Dat* (Subjunktion) *ero ni uuas noh ufhimil* 'das erfuhr ich unter den Menschen als das größte Wunder, dass die Erde nicht da war, noch der Himmel oben'.

Für die Einbettung abhängiger Sätze gab es im Althochdeutschen weitaus weniger Subjunktionen als heute. Die gebräuchlichsten waren:

konditional:	*ibu* (*oba*)	'falls, wenn'
kausal:	*uuanta, bithiu uuanta* (*so, mit thiu*)	'weil, da'
final:	*thâʒ, zi thiu thâ*	'dass, damit'

Konzessiv- und Modalsätze sind relativ selten. Dennoch war prinzipiell die Möglichkeit gegeben, auch solche Relationen auszudrücken. Im „Tatian“ beispielsweise heißt es *thóh uuidaro ther heilant nitoufti nibi sine iungiron* (lat. *quamquam ihesus non baptizaret sed discipuli eius*) 'obwohl Jesus nicht taufte, sondern seine Jünger'. Hier fungiert *thóh uuidaro* als subjunktionaler Ausdruck mit konzessiver Funktion.

Im Extremfall konnten auch auf althochdeutscher Stufe umfangreiche Hypotaxen mit mehrfacher Einbettung abhängiger Strukturen formuliert werden. Solche Gefüge begegnen aber vor allem in der Übersetzungsliteratur. Die „Tatian"-Übersetzung beispielsweise beginnt mit den Einleitungsworten des Lukas-Evangeliums (hier in zweispaltiger, synoptischer Wiedergabe wie in der Handschrift):

Quoniam quidem multi	*bithiu uuanta manage*
conati sunt ordinare	*zilotun ordinon*
narrationem quae In nobis	*saga thio In ûns*
completae sunt rerum	*gifulta sint rahhono*
sicut tradiderunt nobis	*só ûns saltun*
qui ab initio	*thie thar fon anaginne*
Ipsi uiderant et ministri	*selbon gisahun Inti ambahta*
fuerunt sermonis,	*uuarun uuortes,*
visum est et mihi assecuto	*uuas mir gesehan gifolgentemo*
a principio omnibus diligenter	*fon anaginne allem gernlihho*
ex ordine tibi scribere	*after antreitu thir scriben*
optime theophile	*thû bezzisto theophile*
ut cognoscas eorum	*thaz thû forstantes thero*
uerborum de quibus	*uuorto fon them*
eruditus és ueritatem,	*thû gilerit bist uuâr,*

'Weil es nun schon viele unternommen haben, einen Bericht darüber zu verfassen, was sich an Begebenheiten unter uns zugetragen hat, wie sie uns die überliefert haben, die es von Anfang an selbst gesehen haben, und (die) Diener des Wortes gewesen sind, schien es auch mir, der ich von Anfang an alles gewissenhaft verfolgt habe, gut, es dir der Reihe nach aufzuschreiben, bester Theophilus, damit du die Wahrheit der Worte erkennst, von denen du unterrichtet worden bist.' Der althochdeutsche „Schachtelsatz" ist deshalb zustande gekommen, weil der zu übersetzende lateinische Text eine solche komplexe Struktur vorgegeben hat. Der Übersetzer ist nahezu Wort für Wort und Zeile für Zeile gefolgt. Das Beispiel zeigt aber, dass althochdeutsche Autoren durchaus in der Lage waren, auch komplexe lateinische Gefüge zu bewältigen.

2.5.4 Satztypen

Der häufigste Satztyp war im Althochdeutschen (wie auch im Neuhochdeutschen) der Aussagesatz. Das belegen auch die bislang zitierten Beispiele. Aussagesätze können positiv oder negativ sein. Der älteste Negationstyp ist der mit *ni*, z. B. *thû ni giloubtos minen uuorton* 'du glaubtest nicht meinen Worten'. Erst im Mittelhochdeutschen setzt sich die Negation mit *ni(c)ht* (mit Varianten) durch (Weiteres in FLEISCHER/SCHALLERT 2011, 227–241).

Die althochdeutschen Aufforderungssätze entsprechen strukturell den neuhochdeutschen. Das Prädikatsverb steht im Normalfall in Spitzenstellung. Eine ganze Reihe von Aufforderungen enthalten die „Pariser Gespräche" aus dem 10. Jh., eine Sammlung von alltagsnahen lateinisch-althochdeutschen Redewendungen für Reisende aus der Romania im deutschen Sprachgebiet (Vergleichbares findet man auch in modernen Reiseführern). Darin heißt es unter anderem: *Sclaphen sin hals* 'hau ihm eine auf den

Hals' (Erwiderung: *habeo dinen* 'pass auf deinen auf'), *Ghanc hutz* 'geh raus', *Guesettilae minros* 'sattle mein Pferd', *Gimer min spera* 'gib mir meinen Speer', *Bůzze minesco* 'bessere meine Schuhe aus', *Gauathere, latz mer serte* 'Gevatterin, lass mich vögeln' (Erwiderung: *in mehti tin* 'in deiner Macht', d. h. 'meinetwegen').

Diese Sammlung von mehr oder weniger nützlichen Alltagssätzen enthält auch eine Reihe von exemplarischen Fragesätzen. Sie zeigen im Prinzip bereits dieselbe Wortfolge wie in der Gegenwartssprache. Es gibt Entscheidungsfragen, die mit 'ja' oder 'nein' (o. Ä.) zu beantworten sind wie *Guarin ger hinahz ze metina* 'wart Ihr heute Nacht in der Mette?' (Antwort: *Terue geu* 'gewiss, ja'), *Quesahsti min herre ze metina* 'sahst du meinen Herrn in der Mette?' (Antwort: *Terue nain ih* 'gewiss, nein'), *Gualdestu abe de tinen rose ter hut ze tine ruge* 'wolltest du von deinem Pferd die Rosspeitsche auf deinem Rücken?' (Antwort fehlt). Auf Satzfragen ist mit einem Satz oder Satzteil zu antworten: *Guare uenge hinahz selida gueselle* 'wo hast du letzte Nacht Unterkunft gehabt, Geselle?' (Antwort: *Ze garaben selida* 'in des Grafen Wohnung'), *Gueliche lande cumen ger* 'aus welchem Land kommt Ihr?' (Antwort: *Eh guas mer ingene francia* 'ich war in Frankreich').

2.5.5 Satzglieder und Satzgliedfolge

Zahl, Art und Umfang der Satzglieder und Satzgliedteile entsprechen den heute vorhandenen Gegebenheiten (vgl. die Beispiele in 2.5.1).

Es gehört zu den Binsenweisheiten der althochdeutschen Syntaxforschung, dass es kaum Quellen gibt, in denen eine „natürliche“, das heißt nicht durch Übersetzungsvorlagen oder von Notwendigkeiten des Reimes und der Metrik beeinflusste Wort- und Satzgliedfolge vorliegt (FLEISCHER/SCHALLERT 2011, 35–58). Dennoch lässt sich feststellen, dass im Althochdeutschen die Zweitstellung des finiten Verbs in Aussagesätzen bereits relativ fest ist. Auch das lässt sich aus den „Pariser Gesprächen“, die weder aus dem Lateinischen übersetzt noch poetisch überformt sind, ableiten: *Eh cum mer min herre hus* 'ich komme aus meines Herren Haus', *Min herro guillo tin esprachen* 'mein Herr will dich sprechen'.

Anfangs- und Letztstellung des finiten Verbs findet sich z. B. im „Hildebrandslied“, das aber als Stabreimdichtung bereits wieder verstechnischen Notwendigkeiten unterliegt, etwa wenn es heißt *forn her ostar giweit, floh her Otachres nid* 'einst begab er sich nach Osten, floh er vor Odoakars Hass'. Im ersten Halbvers liegt Endstellung von *giweit* vor, weil das stabtragende Wort *forn* in Anfangsstellung benötigt wurde. Im zweiten Halbvers ist das Prädikat *floh* in Erststellung. Es alliteriert mit *forn*.

Solche Verbstellungen sind häufig auch auf lateinische Gegebenheiten zurückzuführen. Wenn es z. B. im „Tatian“ heißt *Quam tho uuib fon samariu sceffen uuaȥȥar*, wörtlich: 'kam da ein Weib von Samaria, (zu) schöpfen Wasser', dann ist die Erststellung damit zu erklären, dass es im lateinischen Text heißt *uenit mulier de samaria haurire aquam*. Ahd. *Quam* hat dieselbe Position wie lat. *uenit*.

Insgesamt galten im Althochdeutschen wohl dieselben Wortstellungsregularitäten wie im Neuhochdeutschen, wenn auch graduell noch mehr Spielräume gegeben waren als heute. Modalverbgefüge und Periphrasen mit Hilfsverben (Perfekt, Passiv), die sich im Laufe der althochdeutschen Periode in zunehmendem Maße herausbildeten, waren die Voraussetzung für die dreiteilige Felderstruktur (Vorfeld, Mittelfeld, Nachfeld) im Aussagesatz, die sich immer mehr etablierte.

3 Mittelhochdeutsch

3.1 Einleitung

3.1.1 Zeitliche Einordnung

Unter Mittelhochdeutsch verstehen wir das Deutsch in dem Zeitraum von etwa 1050 bis 1350. Über die Festlegung des Beginns dieser Periode herrscht bei den Sprachhistorikern weitgehend Einmütigkeit; sie sehen wesentliche sprachliche Veränderungen gegenüber dem Althochdeutschen – besonders im Phonemsystem – in der Mitte des 11. Jh. als weitgehend abgeschlossen bzw. allgemein verbreitet an. Dies gilt z. B. für A. BACH 1970, EIS 1958, METTKE 2000, PAUL 2007, SCHMID 2017. Bei der Abgrenzung des Mittelhochdeutschen zum Frühneuhochdeutschen hin (um 1350) befinden wir uns ebenfalls in Übereinstimmung mit A. BACH, PAUL und METTKE, SCHMID; EIS aber folgt noch der älteren, auf GRIMM zurückgehenden Auffassung, wonach die mittelhochdeutsche Periode erst mit dem Auftreten Martin Luthers (um 1500) endet. Hierbei werden vornehmlich sprachexterne Kriterien herangezogen (vgl. 0.3). Diese zeitliche Begrenzung des Mittelhochdeutschen kann jedoch nur als ungefähre Festlegung aufgefasst werden, da sich die Sprache in fortwährender Veränderung befindet und einzelne Sprachperioden somit nur unter Zugrundelegung sprachinterner und/oder sprachexterner Kriterien (z. B. Beginn des Mittelhochdeutschen mit Abschwächung der vollen Vokale schwachbetonter Nebensilben, Fortführung und Weiterentwicklung des Umlauts) abgegrenzt werden können.

Nach traditioneller Auffassung lassen sich innerhalb der mittelhochdeutschen Periode noch das F r ü h m i t t e l h o c h d e u t s c h (1050–1170), das k l a s s i s c h e M i t t e l h o c h d e u t s c h (1170–1250) sowie das S p ä t m i t t e l h o c h d e u t s c h (1250–1350) unterscheiden. Diese Binnengliederung gründet sich stärker auf sprachexterne Kriterien – vornehmlich auf literarhistorische. Aber auch grammatikalische, stil- und wortgeschichtliche Argumente sprechen für diese Einteilung. In dieser Darstellung beziehen wir uns vorwiegend auf das klassische Mittelhochdeutsch. Es ist die Sprache von Hartmann von Aue, Wolfram von Eschenbach, Gottfried von Straßburg, Walther von der Vogelweide, des Minnesangs überhaupt, und auch der bzw. die Dichter des „Nibelungenliedes“ hat/haben sich dieser Sprachform bedient, die als „höfische Dichtersprache“, d. h. als eine ritterliche Kunstsprache, bezeichnet werden kann (s. PAUL 2007, 12 ff.).

3.1.2 Räumliche Gliederung

Das Mittelhochdeutsche umfasst die Sprachräume des Oberdeutschen und des Mitteldeutschen, die von der Zweiten (auch sog. Althochdeutschen) Lautverschiebung betroffen wurden.

Das Mittelniederdeutsche, das z. B. die germanischen Tenues *p t k* bewahrt hat, vgl. mnd. *ik, maken, dat* gegenüber mhd. *ich, machen, daz,* bleibt außerhalb unserer Betrachtung.

Noch während des Hochmittelalters, also in der Periode des Mittelhochdeutschen, bildete sich folgende mundartliche Gliederung des hochdeutschen Sprachgebietes heraus, die weithin bis heute gültig ist; allerdings lag die Grenze zum Niederdeutschen im Mittelalter vielfach weiter südlich als heute. Außerdem ist mit unterschiedlich großen Übergangsgebieten zu rechnen. (Wir folgen weitgehend der räumlichen Aufgliederung bei PAUL 2007, 4 ff., hier wird von den lebenden Mundarten ausgegangen, aber darauf hingewiesen, dass die modernen Sprachraumkonturen „keinesfalls vorschnell und unkritisch auf die mhd. Zeit übertragen werden“ dürfen, ebd. 5.)

Oberdeutsch

a) Alemannisch
   1. Süd- oder Hochalemannisch (heute Schweiz und Südbaden)
   2. Niederalemannisch oder Oberrheinisch (im Elsass, Süden von Baden-Württemberg, Vorarlberg)
   3. Nordalemannisch oder Schwäbisch (in Württemberg, im bayerischen Schwaben)

b) Bairisch
   1. Nordbairisch (bis in den Nürnberger Raum)
   2. Mittelbairisch (Nieder- und Oberbayern, Ober- und Niederösterreich, Salzburg)
   3. Südbairisch (Tirol, Kärnten, Steiermark)

c) Ostfränkisch (bayerisches Franken bis Meiningen und Coburg, Teil von Baden-Württemberg, Vogtland)

d) Süd(rhein)fränkisch (Baden, Teil von Nordwürttemberg)

Mitteldeutsch

a) Westmitteldeutsch
   1. Mittelfränkisch (Rheinland von Düsseldorf bis Trier, Kreis Siegen (Westfalen), nordwestlicher Teil von Hessen, Nordwesten von Lothringen. Dazu gehört das Ripuarische (um Köln) und das Moselfränkische /um Trier/)
   2. Rheinfränkisch (südlicher Teil des Rheinlandes, Teil des deutschsprachigen Lothringen, Hessen, Teil des bayerischen Franken, Teil von Württemberg und Baden, Rheinpfalz, Nordrand des Elsass)

b) Ostmitteldeutsch
   1. Thüringisch
      Die folgenden Dialektgebiete bilden sich erst während der mhd. Zeit heraus, und zwar:
   2. Obersächsisch (mit Nordwestböhmisch)
   3. Schlesisch mit Lausitzisch
   4. Hochpreußisch (südlicher Teil des Ermlandes)

3.2 Schreibung und Aussprache

3.2.1 Schrift und Schreibung

Die Schreibweisen in den Handschriften weichen je nach Schreiber oder Schreiberin und Landschaft stark voneinander ab. Zur Wiedergabe der mhd. Sprachlaute wurde – wie im Althochdeutschen – das lateinische Alphabet verwendet, wobei es nicht für jeden Laut ein Buchstabenäquivalent, ein Graphem, gab. Diphthonge, Umlaute, Affrikaten, aber auch andere Laute wurden deshalb in verschiedenen Handschriften in unterschiedlicher Weise wiedergegeben. Auch innerhalb einer Handschrift konnte die Schreibung der einzelnen Laute variieren (s. auch WEDDIGE 2015, 10 f.). Hinzu kommt, dass die meisten Sprachdenkmäler aus der klassischen mittelhochdeutschen Zeit in Handschriften aus dem 14./15. Jh. überliefert sind, die sich an den Schreibtraditionen dieser späteren Zeit orientiert haben.

Die heutigen Ausgaben von Texten aus der Zeit um 1200 weisen dagegen eine „normalisierte" Schreibweise auf. Sie geht auf den Germanisten KARL LACHMANN (1793–1851) zurück, der in sorgfältiger Philologenarbeit unter Nutzung verschiedener Handschriften, durch Reimvergleich und unter Beachtung von Lautentwicklungen die sog.

Ein ritter sô gelêret was
daz er an den buochen las
swaz er dar an geschriben vant:
der was Hartman genant,
dienstman was er zOuwe.
er nam im manige schouwe
an mislîchen buochen:
dar an begundę er suochen
ob er iht des vunde
dâmitę er swære stunde
möhte senfter machen,
und von sô gewanten sachen
daz gotes êren töhte
und dâ mitę er sich möhte
gelieben den liuten
nu beginnet er iu diuten
ein rede die er geschriben vant.
dar umbe hât er sich genant,
daz er sîner arbeit
die er dar an hât geleit
iht âne lôn belîbe,
und swer nâch sînem lîbe
si hœre sagen oder lese,
daz er im bittende wese
der sêle heiles hin ze gote

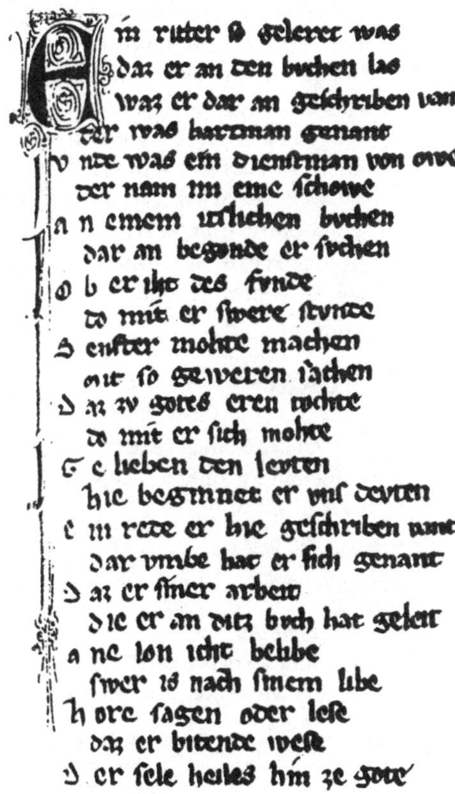
Ein ritter ſo gelerer was
daz er an den buchen las
waz er dar an geſchriben want
der was hartman genant
Vnde was ein dienſtman von owe
der nam im eine ſchowe
an einem urlichen buchen
dar an begonde er ſuchen
ob er iht des funde
do mit er ſwere ſtunde
ſenfter mohte machen
unt ſo gewerren ſachen
daz zv gotes eren tochte
do mit er ſich mohte
ge lieben den leuten
hie beginnet er uns deuten
ein rede er hie geſchriben want
dar umbe hat er ſich genant
daz er ſiner arbeit
die er an diz buch hat geleit
ane lon icht belibe
ſwer iz nach ſinem libe
hore ſagen oder leſe
daz er bitende weſe
der ſele heiles hin ze gote

Abb. 14: Faksimile der Hs. Bb des „Armen Heinrich" (Aus: Hartmann von Aue 1953)

Normalform des Mittelhochdeutschen entwickelt und in dieser vereinheitlichten Form Werke mittelhochdeutscher Dichter herausgegeben hat.

Diese auf einer Idealvorstellung des Mittelhochdeutschen, letztlich einer Variante des Schwäbischen im 13. Jh. beruhende Normierung spiegelt eine Einheitlichkeit vor, die es nicht gegeben hat (zu einigen Prinzipien siehe Weddige 2017, 11 f.). Jüngere Handschriftenuntersuchungen zeigen die breite areale, gattungsspezifische und soziale Variation. Selbst die klassische Dichtung konnte je nach Rezeptionssituation aktualisiert, z. B. in andere Schriftdialekte umgesetzt werden (s. N. R. Wolf 1989b).

Als Beispiel für die normalisierte Form des klassischen Mittelhochdeutsch, das so in den überlieferten Texten nicht existiert hat und von der Vielfalt der sprachlichen Realisierungsweisen abstrahiert, wird hier der Beginn der Versdichtung „Der arme Heinrich" von Hartmann von Aue wiedergegeben. Das Werk ist etwa um 1195 entstanden, es ist überliefert in drei vollständigen Handschriften aus dem 14. Jh. Der nebenstehende Text im Faksimiledruck gibt dagegen eine mittelhochdeutsche Handschrift wieder, und zwar handelt es sich um die Handschrift Bb aus dem sog. „Kalocza-Kodex" oder „Codex Colocensis".

In den handschriftlich aufgezeichneten Sprachdenkmälern aus mittelhochdeutscher Zeit wird im 11. und 12. Jh. noch die karolingische Minuskel verwendet, aus der sich allmählich die sog. gotische Schrift entwickelt. Der Prozess der Veränderung der Schrift vollzog sich über mehrere Jahrhunderte, wobei sich eine Ausbreitung von den rheinischen Gebieten im Westen nach Osten erkennen lässt. Die Buchstaben erstreckten sich – wie die gothischen, in den Himmel strebenden Kathedralen mit ihren Spitzbögen – in die Höhe und wurden enger aneinander gerückt. Damit wurden die Vertikalen stärker hervorgehoben, denen die horizontalen und diagonalen Nebenlinien als feinere Haarstriche deutlich untergeordnet sind. Gleichzeitig werden die Bögen gebrochen, so dass die typische gitterartige Struktur entsteht. Aufgrund ihrer Brechungen wird dieser Schrifttyp auch Fraktur genannt. Neben die oft kalligraphisch verzierte Buchschrift (der Textualis) treten ab den 13. Jh. auch „halbkursive und kursive Gebrauchsschriften (Notula u. a.), die im Laufe des 14. Jh. die Textualis auch als Buchschrift weitestgehend verdrängen" (Paul, 2007, 24, vgl. auch 4.2.1).

3.2.2 Vokale

In den kritischen Textausgaben der klassischen mittelhochdeutschen Literatur werden folgende Grapheme zur Kennzeichnung der Vokale verwendet:

kurze Vokale	< *a e i o u* > und die Umlaute < *ä ö ü* >
lange Vokale	< *â ê î ô û* > und die Umlaute < *æ œ iu* >
Diphthonge	< *ei ie ou uo* > und die Umlaute < *öu/eu/öi üe* >

Kurzvokale

Die mhd. Kurzvokale müssen beim Lesen zunächst besonders beachtet werden, denn in sehr vielen Fällen zeigt das Neuhochdeutsche an ihrer Stelle lange Vokale:

Dem	<*a*>	in nhd. *Schatten* entspricht das <*a*> in mhd. *tac, klagen;*
dem	<*e*>	in nhd. *Wetter* entspricht das <*e*> in mhd. *nëmen, gëben;*
dem	<*i*>	in nhd. *Gewitter* entspricht das <*i*> in mhd. *ligen, vil, vride;*
dem	<*o*>	in nhd. *Hoffnung* entspricht das <*o*> in mhd. *hof, bote, loben;*
dem	<*u*>	in nhd. *Mutter* entspricht das <*u*> in mhd. *jugent, tugent, sudelen.*

e-Laute. Während für das Neuhochdeutsche allgemein die Regel gilt, dass kurze Vokale offen sind, kann im Mittelhochdeutschen in betonter Silbe sowohl kurzer geschlossener als auch kurzer offener *e*-Laut vorkommen. Für die Aussprache ist die Herkunft des Lautes von Bedeutung. Geht das mhd. *e* auf ein germ. *e* zurück, so ist es als kurzer offener Laut zu artikulieren; es wird in den historischen Grammatiken häufig durch Trema gekennzeichnet, z. B. mhd. *gëben*. Kurzer geschlossener *e*-Laut ist aus ahd. *a* durch sog. Primärumlaut entstanden und wird durch daruntergesetzten Punkt bezeichnet, z. B. mhd. *gẹste*. Im Folgenden wird jedoch auf diese Kennzeichnung verzichtet.

In Formen, bei denen der Umlaut *a* > *e* in ahd. Zeit unterblieben ist, entwickelt sich im Mittelhochdeutschen ein kurzer, besonders im Oberdeutschen sehr offener Laut (Sekundärumlaut) *ä*, z. B. mhd. *mägede*. In Handschriften ist der Umlaut häufig durch darübergesetztes *e* < *aͤ* > gekennzeichnet, woraus sich die Umlautstriche entwickelt haben:

ẹ Primärumlaut des *a*, geschlossen
ë germ. *e*-Laut, offen
ä Sekundärumlaut des *a*, sehr offen

Langvokale

Bei nicht umgelauteten langen Vokalen dient der Zirkumflex zur Kennzeichnung der Vokallänge. (Auf die z. T. gleiche, z. T. differenzierend (für altlange vs. tonlange Vokale, für Länge in alten/fremden Sprachen) verwendete Kennzeichnung durch über den Vokal gesetzten waagerechten Strich sei hier nur verwiesen.) Jeder Vokal, der Dehnungszeichen aufweist, wird demnach lang gesprochen, auch wenn wir im Neuhochdeutschen einen kurzen Vokal zu sprechen gewohnt sind. Ein langer Stammvokal erscheint nicht nur in Wörtern wie mhd. *strâze* – nhd. *Straße*, sondern auch in mhd. *râche*, *jâmer*, *wâfen* – nhd. *Rache*, *Jammer*, *Waffe*; ebenso nicht nur mhd. *êre*, sondern auch mhd. *hêrlich*, *hêrschaft*; nicht nur mhd. *lôn*, sondern auch mhd. *hôchzît*, *genôz*, *rôst*.

Diese eindeutige graphematische Unterscheidung von Lang- und Kurzvokalen findet sich allerdings nicht in den handschriftlichen Zeugnissen aus mittelhochdeutscher Zeit. Die Schreiber der Handschriften unterscheiden nur selten zwischen Länge und Kürze der Vokale. Der Zirkumflex wird nur ganz vereinzelt als Längezeichen verwendet; manchmal erscheint auch ein Akzent.

Bei den umgelauteten langen Vokalen <*æ*> und <*œ*> dient das nachgestellte *e* sowohl zur Kennzeichnung des Umlauts als auch zur Kennzeichnung der Vokallänge. Der aus *û* entstandene lange Umlautvokal wird durch <*iu*> (sprich *ü:*) gekennzeichnet; <*iu*> ist im Mittelhochdeutschen immer Monophthong.

e-Laute. Wie bei den kurzen *e*-Lauten ist auch bei den Langvokalen die Frage nach der Herkunft wesentlich für die Unterscheidung offener und geschlossener Laute. Der lange geschlossene *e*-Laut hat sich aus germ. *ai* vor bestimmten Konsonanten sowie im Wortauslaut entwickelt, z. B. mhd. *snê*; der lange offene Laut *æ* geht dagegen auf ahd. *â* zurück und ist durch Umlaut entstanden, z. B. mhd. *gebærde*.

<*ê*> aus germ. *ai* vor germ. *h* sowie vor *r*, *w* und im Auslaut, geschlossen
<*æ*> Umlaut von *â*, sehr offen

Diphthonge

Die Diphthonge bestehen jeweils aus zwei kurzen Vokalen, von denen der erste stärker betont wird als der zweite. Mhd. *bieten* ist also *bi-eten* zu sprechen. Der Hauptton liegt auf dem kurzen *i*, das *e* wird schwächer angefügt. Das Gleiche gilt für die übrigen Diphthonge. Mhd. <*ei*> ist nicht wie im Nhd. als *áè*, sondern als *e* mit *i*-Nachschlag zu sprechen (mhd. *arebéît*). Diphthonge haben die sprachliche Funktion eines einfachen Vokals und sind immer einsilbig (s. von Essen 1979, 95).

Zur Wiedergabe von Vokalen in den Handschriften

Gegenüber der relativ klaren Unterscheidung von Vokalqualitäten und -quantitäten in der normalisierten Form des Mittelhochdeutschen weisen die Handschriften u. a. folgende Besonderheiten bei der Wiedergabe von Vokalen auf:

- Vokallänge und -kürze werden selten unterschieden;
- *e*-Laute sind in der Schreibung nicht nach ihrer Herkunft differenziert, d. h., <*e*> steht für *ë* oder *ẹ*;
- Umlaute von *o*, *ô* und *u*, *û*, *ou* sind selten bezeichnet;
- als Umlautmarkierung wird zuerst bei *a*, *â*, später auch bei den anderen einfachen Vokalen ein übergesetztes *e* verwendet, woraus sich die Punkte/Striche für die Umlautkennzeichnung herleiten;
- *i* und *u* werden auch durch <*j*> bzw. <*v*> wiedergegeben, <*v*> steht besonders häufig im Anlaut;
- in mitteldeutschen Handschriften wird z. T. *i* zur Kennzeichnung von Vokallänge verwendet: <*ai*>, <*oi*>, <*ui*>, daher z. B. der Name *Voigt*.

(Siehe Mettke 2000, 31 ff., Paul 2007, 27, Weddige 2015, 10 f.)

3.2.3 Konsonanten

Der mhd. Konsonantenbestand entspricht im Wesentlichen dem des Neuhochdeutschen. In den kritischen Textausgaben findet sich eine weitgehend vereinheitlichte Schreibweise, in den Handschriften treten die gleichen Laute dagegen in sehr unterschiedlicher Schreibweise auf. Die Laute werden im Mittelhochdeutschen z. T. phonetisch genauer gekennzeichnet als im Neuhochdeutschen, sodass bei zusammengehörigen Wortformen unterschiedliche Lautqualität durch unterschiedliche Grapheme wiedergegeben wird, vgl. mhd. *kleides* – *kleit* (s. Auslautverhärtung 3.3.3.4), *stam* – *stammes*.

In den kritischen Textausgaben werden zur Kennzeichnung der Konsonanten vorwiegend die folgenden Grapheme verwendet:

für stl. Explosivlaute (Tenuis)	< *p t k/c q* >
für sth. Explosivlaute (Media)	< *b d g* >
für Liquiden	< *r l* >
für Nasale	< *m n* >
für Affrikaten	< *pf/ph tz/z kch* > (letztere alem.)
für stl. und sth. Spiranten	< *f/v s z/ȝ sch ch/h*>
für Halbvokale (sonore Konsonanten)	< *w j* >

Zu Besonderheiten der Schreibweise und Aussprache von Konsonanten

In den Handschriften werden u. a. folgende Schreibweisen realisiert:

- für <*k*> erscheint im Wort- und Silbenauslaut auch normalmhd. <c>, in Handschriften allgemein statt <*k*> auch <*kh*> und <*ck*>;

- statt <*qu*> wird auch geschrieben <*q, qv, qw, quu*>, im Alem. <*k*> z. B. <*kek*>;
- für <*ch*> steht auch <*h*>; md. existiert sowohl velarer als auch palataler Lautwert, im Alem.-Bair. nur velare Lautung wie nach den Vokalen *a, o, u* im Nhd.;
- <*f* > kann auch durch <*v, u, ph* > wiedergegeben werden. Vor *r, l, u, ü, iu, üe* können sowohl <*f*> als auch <*v*> stehen. Im Anlaut und im Inlaut zwischen Vokalen steht meist <*v*>, das zunächst stimmhaft und erst im Spätmhd. stimmlos gesprochen wird, z. B. *vinden, âventiure*.
- <*h*> ist im Silbenanlaut Hauchlaut, z. B. *gesëhen, hërre*, auslautend aber (auch in den Verbindungen *hs, ht*) Reibelaut, z. B. *sah, wuohs, niht*. Zum (stummen) Dehnungszeichen wird es erst im Frühneuhochdeutschen.;
- statt <*j*> kommen auch vor <*i, y, g, gi*>; es kann stimmhafte Spirans (*jehen*) oder auch Verschlusslaut sein (er *giht*);
- für <*w*> treten als Graphemvarianten auf <*uu, uv, vu, u*>;
- <*z*> hat doppelten Lautwert: Es ist Affrikata (*t* + *s*) und entspricht dem nhd. *z*, vgl. mhd. *zit* 'Zeit'. Es kann aber auch ein stl. *s* bezeichnen, dem im Nhd. oft *ß* oder *ss* entspricht, vgl. mhd. *heizen* 'heißen'. Die Grammatiken verwenden zur deutlichen Unterscheidung der beiden Laute für stl. <*z*> häufig die Schreibung <*ʒ*>. In unseren Ausführungen wird darauf verzichtet. In der Regel wird mhd. <*z*> als Affrikata gesprochen, wenn ihm im Neuhochdeutschen ein *z* entspricht, z. B. mhd. *holz, zeln, zuo*;
- <*s*> wird (wie auch im Nhd.) je nach der Stellung im Wort stimmhaft oder stimmlos gesprochen. Bis zur Mitte des 13. Jh. hatte es mehr den Lautwert wie *sch*. Abgeschlossen ist im klassischen Mittelhochdeutsch die Veränderung von *s* + *c/k* >/ʃ/; für <*sch*> stehen auch <*sk, sc, sh*>, md. auch <*sg*> (Siehe auch Paul 2007, 28.)

3.2.4 Wortakzent

Die einzelnen Silben eines Wortes werden wie im Neuhochdeutschen mit unterschiedlich starkem Atemdruck (dynamischem Akzent) gesprochen. Man unterscheidet haupttonige, nebentonige und schwachtonige bzw. unbetonte Silben. Hauptton kann durch Akut, vgl. *wúnder*, Nebenton durch Gravis, vgl. *künnegìnne*, gekennzeichnet werden. Schwachton bleibt unbezeichnet.

Hauptton tragen die Stammsilben der einfachen Wörter, z. B. *mǽre, kǘnec, frö́ude*, auch *lḗbendic, hólunder*. (Hier erfolgt eine Tonverschiebung auf die zweite Silbe erst in nhd. Zeit.) Zusammensetzungen und Ableitungen unterscheiden sich in der Betonung, je nachdem ob es sich um Nominal- oder Verbalbildungen handelt. Bei Nominalzusammensetzungen liegt der Hauptton auf der Stammsilbe des ersten Gliedes, z. B. *hṓchgezît, Kríemhilt, márcgrâve*.

Nominalbildungen mit Partikel sind in der Regel gleichfalls auf der ersten Silbe betont, z. B. *ántwürte, úrsache, úrteil*. Da der Akzent im Germanischen auf die erste Silbe festgelegt wurde, müssen diese Bildungen bereits vor der Festlegung des Akzents vorhanden gewesen sein (vgl. 1.1.2.2.2). Dagegen sind die Präfixe *ge-, ver-, be-* auch in Nominalbildungen unbetont, hierbei handelt es sich um jüngere Bildungen, die durch Angleichung an Verbalkomposita entstanden sind. Verbalbildungen tragen den Hauptton in der Regel auf der Stammsilbe des Verbs, d. h. auf dem zweiten Glied, z. B. *ertéilen, entlā́zen, entsprëchen, erlóuben*. Sie sind folglich erst nach der Festlegung des Akzents zu einer Einheit verschmolzen. Dem widersprechen z. B. *úrteilen, hérbërgen*. Bei diesen Beispielen handelt es sich um jüngere Ableitungen von ursprünglichen Nominalbildungen (s. o.), bei mhd. *durchlíuhtec, ervā́runge* u. a. dagegen um jüngere Ableitungen von ursprünglichen Verbalbildungen.

Nebenton trägt in der Regel die Stammsilbe des zweiten Gliedes in einem Nominalkompositum, z. B. *hôch(ge)zìt, marcgrâve, Kriemhìlt.* Unter Nebenton stehen auch die Ableitungssuffixe wie mhd. *-ùnge, -sàl, -nìsse, -ìnne, -lîche,* deren Vokale aus diesem Grund nicht zu *e* abgeschwächt worden sind.

Darüber hinaus können – abhängig von der Stellung des Wortes im Redezusammenhang – auch die übrigen nichthaupttonigen Silben den Nebenton tragen. Von besonderer Bedeutung ist der Nebenton in der rhythmisch gebundenen Rede.

Schwachton haben in der Regel Suffixe, z. T. auch Präfixe. Schwachtonig ist immer das *e* in Suffixen. Abweichungen davon können sich unter dem Einfluss metrischer Betonung ergeben.

3.2.5 Bemerkungen zur Verslehre

Anders als die Literatur der späteren Zeit, die ganz überwiegend aus Prosawerken besteht, ist die deutsche Literatur des frühen und hohen Mittelalters „beinahe ausschließlich Versliteratur" (KLEIN 2006, 85). Den christlichen Autoren galt der Vers als „Abbild der christlichen Ordnung", in dessen „zahlenmäßigen Struktur des Metrums man die Ordnung des Weltgrundes gespiegelt sehen" konnte. Seine große Bedeutung erfuhr er auch dadurch, dass er eine einprägsame Form mündlicher Vermittlung war und „häufig eine mnemotechnische und didaktische Funktion erfüllte". Der Vers war Medium der Wissensvermittlung „von Beginn an" (ebd.); später wurden auch Texte der Wissensliteratur – bei einzelnen zumindest die Vorreden – in Versform präsentiert.

Reim

Im Mittelhochdeutschen ist der alte Stabreim, ein Reim des Anlauts (Alliteration), vom Endreim abgelöst. Dabei konnten in frmhd. Zeit unbetonte Nebensilbenvokale allein Träger des Endreims sein, z. B. *sune* : *ime* (HEUSLER 1956, Bd. 2, 22). Etwa seit 1180 hat sich jedoch eine strengere Reimkunst duchgesetzt, „von reimenden Versschlüssen verlangt man Gleichlaut der sprachlich betonten Vokale und dessen, was ihnen folgt" (ebd. 24 f., s. auch WEDDIGE 2017, 144 ff.). Die mhd. Versepen haben Endreim in paariger Anordnung, dem Schema aa bb folgend, z. B. *halt* : *walt*; *swîn* : *gesîn* (NL 916). Gedichte lassen dem Dichter mehr Freiheit in der Anordnung seiner Reime, z. B. *vrouwelîn* : *guot* : *dîn* : *muot* : *mê* : *wê* – ab ab cc in der ersten Strophe des bekannten Gedichts Walthers von der Vogelweide:

Herzeliebez vrouwelîn,
got gebe dir hiutẹ und iemer guot.
Kundẹ ich baz gedenken dîn,
des hetẹ ich willeclîchen muot.
Waz mac ich dir sagen mê,
wan daz dir nieman holder ist? ouwê, davon ist mir vil wê

(Aus: Walther von der Vogelweide 1950.)

Versmaß

Für den Vers als eine metrisch geregelte Zeile ist die geordnete Abfolge von betonten und unbetonten Silben (Hebungen und Senkungen) entscheidend. Der mhd. Reimpaarvers enthält in der Regel vier Hebungen. Auf die Hebung folgt eine Senkung, sie bilden zusammen einen Takt, graphisch dargestellt /x́x/. Zeitliches Grundmaß für

eine Silbe ist das Viertel. Eine Silbe, die mit diesem Zeitwert von 1/4 gesprochen wird, bezeichnet man als M o r e (x); für eine kürzer gesprochene Silbe (1/8) steht als graphisches Symbol ˘, für eine länger gesprochene (1/2) steht –́, eine Pause wird gekennzeichnet durch ˆ. Es ergibt sich ein 2/4-Takt.
Gehen der ersten betonten Silbe am Versanfang ein oder zwei (selten drei) unbetonte Silben voraus, so bilden sie den Auftakt.

Beispiel:

					Auft.	I	II	III	IV
Ein	ritter	sô ge	lêret	was	x	x́ x	x́ x	x́ x	x́ ˆ
	daz er	an den	buochen	las		x́ x	x́ x	x́ x	x́ ˆ
swaz	er dar	an ge	schriben	vant:	x	x́ x	x́ x	x́ x	x́ ˆ
	der was	Hart	man ge	nant,		x́ x	–́	x́ x	x́ ˆ
	dienstman	was er	zOu	we.		x́ x	x́ x	–́	x̀ ˆ
er	nam im	manige	schou	we	x	x́ x	x́ ˘˘	–́	x̀ ˆ
an	mis	lîchen	buo	chen: (H)	x	–́	x́ x	–́	x̀ ˆ

Das Beispiel zeigt, dass einsilbige Wörter je nach der Stellung im Vers metrisch betont oder unbetont sein können, vgl. das Pronomen *er* in der zweiten und dritten Zeile, dass außerdem eine gewisse Freiheit in der Taktfüllung besteht. „Die mittelhochdeutsche Dichtung der Blütezeit ist bestrebt, ihre zweigliedrigen Takte (/x́ x/) auch zweisilbig zu füllen, d. h. einen regelmäßigen Wechsel von Hebung und Senkung zu erreichen. Doch fehlen Abweichungen nach oben oder unten, mehrsilbige und einsilbige Takte nirgends.“ (DE BOOR in: Nibelungenlied 1949, XXXXII.) Folgen zwei betonte Silben unmittelbar aufeinander, so ist der erste Takt einsilbig ausgefüllt (eine Silbe wird im Zeitwert von 2/4 gesprochen), z. B. */Hart /man ge* /–́/ /x́ x/. Folgen der betonten Silbe zwei unbetonte, so wird der Rhythmus gewahrt, indem die beiden Senkungen kürzer gesprochen werden, z. B. */manige//*x˘ ˘/.

Aus dem Schema geht hervor, dass auch Silben betont werden, die in der ungebundenen Rede unbetont bleiben, z. B. /zOu/wè/ /–́/ /x̀ ˆ/. Der letzte Takt weist eine Nebenhebung auf, d. h. eine an sich unbetonte Silbe, die auf Grund ihrer Stellung im Vers betont wird. Die Nebenhebung wird durch x̀ gekennzeichnet, die Silbe ist schwächer betont als eine Haupthebung, stärker als eine Senkung.

Möglichkeiten der Taktfüllung
/x́ x/ Hebung + Senkung, z. B. */rítter/*.

Eine solche regelmäßige Füllung kann auch in Fällen vorliegen, in denen das Schriftbild drei Silben zeigt. Auslautendes unbetontes *e* wird meist nicht gesprochen, wenn das folgende Wort vokalisch anlautet. Diese Erscheinung wird als Elision bezeichnet, z. B. */míte er/*. Unbetontes *e* kann außerdem zwischen gleichen oder gleichartigen Konsonanten verstummt sein, z. B. */rede die/*; in diesem Falle spricht man von Ekthlipsis. Ein *e*, das auf Grund von Elision oder Ekthlipsis schwindet, ist teilweise in den Textausgaben durch daruntergesetzten Punkt (ẹ) bezeichnet (und fällt hier dadurch mit der Kennzeichnung der kurzen geschlossenen *e*-Laute zusammen).
/x́ ˘ ˘/ Hebung + Senkung + Senkung, z. B. */mánige/*.

Die beiden Senkungen füllen zusammen den Zeitwert einer More aus, das wird als Aufspaltung der More bezeichnet.

/–́/ beschwerte Hebung, z. B. */Hárt/*.

Eine betonte Silbe mit langem Stammvokal (naturlange Silbe), z. B. */zÓu/*, kann allein einen Takt ausfüllen, sie ist im Zeitwert von zwei Moren zu sprechen. Beschwerte Hebung kann auch eine Silbe mit kurzem Stammvokal sein, sie muss aber durch Konsonanten abgeschlossen sein (positionslange Silbe), z. B. */Hart/*. Als beschwerte Hebungen finden sich oft Stammsilben von Eigennamen; die Namen werden dadurch hervorgehoben.

/x́ ˆ/ Hebung + Pause, z. B. */wás/*.

Das ist eine häufig genutzte Möglichkeit des Versschlusses, im Versinnern kommt diese Form äußerst selten vor.

/x̀ ˆ/ Nebenhebung + Pause, z. B. */zÓu/wè/*.

Eine eigentlich unbetonte Silbe erhält unter Einfluss ihrer Stellung im Vers einen Nebenton. Diese Taktfüllung findet sich besonders häufig nach beschwerter Hebung am Ende eines Verses; es ist jedoch nicht Bedingung, dass eine beschwerte Hebung vorausgeht.

Metrische Grundkenntnisse über Art der Takte, ihre Füllung, ihre Zahl, die Anordnung im Vers, darüber hinaus über den Aufbau einer Strophe usw. sind Voraussetzung für das richtige Erfassen des Versbaus. Das allein genügt jedoch nicht, hinzukommen muss unbedingt das Sprechen der Verse; denn Satz- und Versakzent fallen weitgehend zusammen.

Kadenz (Versschluss)

Der Gestaltung des Versschlusses kommt besondere Bedeutung zu. Je nach der Füllung des letzten (bzw. auch vorletzten) Taktes ergeben sich unterschiedliche Kadenzen.

Allgemein gilt für die Dichtung des klassischen Mittelhochdeutsch der Grundsatz, „gebundene Kadenzfolge gehört zum Rezept einer Strophe" (HEUSLER 1956, Bd. 2, 183), d. h., die Art der Taktfüllung liegt für das Versende weitgehend fest.

Formen der Kadenz

Volle Kadenz. Der 4. Takt ist mit einer Hebung ausgefüllt, einsilbig volle Kadenz:
z. B. / *Ein* / *ritter* / *sô ge* / *lêret* / *was* /(H 1)
4. Takt: /x́ ˆ/;
der 4. Takt ist mit Hebung und Senkung ausgefüllt, zweisilbig volle Kadenz:
z. B. / *Und von* / *sô ge* / *wanten* / *sachen* / (H 12)
4. Takt: /x́ x/.

Stumpfe Kadenz. Der 4. Takt pausiert; der 3. enthält die letzte Hebung, und zwar entweder Hebung und Pause:
z. B. *ver* / *lôs er* / *sît den* / *lîp* / (NL 917)
3. und 4. Takt:/ x́ ˆ / ˆ ˆ /
oder Hebung und Senkung, z. B.: / *möhte* / *senfter* / *machen* / (H 11)
3. und 4. Takt:/ x́ x / ˆ ˆ /.

Klingende Kadenz. Der 4. Takt weist eine Nebenhebung auf, der 3. dabei sehr oft – aber nicht als Bedingung – eine beschwerte Hebung:
z. B. *er* / *nam im* / *manige* / *schou* / *we* /(H 6)
3. und 4. Takt:/ –́ / x̀ ˆ /;
/ *bern* / *unde* / *wisen* / *de* / (NL 916)
3. und 4. Takt:/x́ x/x̀ ˆ /.

Nibelungenstrophe

Die Nibelungenstrophe besteht aus vier Langzeilen, die durch Endreim der Form aa bb miteinander verbunden sind. Jede Langzeile setzt sich aus zwei Kurzzeilen, dem Anvers und Abvers, zusammen; beide sind durch eine Zäsur, eine Sprechpause, getrennt.

NL 91

Gunther und Hagene,	die récken vil balt,
lóbten mit úntriuwen	ein pirsen in den walt.
mit ir scharpfen gêren	si wolden jagen swîn,
bern unde wisende:	waz möhte küenérs gesîn?

Charakteristisch für die Nibelungenstrophe ist die besondere Anordnung der Kadenzen. Die Anverse enden in der Regel mit klingender Kadenz, die ersten drei Abverse mit stumpfer und der letzte Abvers mit voller Kadenz.

Skansion: NL 916

–́	x́ x	x́ x	x̀ ˆ	–́	x̀ x	x́ ˆ	ˆ ˆ
x́ ˇ ˇ	–́	–́	x̀ ˆ	x́ x	x́ x	x́ ˆ	ˆ ˆ
x́ x	x́ x	–́	x̀ ˆ	x́ x	x́ x	x́ ˆ	ˆ ˆ
–́	x́ x	x́ x	x̀ ˆ	x́ x	–́	x̀ x	x́ ˆ

Anverse 1–4 klingende Kadenzen

Abverse 1–3 stumpfe Kadenzen
Abvers 4 volle Kadenz

Beim Skandieren sollte man immer die Betonungszeichen beachten, die in den kritischen Textausgaben als Hilfen angegeben sind.

(Eine instruktive Einführung zu Reim, Versmaß und Gestaltung der Kadenzen geben TERVOOREN 1979, MÖNNIGHOFF 2004, BÖGL 2006, TAUBERT 1995, WEDDIGE 2017).

3.3 Lautlehre

3.3.1 Phonembestand

Für die Erfassung des Phonembestandes historischer Sprachstufen – so auch für das Mhd. – gibt es eine Reihe von Schwierigkeiten. Sie bestehen u. a. darin,

- dass nur graphisches Material zur Verfügung steht, aus dem auf phonologische Realisierungen zu schließen ist;
- dass es keine einheitliche Schreibung gab, sondern verschiedene Schreibtraditionen;
- dass die einzelnen Laute in den verschiedenen Sprachlandschaften, aber auch zu verschiedenen Zeitabschnitten innerhalb des Mittelhochdeutschen unterschiedlich realisiert wurden, wobei nicht immer eindeutig nachweisbar ist, wieweit die verschiedenen Realisierungen bedeutungsdifferenzierende Funktion, also Phonemwert, hatten oder wieweit es sich lediglich um Varianten eines Phonems, also Allophone, handelte;
- dass der Reimvergleich, der für die phonologische Betrachtung historischer Sprachstufen von besonderem Wert ist, auch nicht immer zuverlässige Informationen liefert, da die Dichter z. T. auch Laute unterschiedlicher Qualität im Reim gebunden haben (s. dazu auch WIESINGER 1991).

Trotzdem besteht Interesse daran, auch für das Mittelhochdeutsche das System der distinktiven Sprachlaute (Phoneme) zu ermitteln, die für die Bildung von Wörtern und Wortformen relevant sind. Damit werden zugleich Voraussetzungen für ein vertieftes Verständnis des Lautwandels geschaffen. Beim Vergleich des Phonembestandes verschiedener Sprachstufen lassen sich unterschiedliche Typen des Phonemwandels erkennen.

Für das Mittelhochdeutsche hat die Phonemspaltung, bei der sich aus ursprünglich einem Phonem zwei unterschiedliche Phoneme entwickeln, besondere Bedeutung (vgl. zum Umlaut 3.3.2.3).

Im Ergebnis dieser durch Umlaut bewirkten Phonemspaltung verfügt das Mhd. über eine größere Zahl vokalischer Phoneme als das Ahd. Andererseits kann durch Phonemzusammenfall oder -verschmelzung eine ursprünglich vorhandene Opposition von Phonemen wegfallen, das geschieht z. B. beim Übergang vom Mhd. zum Nhd., wie folgende Beispiele zeigen:

mhd.	*/i:/*	*/ei/*	mhd. *rîfe* 'reif'	*reif* 'Ring'
nhd.	*/ae/*		nhd. *reif*	*Reif*

Auf Grund von Monophthongierung (mhd. */ie/* > nhd. */i:/*, vgl. 3.3.2.4) bleibt aber die Opposition */i:/* – */ae/* auch für das Neuhochdeutsche relevant,

mhd.	*/i:/* – */ie/*	mhd. *lîp* 'Leben, Leib'	*liep* 'lieb'
nhd.	*/ae/* – */i:/*	nhd. *Leib*	*lieb*.

Man muss allerdings auch davon ausgehen, dass es Unterschiede im mhd. Phonembestand der verschiedenen Dialektgebiete gab (PAUL 2007, 78 ff., Abschnitt 4.3.1).

3.3.1.1 Vokalische Phoneme

Für die Unterscheidung der vokalischen Phoneme sind bestimmte Lautbildungsmerkmale relevant, und zwar unterscheiden sie sich vornehmlich nach der Zungenbewegung – bei senkrechter Bewegung in hohe, mittlere und niedrige (tiefe) Vokale; bei waagerechter Zungenbewegung in vordere und hintere Vokale; nach der Lippenrundung in runde und nichtrunde sowie nach dem Öffnungsgrad des Kiefers in offene und geschlossene Vokale. Darauf beruhen die Unterschiede in den Vokalqualitäten. Zugleich wird der geschlossenere Vokal mit höherer Spannung der Zunge gebildet. In deutschstämmigen Wörtern treten die gespannten Vokale allgemein als Langvokale auf, die ungespannten als Kurzvokale (Ausnahme im *e*-Bereich). (S. dazu auch die Übersicht in WEDDIGE 2015, 18 f.) Nach dem Merkmal der Vokallänge wird quantitativ zwischen Kurz- und Langvokalen unterschieden.

Diphthonge werden wie Phonemfolgen behandelt, sie sind in der folgenden Übersicht nach der Bildung des jeweils ersten Vokals eingeordnet.

Der folgende Überblick gibt den Phonembestand wieder, wie er für das klassische Mittelhochdeutsch in seiner normalisierten Form vorauszusetzen ist. Die phonologische Qualität der *e*-Laute wird dabei in der Literatur zum Teil unterschiedlich gesehen (vgl. unten).

Kurze Monophthonge:

	vorn	neutral	hinten	vgl. mhd.:
hoch	*/i/ /ü/*		*/u/*	*/i/ /kint/*
				/ü/ /künək/
				/u/ /munt/
mittel	*/e/ /ö/*		*/o/*	*/e/ /gëbən/*
	[ë]			*/e/ /gestə/*
	[e]			*/ä/ /mäχtik/*
	[ä]			*/ö/ /hövə/*
				/o/ /lobən/
tief		*/a/*		*/a/ /klagən/*

Lange Monophthonge:

	vorn	neutral	hinten	vgl. mhd.:
hoch	*/i:/ /ü:/*		*/u:/*	*/i:/ /vi:p/*
				/ü:/ /hü:tə/
				/u:/ /zu:fən/
mittel	*/e:/ /ö:/*		*/o:/*	*/e:/ /le:rə/*
	/ä:/			*/ä:/ /mä:rə/*
				/ö:/ /hö:rən/
				/o:/ /no:t/
tief		*/a:/*		*/a:/ /ra:tən/*

Diphthonge

	vorn	hinten	vgl. mhd.:
hoch	*/ie/ /üe/*	*/uo/*	*/ie/ /bietən/*
			/üe/ /hüetən/
			/uo/ /bruodər/
mittel	*/ei/ /öu/*	*/ou/*	*/ei/ /leit/*
			/öu/ /fröudə/
			/ou/ /boum/

PAUL betont die besondere Reichhaltigkeit des mhd. Vokalsystems, die zum einen Ergebnis der Vokalspaltung im Ahd. (ahd. Diphthongierung), zum anderen der (in der zeitlichen Einordnung allerdings umstrittenen) Umlautung ist. Ordnet man diese in die mhd. Zeit ein, so [erklärt] sich der Zuwachs [...] vor allem aus der Spaltung der velaren Vokale im Zuge der *i*-Umlautung, die zu neun neuen Phonemen führt: /e/, /ä/, /ö/, /ü/, /ō̈/, /ā̈/, /öü/, /üe/.“ (2007, 64.)

Es wird davon ausgegangen, dass das kurze mhd. *e* drei Phoneme repräsentiert, und zwar */ë/*, */e/*, */ä/*. Diese Auffassung vertreten u. a. auch HERRLITZ (1970, 15) und PHILIPP (1980, 36). Beweiskräftige Beispiele werden nur in wenigen Fällen beigebracht; so haben mhd. *stëcken* ‘Stecken’, *hër* ‘her’ offene Qualität des *e*, dagegen besitzen mhd. *stecken* ‘stecken’, *her* ‘Heer’ geschlossenen *e*-Laut; dabei wird auch auf Unvereinbarkeit im Reim verwiesen. SCHIEB macht allerdings dagegen geltend, dass zwar in der obd. Variante die Trennung nachweisbar ist, dass aber „selbst im engen Rahmen der mhd. Dichtersprache mit landschaftl. unterschiedlichem, hier strichweise md. verringertem Phonembestand“ (SCHIEB 1970, 359) zu rechnen ist.

e in unbetonter Silbe ([ə]) wird meist als stellungsbedingte Variante zu */e/* in betonter Silbe, also als Allophon, nicht als Phonem aufgefasst. „Die Einheit [ə] ist nicht frei distribuiert, sie kommt nämlich nur unter der Bedingung vor, dass die betreffende Silbe nicht betont ist.

[ə] ist komplementär distribuiert mit [e], das nur in betonten Silben steht. Beide Einheiten können deshalb zu einem Phonem zusammengefaßt werden." (HERRLITZ 1970, 16.)

SIMMLER (2000, 1326) hält das vokalische Phonemsystem in folgendem Überblick fest:

Kurzvokale	Langvokale	Diphthonge
i ü u	ī ǖ ū	(iu) iə üə uə
e		
ö o	ē ȫ ō	ei öü ou
ẹ		
æ a	ǣ ā	unbetont ə

(In „normalisierter" Schreibung findet sich bei SINGER (1996, 25) eine leicht differenzierte Übersicht.)

3.3.1.2 Konsonantische Phoneme

Der Überblick über die konsonantischen Phoneme berücksichtigt insbesondere die Merkmale, die sich aus der Artikulationsart sowie aus der Artikulationsstelle ergeben, d. h., wo bzw. mit welchem Artikulationsorgan der betreffende Konsonant gebildet wird; konsonantendifferenzierend wirkt außerdem das Merkmal der Stimmhaftigkeit bzw. Stimmlosigkeit.

	Artikulationsstelle			
Artikulationsart	labial	dental	palatal	velar glottal
Explosiva				
Fortes (Tenues)	*/p/*	*/t/*		*/k/*
Lenes (Mediae)	*/b/*	*/d/*		*/g/*
Frikativa				
Fortes	*/f/*	*/s/ /ʃ/*	*/ç/*	*/x/*
Lenes	*/v/*	*/z/*	*/j/*	
Affrikaten	*/pf/*	*/ts/*		*/kx/*
Nasale	*/m/*	*/n/*		
Liquide		*/r/ /l/*		
Hauchlaut				*/h/*

FOURQUET (1963) betont darüber hinaus, dass auch die Opposition Simplex vs. Geminata, z. B. */t/* vs. */tt/* phonologisch relevant ist, d. h. ein Mittel zur Unterscheidung von Wörtern bzw. Wortformen darstellt, vgl. mhd. *bete* vs. *bette* – nhd. *Bitte* vs. *Bett*. Allerdings liegen hier auch unterschiedliche Qualitäten vor (s. auch den Überblick über das Konsonantensystem bei SIMMLER 2000, 1326).

Im Einzelnen ist zu den Phonemen Folgendes anzumerken:

- [ç] und [χ] sind nur verschiedene Realisierungen desselben gutturalen Frikativs */χ/*, also Allophone; */χ/* wird – wie im Neuhochdeutschen – nach den Vokalen */a/*, */o/*, */u/* gesprochen, z. B. */ʃpraχ/*, */tso:χ/*, */bruχ /*; aber [ç] in */iç/*, */beçə/*, im Alem.-Bair. immer [χ].

- /*ʃ*/ stellt eine neuere Lautqualität dar, die sich aus ahd. /*sk*/ entwickelt hat (Mitte 11. Jh.), z. B. ahd. /*sko:ni*/ > mhd. /*ʃœnə*/; ahd. /*fisk*/ > mhd. /*fiʃ*/. Des Weiteren wird /*ʃ*/ vor /*l*/, /*m*/, /*n*/, *v*/, nach /*r*/ und in den Verbindungen /*st*/, /*sp*/ (außer im Inlaut) realisiert. /*s*/ und /*ʃ*/ bestehen noch bis ins Frühneuhochdeutsche nebeneinander, vgl. (*slaŋə*/ – /*ʃlaŋə*), vgl. auch heutige Mundarten!
- /*f*/ wird in bestimmten Positionen auch als leicht stimmhaftes Allophon [*v*] realisiert (vgl. auch 2.3.3.2).
- /*j*/ geht der Halbvokal /*i*/ voraus; zwischenvokalisch wird /*i*/ gelegentlich von *h* abgelöst, z. B. /*dräjen*/ > *drä:hən* 'drehen', aber auch von /*g*/, z. B. /*ferjə*/ > /*vergə*/ 'Ferge'.
- /*h*/ begegnet nur im Silbenanlaut, z. B. /*herrə*/.
- /*kx*/ kommt nur in oberdeutschen Dialekten vor, heute noch im Schweizerdeutschen und Südbairischen.

3.3.2 Vokalismus

3.3.2.1 Ablaut

Unter Ablaut versteht man den regelmäßigen Wechsel von Vokalen in etymologisch verwandten Wörtern (Wurzelablaut) oder Wortteilen (Suffixablaut). Er beruht auf den Betonungsverhältnissen im Indogermanischen (vgl. 1.1.1.5.5). Für die älteren Sprachperioden ist zwischen qualitativem und quantitativem Ablaut zu unterscheiden, je nachdem ob im Idg. musikalischer oder dynamischer Akzent wirksam war. Musikalischer Akzent, d. h. unterschiedliche Tonhöhe, führte zur Herausbildung unterschiedlicher Vokalqualitäten, z. B. idg. Wechsel von *e* und *o*; dynamischer Akzent, d. h. unterschiedliche Dauer, führte zur Herausbildung unterschiedlicher Vokalquantitäten, z. B. idg. Wechsel von *e* und *ē*. Aufgrund der eingetretenen lautlichen Veränderungen in den folgenden Sprachperioden sind diese Unterschiede zwischen qualitativen und quantitativen Ablautstufen im Mittelhochdeutschen nicht mehr im Einzelnen zu erkennen. Es bleiben aber Formen des Vokalwechsels, die nicht auf den Einfluss von Folgelauten (vgl. unten Kombinatorischer Lautwandel) zurückgeführt werden können.

Ablaut ist auch im Mittelhochdeutschen ein wichtiges Mittel der Formenbildung starker Verben; er äußert sich im Nebeneinander von Verbformen mit unterschiedlichem Stammvokal (vgl. dazu im Einzelnen den Überblick über mhd. Ablautreihen 3.4.1.1 sowie die Übersichtstabelle in PAUL 2007, 66).
Ablaut liegt folgenden Formen des Vokalwechsels bei starken Verben zugrunde:

/*î*/	–	/*ei*/ /*ê*/	vgl. *rîten – reit; lîhen – lêch;*
/*ie*/ /*iu*/	–	/*ou*/ /*ô*/	vgl. *biegen/biuge – bouc; bieten/biute – bôt;*
/*ë*//*i*/	–	/*a*/	vgl. *nëmen/nime – nam;*
/*î*/	–	/*i*/	vgl. *rîten – riten;*
/*ie*/ /*iu*/	–	/*u*//*o*/	vgl. *biegen/biuge – bugen/gebogen;*
/*ë*//*i*/	–	/*â*/	vgl. *nëmen/nime – nâmen;*
/*ë*//*i*/	–	/*u*//*o*/	vgl. *hëlfen/hilfe – hulfen/geholfen;*
/*a*/	–	/*uo*/	vgl. *laden – luot.*

Den unmittelbar nebeneinander stehenden Vokalen, z. B. */ie/ /iu/*, liegt jeweils ein gemeinsamer Ablautvokal zugrunde. Die Differenzierungen innerhalb einer Ablautstufe sind auf Prozesse des kombinatorischen Lautwandels in der germ. bzw. ahd. Zeit zurückzuführen (vgl. 1.1.1.5.5, 2.3.2.1 ff.); Ablaut dient auch als Mittel der Wortbildung:

- zur Ableitung von Substantiven aus starken Verben,

  vgl. *bant, bunt* (*binden*); *grif* (*grífen*); *lâge* (*ligen*); *gruobe* (*graben*); *barn* ‘Kind’ (*bërn* ‘hervorbringen, gebären’);

- zur Bildung von Adjektiven (die Zusammenhänge sind z. T. mhd. schon nicht mehr erkennbar),

  vgl. *lôs* (*verliesen*); *liep* (*gelouben*); *wîs, wîse* (*wizzen*).

3.3.2.2 Kombinatorischer Lautwandel: Alternanz

Der Wechsel des Stammvokals beruht in folgenden Fällen auf Angleichung zwischen Lauten mit unterschiedlicher Zungenstellung:

mhd. *gëben – ich gibe; wir bugen – gebogen; bieten – ich biute.*

Dieser Wechsel von */ë/ – /i/, /u/ – /o/, /ie/ – /iu/* hat seinen Ursprung in germanischer Zeit. Unter Einfluss der Folgelaute, besonders der ursprünglich vollen Nebensilbenvokale, wurde die Zungenstellung bei der Artikulation des Stammvokals bereits antizipatorisch der Artikulationsweise des Folgevokals angenähert. Es erfolgte ein Ausgleich zwischen Vokalen mit „hoher“ und solchen mit „flacher“ („tiefer“) Zungenstellung in einem Wort. Die gleiche Wirkung wie von einem Vokal des oberen Bereichs ging dabei von einer Nasalverbindung aus, die unmittelbar auf den Stammvokal folgte.

/i/, /j/ /u/, Nasalverbindung

/e/ /o/

/a/

/e/ zu /i/. /e/ wurde zu /i/ „gehoben“, wenn im Germanischen oder Althochdeutschen */i, j, u/* oder Nasalverbindung folgte:

ahd. *geban – gibu, gibis, gibit* – mhd. *gëben – gibe, gibest, gibet*

Starke Verben mit Stammvokal */ë/* im Infinitiv haben mhd. regelmäßig in der 1.–3. Sgl. Präs. Ind. Stammvokal */i/*, da die Endungen dieser Formen im Althochdeutschen noch */i/* oder */u/* aufwiesen.

/u/ zu /o/; /i/ zu /e/. /u/ wurde zu /o/ „gesenkt“, wenn */a, e/* oder /o/ folgte:

ahd. *bugum – gibogan* – mhd. *bugen – gebogen.*

Das Part. Prät. einer Reihe starker Verben weist im Mittelhochdeutschen den Stammvokal /o/ auf. Er ist aus /u/ vor germ./ahd. Partizipialendung *-an* entstanden. Dieser Wandel wurde verhindert, wenn auf den Stammvokal Nasalverbindung folgte, z. B. mhd. *bunden – gebunden.*

Von dieser „Senkung“ – in der Fachliteratur findet man auch den Terminus „Brechung“ – ist auch der Vokal /*i*/ betroffen: /*i*/zu /*ë*/,

vgl. germ. *libara* > ahd. *lëbara* > mhd. *leber.*

Beispiele für eine Senkung/*i*/ zu /*ë*/ gibt es jedoch weit seltener als für den umgekehrten Prozess des Wandels von /*ë*/ > /*i*/.

Kombinatorischer Ausgleich ist in vielen Fällen auf die Vokale der Wortbildungssuffixe zurückzuführen, vgl. mhd. *bërc – gebirge* (ahd. *bërg – gibirgi*), mhd. *ërde – irdisch* (ahd. *ërda – irdisc*).

Entwicklung des germ. /*eu*/. Nach den gleichen Regeln erklärt sich der mhd. Wechsel /*ie*/ – /*iu*/. Beide Laute gehen auf germ. /*eu*/ zurück. Vor Silben, die ursprünglich /*a, e, o*/ aufwiesen, steht im Mhd. Stammvokal /*ie*/ < ahd. /*io*/, vor Silben mit ursprünglich /*i, j, u*/ steht dagegen /*iu*/:

mhd. *bieten – biute* (ahd. *biotan – biutu*).

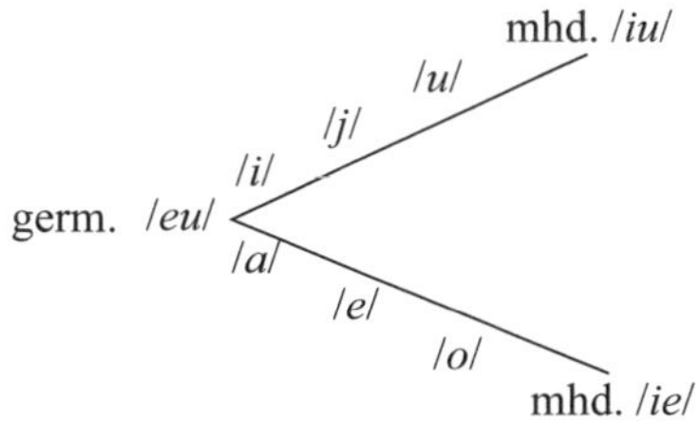

Im Mhd. wechseln deshalb *siech – siuche* (ahd. *sioh – siuhhi*), noch nhd. (veraltet) *fliegen – fleucht, kriechen – kreucht* (Redewendung: *Was da fleucht und kreucht*).

3.3.2.3 Kombinatorischer Lautwandel: *i*-Umlaut

Unter Umlaut versteht man die „partielle Assimilation (teilweise Angleichung) velarer Vokale in betonten Silben an die palatalen Vokale *i, j, ī* der nicht betonten Folgesilben“ (Paul 2007, 71): *a* > *e*; *û* > *iu*; *â* > *æ*; *u* > *ü*; *o* > *ö*; *ô* > *œ*; *û* > *üe*; *ou* > *öu* und *a* > *ä*.

mhd. *gast – geste, gestinne, gestîn; tôre – tœrinne; tuoch – tüechlîn.*

Es handelt sich damit also ebenso wie bei der Alternanz um einen kombinatorischen Lautwandel (vgl. oben). Der Vokal der betonten Silbe nähert sich in der Artikulation dem folgenden *i, î* oder *j* (deshalb: regressive Assimilation) an. Da aber keine völlige Angleichung erfolgt, wird dieser Vorgang auch als partielle Assimilation bezeichnet.

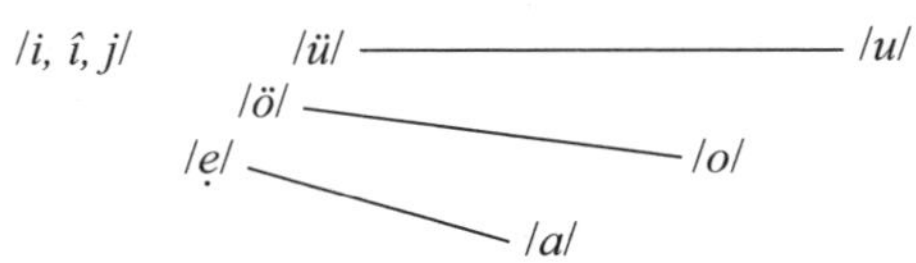

In den meisten Fällen ist im Mittelhochdeutschen bei Wörtern mit umgelautetem Vokal das alte *i, î, j,* das den Umlaut bewirkt hat, nicht mehr zu erkennen, z. B. *krefte, küene*. Daraus lässt sich schließen, dass der Umlautungsprozess vor der Abschwächung der Endsilben erfolgt sein muss, also in der Mehrzahl der Fälle bereits in ahd. Zeit (vgl. 2.3.2.3). Der Umlaut wurde zuerst gesprochen und erst bedeutend später geschrieben. Dass Umlaut aber auch in mhd. Zeit noch wirksam ist, beweisen verhältnismäßig junge Bildungen mit dem Suffix *-ie*, z. B. *ebedie* 'Abtei'.

Die Bezeichnung des Umlauts erfolgte zuerst für umgelautetes *a* durch <*e*> bzw. in der eine geschlossene Aussprache verdeutlichenden Schreibung <*ẹ* > im normalisierten Mittelhochdeutsch. Beim Umlaut /*a*/ > /*e*/ handelt es sich um den sog. Primärumlaut, z. B. ahd. *gesti* – mhd. *geste*.

Ebenfalls in ahd. Zeit fallen auch die ersten Umlautbezeichnungen für /*û*/ = <*iu*>, z. T. auch für /*u*/ = <*ü*> und /*â*/ = <*æ*>. Die übrigen Umlaute wurden erst im Mittelhochdeutschen bezeichnet – und da auch nicht konsequent. Durch Umlautung veränderten sich – zeitlich abgestuft – die folgenden Vokale:

/*a*/	>	/*e*/	ahd. *gesti*	mhd. *geste*
/*a*/	>	/*ä*/	ahd. *mahtîg*	mhd. *mähtec*
			ahd. *tagalîh*	mhd. *tägelîh*
/*â*/	>	/*æ*/	ahd. *mâri*	mhd. *mære*
/*o*/	>	/*ö*/	ahd. *mohti*	mhd. *möhte*
/*ô*/	>	/*œ*/	ahd. *skôni*	mhd. *schœne*
/*u*/	>	/*ü*/	ahd. *wurfil*	mhd. *würfel*
/*û*/	>	/*iu*/	ahd. *hûsir*	mhd. *hiuser*
/*ou*/	>	/*öu*/	ahd. *ouga*	mhd. *öugelin*
/*uo*/	>	/*üe*/	ahd. *gruoni*	mhd. *grüene*

Weil das kurze /*o*/ im Althochdeutschen nicht vor einem /*i*/ stehen konnte, „da es nur durch „Brechung" aus /*u*/ entstanden [ist] und vor /*i*/ nur /*u*/ möglich war […], ist /*ö*/ nur durch Analogie zu erklären" (Mettke 2000, 62). Darüber hinaus kann es auch in jüngeren Neubildungen auftreten, vgl. *holz* – *hölzer* (neben regelmäßig *hülzin*), *hof* – *hübesch*, daneben *hövesch* (mit Bedeutungsdifferenzierung).

Im Mittelhochdeutschen tritt bei zahlreichen schwachen Verben ein Wechsel des Stammvokals auf: Die Präsensformen haben Umlaut, z. B. *hœren, brennen,* die Präteritalformen nicht, z. B. *hôrte, brante*. Die Ursachen dieser Erscheinung, die nach J. Grimm als Rückumlaut bezeichnet wird, liegen in vor-althochdeutscher Zeit (vgl. 2.3.2.3).

Die Durchsetzung des Umlauts geht landschaftlich unterschiedlich vor sich; sie erfolgt in Nord-Süd-Richtung und erfasst die mitteldeutschen Mundarten stärker als die oberdeutschen.

Umlauthemmungen. Bestimmte Konsonantenverbindungen verhinderten in ahd. Zeit die Umlautung von /*a*/ > /*e*/. Folgten auf das /*a*/ der Stammsilbe die Konsonantenverbindungen <*hs, ht, hh, rw, rh*>, so trat der Umlaut zunächst nicht ein. Diese Lautfolgen stehen der Verlagerung der Vokalartikulation zum vorderen Gaumen hin entgegen, da sie selbst guttural gebildet werden. Erst unter Einfluss der übrigen Umlaute setzt sich der Umlaut im 12. Jh. in diesen Fällen in den schriftlichen Texten durch:

ahd. *gesti*, aber *wahsit* – mhd. *geste*, aber *wähset*.

Dieser (jüngere) Umlautungsprozess wird im Gegensatz zur ersten Umlautwelle, dem Primärumlaut /*a*/ > /*e*/, als Sekundärumlaut /*a*/ > /*ä*/ bezeichnet. In der Fachliteratur wird dieser Terminus allerdings unterschiedlich verwendet, zum einen nur für die zweite Umlautungswelle bei /*a*/, zum anderen für sämtliche Umlaute außer dem Primärumlaut /*a*/ > /*e*/.

Sekundärumlaut tritt außerdem ein, wenn der umlautbewirkende Vokal nicht in der unmittelbar folgenden Silbe steht, z. B. ahd. *trahani* (Pl.) – mhd. *trähene*. Es wird angenommen, dass zunächst das /*a*/ der unbetonten Mittelsilbe völlige Assimilation erfuhr (**trahini*) und dass danach partielle Assimilation des Stammsilbenvokals eintrat. Sowohl der Vokal der zweiten als auch der dritten Silbe erscheint im Mhd. abgeschwächt zu [*e*].

Die Zahl der umlauthindernden Lautfolgen ist im Oberdeutschen größer als im Mitteldeutschen. Häufig unterbleibt oberdeutsch daher der Umlaut /*u*/ > /*ü*/ und /*o*/ > /*ö*/, vgl. *Innsbruck – Osnabrück*.

Die Umlaute bereichern den Phonembestand des Mhd. gegenüber dem des Ahd. Solange End- oder Nebensilben mit <*i, î, j*> Funktionen der Formen noch kennzeichnen, z. B. ahd. *gesti* (Pl.), *nâmi* (Konj.), können umgelautete Vokale nur als graphemische Varianten gewertet werden. Mit der Abschwächung der Endsilbenvokale erhalten die Umlaute Phonemqualität.

Die Phonemopposition von umgelautetem und nicht umgelautetem Stammvokal gewinnt bereits im Mittelhochdeutschen und zunehmend im Frühneuhochdeutschen (vgl. 4.3.1.9) Bedeutung als Flexionskennzeichen (Grammatikalisierung) wie auch als Mittel der Wortbildung (s. auch PAUL 2007, 73):

- in der Verbflexion insbesondere zur Kennzeichnung präteritaler Konjunktivformen st. Verben, vgl. ahd. *nâmi* > mhd. *ich, er næme*; ahd. *zugi* > mhd. *ich, er züge*;
- bei Substantiven als Mittel der Numerusdifferenzierung, vgl. (ahd.) *i*-Stämme mhd. *gast – geste; gruoz – grüeze;*
- bei Adjektiven in der Komparation als ein Merkmal zur Kennzeichnung von Komparativ und Superlativ, wobei umgelautete und nichtumgelautete Formen nebeneinander stehen, vgl. mhd. *âlter/elter – altest/eltest* (vgl. 3.3.2.3);
- in der Wortbildung zur Kennzeichnung bestimmter Ableitungstypen, insbes. bei Suffixen, die infolge der Endsilbenabschwächung nicht mehr erkennbar sind, vgl. ahd. *hôhî* > mhd. *hœhe*; ahd. *hertî* > mhd. *herte*; bei der Diminutivbildung, vgl. mhd. *zunge – zungelîn*, bei der Ableitung sw. Verben, vgl. mhd. *gruoz – grüezen, warm – wärmen.*

Dieser Prozess der Grammatikalisierung wird im Frühneuhochdeutschen fortgesetzt bzw. verstärkt (zur Grammatikalisierung s. DIEWALD 1997, FERRARESI 2014).

3.3.2.4 Veränderungen im Vokalismus beim Übergang vom Mittelhochdeutschen zum Frühneuhochdeutschen

Zum besseren Verständnis mhd. Texte erscheint es nötig, auf lautliche Veränderungen hinzuweisen, die sich erst im Frühneuhochdeutschen durchsetzen, ihren Ursprung aber bereits in mittelhochdeutscher Zeit haben. Eine ausführliche Darstellung dieser Erscheinungen wird im Teil Frühneuhochdeutsch gegeben (s. 4.3.1.1–4.3.1.4).

Frnhd. Diphthongierung. Die mhd. Langvokale */î, û, iu/* werden im Frühneuhochdeutschen zu den Diphthongen */ei, au, eu/*; vgl. mhd. *mîn niuwez hûs* – nhd. *mein neues Haus*. Als Allographe stehen <*ei/ai*>, <*eu/äu*>. Hinweise für die Datierung und Lokalisierung dieser Erscheinung hat man durch Reimvergleiche erhalten, z. B. *kûme* : *soume*; *hôchzît* : *geleit*. Einiges spricht für Polygenese, für autochthone Entstehung der Diphthonge in einzelnen Landschaften, der Beginn liegt etwa im 12. Jh., vereinzelte Belege für solche Diphthongschreibungen <*ei*> statt <*î*>; <*ou*> statt <*û*> gehen in bairischen Texten in spätahd. Zeit zurück.

Frnhd. Monophthongierung. An die Stelle der mhd. Diphthonge */ie, uo, üe/* treten – zunächst in den mitteldeutschen Mundarten – die Monophthonge */i:, u:, ü:/*; vgl. mhd. *lieben guoten brüeder* – nhd. *liebe gute Brüder*. Untersuchungen zum Reimgebrauch (z. B. *wîbe* : *liebe*; *ruof* : *ûf*) und zur Orthographie lassen erkennen, dass die Veränderung bei */uo, üe/* > */u:, ü:/* im 11. Jh., bei */ie/* > */i:/* im 12. Jh. eingesetzt hat.

Dehnung. Kurze Stammsilbenvokale werden vor einfachem Konsonanten, der zur folgenden Sprechsilbe gehört (also in offener Tonsilbe), gedehnt, z. B. mhd. *sa-gen, lë-ben*. Vor */m/* und */t/* unterbleibt allerdings die Dehnung, vgl. mhd. *gate* > nhd. *Gatte*, mhd. *himel* > nhd. *Himmel* (s. 4.3.1.3).

Dehnung erfolgt auch bei einsilbigen Wörtern, deren flektierte Formen offene Tonsilben aufweisen, z. B. mhd. *ta-ges* > nhd. *Tāges* und analog dazu mhd. *tac* > nhd. *Tāg*. Gedehnt werden außerdem kurze Vokale in einsilbigen Wörtern, die auf Liquida, z. T. auch auf Nasal enden, z. B. mhd. *vil* > nhd. *viel*; mhd. *dem(e)* > nhd. *dem*. In geschlossener Silbe erfolgt Dehnung vor */r/* + Dental, vgl. mhd. *ërde* > nhd. *Ërde*.

Die Dehnung hat bereits in ahd. Zeit im Niederfränkischen begonnen und hat sich im 12. und 13. Jh. im gesamten Mitteldeutschen durchgesetzt, das Oberdeutsche, ausgenommen das Hochalemannische, wird im 14. Jh. davon erfasst.

Kürzung. Die Kürzung mhd. Langvokale (vgl. 4.3.1.4) tritt teilweise ein:

- vor Konsonantenverbindungen, bes. */ht/, /r/* + Konsonant, z. B. mhd. *dâhte* > nhd. *dachte*; mhd. *hêrsen* > nhd. *herrschen*;
- vor einfacher Konsonanz, besonders bei Wörtern mit den Ableitungssilben *-er, -el, -en*, z. B. mhd. *jâmer* > nhd. *Jammer*;
- in Zusammensetzungen, bei denen mehrere Konsonanten aufeinander folgen, z. B. mhd. *hôchzît* > nhd. *Hochzeit*;
- in unbetonten Ableitungssilben, vgl. mhd. *-lîch* > nhd. *-lich*.

Auch die in der frnhd. Monophthongierung entstandenen Langvokale können von der Kürzung betroffen sein: mhd. *liecht* > *Licht, muoter* > *Mutter, rüezel* > *Rüssel*. „Die Kürzung, im ganzen weit weniger häufig und regelmäßig als die Dehnung, zeigt sich seit dem 12. Jh. im Md. in Reimen wie *braht* : *gemaht* : *naht*; sie tritt im Bair. nur teilweise, im Alem. meist nicht auf.“ (PAUL 2007, 83.)

3.3.2.5 Vokalismus der Nebensilben

Die vergleichende Gegenüberstellung einiger althochdeutscher und mittelhochdeutscher Wörter zeigt eine auffällige Veränderung der Vokale in nicht starktonigen Silben:

ahd. *manunga* – mhd. *manunge*; ahd. *michil* – mhd. *michel*
ahd. *gimeinida* – mhd. *gemeinde*; ahd. *nëman* – mhd. *nëmen*
ahd. *murmilôn* – mhd. *murmeln*

Während im Althochdeutschen noch sämtliche langen und kurzen einfachen Vokale sowie der Diphthong */iu/* in Nebensilben vorkommen, werden diese Vokale (mit Ausnahme von */iu/*) beim Übergang zum Mittelhochdeutschen zu einem reduzierten [*e*] abgeschwächt.

Die wichtigste Ursache für diesen Abschwächungsprozess ist in der germ.-dt. Erstbetonung (Stammbetonung) zu sehen. Der feste Akzent auf der Stammsilbe und – damit verbunden – die ständige Unbetontheit nachfolgender Silben führen zu deren allmählichen Abschwächung. Nicht alle Nebensilbenvokale werden jedoch in gleicher Weise davon erfasst:

ahd. *friuntin* – mhd. *vriuntinne, vriuntin*; aber ahd. *gesti* – mhd. *geste.*

Im Einzelnen lassen sich drei Arten der Entwicklung von Nebensilbenvokalen beim Übergang vom Althochdeutschen zum Mittelhochdeutschen und in mhd. Zeit selbst feststellen: Bewahrung, Abschwächung und Schwund.

Bewahrung. Volle Vokale bleiben erhalten, wenn sie einen stärkeren Nebenton tragen. Das ist meist dann der Fall, wenn der Bedeutungsgehalt dieser Silben nicht verblasst ist. Das gilt z. B. für bestimmte Ableitungssilben, die im Mittelhochdeutschen noch produktiv sind:

-unge, -nisse, -œre, -inne, -în, -lîn, -lîch (aber auch *-ant,* z. B. mhd. *vâlant, viant*).

Abschwächung. Der feste Akzent kann zur Abschwächung schwachtoniger Vokale führen. Dieser Prozess betrifft:

a) Präfixe, z. B. ahd. *ga-, gi-* > mhd. *ge-*; ahd. *ur-, ir-* > mhd. *er-*; ahd. *fur-, fir-* > mhd. *ver-*; ahd. *ant-, -int-* > mhd. *ent-*;
b) einige Suffixe, wobei es sich meist um sehr alte Ableitungssilben handelt, die kaum noch produktiv sind, z. B. ahd. *-ag* > mhd. *-ec*; ahd. *-il* > mhd. *-el*; ahd. *-ida* > mhd. *-ede*;
c) Flexionssilben. Die grammatischen Morpheme haben im Mhd. nur noch schwach betontes [*e*] und als Pronominal- bzw. Adjektivendung im Nom. Sgl. des Fem. und Nom., Akk. Pl. des Neutr. /*iu*/ aufzuweisen. Hier hat sich der Abschwächungsprozess konsequenter als bei den Wortbildungsmorphemen vollzogen.

Schwund. Häufig sind die vollen Vokale nicht nur abgeschwächt worden, sondern sie sind völlig geschwunden. Zu unterscheiden ist zwischen **Apokope** (Abfall des unbetonten [*e*] am Wortende – der Terminus wird auch generell für den Schwund von Auslauten oder Endsilben verwendet) und **Synkope** (Ausfall des unbetonten [*e*] im Wortinnern – dieser Begriff wird z. T. ebenfalls im umfassenden Sinne auf den Schwund aller unbetonten Vokale im Inlaut bezogen).
Apokope erfolgt:

a) nach Liquida oder Nasal (im Auslaut) in dritter Silbe, z. B. ahd. *grôziro* > mhd. *grœzer*; ahd. *wagane* > mhd. *wagen* (Dat. Sgl.);
b) nach Liquida, der ein kurzer, betonter Vokal vorausgeht, in zweiter Silbe, z. B. ahd. *spile(a)* > mhd. *spil* (Dat. Sgl.);
c) bei zweisilbigen Wörtern an unbetonter Stelle im Satz, z. B. die Adverbien *ane, mite,* aber die Präpositionen *an, mit.* Die Substantive *hërre, vrouwe* werden vor Namen und Titeln meist in der Kurzform *hër, vrou* verwendet.

Synkope tritt ein:

a) bei drei- und mehrsilbigen Wörtern mit langer Stammsilbe.
   Der Mittelsilbenvokal fällt besondes häufig nach Liquida oder Nasal, aber auch zwischen gleichartigen Konsonanten aus, z. B. ahd. *gibârida* > mhd. *gebærde,* ahd. *hêrisôn* > mhd. *hêrsen*; ahd. *hêriro* > mhd. *hêrre*; ahd. *wartêta* > mhd. *warte, wartte*;

b) bei zweisilbigen Wörtern nach Liquida, der ein kurzer, betonter Vokal vorausgeht, z. B. mhd. *spil(e)s* (Gen. Sgl.); ahd. *stëlan* > mhd. *stëln*;
c) bei der Vorsilbe *ge-* vor Vokal und vor /r, l, n, w/, z. B. ahd. *gilîh* > mhd. *gelîh, glîh*; ahd. *gi-*, *ganâda* > mhd. *g(e)nâde*; mhd. *gëzzen* (= Part. Prät. zu *ëzzen*). Seltener schwindet [e] bei dem Präfix *be-*, ahd. *bilîban* > mhd. *belîben, blîben*.

Erscheinungen der Abschwächung und des Schwundes von Nebensilbenvokalen werden im 9. Jh. sichtbar, sie setzen sich im 11. und 12. Jh. im Wesentlichen durch, treten aber auch noch in frnhd. Zeit auf.
Zu den nhd. Wörtern, deren heutige Gestalt teilweise durch Synkopierungs- bzw. Apokopierungsvorgänge in mhd. Zeit zustandegekommen ist, gehören auch die folgenden:

Mensch	– (vgl. ahd. *mannisco* – mhd. *mensche*)
Welt	– (vgl. ahd. *wëralt* – mhd. *wërlt*)
Herr	– (vgl. ahd. *hêriro* – mhd. *hërre*)
Dienst	– (vgl. ahd. *dionôst* – mhd. *dienest, dienst*)
Glaube	– (vgl. ahd. *giloubo* – mhd. *gloube*)

3.3.3 Konsonantismus

3.3.3.1 Grammatischer Wechsel

Unter grammatischem Wechsel versteht man im Mittelhochdeutschen die Alternanz von */h/ – /g/, /d/ – /t/, f/ – /b/, /s/ – /r/* in Wörtern oder Wortformen gleichen Stammes (s. PAUL 2007, 123). Sie beruht auf Konsonantenveränderungen in germanischer Zeit, die – bedingt durch Betonungswechsel – zu einem Nebeneinander von germanisch stimmlosen und stimmhaften Reibelauten geführt hatten (vgl. 1.1.2.2.2). Der Wechsel erfolgt häufig zwischen Stammformen der starken Verben, vgl. mhd. *snîden – gesniten*; *ziehen – gezogen*, tritt aber auch bei anderen wurzelverwandten Wörtern auf, vgl. mhd. *swëher* 'Schwiegervater' – *swâger*.
Weitere Beispiele:

/h/ – /g/: *zîhen* 'zeihen' – *zêh – zigen – gezigen*, vgl. auch mhd. *zeigen*; *slahen – slahe – sluoc – sluogen – geslagen*

/d/ –/t/: *mîden – mîde – meit* (*t* ist in diesem Falle auf Auslautverhärtung zurückzuführen, vgl. 3.4.3.4) – *miten – gemiten*; *sëdel – satel*

/f/–/b/: *dürfen – darben – verdërben*; häufig bestehen auch Doppelformen: *entsëven* 'wahrnehmen' – *entsëben*; *swëvel – swëbel*

/s/–/r/: *kiesen* 'wählen' – *kiuse – kôs – kurn – gekorn*, daneben *kür* 'Wahl' und *kosten*; *verliesen* 'verlieren' – *verliuse – verlôs – verlurn – verlorn*, dazu *verlust*.

3.3.3.2 Gemination

Geminaten sind Doppelkonsonanten. Die meisten mhd. Geminaten sind urgermanischen, westgermanischen und althochdeutschen Ursprungs (s. 2.3.3.4), aber auch in mhd. Zeit entstehen neue Doppelkonsonanten.

Verdoppelt erscheinen im Mittelhochdeutschen die Konsonanten */p, t, k; b, d g; f, s, z; m, n; l, r/*. Man spricht bei den mhd. Geminaten von gedehnten oder langen Konsonanten. Während der erste Teil eine Silbe abschließt, eröffnet der folgende eine neue. Deshalb steht im Mhd. niemals Doppelkonsonanz im Wortauslaut, z. B. *begin-nen*, aber: *began*. In etymologisch zusammengehörigen Wörtern stehen sich im Mittelhochdeutschen gegenüber: *bükken – biegen, slüpfen – slîfen* ‘gleiten, glätten’, *ritzen – rîzen* ‘reißen’; *knabe – knappe, backe – bache* ‘Schinken’, *künne* ‘Geschlecht’ – *künec, henne – hano* ‘Hahn’, *geselle – sal* ‘Saal’, *rappe – rabe*.

Jeweils das erste der beiden verwandten Wörter geht auf eine ältere Form mit Gemination zurück.

Eine Reihe von Geminaten entsteht im Mittelhochdeutschen durch Synkope (vgl. mhd. *breitete* > *breitte*; *kleidete* > *kleidte* > *kleitte*).

Geminaten entstehen mhd./frnhd. auch, wenn Kurzvokale in offener Tonsilbe nicht gedehnt wurden, vgl. mhd. *biten* – nhd. *bitten*; mhd. *sumer* – nhd. *Sommer* (vgl. 3.3.3.2). (Im Neuhochdeutschen wird infolge des sich allmählich durchsetzenden morphologischen Schreibprizips die Doppelschreibung des Inlautes auch auf den Auslaut übertragen: z. B. *Stammes – Stamm*).

PAUL verweist darauf, dass der phonologische Hintergrund der Doppelschreibung „unterschiedlich beurteilt“ wird. „Sie bezeichnet jedenfalls nicht (mehr) echte phonetische Geminaten, sondern den scharfen Silbenschnitt nach Kurzvokal [...] oder den ‘ambisyllabischen’, den ‘Silbengelenk’-Status des Konsonanten“ (2007, 130).

3.3.3.3 Konsonantenschwund und Kontraktion

***h*-Ausfall.** In mhd. Zeit erfolgt häufig /*h*/-Ausfall zwischen Vokalen, die dann kontrahiert werden, und zwar im Oberdeutschen nach langem Vokal, z. B. *hâhen – hân*, im Mitteldeutschen unabhängig von der Länge des vorangehenden Vokals, z. B. *sëhen – sên, vâhen – vân*. Beide Formen (mit und ohne /*h*/) stehen im Mittelhochdeutschen – besonders in den mitteldeutschen Mundarten – noch lange nebeneinander.

Im Mittelhochdeutschen ist silbenanlautendes /*h*/ Hauchlaut, z. B. *vliehen*; beim Übergang zum Neuhochdeutschen verstummt dieses /*h*/ im Wortinneren, es wird also nicht mehr gesprochen, z. B. *vlie-hen* > *flieen*. Es wird jedoch weiterhin geschrieben und bezeichnet seit frnhd. Zeit die Länge des vorangehenden Vokals. Das /*h*/ hat sich im In- und Auslaut zum Dehnungszeichen ohne eigenen Lautwert entwickelt (vgl. 4.3.2.3).

***j(g)*-Ausfall.** Bereits im Althochdeutschen beginnt der Ausfall des /*j*(*g*)/ zwischen Vokalen und setzt sich im Mittelhochdeutschen fort. Da er nicht obligatorisch erfolgt, gibt es im Mhd. Doppelformen, z. B. *müejen – müen, eiger – eier*. Zum Neuhochdeutschen hin setzen sich dann die Formen ohne /*j*(*g*)/ durch, z. B. *mühen, Eier*.

Ausfall der Medien *b, d, g*. Häufig wird /*g*/ durch Palatalisierung (= Verlegung der Artikulationsstelle an den Vordergaumen) über /*j*/ zu /*i*/ vokalisiert, sodass durch Kontraktion /*ei*/ oder /*î*/ entstehen kann (/*egi*/ > /*ei*/; /*igi*/ > /*î*/)

ahd. *legit* > mhd. *leit*; *legist* > *leist*; *ligit* > *lît*; *gitregidi* > *getreide* u. a. Die Kontraktion /*âge*/ > /*ei*/(/*ai*/) vor /*t*/ oder /*st*/ ist bairisch, z. B. ahd. *sagêt* > *seit* oder *sait*; *traget* > *treit*; seltener ist die Kontraktion bei /*b*/ und /*d*/: /*ibi, idi*/ > /*î*/, z. B. ahd. *gibit* > mhd. *gît*; *quidit* > *quît*, sowie /*abe*/, /*ade*/ > /*â*/, z. B. *haben* > *hân*; *schaden*, dazu *schât* (alem.).

***n*-Ausfall vor *h*.** Nachwirkungen eines Konsonantenschwundes in germ. Zeit zeigen sich im Nebeneinander verbaler Formen wie *denken – dâhte, bringen – brâhte*. Der /*n*/-Ausfall hat die Dehnung des vorangegangenen Vokals bewirkt. Man spricht von Ersatzdehnung.

***w*-Ausfall zwischen Vokalen.** Beim Übergang vom Mittelhochdeutschen zum Frühneuhochdeutschen schwindet /*w*/ zwischen Vokalen, und zwar:

/ouwe/	>	*/aue/*	:	*ouwe* > *Au(e); houwen* > *hauen*
/öuwe/	>	*/äue/*	:	*dröuwen* > *dräuen*
/ûwe/	>	*/aue/*	:	*bûwen* > *bauen; trûwen* > *trauen*
/iuwe/	>	*/eue/*	:	*riuwe* > *Reue; niuwe* > *neue*

Der Wandel */-aw-/* > */-au-/* fand nach METTKE bereits in der mhd. Periode statt, zu einer Zeit, da das heutige */w/* (Reibelaut) noch halbvokalischen Charakter trug */u̯/*, vgl. *brâwe* > *Braue; phâwe* > *Pfau* (METTKE 2000, 80).

3.3.3.4 Auslautverhärtung

In mhd. Handschriften wechseln in der Flexion der Verben und Substantive <*b, d, g, v*> mit <*p, t, k, f*>. Lenis im Inlaut alternieren mit den entsprechenden Fortis im Auslaut. Dieser Prozess vollzieht sich bereits seit dem Übergang vom Althochdeutschen zum Mittelhochdeutschen; er wird im Mittelhochdeutschen durch eine veränderte Schreibung sichtbar:

stoup – stoubes; nît – nîdes; hienc – hiengen; hof – hoves.

/b, d, g, v/ werden ebenfalls stimmlos, wenn ihnen ein stimmloser Konsonant folgt:

houbet – houpt; kleiden – kleid(e)te > *kleitte* > *kleite; neigen – neicte; neve – niftel.*

Man nennt diese Erscheinung (mittelalterliche) Auslautverhärtung.

Anders ist es bei */h/*. Es wird im Auslaut als stl. velarer Reibelaut, im Wort- und Silbenanlaut aber als Hauchlaut gesprochen, z. B. *sach* [χ] – *së-hen* [*h*]. Diese Erscheinung gehört nicht zur mhd. Auslautverhärtung; sie liegt schon althochdeutsch vor (s. PAUL 2007, 161).

Die Erläuterung der Auslautverhärtung: „Stimmhafter Verschlusslaut wird im Wortauslaut wie im Silbenauslaut vor Fortis im klassischen Mhd. stimmlos" findet sich im Wesentlichen in allen älteren Grammatiken zum Mittelhochdeutschen. A. Mihm verweist allerdings darauf, dass eine solche Sicht problematisch ist, da diese „keine Gültigkeit für das mittelhochdeutsche Sprachgebiet im Ganzen" besitzt sowie „eine unzureichende phonologische Beschreibung des Gegenstandes" gibt. Sie „verstellt den Blick auf die historische Genese" und „löst ein Einzelphänomen aus den über das Mittelhochdeutsche hinausgehenden Zusammenhängen hinaus" (MIHM 2007, 105 f.). Er verdeutlicht, dass es sich bei der sog. Auslautverhärtung um einen komplexen Prozess der Dissimilierung der Obstruenten nach ihrer Silbenstellung handelt, „die eine Fortisierung von Lenisobstruenten im Auslaut und eine Lenisierung von Fortisobstruenten im Inlaut" bewirkt (vgl. ebd.). Die in den einzelnen Regionen des deutschen Sprachgebietes stark differierenden Alternanzerscheinungen können mit einer Beschränkung auf den Stimmtonkontrast nicht ausreichend erklärt werden. Auch PAUL (2007, 132) verweist auf erhebliche regionale, teils auch schreiberabhängige Unterschiede.

3.3.3.5 Assimilation

Unter Assimilation versteht man eine völlige oder partielle Angleichung eines Lautes an einen ihm benachbarten. Dieser kann unmittelbar daneben (Kontaktassimilation) oder auch entfernter (Fernassimilation) stehen. Weiterhin kann die Assimilation sowohl progressiv als auch regressiv, sowohl vollständig als auch partiell erfolgen. Es handelt sich um einen Vorgang, der in allen Sprachperioden wirksam wird und sowohl Konsonanten als auch Vokale erfasst. Für das Mittelhochdeutsche sind konsonantische Assimilationen wichtig (vgl. auch 4.3.2.6). Das betrifft vor allem folgende Veränderungen:

/n/ > */m/* vor Labialen (*/p, b, m/*): *anebôz* > *ambôz*; *unmære* > *ummære* 'unlieb'
/mb/ > */mm/* oder */m/*: *zimber* > *zimmer*; *lambes* > *lammes*
/ent/ + */v(f)/* > */emph* -(*empf-*)*/*: *entvâhen* > *emphâhen* 'empfangen'
auch völlige Assimilation des */t/* an den folgenden Verschlusslaut ist möglich:
/entg/ > */eng/ /enk/*: *entgürten* > *enkürten*; *entglîten* > *englîten*.

(Da die Assimilation diese Lautfolgen nicht obligatorisch erfasst, stehen im Mittelhochdeutschen die Formen *entgürten* und *entglîten* weiter daneben, woraus sich die nhd. Wörter mit *-t-* erklären lassen.)

/entb, entp/ > */enb, emp/* : *entbrëchen* > *enbrëchen* > *emprëchen* 'hervorbrechen, öffnen';

Zur Assimilation gehört auch die Lenisierung des */t/* zu */d/* in den Konsonantenfolgen */nt, mt, lt, rt/*, ein Vorgang, der bereits am Ende der ahd. Zeit begonnen hat, z. B. ahd. *rûmta* > *rûmda* > mhd. *rûmde*. Die Dialekte verhalten sich diesbezüglich sehr unterschiedlich (vgl. PAUL 2007, 164 f.; MIHM 2007).

Zum Teil stehen aber auch Doppelformen nebeneinander, z. B. *solte* – *solde*; *swërt, swërtes* – *swërdes*.

/t, d, n/ + */(e)l/* > */l/* oder */ll/*: *guotlîche* > *guollîche* 'gütig, freundlich'; *Uodalrich* > *Uodelrich* oder *Uodlrich* > *Ullrich* > *Ulrich*.

Konsonantenschwund infolge Assimilation

Die Assimilation kann auch zum völligen Ausfall von Konsonanten führen. Es kommt zum Ausfall des mittleren von drei Konsonanten:

Ausfall von */-k-/*: Auf Ausfall von */-k-/* in ahd. Zeit beruht das Nebeneinander von mhd. */s/* und */sch/*, vgl. Inf. *mischen* – Prät. *miste* (ahd. *misken, mista*). Weiterhin stehen sich mhd. gegenüber *wischen* – *wiste*; *leschen* – *laste*; */k/*-Ausfall liegt auch vor bei frmhd. *tinkte* > mhd. *tinte*; vgl. auch *Volcmar* – *Volmar*.
Ausfall von */-t-/*: *lustsam* > *lussam*; *ërnestlîch* > *ërneslîch*; *geistlîch* > *geislîch*; *truhtsæze* > *truhsæze*; *hintbeere* > *hinper* 'Himbeere';
Ausfall von */-ch-, -h-/* zwischen Konsonanten: *kirchmësse* > *kirmësse* 'Kirmes'; *kirchtac* > *kirtac*;
Ausfall von */-h-/* im Silbenanlaut einer unbetonten Silbe nach */-r-/* und */-l-/* vor Vokal, und zwar vor allem im Mitteldeutschen: *bevëlhen* > *bevëlen* 'befehlen', *mörhe* > *möre* 'Möhre';
Ausfall von */-h-/* vor */-st-/*: *schuohsûtære* > *schuostære* 'Schuster';
Ausfall von */-h-/* in der Konsonantenfolge */-ht-/* in unbetonter Silbe: *hîneht* > *hînht* > *hînt* > ma. *heint* 'heute Nacht'.

Weitere Veränderungen infolge Assimilation betreffen den Ausfall des velaren *ach*-Lautes (*/-ch-, -h/*) in der Lautfolge */-rht-/* bzw. */-hs-/*, hier erfolgt Entwicklung zu */-ss-/*, bes. md.: *wahsen* > *wassen*.

3.3.3.6 Dissimilation

Unter Dissimilation versteht man einen der Assimilation entgegengesetzten Prozess – die Unähnlichmachung, „die Abänderung eines Lautes, wenn der gleiche Laut in der Nähe vorkommt, wodurch die Aussprache erleichtert wird“ (EIS 1958, 61). Daneben ist auch die Veränderung der Reihenfolge der Konsonanten (Metathese) oder sogar deren gänzlicher Schwund möglich. Häufig werden Liquida und Nasale betroffen. Das Wortgut ist oft entlehnt.

Konsonantenveränderung infolge Dissimilation

Nicht unmittelbar aufeinanderfolgende */-r-/* und */-r-/* werden zu */-r-/* und */-l-/* oder */-l-/* und */-r-/*: lat. *marmor* – ahd. *marmul, murmul* > mhd., frnhd. *marmel* (vgl. im Märchen *Marmelsteine*); *murmern* > *murmeln*; *môrber* > *mûlber* 'Maulbeere'; lat. *peregrinus* – mhd. *pilgrim, bilgrim* 'Pilger'; */-m-/* und */-n-/* > */-m-/* und */-l-/* oder */-l-/* und */-n-/*: ahd. *samanôn* > mhd. *samenen* > *samelen* 'sammeln';
/-r-/ und */-n-/* > */-r-/* und */-l-/*: lat. *organum* – ahd. *organan, orgenen* (Pl.) > ahd. *orgelen* (Pl.), daraus: *orgela* (Sgl.) > mhd. *orgel*;
*/-l-/*und */-l-/* > */-n-/*und */-l-/*: mhd. *klobelouch* > *knobelouch*; *kliuwel* > *kniuwel* 'Knäuel';
/-b-/ und */-b-/* > */-f-/* und */-b-/*: mhd. *biblie* > *bibel* > spätmhd./frnhd. *fibele* 'Fibel'.

Auch in vielen Personennamen- und Ortsnamenvarianten ist Dissimilation zu erkennen: *Christophorus* – *Christoffel*, *Helmsdorf* – *Hermsdorf*, *Mollenbach* – *Bollenbach* (s. METTKE 2000, 127).

Konsonantenschwund infolge Dissimilation

Totale Dissimilation betrifft besonders das */-n-/* in Endsilben vor einem Konsonanten, wenn die vorletzte Silbe bereits auf einen Nasal endet: mhd. *verliumunden* > *verliumenden* > nhd. *verleumden*.

Verschiedentlich wird */-n-/* auch in Ortsnamen dissimiliert, z. B. *Werningerode* > *Wernigerode*.
Hierher gehört auch /n/-Schwund bei der Zusammenfügung syntaktischer Einheiten, z. B. *ze dem grüenen berge* > *Grüneberg*.

Ausfall von */-r-/*: mhd. *allererst, alrerst* > *alrest*; frz. *parlier* 'Sprecher' – spätmhd. *parlier(er)* > *Polier* (*/o/* vermutlich in Analogie zu *polieren*).

Ausfall von */-ch-/*, */-h-/*: mhd. *rîchelîche* > *rîlîche* 'reichlich'; *ze den wîhen nahten* > *wînahten* 'Weihnachten'.

3.4 Formenlehre

3.4.1 Das Verb

Finite Verbformen

Synthetische Verbformen gibt es im Mittelhochdeutschen wie im Neuhochdeutschen nur für:

			Präs. Ind. Akt.	Präs. Konj. Akt.
Sgl.	1.	P.	*hilfe*	*hëlfe*
	2.	P.	*hilfest*	*hëlfest*
	3.	P.	*hilfet*	*hëlfe*
Pl.	1.	P.	*hëlfen*	*hëlfen*
	2.	P.	*hëlfet*	*hëlfet*
	3.	P.	*hëlfent*	*hëlfen*

			Prät. Ind. Akt.	Prät. Konj. Akt.
Sgl.	1.	P.	*half*	*hülfe*
	2.	P.	*hülfe*	*hülfest*
	3.	P.	*half*	*hülfe*
Pl.	1.	P.	*hulfen*	*hülfen*
	2.	P.	*hulfet*	*hülfet*
	3.	P.	*hulfen*	*hülfen*

Imp. 2. Sgl. *hilf*, 1. Pl. *hëlfen*, 2. Pl. *hëlfet*

Der Formenbestand des finiten Verbs umfasst also:
drei Personen;
zwei Numeri (Singular und Plural);
zwei Tempora (Präsens und Präteritum);
drei Modi (Indikativ, Konjunktiv und Imperativ);
ein Genus verbi (Aktiv).

Darüber hinaus besteht die Möglichkeit, durch umschreibende (periphrastische) verbale Mittel zusammengesetzte Verbformen mit unterschiedlichen Funktionen zu bilden. Zur Umschreibung dienen neben den Verben *haben, sîn, wërden* vor allem die Modalverben *suln, müezen, wellen*. Außerdem werden Mittel der Wortbildung genutzt, um Unterschiede in den Aktionsarten und im temporalen Verlauf zu charakterisieren (s. PAUL 2007, 306.)

Infinite Verbformen

Infinitiv *hëlfen* mit den flektierten Formen *hëlfen(n)es, hëlfen(n)e* (letztere sind ursprünglich Genitiv- bzw. Dativformen eines Gerundiums. Sie fallen im Mittelhochdeutschen lautlich mit dem einfachen Infinitiv zusammen und leben fort im Infinitiv mit *zu*:
Partizip Präsens: *hëlfende*
Partizip Präteritum: *geholfen*

Einteilung der Verben

Wesentliche Merkmale für die Einteilung der Verben nach formalen Gesichtspunkten sind:

1. die verschiedenen Möglichkeiten der Bildung von Tempusstämmen
2. der unterschiedliche Anschluss der Endungen an die verbale Wurzel

Zu 1. Entsprechend der unterschiedlichen Bildung der Tempusstämme erfolgt die Einteilung in s t a r k e und s c h w a c h e Verben. (Verben, die sich einer klaren Zuordnung entziehen, werden häufig als „unregelmäßige“, z. T. „gemischte“ Verben bzw. „Verben mit Sonderformen“ zusammengefasst.)
Kennzeichen der starken Verben sind die Formenbildung durch Veränderung des Stammvokals vorwiegend auf Basis des Ablauts, z. B. *hëlfen – half – hulfen*, und die Bildung des Part. Prät. mit dem Suffix *-en*, z. B. *geholfen*.
Kennzeichen der schwachen Verben ist die Bildung der finiten Präteritalformen und des Part. Prät. mit einem Dentalsuffix, z. B. *lëbe-t-e – gelëbe-t*.

In den meisten Fällen entspricht die starke oder schwache Bildung im Mittelhochdeutschen der neuhochdeutschen Konjugationsart; einige Verben sind jedoch inzwischen von der starken zur schwachen Konjugation übergegangen:

mhd. *grînen – grein*	>	nhd. *greinen – greinte*
mhd. *smiegen – smouc*	>	nhd. *schmiegen – schmiegte*

Während im Mittelhochdeutschen starke und schwache Verbformen bei einigen Verben nebeneinander stehen, sind im Neuhochdeutschen die starken Verben z. T. nicht mehr vorhanden, z. B.:

mhd. stark	mhd. schwach	nhd. schwach
brinnen	*brennen*	*brennen*
bran	*brante*	*brannte*
gebrunnen	*gebrennet, gebrant*	*gebrannt*

Besonderheiten bei der Bildung der Tempusstämme zeigen die Präterito-Präsentien (vgl. 3.4.1.4). Sie weisen sowohl Kennzeichen der starken als auch der schwachen Flexion auf, z. B. Präs. *weiz – wizzen* (*ei/i*-Ablaut), Prät. *wiste* (Dentalsuffix).

Zu 2. Je nach der Art des Anschlusses von Flexionsendungen an die Wurzel unterscheidet man zwischen thematischer und athematischer Bildung. Bei thematicher Bildung steht zwischen Wurzel und Endung ein Thema- oder Bindevokal. Verben mit athematischer Bildung dagegen schließen die Endung unmittelbar an die Wurzel an, sie werden deshalb als „Wurzelverben“ bezeichnet, vgl.

bind – e	*– t*	Wurzel	–	Thema	–	Endung
tuo	*– t*	Wurzel	–		–	Endung

Die athematische Bildung ist jedoch im Mittelhochdeutschen nicht mehr produktiv, aufgrund ihrer besonderen Bildung werden sie dennoch als besondere Gruppe (vgl. 3.4.1.6) aufgeführt (Ähnlichkeit mit der Gruppe der Wurzelverben weisen die kontrahierten Verben (vgl. 3.4.1.6.) auf, bei denen die ursprünglich thematische Bildung auf Grund von Kontraktion nicht mehr in allen Formen zutage tritt, vgl. *hab – e – t*, aber *hâ – t.*)

3.4.1.1 Starke Verben

Unter dieser Bezeichnung werden drei Gruppen von Verben zusammengefasst, die ihre Tempusstämme ursprünglich unterschiedlich bildeten:

durch Ablaut,
durch Ablaut und Reduplikation,
durch Reduplikation.

Im Mittelhochdeutschen werden sie in 7 Ablautreihen oder -klassen zusammengefasst (s. Tabelle der starken Verben in Lexer 2000, Singer 1996, 259 ff.; s. a. Paul 2007, 240 ff.).

Historisch gesehen besteht ein besonders enger Zusammenhang zwischen den Reihen 1–5, bei denen idg. qualitativer *e/o*-Ablaut zwischen Präs. und Sgl. Prät. und Formen des quantitativen Ablauts im Pl. Prät. und Part. Prät. vorliegen (vgl. 3.3.2.1). Auf der Basis der Stammformen und der Kenntnis der Flexionsendungen ist es möglich, jede Form eines Verbs zu bestimmen.

Die folgenden Stammformen geben Aufschluss über die Bildung der finiten und infiniten Formen eines starken Verbs:

1. Präsensstamm. Sämtliche Formen des Indikativs und Konjunktivs Präs. sowie die Imperativformen eines starken Verbs sind auf eine gemeinsame Ablautstufe zurückzuführen; sie weisen in der Regel den Stammvokal des Infinitivs auf. Abweichungen davon in der 1.–3. Sgl. Ind. Präs. (vgl. *hëlfen*, aber *ich hilfe, du hilfest, er hilfet*; *bieten*, aber *ich biute, du biutest, er biutet*), auch Imp. Sgl. (vgl. *hilf*) sind auf Alternanz zurückzuführen (vgl. 3.3.2.2). Der Wechsel von /a/ – /e/ in der 2. und 3. Sgl. Präs. Ind., vgl. *graben*, aber *du grebest, er grebet*, beruht auf *i*-Umlaut. Wegen dieser Differenzierung werden anstelle der ersten Stammform oft zwei Stammformen (Infinitiv – 1. Sgl. Präs.) angegeben (siehe z. B. SINGER 1996, PAUL 2007).
2. Stamm des Sgl. Prät. Der entsprechende Ablautvokal kommt in der 1. und 3. Sgl. Prät. Ind. vor, nicht aber in der 2. Sgl.
3. Stamm des Pl. Prät. Er bildet die Grundlage für die 1.–3. Pl. Prät. Ind., außerdem für die 2. Sgl. Prät. Ind. sowie für sämtliche Formen des Prät. Konj.; in der 2. Sgl. Prät. Ind. sowie im gesamten Konj. Prät. ist dabei ein umlautfähiger Wurzelvokal umgelautet. Besonders zu beachten ist die 2. Sgl. Prät. Ind. mit dem Vokal des Pl. Prät. und der Endung *-e*, vgl. *ich reit*, aber *du rite*, bei umlautfähigem Stammvokal außerdem Umlaut, vgl. *ich bouc*, aber *du büge, ich half*, aber *du hülfe*. Endet der Stamm auf *d, g, h* oder *s* tritt z. T. Grammatischer Wechsel ein.
4. Stamm des Part. Prät.

Daraus ergeben sich z. B. für das Verb mhd. *hëlfen* folgende Stammformen:

Inf./1. Sgl. Präs. Ind.	1. Sgl. Prät. Ind.	1. Pl. Prät. Ind.	Part. Prät.
hëlfen/hilfe	*half*	*hulfen*	*geholfen*

Zur Konjugation

In der Übersicht über die Konjugation (vgl. oben) ist ein stark konjugiertes Verb gegeben. Abweichend davon können u. a. folgende Besonderheiten auftreten:

Präs. Ind.	1. Sgl. kann im Mitteldeutschen (bes. im Mittelfränkischen) auf *-en* enden. 2. Sgl. endet im Mitteldeutschen statt auf *-st* häufig auf *-s*. 1. Pl. verliert bei nachgestelltem Pronomen z. T. das *-n* der Endung, z. B. (*wir*) *hëlfe*. 3. Pl. gleicht sich im Mitteldeutschen bereits in mhd. Zeit der 1. Pl. an, verliert also das *-t* der Endung, z. B. *si hëlfen*.
Prät. Ind.	1. und 3. Sgl. nehmen z. T. unter Einfluss schwacher Formen ein *-e* an, z. B. *ich/er halfe*. 2. Sgl. erhält unter Einfluss des Prät. Konj. bzw. des Präs. die Endungen *-es*, *-est* und gibt allmählich den Umlaut auf, z. B. *du hülfes*(*t*), *hulfes*(*t*).
Sgl. Imp.	weist z. T. Endungs-*e* in Analogie zu sw. konjugierten Formen auf, z. B. *hëlfe*, *hilfe*.
Part. Prät.	„Das Part. Prät. wird bei der st. wie bei der sw. Konjugation mit dem Präfix *ge-* gebildet, falls das Verb nicht schon mit einer untrennbaren Vorsilbe verbunden ist [...]. Ursprünglich bezeichnete das Präfix *ge-* den Abschluss eines Vorgangs; es ist allmählich, aber schon vor der ahd. Sprachperiode, beim Partizip üblich geworden." (PAUL 2007, 247.) Ohne *ge-* kommen (noch) Partizipien perfektiver Verben wie *vunden, komen, worden, troffen* vor, teilweise auch *gëben, nomen, lâzen*. (Auch mhd. *brâht*, Part. Prät. mit schwacher Bildung, hat kein *ge-*.) Insgesamt wird das *ge-* im Part. Prät. zunehmend grammatikalisiert.

Ablautreihen

Wurzelvokal und Wurzelauslaut bilden die Unterscheidungsmerkmale für die Zuordnung der starken Verben zu den einzelnen Reihen.

1. Ablautreihe

Kennzeichen der Verben der 1. Ablautreihe ist der Vokal */î/* im Präsensstamm. */ei/* steht im Sgl. Prät. Endet die Wurzel jedoch auf Vokal, germ. */h/* oder */w/*, so steht stattdessen (infolge der ahd. Monophthongierung) im Prät. Sgl. */ê/*.

a)	*/î/, /î/*	–	*/ei/*	*/i/*	–	*/i/*
	stîgen/stîge		*steic*	*stigen*		*gestigen*

Mit gramm. Wechsel:

snîden/snîde	*sneit*	*sniten*	*gesniten*
rîsen/rîse	*reis*	*rirn*	*gerirn*

In diese Reihe gehören u. a.: *belîben* 'bleiben', *grîfen, rîten, schrîben, schrîten, swîgen, trîben*; mit gramm. Wechsel: *bîrden* 'flechten', *lîden, mîden, nîden, rîden* 'drehen'; *t* in *sneit* beruht auf Auslautverhärtung.

b)	*/î/, /î/*	–	*/ê/*	*/i/*	–	*/i/*

Mit gramm. Wechsel:

lîhen/lîhe	–	*lêh*	*ligen*	–	*geligen*

Auch: *dîhen* 'gedeihen', *rîhen, sîhen, zîhen.*

2. Ablautreihe

In die 2. Ablautreihe gehören die starken Verben mit Infinitivvokal */ie/*(*/iu/* im Sgl. Präs. Ind. beruht auf Alternanz, s. 3.3.2.2). Außerdem gehören hierher Verben mit Infinitivvokal */iu/* vor */w/* sowie drei Verben mit */û/*.
Sgl. Prät. hat den Stammvokal */ou/*. Endet die Wurzel jedoch auf */t, d, s, z/* oder germ. */h/*, so steht infolge der ahd. Monophthongierung */ô/* statt */ou/*. Aufgrund dieses Unterschieds im Sgl. Prät. Ind. ergeben sich wiederum zwei Gruppen:

a)	*/ie/, /iu/*	–	*/ou/*	*/u/*	–	*/o/*
	biegen/biuge		*bouc*	*bugen*		*gebogen*

Auch: *kriechen, schieben, smiegen, triefen, triegen* 'trügen', *fliegen*; *bliuwen* 'schlagen', *briuwen* 'brauen', *kiuwen* 'kauen', *riuwen* 'schmerzen'; *sûgen, lûchen* 'schließen', *sûfen.*

b)	*/ie/, /iu/*	–	*/ô/*	*/u /*	–	*/o/*
	bieten/biute		*bôt*	*buten*		*geboten*

Mit gramm. Wechsel:

sieden/siude	*sôt*	*suten*	*gesoten*
kiesen/kiuse	*kôs*	*kurn*	*gekorn*

Auch: *diezen* 'rauschen', *giezen, niezen* 'genießen', *schiezen, sliezen, spriezen, verdriezen, vliehen*; mit gramm. Wechsel: *niesen, verliesen* 'verlieren', *vriesen* 'frieren'.

3. Ablautreihe

Auf Grund der wurzelauslautenden Konsonanz ergibt sich bereits für den Präsenstamm eine Differenzierung. Es sind zu unterscheiden: a) Verben mit Präsensvokal */i/* vor Nasalverbindung von b) Verben mit Präsensvokal */e/* vor Liquidverbindung. Die beiden Gruppen zeigen auch Unterschiede im Part. Prät.

a) /i/, /i/	–	/a/	/u/	–	/u/
binden/binde		*bant*	*bunden*		*gebunden*

Auch: *brimmen* 'brummen', *entrinnen, glimmen, gewinnen, hinken, klingen, rinnen, singen, sinken, sinnen, spinnen, swimmen, trinken.*

b) /ë/,/i/	–	/a/	/u/	–	/o/
hëlfen/hilfe		*half*	*hulfen*		*geholfen*

Auch: *bëllen, gëllen, mëlken, schëlten, smëlzen, stërben, swëllen, verdërben, wërden.* Nebenformen mit gramm. Wechsel kommen noch vor bei *vinden* (Pl. Prät. *vunten*), *wërden* (Pl. Prät. *wurten*, Part. *worten*).

4. Ablautreihe

Dieser Reihe gehören starke Verben an, bei denen der Präsensvokal /ë/ vor einfachem Nasal bzw. vor oder nach einfachem Liquidlaut steht. Der Wechsel von /ë/ zu /i/ im Präsensstamm beruht auf Alternanz (s. 2.3.2.2).

/ë/, /i/	–	/a/	/â/	–	/o/
nëmen/nime		*nam*	*nâmen*		*genomen*

Auch: *bër(e)n* 'tragen', *brëchen, drëschen, lëschen* 'erlöschen', *rëchen, sprëchen, quëln, schrëcken, stëln, trëffen.* Statt der ursprünglichen Form *quëmen* tritt mhd. häufiger *komen, kömen* auf.

5. Ablautreihe

Kennzeichen ist der Präsensvokal /ë/ vor einfachem Konsonanten (außer /*l, m, n, r*, ch/) bzw. vor Doppelkonsonanten, die erst durch die 2. Lautverschiebung (vgl. 2.3.3.1) entstanden sind. Außerdem gehören drei Verben dazu, die im gesamten Präsens Wurzelvokal /i/ haben (/j/-Präsentien).

/ë/, /i/	–	/a/	/â/	–	/ë/
gëben/gibe		*gap*	*gâben*		*gegëben*

Mit gramm. Wechsel:

wësen/wise	*was*	*wâren*	*gewesen*

Auch: *ëzzen, vrëzzen, geschëhen, jëhen* 'sagen', *knëten, mëzzen, sëhen, trëten, wëben*; mit gramm. Wechsel: *genësen, lësen* (Pl. Prät. *genâren, lâren*, aber auch Ausgleichsformen *genâsen, lâsen*). /j/-Präsentien: *sitzen/sitze – saz – sâzen – gesëzzen, bitten/biten, liggen/ligen.*

6. Ablautreihe

Kennzeichen ist Wurzelvokal /a/ im Präs. und im Part. Prät., außerdem gehören einige /j/-Präsentien mit Wurzelvokal /e/ im gesamten Präsens in diese Reihe. Im Unterschied zu den Reihen 1–5 tritt innerhalb des Präteritums kein Vokalwechsel auf (immer /uo/).

2. und 3. Sgl. Präs. Ind. haben aufgrund von *i*-Umlaut Wurzelvokal /e/, vgl. *du grebest, er grebet.*

/a/, /a/	–	/uo/	/uo/	–	/a/
graben/grabe		*gruop*	*gruoben*		*gegraben*

Mit gramm. Wechsel:

slahen/slahe	*sluoc*	*sluogen*	*geslagen*

Auch: *laden, malen* 'mahlen', *nagen, schaffen, tragen, varn, wahsen, waschen, waten*; mit gramm. Wechsel: *gewähenen* 'erwähnen', *twahen* 'waschen, baden'. /j/-Präsentien: *swern – swuor – swuoren – geswarn* (daneben: *gesworn*), *schepfen, heven/heben.*

Bedingt durch die Ableitung mit /j/ haben /j/-Präsentien durchgängig Umlaut /a/ zu /e/ im Präs.

7. Ablautreihe
Die Bildung der Präteritalformen erfolgte ursprünglich durch einfache Reduplikation (Rückdopplung) des wurzelanlautenden Konsonanten + Vokal, z. B. got. *haitan* – Prät. *haíhait* (sprich: *hehait*) oder durch Reduplikation und Ablaut zugleich, z. B. got. *lētan* – Prät. *laílôt* (sprich: *lelōt*). Im Mittelhochdeutschen steht /ie/ in allen Formen des Präteritums.

Der Vokal des Präsensstamms ist unterschiedlich, und zwar /*a, â, ei, ou, ô, uo*/:

/a/, /a/ –	/ie/	/ie/ –	/a/
vallen valle	*viel*	*vielen*	*gevallen*

Mit gramm. Wechsel:

vâhen	*vienc*	*viengen*	*gevangen/gevân*

In diese Reihe gehören:
râten – riet – rieten – gerâten; auch: *brâten, lâzen, slâfen*
heizen – hiez – hiezen – geheizen; auch: *scheiden, sweifen*
loufen – lief – liefen – geloufen; auch: *houwen*
stôzen – stiez – stiezen – gestôzen; auch: *bôzen* 'schlagen'
ruofen – rief – riefen – geruofen; auch: *wuofen* 'wehklagen'

Den Reihen 6 und 7 ist gemeinsam, dass einmal Sgl. und Pl. Prät. und zum anderen Präs. und Part. Prät. gleichen Wurzelvokal haben. Im Gesamtüberblick ergibt sich folgendes Bild:

Reihe	Präs.	Sgl. Prät.	Pl. Prät.	Part. Prät.
1a	/î/	/ei/	/i/	/i/
1b	/î/	/ê/	/i/	/i/
2a	/ie/ /iu/	/ou/	/u/	/o/
2b	/ie/ /iu/	/ô/	/u/	/o/
3a	/i/	/a/	/u/	/u/
3b	/ë/ /i/	/a/	/u/	/o/
4	/ë/ /i/	/a/	/â/	/o/
5	/ë/ /i/	/a/	/â/	/ë/
6	/a/ /e/	/uo/	/uo/	/a/
7	/a,â,ei,ou,ô,uo/	/ie/	/ie/	/a,â,ei,ou,ô,uo/

3.4.1.2 Schwache Verben

Schwache Verben sind meist Sekundärbildungen; es sind jüngere Ableitungen, die seit germanischer Zeit zu starken Verben oder zu Nomina (Substantiven und Adjektiven) gebildet worden sind. Während sie sich im Althochdeutschen ihren alten Bildungssuffixen entsprechend gruppieren lassen (*jan-, ôn-, ên*-Verben, vgl. 2.4.1.2), ist die Zugehörigkeit zu diesen ursprünglichen Gruppen infolge der Abschwächung der Nebensilbenvokale im Mhd. nicht mehr aus der Form des Infinitivs ablesbar, vgl. die folgende Übersicht:

	ahd.	mhd.
Klasse 1a	*nerren, nerrian*	*nern*
Klasse 1b	*brennen*	*brennen*
Klasse 2	*salbôn*	*salben*
Klasse 3	*sagên*	*sagen*

Besondere Merkmale weist lediglich ein Teil der alten *jan*-Bildungen auf. Die lang- und mehrsilbigen *jan*-Verben haben bei umlautfähigem Wurzelvokal Umlaut im Präsens, jedoch nicht im Präteritum (sog. Rückumlaut). Im Mittelhochdeutschen sind demnach zwei Gruppen von schwachen Verben zu unterscheiden:

1. schwache Verben ohne Wechsel des Wurzelvokals mit Erhalt des Themavokals,
2. schwache Verben mit Wechsel des Wurzelvokals ohne Erhalt des Themavokals.

Formenbildung

Präsens

Die Endungen der Präsensformen stimmen im Ind. und Konj. mit den entsprechenden Formen der starken Verben überein. Das gilt auch für das Part. Präs. und den Inf. Im Unterschied zu den starken Verben gibt es keinen Vokalwechsel innerhalb eines Tempus. Der Imp. weist im Sgl. gegenüber der starken Bildung zusätzlich ein *e* auf, soweit es im Mhd. nicht apokopiert ist, z. B. *lëbe, setze,* aber: *hol.*

Präteritum

Alle Formen werden mit einem Dentalsuffix gebildet, dessen Entstehung unterschiedlich erklärt wird. Nach Nasal und z. T. nach Liquida steht häufig /d/, z. B. mhd. *diende, wânde* 'wähnte'.

Ind. und Konj. haben die gleichen Personalendungen:

Prät. Ind./Konj.

Sgl.	1. P.	*lëbe-t-e*	Pl.	1. P.	*lëbe-t-en*
	2. P.	*lëbe-t-est*		2. P.	*lëbe-t-et*
	3. P.	*lëbe-t-e*		3. P.	*lëbe-t-en*

Das Part. Prät. schwacher Verben endet auf *-et,* sofern nicht Synkopierung in mhd. Zeit erfolgt ist, z. B. *gelëbet,* aber: *geholt.* Die schwachen Verben mit Wechsel des Wurzelvokals haben daneben auch eine alte themalose Form (in diesem Falle auch keinen Umlaut!), z. B. *gebrennet,* daneben *gebrant.*

Schwache Verben ohne Wechsel des Wurzelvokals

lëben *lëbete* *gelëbet*

In historischer Sicht sind es:

a) kurzsilbige *jan*-Bildungen, z. B. *nern – nerte – genert.*
   Die meisten der kurzsilbigen *jan*-Verben haben allerdings Nebenformen mit Doppelkonsonanz, zu denen das Prät. nach Art der schwachen Verben mit Wechsel des Wurzelvokals gebildet wird, z. B. *zeln/zellen – zelte/zalte – gezelt/gezalt; denen/dennen, legen/leggen;*

b) *ôn*-Bildungen, z. B. *danken, dienen, lëcken, lôben, machen, salben;*
c) *ên*-Bildungen, z. B. *armen, haben, heilen, nazzen, rîfen, sagen, volgen, vragen, vûlen, ziln.*

Schwache Verben mit Wechsel des Wurzelvokals

brennen *brante* *gebrennet/gebrant*

Die Veränderung des Wurzelvokals bei der Formenbildung dieser Verben ist fast ausschließlich im Zusammenhang mit der Erscheinung des Umlauts zu sehen. Das */j/* bzw. */i/* der *jan*-Verben hat in den Präsensformen bei umlautfähigem Wurzelvokal in jedem Falle Umlaut bewirkt:

germ. **sankwian* – ahd. *senken.*

Im Präteritum dagegen ist der Umlaut bei den lang- und mehrsilbigen *jan*-Verben nicht wirksam geworden, da das Thema */i/* bei diesen Verben synkopiert wurde, bevor es Umlaut bewirken konnte:

germ. **sank-i-da* > germ. **sank-da* > ahd. *sancta* > mhd. *sancte.*

Langsilbige *jan*-Verben bilden demnach die Präsensformen mit Umlaut, die Präteritalformen dagegen ohne Umlaut. Nach J. Grimm werden sie als „Verben mit Rückumlaut" bezeichnet (vgl. 2.4.1.2). Im Part. Prät. steht bei diesen Verben neben der Form mit ausgefallenem Thema eine Form mit bewahrtem Thema. Als lang- bzw. mehrsilbige *jan*-Verben gelten vom Standpunkt des Mittelhochdeutschen aus:

a) Verben mit langem umgelauteten Vokal in der Wurzelsilbe, z. B.

hœren – hôrte – gehœret/gehôrt; grüezen, lœsen, rüemen, trœsten, füeren, wænen.

Im Unterschied zu den bisher angeführten Beispielen endet bei den folgenden die Wurzel auf Vokal (Verba pura). Sie bewahren z. T. */j/* im Infinitiv, haben im Mittelhochdeutschen auch Nebenformen mit */h/*- oder */w/*-Einschub. Im Präteritium stehen umgelautete und nicht umgelautete Formen nebeneinander, z. B.

dræn/dræjen – drâte/dræte/dræjete – gedræt/gedræjet/gedrât; næn 'nähen', *sæn, blüen, glüen, müen.*

b) Verben mit mehrfacher Konsonanz im Auslaut der Wurzelsilbe nach umgelautetem Vokal, z. B.

sterken – starcte – gesterket/gestarct; hengen, senden, trenken, wenden.

Mehrfache Konsonanz ist den Verben dieser Gruppe nicht in allen Fällen von vornherein eigen, z. T. ist Doppelkonsonanz erst durch westgerm. Konsonantengemination vor */j/* entstanden (vgl. 2.3.3.4), z. B. germ. **rakjan* > **rekkian* > ahd. *recken* > mhd. *recken – racte/rahte – gerecket/geract/geraht.*; auch: *decken, stecken, wecken.* Gemination konnte dabei nur in den Formen erfolgen, in denen */j/* erhalten war (Inf., z. T. finite Formen des Präs.). Die Geminaten */pp/, /tt/* entwickelten sich durch die Zweite Lautverschiebung weiter, deshalb z. B. germ. **satjan* > ahd. *setzan* > mhd. *setzen – sazte – gesetzet/gesazt.* Das Präteritum weist vielfach Doppelformen auf, z. B. *sazte/setzete.* Gleiche Unterschiede im Konsonantismus zeigen z. B. *ergetzen, hetzen, letzen, schetzen, stepfen, wetzen.* Nichtgeminiertes */t/* hat sich zu */s/* (geschrieben *z*) entwickelt. Der Lautwert – *sazte* oder *satzte* – ist in diesen Fällen strittig.

c) Mehrsilbige Verben, z. B.

mhd. *antwürten – antwurte; löugenen – lougente.*

d) Verben, die das Präteritum von Anfang an athematisch bildeten, z. B.

denken – dâhte – gedâht; dünken/dunken – dûhte – gedûht; vürhten – vorhte – gevorht; würken/ wurken/wirken – worhte – geworht.

Sonderstellung gegenüber den übrigen schwachen Verben mit Wechsel des Wurzelvokals beweist die Bildung des Prät. Konj. mit Umlaut, z. B. *dæhte, diuhte.* Auf die ursprünglich athematische Bildung im Präteritum deutet die Veränderung der wurzelauslautenden Konsonanz hin (germ. /g, k/ > /h/ vor unmittelbar folgendem Dental der Präteritalendung, Nasalschwund vor /h/ sowie Ersatzdehnung: germ. **þankda* > ** þanhta* > *þâhta*).

3.4.1.3 Mischung starker und schwacher Konjugation

Mhd. *bringen*, starkes Verb der 3. Ablautreihe, hat neben den sehr selten vorkommenden starken Präteritalformen *branc – brungen* weit häufiger schwache Präteritalformen: 1., 3. Sgl. Prät. Ind. *brâhte*, 2. Sgl. *bræhte/brâhtest*, Pl. *brâhten*, Part. Prät. *brâht.* Mhd. *beginnen* (starkes Verb) bildet das Präteritum im Singular sowohl stark (*began*) als auch schwach (*begunde*). Pl. Prät. wird dagegen nur schwach flektiert (*begunden*), Part. Prät. *begunnen*, md. *begunst, begonst.*

3.4.1.4 Präterito-Präsentien

Dieser Gruppe gehören im Mittelhochdeutschen neben den Vollverben *wizzen* 'wissen', *tugen* 'nützen', *gunnen* 'gönnen, erlauben' die meisten der modalen Hilfsverben an (jedoch nicht *wollen*). Es sind Verben, deren Präsensformen den Präteritalformen ablautender Verben entsprechen, vgl.

Präterito-Präsentium Präsens	starkes Verb Präteritum
weiz – wizzen	*steic – stigen*

und deren Präteritalformen wie die bindevokallosen Präteritalformen schwacher Verben gebildet werden, vgl.

Präterito-Präsentium Präteritum	schwaches Verb Präteritum
wiste – wisten	*brante – branten*

Ursprünglich waren die Präterito-Präsentien starke Verben. Ihre Präsensformen sind verloren gegangen und die alten starken Präteritalformen haben präsentische Bedeutung angenommen. Neue Präteritalformen wurden nach der Art der schwachen Präterita gebildet.

Kennzeichen im Mittelhochdeutschen. Wechsel des Stammvokals im Präs. Ind. zwischen Sgl. und Pl., Endungslosigkeit in der 1. und 3. Sgl. Präs. Ind., Bildung der 2. Sgl. Präs. Ind. mit der Endung *-t.*

Als ursprünglich starke Verben können sie den entsprechenden Ablautreihen zugeordnet werden.

Mhd. *ich weiz* 'ich weiß' (Ablautreihe 1)
Präs. Ind.: 1., 3. Sgl. *weiz*, 2. Sgl. *weist*, 1., 3. Pl. *wizzen*, 2. Pl. *wizzet.*

Der Stamm des Pl. Präs. liegt der Bildung aller übrigen Formen zugrunde:

Pl. Präs. Ind. *wizzen*	Präs. Konj. *wizze*
	Prät. Ind./Konj. *wisse, wiste*
	Imp. *wizze*
	Inf. *wizzen*
	Part. Präs. *wizzende*
	Part. Prät. *gewist*

Zum Teil stehen neben den angeführten Formen mundartliche Sonderformen, z. B. für Prät. Ind./Konj. auch *wësse, wesse, wëste, wuste, woste*; für das Part. Prät. auch *gewëst, gewust, gewizzen.*

Überblick über die Präterito-Präsentien mit ihren wichtigsten Formen (von mundartlichen Sonderformen wird abgesehen)

Ablaut-reihe	Inf., 1., 3. Pl. Präs. Ind.	1. 3. Sgl. Präs. Ind.	2 Sgl. Präs. Ind.	1. 3. Sgl. Prät. Ind.	Part. Prät.
1	*wizzen 'wissen'*	*weiz*	*weist*	*wisse/wiste*	*gewist*
2	*tugen/tügen 'taugen, nutzen'*	*touc*		*tohte*	
3	*gunnen/günnen 'gönnen'*	*gan*	*ganst*	*gunde*	*gegunnen*
3	*kunnen/künnen 'wissen, verstehen'*	*kan*	*kanst*	*kunde*	
3	*durfen/dürfen 'bedürfen, brauchen'*	*darf*	*darft*	*dorfte*	*bedorft*
3	*turren/türren 'wagen'*	*tar*	*tarst*	*torste*	
4	*suln/süln 'müssen, sollen, werden'*	*sal/sol*	*salt/solt*	*solte/solde*	
5	*mugen/mügen, megen/magen 'können, vermögen'*	*mac*	*maht*	*mahte/ mohte*	
6	*muozen/müezen 'müssen, dürfen, können, werden'*	*muoz*	*muost*	*muose/ muoste*	

Im Inf. und Präs. Pl. kommen bei umlautfähigem Stammvokal Nebenformen mit Umlaut vor. Als Ursachen dafür werden erwogen: Einfluss eines enklitischen Pronomens; Einfluss des Konjunktivs starker Verben; Analogiebildung zu schwachen Verben mit Rückumlaut. Nicht bei jedem Präterito-Präsentium sind im Mittelhochdeutschen alle Formen belegt; besonders häufig fehlt das Part. Prät.; die meisten bilden außerdem keinen Imperativ.

3.4.1.5 *wellen* 'wollen'

Im Unterschied zu den Präterito-Präsentien, bei denen eine Funktionsverschiebung im Bereich der Tempusstämme zu Sonderformen in der Konjugation geführt hat, liegt der besonderen Bildung dieses Verbs eine Funktionsverschiebung im Bereich der Modi zugrunde. Die ursprüngliche Indikativform ist verloren gegangen, die alte Optativform hat indikativische Bedeutung angenommen. Ein neuer Konjunktiv und das schwache Präteritum sind jüngere Bildungen.

Präs. Ind. 1., 3. Sgl. *wil,* 2. Sgl. *wil, wilt,* 1. Pl. *wellen, weln,* 2. Pl. *wellet, welt,* 3. Pl. *wellent, wellen, weln*
Konj. Präs. *welle*
Prät. Ind. *wolte, wolde;* Prät. Konj. *wolte, wölte, wolde, wölde*
Part. Prät. *gewellet, gewellt* (spätmhd.)

3.4.1.6 Besondere Verben

Wurzelverben/Athematische Verben
Kennzeichen ist eine alte athematische Bildung der Präsensformen. Die Endung tritt unmittelbar an die verbale Wurzel, vgl. Inf. mhd. *tuo-n, gâ-n, stâ-n, sî-n.* Deshalb werden diese Verben auch als „Wurzelverben" bezeichnet. Auf Grund der ursprünglichen Bildung der 1. Sgl. Präs. Ind. mit dem idg. Suffix *-mi* findet man auch die Bezeichnung „*mi*-Verben". Die mhd. Endung der 1. Sgl. Präs. Ind. *-n* geht durch allmähliche Reduktion (vgl. idg. **esmi,* germ. **izmi, immi* > *im* + *b* > ahd. *bim* > *bin*) auf diese alte Endung zurück, vgl. mhd. *ich tuon, ich gân, ich stân, ich bin.* Grundsätzlich sind alle Präsensformen dieser Verben einsilbig.

Mhd. ***tuon***

		Präs. Ind.	Präs. Konj.	Prät. Ind.	Prät. Konj.
Sgl.	1. P.	*tuon*	*tuo*	*tët(e)*	*tæte*
	2. P.	*tuost*	*tuost*	*tæte*	*tætest*
	3. P.	*tuot*	*tuo*	*tët(e)*	*tæte*
Pl.	1. P.	*tuon*	*tuon*	*tâten*	*tæten*
	2. P.	*tuot*	*tuot*	*tâtet*	*tætet*
	3. P.	*tuont*	*tuon*	*tâten*	*tæten*

Imp. Sgl. *tuo;* Pl. *tuon, tuot;* Part. Präs. *tuonde*
Part. Prät. *getân*
(In der Form des Prät. *tëte* ist die Silbe *-te* nicht Wurzel, sondern ursprüngliche Reduplikationssilbe.)

Mhd. ***gân*** und ***stân***

		Präs. Ind.	Präs. Konj.
Sgl.	1. P.	*gân, gên*	*gê (gâ)*
	2. P.	*gâst, gêst*	*gêst (gâst)*
	3. P.	*gât, gêt*	*gê (gâ)*
Pl.	1. P.	*gân, gên*	*gên (gân)*
	2. P.	*gât, gêt*	*gêt (gât)*
	3. P.	*gânt, gênt*	*gên (gân)*

Imp. Sgl. *gâ, gê, ganc, gënc;* Pl. *gân, gên, gât, gêt*
Part. Präs. *gânde, gênde*
Part. Prät. *(ge)gân, (ge)gangen*
Prät. Ind. 1., 3. Sgl. *gienc, gie,* 2. Sgl. *gienge,* 1., 3 Pl. *giengen,* 2. Pl. *gienget,* Prät. Konj. 1., 3. Sgl. *gienge,* 2. Sgl. *giengest* ...

Die Präsensformen weisen die Merkmale der Wurzelverben auf (1. Sgl. Ind. *-n,* einsilbige Präsensformen); die Präteritalformen entsprechen denen der st. Verben in Ablautreihe 7 (*gienc*) bzw. 6 (*stuont*). Zwei verschiedene Verbstämme, Stamm des Wurzelverbs (*gân, stân*) und Stamm des starken Verbs (ahd. *gangan, stantan*), ergänzen sich bei der Bildung des Formensystems (Suppletivbildung 'Ergänzungsbildung'). Im Alemannischen und Rheinfränkischen herrschten (wie im Niederdeutschen) die von *gân, stân* gebildeten Formen, im Bairischen und übrigen Mundarten die von *gên, stên* vor.

Mhd. ***sîn***
Dieses Verb bildet seine Flexionsformen aus drei unterschiedlichen Wurzeln. Daraus erklärt sich das Nebeneinander der verschiedenen Wortstämme im Paradigma.

		Präs. Ind.	Präs. Konj.
Sgl.	1. P.	*bin*	*sî*, alem. *sî(g)e*
	2. P.	*bist*, md. *bis*	*sîst, -est*
	3. P.	*ist*, md. *is*	*sî, -e*
Pl.	1. P.	*birn, sîn*, md. *sint*	*sîn, -en*
	2. P.	*birt, sît*	*sît, -et*
	3. P.	*sint*, md. *sîn*	*sîn, -en*

Part. Präs. *sînde*
Part. Prät. *gesîn*
Imp. Sgl. *wis, bis*; Pl. *sîn, sît*

Neben den aufgeführten Präsensformen werden auch die Präsensformen des starken Verbs *wesen* (5. Ablautreihe) in gleicher Bedeutung verwendet: Präs. Ind. *wise* ...; Präs. Konj. *wëse* ...; Part. Präs. *wësende*. Im Präteritum stehen nur die Formen des starken Verbs zur Verfügung, Prät. Ind. *was – wâren*, Prät. Konj. *wære*. Das Part. Prät. hat neben der Form von *sîn* auch *gewësen*, md. *gewëst*.

Kontrahierte Verben
Einige schwache wie auch starke Verben haben z. T. Nebenformen, die vom regelmäßigen Paradigma abweichen. Durch Kontraktion (vgl. 3.3.3.3) in spätahd. und frühmhd. Zeit sind Konsonanten geschwunden, sodass Wurzel und Endungsvokal verschmolzen und einsilbige Formen entstanden sind.

Mhd. ***haben – hân***

		Präs. Ind.	Präs. Konj.
Sgl.	1. P.	*hân, han*	*hâ*
	2. P.	*hâst, hast*	*hâst*
	3. P.	*hât, hat*	*hâ*
Pl.	1. P.	*hân, han*	*hân*
	2. P.	*hât, hat*	*hât*
	3. P.	*hânt, hant*	*hân*

Ähnlichkeit mit den Wurzelverben begünstigt das Eindringen entsprechender Konjugationsmerkmale, z. B. 1. Sgl. Präs. Ind. *habe* (schwaches Verb) – *hân* (kontrahiertes) Verb).
Die kontrahierten Formen werden zumeist als Hilfsverb, die vollen Formen als Vollverb in der Bedeutung ‘halten’ verwendet. Kontrahierte Formen für Präs. Konj. sind sehr selten.

Prät. Ind. 1., 3. Sgl. *hâte, hate, hæte, hët(e), het(e), hête, heite, hiete*
Prät. Konj. 1., 3. Sgl. *hæte, hëte, hete* ...
Part. Prät. *gehât, gehat*

Die Vielzahl der Formen im Präteritum hat ihre Wurzeln bereits in ahd. Zeit, wo verschiedene Präterita belegt sind.

Mhd. ***lâzen – lân***
Präs. Ind. des kontrahierten Verbs stimmt mit den Präsensformen der Wurzelverben überein: 1. Sgl. *lân* (auch *lâ*), 2. Sgl. *lâst* ... Für Präs. Konj. kommen nur vereinzelt kontrahierte Formen vor, z. B. 3. Sgl. *lâ*. Prät. Ind. hat im Sgl. *lie* neben der vollen Form *liez*, im Pl. dagegen nur die nichtkontrahierten Formen. Part. Prät. *gelân*.

Die Kontraktion erfolgt in den einzelnen Mundartgebieten unterschiedlich und erfasst nicht alle Formen eines Verbs gleichmäßig:
/-âhe-/ > */â/* (md. auch */-ahe-/* > */â/*): mhd. *vâhen* (st. Verb) 'fangen' – *vân*; *hâhen* (st. Verb) 'hängen' – *hân*; Analogiebildung zu den Wurzelverben ergibt für das Prät. *vie, hie* (st. Formen *vienc, hienc*), für das Part. Prät. *gevân, gehân* (*gevangen, gehangen*). Kontraktion im Präs. findet sich ebenfalls bei mhd. *smâhen – smân, smæhen – smæn, slahen – slân.*
/-ige-, -ibe-, -ide-/ > */i/*; */-ege-, -ebe-, -ede-/* > */ei/*. 2., 3. Sgl. Präs.: mhd. *ligest* > *lîst, liget* > *lît, gibest* > *gîst, legest* > */leist/*; Prät. und Part. Prät. der *jan*-Verben: ahd. *legita* > mhd. *leite*, ahd. *gilegit* > mhd. *geleit.*
/-age-/ > */ei/* (bair.): mhd. *klaget* > *kleit, saget* > *seit*; seltener bei *jagen, dagen* 'schweigen, *behagen'*.
/-ade-/ > */a/* (alem.): mhd. *schadet* > *schât, schadete* > *schâte.*

3.4.1.7 Konjugationstypen in synchroner Sicht

Der Überblick über die mhd. Verbklassen und ihre Flexion in 3.4.1.1 bis 3.4.1.6 ist diachronisch angelegt, d. h., es werden Verbklassen aus ihrer historischen Entwicklung heraus erläutert. Versucht man rein synchron einen Überblick über Formbildungsmerkmale der Verben im Mhd., und zwar hier eingeschränkt auf das „normalisierte Mittelhochdeutsch", zu geben, so kann man auf die Vielzahl der Klassen verzichten und zu einem – zumindest etwas – übersichtlicheren Bild von mhd. Verbflexion gelangen. Entsprechende Überlegungen hat zuerst N. R. WOLF (1971) zur Diskussion gestellt und in PAUL (1998) wird – daran sowie an WEINHOLD/EHRISMANN/MOSER (1968) anknüpfend – ein Vorschlag zur synchronischen Gliederung unterbreitet.

Dabei wird – wie auch für das Neuhochdeutsche üblich – von der Opposition Präsens : Präteritum ausgegangen. Vor diesem Hintergrund ergeben sich drei Typen von Verben:
„1) solche mit Vokalwechsel im Prät.,
2) solche mit Dentalelement im Prät.,
3) solche, die beides aufweisen." (PAUL 1998, 275.)
Da allerdings darüber hinaus auch Unterschiede in der Formenbildung des Präsens bei einer umfassenden Beschreibung des Systems mhd. Verbformen berücksichtigt werden müssen, ergibt sich die Notwendigkeit, innerhalb dieser drei Hauptklassen zu differenzieren, und zwar:

Zu Typ 1) Der Vokalwechsel im Präteritum beruht bei allen diesen Verben auf Ablaut oder Reduplikation (vgl. 3.4.1.1, aber auch 3.4.1.5 und 3.4.1.6), das rechtfertigt ihre Einordnung in eine gemeinsame Gruppe. Nicht zu übersehen sind aber die Unterschiede im Präsens. Während die Verben der alten Ablautreihen I–VII (vgl. 3.4.1.1) die 1. Sgl. Präs. auf *-(e)* und den Inf. auf *-(e)n* bilden, weisen die Verben wie *stân, gân, lân, vân* (auch *sîn*) in der 1. Sgl. Präs. und im Inf. immer *-n* auf (vgl. 3.4.1.5 und 3.4.1.6).

In PAUL wird deshalb zwischen „erster starker" und „zweiter starker Konjugation" unterschieden, vgl.

„Gruppe 1a mit 1. Sgl. Präs. auf *-e* und Infinitiv auf *-(e)n*
= Erste starke Konjugation,
Gruppe 1b mit 1. Sgl. Präs. und Inf. auf *-n*
= Zweite starke Konjugation" (PAUL 1998, 277).

(Hingewiesen wird noch auf die Sonderstellung von *sîn*, da es mehrere Stämme aufweist.)

Bsp. für 1a: *rîten – rîte* | *reit*
für 1b: *stân – stân* | *stuont*

Zu Typ 2) Dazu gehören all die Verben, bei denen die Opposition Präsens : Präteritum allein durch das Dentalsuffix ausgedrückt wird. Das heißt, es handelt sich um sog. schwache Verben ohne Wechsel des Stammvokals (vgl. 3.4.1.2):

Bsp. für 2: *loben* | *lobete*
auch: *holn* | *holte* (mit *e*-Synkopierung)

Zu Typ 3) Bei dieser Gruppe wird von „gemischter Konjugation" gesprochen, da die Opposition Präsens : Präteritum hier sowohl durch Vokalwechsel (wie Typ 1) als auch durch Dentalsuffix (wie Typ 2) gekennzeichnet ist. Verglichen mit den ersten beiden Typen, weist Typ 3 weniger Verben auf, allerdings ist diese Gruppe in sich stärker differenziert. PAUL unterscheidet zwischen:

- erster gemischter Konjugation (Gruppe 3a). Hier beruht der Vokalwechsel auf altem Rückumlaut, d. h., Präsensformen weisen Umlaut des Stammvokals auf, Präteritalformen nicht,
  Bsp. für 3a: *hœren* | *hôrte*

- zweiter gemischter Konjugation (Gruppe 3b). Hier liegt dem Vokalwechsel Ablaut zugrunde, und zwar handelt es sich um die sog. Präterito-Präsentien (vgl. 3.4.1.4) sowie die Verben *beginnen* und *bringen*:
  Bsp. für 3b: *wizzen, weiz* | *wiste*
  beginnen, beginne | *begunde*

Streng genommen wäre auf Grund der Unterschiede in der Präsensbildung auch hier eine weitere Untergliederung erforderlich.

- dritter gemischter Konjugation (Gruppe 3c). Ihr werden drei Verben, und zwar *wëllen, tuon* und *hân*, zugerechnet, deren Formenbildung im Präsens aber auch Unterschiede aufweist:
  Bsp. für 3c: *wellen, wil* | *wolde*
  tuon, tuon | *tëte*

Dieser Versuch einer synchronischen Darstellung von Verbklassen kommt – wie sich zeigt – nicht völlig ohne (zumindest erläuternden) Rückgriff auf diachrone Hintergründe aus.

Verbflexive

Lässt man die Veränderungen des Stammvokals außer Betracht und verschafft sich einen Überblick über Konjugationsendungen der mhd. Verben, so ergibt sich ein übersichtliches Bild Hier werden jedoch nur die Indikativ-, nicht aber die Konjunktivformen berücksichtigt.

Präsens

Zu unterscheiden sind für den Indikativ drei Arten von Präsensflexion:

a) Im Ind. Präs. weisen die Gruppen 1a, 2, 3a gleiche Flexive auf, und zwar:

			1a	2	3a
Ind. Sgl.	1.	-*(e)*	*bind-e*	*lob-e*	*hœr-e*
	2.	-*(e)st*	*bind-est*	*lob-est*	*hœr-est*
	3.	-*(e)t*	*bind-et*	*lob-et*	*hœr-et*
Pl.	1.	-*(e)n*	*bind-en*	*lob-en*	*hœr-en*
	2.	-*(e)t*	*bind-et*	*lob-et*	*hœr-et*
	3.	-*(e)nt*	*bind-ent*	*lob-ent*	*hœr-ent*

b) Die Verben der Gruppe 3b sowie das Verb *wellen* (3c) haben als Präsensflexive die des starken Präteritums (vgl. Gruppe 1a):

			3b	3c
Ind. Sgl.	1., 3.	-0	*mac*	*wil*
	2.	-(*t*)*st*	*mah-t*	*wil-t*
Pl.	1., 3.	-(*e*)*n*	*mug-en*	*well-en*
	2.	-(*e*)*t*	*mug-et*	*well-et*

(2. Sgl. Ind. von *wellen* auch *wil*(*e*); 3. Pl. auch *wellent*.)

c) Die Verben der Gruppen 1b und 3c haben übereinstimmend folgende Flexive für Präs. Ind.:

			1b	3c
Ind. Sgl.	1.	*-n*	*stâ-n*	*hâ -n*
	2.	*-st*	*stâ-st*	*hâs-t*
	3.	*-t*	*stâ-t*	*hâ -t*
Pl.	1.	*-n*	*stâ-n*	*hâ -n*
	2.	*-t*	*stâ-t*	*hâ -t*
	3.	*-nt*	*stâ-nt*	*hâ-nt*

P r ä t e r i t u m
Hier besteht im Indikativ weitgehende Übereinstimmung zwischen allen drei Typen, lediglich die 2. Sgl. hat, abweichend von allen übrigen Gruppen, für Gruppe 1a das Flexiv *-e* (sonst -(*e*)*st*) und im Stamm den Vokal der Pluralformen mit Umlaut bei Umlautfähigkeit.
Damit ergibt sich folgender Überblick für Prät. Ind.:

		Typ 1	Typ 2		und Typ 3
Ind. Sgl.	1., 3.	-0		-0	
	2.	-(*e*)(*)		-(*e*)*st*	
Pl.	1., 3.	-(*e*)*n*		-(*e*)*n*	
	2.	-(*e*)*t*		-(*e*)*t*	

Bsp.:

Ind. Sgl.	1., 3.	*gap-0*	*lobete-0*	*mohte-0*
	2.	*gæb-e*	*lobete-st*	*mohte-st*
Pl.	1., 3.	*gæb-en*	*lobete-n*	*mohte-n*
	2.	*gâb-et*	*lobete-t*	*mohte-t*

Nicht berücksichtigt sind in diesem vereinfachenden Überblick Neben- und Sonderformen. (* verweist auf Umlaut bei umlautfähigem Stammvokal.)

3.4.1.8 Zur Verwendung einfacher und zusammengesetzter Verbformen

Einfache und zusammengesetzte Verbformen im temporalen Bereich
Das P r ä s e n s wird wie im Neuhochdeutschen verwendet:

- zur Bezeichnung von Vorgängen mit allgemeiner Gültigkeit (generelles, atemporales Präsens): *daz bediutet sich alsus, daz wir in dem tôde* **sweben** *sô wir aller beste* **wœnen** *leben* (H); zur Bezeichnung von unmittelbar Gegenwärtigem (aktuelles Präsens): *Ahî nu kumet uns diu zît ... ez* ***gruonet*** *wol die linde breit* (MF);

- zum Ausdruck von Zukünftigem; in dieser Funktion können die Präsensformen perfektiver Verben allein stehen. Dabei handelt es sich um Verben, „die eine zeitliche Begrenzung des Geschehens, seinen Beginn oder sein Ende angeben" (W. SCHMIDT 1977, 207). Dazu gehören im Mittelhochdeutschen die meisten mit Präfix gebildeten Verben. Perfektivierende Wirkung hat die Vorsilbe *ge-* bei ursprünglich imperfektiven Verben, z. B. mhd. *ligen* 'liegen' – *geligen* 'zum Liegen kommen', 'sich legen'. Bei imperfektiven Verben kommen meist kontextuelle Faktoren wie Adverbialbestimmungen oder Konditionalkonjunktionen hinzu: *sô grôze missewende ein helt nu nimmer mêr* **begât** (NL).
- Abweichend vom Neuhochdeutschen dient das Präsens zur Bezeichnung des Abschlusses in der Zukunft: *her keiser, swenne ir Tiuschen vride* **gemachet** *stœte bî der wide, sô bietent iu die vremeden zungen êre* (WA). Die finite Verbform des Gliedsatzes, durch *ge-* perfektiviert, ist in diesem Falle Ausdruck für ein Geschehen, dessen Abschluss in der Zukunft liegt, und entspricht damit dem lateinischen Futur exactum. Die Präsensform des imperfektiven Verbs im Hauptsatz erhält ihre Zukunftsbedeutung unter Einfluss des Konditionalsatzes.

Die Verwendung von Präsensformen in der Funktion des historischen Präsens ist noch äußerst selten.

Tritt die Präsensform eines imperfektiven Verbs innerhalb einer Darstellung im Prät. auf, so hat sie zumeist die Funktion, einen Ruhepunkt in der Erzählung zu schaffen, vgl. *hin* **rîtet** *Herzeloyde fruht* … (Parzival).

Das Präteritum ist die einzige synthetische Tempusform für die Vergangenheit (formal ein altes Perfekt); es hat im Mittelhochdeutschen einen umfassenderen Funktionsbereich als im Neuhochdeutschen.
Das Präteritum wird verwendet:
- in der Funktion des nhd. Imperfekts (lässt bei imperfektiven Verben meist offen, ob das Geschehen in der Vergangenheit abgeschlossen ist oder andauert): *Dô die herren* **sâhen** *daz der helt was tôt, si leiten in ûf einen schilt* (NL);
- als relatives Tempus für nhd. Plusquamperfekt: *ich vant die stüele leider lœre stân, dâ wîsheit, adel und alter vil gewaltic* **sâzen** *ê* (WA). Vorwiegend wird in dieser Funktion das Präteritum eines perfektiven Verbs verwendet, z. B. *der helt doch nine tranc ê daz der künic* **getrunke** (NL);
- in der Funktion eines nhd. Perfekts, das von einer Präsensform abhängig ist: *Ich vertrage als ich* **vertruoc** *und als ich iemer wil vertragen* (WA).´

Umschriebene Formen
mhd. *suln, wellen, müezen* + Infinitiv:
Um auszudrücken, dass der Vollzug eines Geschehens noch aussteht, gibt es auch im Mittelhochdeutschen Möglichkeiten der Umschreibung mit Hilfsverben. Allerdings ist die Umschreibung mit *wërden* noch sehr selten, sie gewinnt erst im Frühneuhochdeutschen ihre besondere Bedeutung. Im Althochdeutschen und z. T. noch im Mittelhochdeutschen wird *wërden* mit dem Part. Präs. zum Ausdruck einer ingressiven Handlung verwendet, vgl. *als iz* **wart** *tagende* (GO). Das Futur wird auch durch Periphrasen mit *sol*, seltener mit *will* und *muoz* + Infinitiv gebildet.

Meist hat die Umschreibung modale und temporale Funktion zugleich: *sus scœn ich* **wil belîben** *unz an mînen tôt, daz ich von mannes minne* **sol gewinnen** *nimmer nôt* (NL).

mhd. *haben, sîn* + Part. Prät.:

Solche Umschreibungen haben im Neuhochdeutschen ihren festen Platz im Bereich der Tempora als Perfekt und Plusquamperfekt, im Mittelhochdeutschen haben sie die gleiche Funktion. An ihrer Stelle kann aber auch das einfache Präteritum stehen. Genauer gesagt dringen im Mhd. umschriebene Zeitformen als „systemangemessenere", weil analytische Tempuskategorien zunehmend in den präteritalen Tempusbereich ein (DENTLER 1997, 178). Dabei wird die Bedeutung der Sprechzeitbezogenheit zugunsten präteritaler Elemente abgebaut. Umschreibung mit *haben* wird verwendet bei allen transitiven Verben: *ir* **habet** *iuwern zorn* **gerochen** (NL) und bei den intransitiven mit durativer Aktionsart: *Uns* **hât** *der winter* **geschât** *über al* (WA). (Ausnahme ist wie im Neuhochdeutschen das durative Verb *sein*, mhd. *sîn*: *Ich* **bin** *ze lange arm* **gewesen** (WA).)

Umschreibung mit *sîn* erfolgt bei intransitiven Verben, die eine Orts- oder Zustandsveränderung bezeichnen: **zergangen ist** *der winter lanc* (MF).

Einfache und zusammengesetzte Verbformen im Bereich der Genera verbi

Einfache Formen gibt es nur für das Aktiv: *Die ritter alle* **liefen** (NL). Passivische Bedeutung haben zusammengesetzte Formen, die aus dem Part. Prät. und einer finiten Form von *sîn* oder *wërden* bestehen. Dabei stehen in der Regel: *wërden* + Part. Prät. für Präs. und Prät. Pass.: *die liute werdents inne, und* **wirt zerfüeret** *dur nît* (MF), *von den* **wart** *er* **gekleit** (NL); *sîn* + Part. Prät. für Perf. und Plusqu. Pass. (Passivformen mit *ist ... worden, war ... worden* sind im Mhd. nur ganz vereinzelt belegt.): *uns* **ist** *in alten mæren wunders vil* **geseit** (NL). *Dô* **wart gestrûchet** *Hagene von sîner hant zetal* (NL).

Einfache und zusammengesetzte Verbformen im modalen Bereich

Der Indikativ ist wie im Neuhochdeutschen als der unmarkierte Modus, der einen Sachverhalt als gegeben darstellt, am häufigsten vertreten.

Der Konjunktiv Präsens, der nach seiner Form einem alten Optativ entspricht, hat optativische und konjunktivische Funktion. Er steht in Hauptsätzen zum Ausdruck einer erfüllbaren Bitte, eines Wunsches, z. B. *Herzeliebez vrouwelîn, got* **gebe** *dir hiute und iemer guot* (WA), oder einer Aufforderung und rückt damit z. T. in die Nähe des Imperativs: *Der meie* **bringe** *uns al sîn wunder* (WA).

Möglichkeiten der Umschreibung mit modalen Hilfsverben setzen in frühester mhd. Zeit ein: *mit laster ir* **gescheiden sult** *von guoten recken* **sîn** (NL), *dâ vor* **müeze** *mich got* **hüeten** *alle tage* (MF).

Der Konjunktiv Präteritum hat hypothetische Funktion und bezeichnet die Irrealität: *ouwê* **gesæhe** *ich si under kranze!* (WA); **het** *er daz swert enhende, sô* **wær'** *ez Hagenen tôt* (NL). Mit Umschreibung: **Möhte** *ich* **verslâfen** *des winters zît!* (WA). Der Unterschied zum Konj. Präs. liegt auch im unterschiedlichen Grad der Temporalität, mit dem beide Modusformen verknüpft sind (s. PAUL 2007, 299 ff.).

Besondere Bedeutung kommt dem Konj. in Gliedsätzen zu, er kann dazu dienen, die Abhängigkeit zu kennzeichnen (vgl. 3.5.3.2).

Der Imperativ wird zum Ausdruck von Bitte, Befehl, Aufforderung verwendet, und zwar als einfache und auch als umschriebene Form, 2. Sgl.: **Scham** *dich, daz dû mich an lachest* (WA), **lâ** *dîn lachen sîn* (WA), *dû* **solt** *mir* **volgen** (HE); **Scheidet,** *vrouwe, mich von sorgen,* **liebet** *mir die zît* (WA).

Die Form für die 1. Pl. steht in der Funktion der Aufforderung oder Mahnung (Adhortativ): **gên** *wir zuo des meien hôchgezîte* (WA); *wir* **suln sîn** *gemeit* (WA).

3.4.2 Das Substantiv

Das mhd. Substantiv verfügt über die gleichen grammatischen Kategorien wie das nhd., und zwar:

Kasus	–	mit Nominativ, Genitiv, Dativ, Akkusativ
Numerus	–	mit Singular und Plural
Genus	–	mit Maskulinum, Femininum, Neutrum

Verglichen mit älteren Sprachstufen ist sowohl die Zahl der Kasus als auch der Numeri bereits reduziert. Von ursprünglich 8 Kasus im Indogermanischen (Nom., Gen., Dat., Akk., Abl., Instr., Lok., Vok.) sind vier erhalten, die die Funktionen der restlichen Kasus mit übernommen haben, wobei sie durch Präpositionen unterstützt werden. Dieser Kasuszusammenfall ist schon im Germanischen weitgehend vollzogen; insbesondere hat der Dativ seinen Funktionsbereich ausgedehnt, er trägt Funktionen des Ablativs, Lokativs und Instrumentas mit. Reste eines alten Instr. finden sich im Mittelhochdeutschen nur noch in einzelnen Formen, z. B. mhd. *mit ihtiu* 'mit irgendeinem Ding'.

Bei den Numeri gab es auf den älteren Sprachstufen einen speziellen Numerus zur Kennzeichnung der Zweizahl, den Dual. Dieser wird wie im Nhd. durch Pluralformen und/oder Numeralia ausgedrückt. Dualformen in Pluralfunktionen haben sich bis in die Gegenwart nur bei Pronomen in bairischen Mundarten gehalten.

Jedes Substantiv ist genusbestimmt, in einigen Fällen (bei Bezeichnungen für Lebewesen) am Sexus ablesbar, vgl. *man* Mask., *frouwe* Fem., z. T. erkennbar an Ableitungssuffixen, z. B. als Maskulinum Ableitungen auf *œre*, *-el*, *-inc*, *-tuom*, als Femininum Ableitungen auf *-(e)de*, *-in/-inne*, *-schaft*, *-unge*. *Da* das Genus nicht bei allen mhd. Substantiven mit dem Genus im Neuhochdeutschen übereinstimmt, sollte man sich im mhd. Wörterbuch orientieren. Abweichend vom Neuhochdeutschen z. B. mhd. *der van* – nhd. *die Fahne*; mhd. *der lop* – nhd. *das Lob*; mhd. *daz mære* – nhd. *die Mär*. Je nach dem Genus gehören die Substantive unterschiedlichen Flexionsklassen an.

Flexionsklassen der mhd. Substantive

Der Überblick über die Flexionsklassen der mhd. Substantive fällt unterschiedlich aus, je nachdem ob die Darstellung unter diachronem oder synchronem Aspekt erfolgt. In den einschlägigen Grammatiken und Lehrbüchern – so auch hier – dominiert in traditionell historischer Betrachtung der diachrone Aspekt. Das heißt, das Deklinationssystem der mhd. Substantive wird vor dem Hintergrund des idg. und germ. Deklinationssystems beschrieben. Als wichtigstes Einteilungskriterium dient dabei das stammbildende Suffix oder Thema des Substantivs. Eine Substantivform bestand im Indogermanischen und Germanischen aus:

	Wurzel	–	Thema	–	Flexionsendung
vgl. lat.	*host*	–	*i*	–	*s*
germ.	**gast*	–	*i*	–	*z*

In Abhängigkeit vom Thema werden unterschiedliche Substantivstämme unterschieden, die die einzelnen Deklinationstypen charakterisieren.

Thema konnte ein Vokal sein, und zwar germ. *-a-*, *-ô-*, *-i-*, *-u-*, wobei *-a-* und *-ô-*durch die Halbvokale *j* und *w* erweitert sein konnten.

Thema konnte ein Konsonant bzw. eine Konsonantenverbindung sein, und zwar im Germanischen *-n-*, *-r-*, *-nd-* und *-iz-/-az-* (urspr. *-es-/-os-*).

Bei einigen Substantiven trat die Kasusendung unmittelbar an die Wurzel, sie werden als „Wurzelnomina“ bezeichnet.

Traditionell historisch orientierte Darstellungen der mhd. Substantivdeklination gliedern das mhd. Flexionssystem weitgehend nach den germ. Stammausgängen, obwohl die ursprünglichen Lautformen der Stammauslaute aufgrund von Abschwächungsprozessen in den Neben- und Endsilben im Mittelhochdeutschen nicht mehr vorhanden sind und die Stammauslaute mit den Kasussuffixen verschmolzen sind. Aus den Merkmalen der mhd. Formen kann aber teilweise noch auf die Einteilung in die alten Stammklassen geschlossen werden.

Für das Mittelhochdeutsche werden auf dieser Grundlage folgende Deklinationstypen unterschieden: *a-*, *ja-*, *wa-*; *ô-*, *jô-*, *wô-*; *i-*; *u-*Stämme sowie alte *iz-/az-*Stämme, die den Plural mhd. auf *-er* bilden, als Formen starker Deklination; *n-*Stämme als Formen schwacher Deklination sowie einige Sonderformen. Die alten konsonantischen *r-* und *nd-*Stämme wie auch *u-*Stämme haben sich im Mittelhochdeutschen weitgehend den *a-* und *i-*Stämmen angeschlossen; auf einige Besonderheiten wird im Folgenden hingewiesen.

Kennzeichen starker Flexion ist bei Mask. und Neutr. *-(e)s* im Gen. Sgl.; st. Fem. enden im Gen. Sgl. auf *-e*. Schwache Substantive aller drei Genera enden dagegen im Gen. Sgl. auf *-en*.

3.4.2.1 Vokalische (starke) Deklination

Die Gliederung erfolgt nach den Genera; innerhalb der Genera wird nach Stämmen unterschieden.

3.4.2.1.1 Maskulina

		a-Stämme	**ja**-Stämme	**wa**-Stämme	**i**-Stämme
germ.		**daga-* ‘Tag’	**herd(j)a-* ‘Hirte’	**saiwa-* ‘See’	**gasti-* ‘Gast’
Sgl.	Nom.	*tac*	*hirte*	*sê*	*gast*
	Gen.	*tages*	*hirtes*	*sêwes*	*gastes*
	Dat.	*tage*	*hirte*	*sêwe*	*gaste*
	Akk.	*tac*	*hirte*	*sê*	*gast*
Pl.	Nom.	*tage*	*hirte*	*sêwe*	*geste*
	Gen.	*tage*	*hirte*	*sêwe*	*geste*
	Dat.	*tagen*	*hirten*	*sêwen*	*gesten*
	Akk.	*tage*	*hirte*	*sêwe*	*geste*

a-Stämme: Mit Ausnahme des im Mittelhochdeutschen in der Regel noch obligatorischen *-e* im Dat. Sgl. gleicht die Flexion der neuhochdeutschen; Pluralformen werden nach den Lautregeln ohne Umlaut des Stammsilbenvokals gebildet, vgl. *tage, arme, vogele*.

Bei den *a-*Stämmen mit umlautfähigem Stammsilbenvokal dringt aber der Umlaut in ausgehender mhd. Zeit analog zu den *i-*Stämmen auch im Pl. ein (sog. Analogieumlaut), z. B. *die stabe – die stebe, die halme – die helme*. Das steht im Zusammenhang mit der Tendenz zur Numerusprofilierung. In solchen Fällen kann nicht mehr zwischen *a*- und *i*-Stämmen geschieden werden. Ungebräuchlich bleibt aber auch im ausgehenden Mittelhochdeutschen Umlaut bei *boume, vademe, wolve, hove, vogele, vrosche.*

Zu den *a*-Stämmen gehören u. a.: *âbent, arm, bart, boc, danc, dëgen, engel, esel, vadem, gêr, got, hëlm, himel, lîp, stein, trôst, wolf.* Mask. *a*-Stämme sind auch *flôz, schrôt, zine, angel, angest, banc.*

Unbetontes [*e*] kann in Flexionssuffixen oder unbetonten Mittelsilben ausfallen, vgl. *stil – stils, winter – winters, dienest – dienstes, market – marktes* (vgl. Synkope und Apokope 3.3.2.5).

ja-Stämme: Dazu gehören starke Mask., die im Nom. Sgl. auf *-e* enden. Die Substantive mit umlautfähigem Stammvokal weisen außerdem Umlaut im Sgl. und Pl. auf, bedingt durch das *j* im Thema.

Alte *ja*-Stämme sind u. a.: *ende, geselle, hirte, kæse, rücke, weize, wille* sowie die Nomina agentis auf *-œre*, z. B. *lerœre, vischœre, schrîbœre.*

Der Deklination der *ja*-Stämme folgen auch ursprünglich kurzsilbige *u*-Stämme, z. B. *fride, sige, site, sune* (das Substantiv *sun* bildet die Pluralformen meist nach dem Muster der *i*-Deklination, d. h. Umlaut im Plural).

wa-Stämme: In den Formen des Gen. und Dat. Sgl. sowie im Pl. ist das *w* des ursprünglichen Themas erhalten, *sêwes*, im Auslaut dagegen wurde *w* vokalisiert zu *o* und ist bereits ahd. nach Langvokal geschwunden, vgl. *sêw* > *seo* > *sê.*

wa-Stämme sind z. B. *bû, klê, lê* 'Hügel', *smër, snê.*

i-Stämme: Kennzeichen ist mhd. Pluralbildung mit Umlaut des umlautfähigen Stammvokals, vgl. Sgl. *gast* – Pl. *geste* (ahd. *gesti*). *i*-Stämme, deren Stammvokal nicht umlautfähig ist, z. B. *schrit, brief*, flektieren wie *a*-Stämme und sind von diesen mhd. nicht mehr zu unterscheiden. Andererseits können *a*-Stämme mit umlautfähigem Stammvokal spätmhd. ihre Pluralformen wie alte *i*- Stämme mit Umlaut bilden (vgl. oben).

i-Stämme sind z. B. *âl, banc, dôn, fuhs, gruoz, luft, phuol* 'Sumpf', *turn* 'Turm'

3.4.2.1.2 Neutra

germ.		**a**-Stämme **worda-* 'Wort'	'Fenster'	**ja**-Stämme **kunja-* 'Geschlecht'	**wa**-Stämme **knewa-* 'Knie'	Plural auf **-er** **lambaz-/-iz-* 'Lamm'
Sgl.	Nom.	*wort*	*vënster*	*künne*	*knie*	*lamp*
	Gen.	*wortes*	*vënsters*	*künnes*	*kniewes*	*lambes*
	Dat.	*worte*	*vënster*	*künne*	*kniewe*	*lambe*
	Akk.	*wort*	*vënster*	*künne*	*knie*	*lamp*
Pl.	Nom.	*wort*	*vënster*	*künne*	*knie*	*lember*
	Gen.	*worte*	*vënster*	*künne*	*kniewe*	*lember(e)*
	Dat.	*worten*	*vënstern*	*künnen*	*kniewen*	*lember(e)n*
	Akk.	*wort*	*vënster*	*künne*	*knie*	*lember*

a-Stämme: Gegenüber den mask. *a*-Stämmen sind hier Nom. und Akk. Pl. endungslos, gleichen also Nom. und Akk. Sgl. Bei ein- und zweisilbigen Neutra auf *-r* oder *-l* erfolgt Ausfall bzw. Abfall des unbetonten End-*e*: *spër – spërs – spër* usw. Zweisilbige Neutra, die kurze Stammsilbe aufweisen, können mit oder ohne *e* auftreten, z. B. *lëger, lëger(e) s, lëger(e), lëger; lëger, lëger(e), lëger(e)n, leger.*

Zur *a*-Deklination gehören *ambet, barn* ‘Kind’, *blat, buoh, kint, kleit, lant, leit, marh* ‘Pferd’, *nëst, sahs* ‘Messer, Schwert’, *sêr* ‘Schmerz’, *spër, vënster, vërh* ‘Leben’, *wazzer, wiht* ‘Wesen’, *wîp* sowie Diminutiva auf *-în*, z. B. *magedîn*. Im Gen. Sgl. können *hûs, maz* ‘Speise, Mahlzeit’ und *kriuz* auch endungslos auftreten.

ja-Stämme: Bei umlautfähigem Stammvokal bewirkt die *j*-Erweiterung des Themas im Singular und Plural Umlaut. Der Nom. und Akk. Sgl. enden auf *-e*.

ja-Stämme sind: *antlitze, bette, bilde, hirne, kriuze, rîhe*, dazu Kollektiva wie *gebeine, gerihte, gesihte, gesteine*; auch Ableitungen auf *-nisse*, z. B. *vinsternisse*.

wa-Stämme: In den Formen mit Kasusendung zeigt sich noch das *-w-* des Stammes, z. B. Gen. Sgl. *kniewes*, z. T. ist das *-w-* allerdings bereits ausgefallen, z. B. Gen. Sgl. *knies*.

Zur *wa*-Deklination gehören nur wenige starke Neutra, z. B. *blî* ‘Blei’, *mël* ‘Mehl’, *rê* ‘Leichnam’, *spriu, strô, tou* (*touwe*), *wê*.

Substantive mit Plural auf -er: Die Pluralformen werden mit *-er* gebildet, dieses geht auf ein ursprüngliches Stammbildungssuffix idg. *-es/-os* zurück. Während es in den Kasus des Singulars allgemein geschwunden ist, blieb es im Plural erhalten. Im Mittelhochdeutschen ist es infolge der Abschwächung des Nebensilbenvokals zu *-er* geworden. *-er* dient mhd. zur Kennzeichnung des Plurals. Umlaut der Pluralformen mit umlautfähigem Stammvokal ist auf das *-i-* des Morphems im Althochdeutschen zurückzuführen. Die Kasusendungen des Singulars entsprechen der *a*-Deklination.

Hierher gehören ursprünglich nur wenige Wörter, z. B. *ei, huon, kalp, lamp, rint, varh* ‘Ferkel’.

Noch im Mittelhochdeutschen breitete sich die Pluralbildung auf *-er* aus und erfasste im Übergang zum Frühneuhochdeutschen sowohl neutr. als auch mask. Substantive, z. B. *ämter, böumer, geister, schilder, tücher*. Die Ausbreitung dieses Plurals zum Neuhochdeutschen hin bewirkt, dass eine Reihe von Wörtern zu einer bereits bestehenden Pluralform eine zweite auf *-er* bildet, woraus sich das Nebeneinander von *Schilde – Schilder, Tuche – Tücher* u. a. ergibt. Im Laufe der Zeit ist dann z. T. Bedeutungsdifferenzierung eingetreten.

3.4.2.1.3 Feminina

				ô-Stämme		**i**-Stämme
		reine **ô**-Stämme		**jô**-Stämme	**wô**-Stämme	**i**-Stämme
germ.		**gibō-* ‘Gabe’	**talō-* ‘Zahl’	**brugjō-* ‘Brücke’	**klëwō-* ‘Klaue’	**krafti-* ‘Kraft’
Sgl.	Nom.	*gëbe*	*zal*	*brücke*	*klâwe*	*kraft*
	Gen.	*gëbe*	*zal*	*brücke*	*klâwe*	*krefte, kraft*
	Dat.	*gëbe*	*zal*	*brücke*	*klâwe*	*krefte, kraft*
	Akk.	*gëbe*	*zal*	*brücke*	*klâwe*	*kraft*
Pl.	Nom.	*gëbe*	*zal*	*brücke*	*klâwe*	*krefte*
	Gen.	*gëben*	*zaln*	*brücken*	*klâwen*	*krefte*
	Dat.	*gëben*	*zaln*	*brücken*	*klâwen*	*kreften*
	Akk.	*gëbe*	*zal*	*brücke*	*klâwe*	*krefte*

In der *ô*-Deklination sind u. a. alte *jô*- und *wô*-Stämme zusammengefallen. Der *i*-Deklination haben sich auch die alten *u*-Stämme angeschlossen.

ô-Stämme. Alle Kasus des Sgl. sowie Nom. und Akk. Pl. enden auf *-e*; Gen. und Dat. Pl. gehen auf *-en* aus. Ausnahmen bilden die Ein- und Zweisilber, die auf *-l* oder *-r* enden und Synkope bzw. Apokope des unbetonten *e* erfahren (vgl. *zal*). Wörter auf *-en* wie *keten* bleiben mhd. z. T. unflektiert und haben durchgehend die Endung *-en*.

Im Mittelhochdeutschen bestehen bei diesen Wörtern wie *keten, vërsen, büten 'Bütte, Gefäß', küchen* Doppelformen im Nom. Sgl. z. B. *keten – kete, vërsen – vërse* usw. Weitere Doppelformen zeigen movierte Feminina, z. B. *künegîn – küneginne, vürstîn – vürstinne,* sowie einige alte *wô*-Stämme, die das *-we* entweder verloren oder bewahrt haben, sich aber in beiden Fällen nach der *ô*-Deklination richten, z. B. *brâ – brâwe* (dazu Dat. Pl. *brâ(e)n* oder *brâwen, klâ – klâwe* (Dat. Pl. *klâ(e)n – klâwen*). In einer Reihe von Wörtern wird – abweichend vom Paradigma – der Gen. Pl. auf *-e* gebildet, z. B. *krône, mîle, rotte* 'Schar'.

Zur *ô*-Deklination gehören *ô*-Stämme sowie ursprüngliche *jô*- und *wô*-Stämme.

ô-Stämme sind *âhte* 'Acht, Verfolgung', *âventiure* 'Begebenheit', *bëte* 'Bitte', *buoze, genâde, hëlfe* 'Hilfe', *île* 'Eile', *klage, lêre, miete* 'Lohn', *pflëge, râche, sache, schande, schuole, spîse, sprâche, vrâge.*

Ursprüngliche *jô*-Stämme sind *brücke* (auch schwach dekliniert), *helle* 'Hölle', *minne* 'Zuneigung', *rede, rippe.* Bei diesen Beispielen zeigt sich die Auswirkung des *j* (oder *i*) im Umlaut, z. T. auch in der Doppelkonsonanz. Hierher gehören auch die movierten Feminina auf *-în* und *-inne*, z. B. *vriundîn, vriundinne,* daneben auch *vriundin.*

wô-Stämme haben im Allgemeinen Doppelformen. So können in mhd. Texten nebeneinander erscheinen: *klâ – klawe* (Nom. Sgl.) und *klân – klâwen* (Gen., Dat. Pl.); *ê – êwe* 'Gesetz, Ehe', *wê – wêwe* 'Weh, Schmerz', *nar – narwe* 'Narbe', *swal – swalwe* 'Schwalbe'. Eine Ausnahme machen *triuwe* 'Treue', *riuwe* 'Reue', *ouwe* 'Aue' und *varwe* 'Farbe'.

i-Stämme. Sie zeigen Umlaut bei umlautfähigem Stammvokal im Plural und Doppelformen (mit und ohne Umlaut) im Gen. und Dat. Sgl. Die umgelautete Form kann z. T. auch in den Nom. Sgl. eindringen, sodass es im Mittelhochdeutschen Doppelformen gibt. Später tritt z. T. Bedeutungsdifferenzierung ein, z. B. *bluot – blüete, stat – stete.*

Zur *i*-Deklination gehören u. a. *anst* 'Liebe, Gunst', *arebeit, art, bluot, brunst, brût* 'junge Frau', *diet* 'Volk', *dult* 'Fest', *geburt, haft* 'Gefangenschaft', *kunst* 'Können', *last, list, maht, nôt, pfliht, sât, schrift, tât, vrist, vurt, wërlt* 'Welt', *zît* sowie die Wörter auf *-heit, -keit, -schaft, z. B. vrîheit, mehtikeit, vriuntschaft*; urspr. Wurzelstämme, die sich der *i*-Deklination angeschlossen haben, z. B. *brust, burc, eich* 'Eiche', *gans, geiz, mûz, nuz, wiht* und der alte *u*-Stamm *hant.* (Die nhd. umlautlosen Formen wie *allerhand* und *vorhanden* weisen noch darauf hin, dass *hant* ursprünglich nicht nach der *i*-Deklination flektierte.)

3.4.2.2 Konsonantische (schwache) Deklination

		Maskulinum		Femininum	Neutrum
germ.		**hanan-* 'Hahn'	**aran-* 'Aar'	**tungôn* 'Zunge'	**hertôn* 'Herz'
Sgl.	Nom.	*hane*	*ar*	*zunge*	*hërze*
	Gen.	*hanen*	*arn*	*zungen*	*hërzen*
	Dat.	*hanen*	*arn*	*zungen*	*hërzen*
	Akk.	*hanen*	*arn*	*zungen*	*hërze*
Pl.	Nom.	*hanen*	*arn*	*zungen*	*hërzen*
	Gen.	*hanen*	*arn*	*zungen*	*hërzen*
	Dat.	*hanen*	*arn*	*zungen*	*hërzen*
	Akk.	*hanen*	*arn*	*zungen*	*hërzen*

Die schwach deklinierten Substantive aller drei Genera sind ursprünglich *n*-Stämme, die bereits in vorgermanischer Zeit das stammauslautende *-n* des Nom. Sgl. verloren haben (lat. Nom. Sgl. *homo*, Gen. Sgl. *homin-is*, vgl. ahd. *gomo* – Gen. Sgl. *gomen*). In den obliquen Kasus folgten auf dieses *-n* noch die entsprechenden Kasusmorpheme, die dann ebenfalls schwanden, das stammbildende *-n-* aber vor dem Abfall bewahrten.

Wie bei den vokalischen Stämmen kommt es zu Synkope und Apokope des unbetonten *-e*, besonders nach *-r-* und *-l-*, z. B. ahd. *bëro* > mhd. *bëre, bër* 'Bär' – Gen. Sgl. *bërn*; so auch bei *ar(e), kol(e)* 'Kohle' (mhd. noch Mask.), *an(e)* 'Ahn(e)'. Später setzen sich unter unterschiedlichem landschaftlichen Einfluss die Formen auf *-e* wieder durch, z. B. *Kohle, Ahne* usw. Eine Reihe mhd. Wörter endet auf *-e*, das aber zum Neuhochdeutschen hin schwindet, z. B. *hane, herzoge, schelme, stërne* usw., andererseits tritt im Neuhochdeutschen ein *-n* an das Ende des Nom. Sgl., z. B. mhd. *galge, brunne, knoche*. Im Gegensatz zu dem zuletzt genannten Vorgang werden ursprünglich starke Maskulina auf *-en* zu nhd. schwachen Maskulina auf *-e*, z. B. *raben* > *Rabe*.

Schwache Maskulina sind *ar* 'Adler', *briutegome, brunne, dûme* 'Daumen', *grîse* 'Greis', *hane, herzoge, hake* 'Haken', *junchërre* 'Junker', *kaste* 'Kasten', *pfâwe* 'Pfau', *rache, schëlme* 'Seuche, Aas', *slite* 'Schlitten', *stëcke, stërne, truhsæze, vetere, vürsprëche* 'Fürsprecher', *wase* 'Rasen' u. a.

Zugleich Maskulinum und Femininum sind u. a. *âmeize, rëbe, rôse, slange, sunne*. Entgegen dem Nhd. sind Maskulinum *backe, blintslîche, höuschrëcke, karre, schërbe, vane, wade*.

Schwache Feminina sind *asche, bir* 'Birne', *bluome* (auch Mask.), *gîge* 'Geige', *harpfe, hose, katze, kërze, lunge, rôse, sunne* (zugleich auch Mask.), *kël* 'Kehle', *tasche, tûbe* 'Taube', *witewe* 'Witwe'.

Schwache Neutra sind nur vier Wörter: *hërze, ôre, ouge, wange*; *mensche* kann als Neutr., aber auch als Mask. gebraucht werden.

3.4.2.3 Besondere Formen der Deklination

3.4.2.3.1 Verwandtschaftsbezeichnungen auf -er

Die Verwandtschaftsbezeichnungen auf *-er* (*muoter, swëster, tohter, vater, bruoder*) bildeten ursprünglich eine einheitliche Flexionsklasse. Sie gehörten zu den konsonantischen Stämmen. Ihre Flexionsendungen sind im Germanischen abgefallen, sodass alle Kasus des Singulars auf *-er* ausgingen. Bereits im Althochdeutschen folgten die beiden Mask. *vater* und *bruoder* z. T. der *a*-Deklination. Im Mittelhochdeutschen kommen sowohl Formen mit als auch ohne Flexionsendungen vor. Für den Plural gibt es auch umgelautete Formen in Analogie zu den *i*-Stämmen, z. B. *veter(e)*.

Sgl.	Nom.	*vater*	Pl.	Nom.	*vater(e), veter(e)*
	Gen.	*vater(es)*		Gen.	*vater(e), veter(e)*
	Dat.	*vater(e)*		Dat.	*vater(e)n, veter(e)n*
	Akk.	*vater*		Akk.	*vater(e), veter(e)*

swâger schließt sich im Mittelhochdeutschen ebenfalls der *a*-Deklination an und entwickelt zugleich einen Plural *swæger*.

Die Feminina bleiben im Singular unverändert; im Plural werden sie z. T. wie *ô*-Stämme (Dat. Pl. *muoter(e)n*), z. T. wie *i*-Stämme (Dat. Pl. *müeter(e)n*) flektiert.

3.4.2.3.2 Wurzelnomina

Es handelt sich um einsilbige Substantive, an deren Wurzel ursprünglich unmittelbar die Flexionsendung trat, ohne dazwischengestelltes Thema.

man. Im Mittelhochdeutschen bleibt *man* entweder in allen Kasus des Singulars und Plurals endungslos oder es richtet sich nach der *a*-Deklination. Die Pluralformen *Mannen* und *Männer* entstehen erst im Frühneuhochdeutschen.

Sgl. Nom.	*man*	Pl. Nom.	*man, manne*
Gen.	*man, mannes*	Gen.	*man, manne*
Dat.	*man, manne*	Dat.	*man, mannen*
Akk.	*man*	Akk.	*man, manne*

genôz. Dieses ursprüngliche Wurzelnomen kann im Sinne von 'gleich' im Dat. Sgl. sowie im Nom. und Akk. Pl. endungslos erscheinen; sonst flektiert es nach der *a*-Deklination. Im ausgehenden Mittelhochdeutschen wechselt es zur schwachen Flexion über.

naht. Es richtet sich nach der *i*-Deklination, behält aber auch seine umlautlose Form bei, vgl. *ze den wîhen nahten.*

Sgl. Nom.	*naht*	Pl. Nom.	*nahte, nähte*
Gen.	*nahte, nähte*	Gen.	*nahte, nähte*
Dat.	*nahte, nähte*	Dat.	*nahten, nähten*
Akk.	*naht*	Akk.	*nahte, nähte*

vuoz. Es flektiert meist nach der *i*-Deklination, besonders als Maßbezeichnung wird es nach Zahlwörtern oft unflektiert verwendet (*siben fuoz* neben *siben füeze*).

3.4.2.3.3 Personennamen

Personennamen können stark oder schwach flektiert werden. Maskulina, die auf Konsonant ausgehen, werden wie *a*-Stämme dekliniert, im Akk. Sgl. enden sie allerdings häufig auf *-en*, z. B. *Parzival, Sîfrit.*

Feminina, die auf Konsonant enden, z. B. die Namen auf *-burc, -hilt, -lint*, flektieren ebenfalls stark. Obwohl sie im Nom. Sgl. kein *-e* haben, richten sie sich nach der *ô*-Deklination.

Personennamen auf *-e* werden schwach dekliniert, z. B. *Wate* (Mask.), *Hilde*. Gelegentlich treten auch endungslose Formen auf.

Sgl. Nom.	*Sîfrit*	Pl. Nom.	*Kriemhilt*
Gen.	*Sîfrides/-en, Sîfrit*	Gen.	*Kriemhilde/-en, Kriemhilt*
Dat.	*Stîfride/-en, Sîfrit*	Dat.	*Kriemhilde/-en, Kriemhilt*
Akk.	*Stîfrit, Sîfriden/-e*	Akk.	*Kriemhilt/Kriemhilden*

Pluralformen sind nur bei Stammes- und Geschlechtsbezeichnungen üblich.

Fremde Eigennamen. Sie richten sich ebenfalls – entsprechend ihrem Auslaut – nach der starken oder schwachen Deklination; lateinische Namen können auch lateinisch flektiert werden.

3.4.2.4 Flexionsklassen in synchroner Sicht

Eine wesentlich vereinfachte Übersicht über die mhd. Substantivdeklination ergibt sich bei konsequent synchroner Betrachtung der Flexion. Die Beschreibung zielt in diesem Falle auf den Zustand des substantivischen Formensystems in mhd. Zeit – welche Lautformen zur Bildung der Flexionsformen genutzt werden und welche Funktionen damit indiziert werden, ohne die Frage nach den älteren Sprachstufen dieses Formensystems und seiner Weiterentwicklung einzubeziehen.

Bei dieser Betrachtung kann für das Mittelhochdeutsche nicht mehr zwischen Thema als Stammauslaut und Endung unterschieden werden. Getrennt wird wie im Neuhochdeutschen zwischen:

Wortstamm	+	Flexionsendung
vgl. mhd. *gast*		*-es* (Gen. Sgl.)

Deklinationsklassen ergeben sich einzig und allein aus dem Formenbestand an Flexionsendungen und ihrer spezifischen Verteilung in mhd. Zeit, wobei das klassische Mittelhochdeutsch zugrunde gelegt wird. Eine synchronische Klassifizierung der nhd. Substantivflexion haben STOPP/MOSER (1967, 70 ff.) vorgelegt, angeregt durch eine analoge Klassifizierung der nhd. Substantivdeklination von BECH (1963, 177 ff.).

Insgesamt kommt das Deklinationssystem der mhd. Substantive mit vier unterschiedlichen Flexionsendungen aus, die stellungsbedingt jeweils in zwei Varianten realisiert werden können, und zwar:

1) -(e) als *-e* oder *-0*, vgl. *dem tage* – *dem stil*;
2) -(*e*)*s* als *-es* oder *-s*, vgl. *des tages* – *des stils*;
3) -(*e*)*n* als *-en* oder *-n*, vgl. *den tagen* – *den stiln*;
4) -er(*) als Flexiv *-er* ohne Umlaut der Stammsilbe, vgl. *diu rinter*,
als Flexiv *-er* mit Umlaut der Stammsilbe, vgl. *diu lember*;

schließlich kann der Umlaut allein Flexionsmittel sein, vgl. *der apfel – die epfel*. Flexivvarianten können auch beim gleichen Wort nebeneinander stehen, vgl. *des nageles – des nagels*.

Für die Flexivvarianten 1)–3) formulieren STOPP/MOSER folgende Verteilungsregel:

1. „Die 0-Variante (asyllabische Variante) ist obligatorisch: a) wenn der Stamm auf *-e* endet; b) wenn er einsilbig und kurz ist und auf *-l* oder *-r* endet; c) wenn er mehrsilbig und in der Tonsilbe lang ist und auf *-el*, *-er*, *-em*, *-en* endet: vgl. z. B. Gen. Sgl. *hirte-s*, *stil-s*, *sper-s*, *apfel-s*, *buosem-s*, *vischer-s*.
2. Beide Varianten sind möglich: a) wenn der Stamm mehrsilbig und in der Tonsilbe kurz ist und auf *-el*, *-er*, *-em*, *-en* endet; b) wenn der Stamm auf Langvokal endet, vgl. z. B. Gen. Sgl. *nagel-*(*e*)*s*, *jeger-*(*e*)*s*, *vadem-*(*e*)*s*, *wagen-*(*e*)*s*; G. D. Pl. *bra-*(*e*)*n*.
3. Die *e*-Variante (syllabische Variante) ist obligatorisch in den übrigen Fällen, vgl. z. B. *tag-es*, *gast-es*.“ (STOPP/MOSER 1967, 90.)

Zu beachten sind bei der Deklination auch die Varianten des Stammauslauts, je nachdem ob er im Wortinnern oder im Wortauslaut bei Nullmorphem steht, vgl. *tag-es – tac*; *schuoh-es – schuoch*; *ball-es – bal*; *sêw-es – sê*.

Grundsätzlich kann für das Mittelhochdeutsche zwischen starker und schwacher Deklination der Substantive unterschieden werden.

Merkmal schwacher Deklination ist die Flexionsendung -(*e*)*n* im Gen. Sgl. und Nom. Pl.; bei den schwachen Substantiven aller drei Genera enden alle Kasus auf -(*en*), außer Nom. Sgl. und beim schwachen Neutrum auch Akk. Sgl.

Merkmal starker Deklination ist, dass Gen. Sgl. und Nom. Pl. nie mit -(*e*)*n* gebildet sind.

Ausgehend von der Verteilung der Flexionssuffixe lassen sich drei starke und eine schwache Deklinationsklasse unterscheiden (s. PAUL 2007, 183 ff.).

Übersicht über die Flexionsklassen unter synchronem Aspekt

<table>
<tr><th colspan="5">Starke Deklination
Klasse 1</th></tr>
<tr><th></th><th></th><th>st. Neutra</th><th>st. Maskulina</th><th>st. Feminina</th></tr>
<tr><td></td><td></td><td>(wort, knie, spil, vënster, künne)</td><td>(tac, dienest, sê, stil, hirte)</td><td>(zît, tür, krône)</td></tr>
<tr><td>Sgl.</td><td>Nom.</td><td>-0</td><td>-0</td><td>-0</td></tr>
<tr><td></td><td>Gen.</td><td>-(e)s</td><td>-(e)s</td><td>-0, -(e)</td></tr>
<tr><td></td><td>Dat.</td><td>-(e)</td><td>-(e)</td><td>-0, -(e)</td></tr>
<tr><td></td><td>Akk.</td><td>-0</td><td>-0</td><td>-0</td></tr>
<tr><td>Pl.</td><td>Nom.</td><td>-0</td><td colspan="2"></td></tr>
<tr><td></td><td>Gen.</td><td>-(e)</td><td colspan="2">-(e)</td></tr>
<tr><td></td><td>Dat.</td><td>-(e)n</td><td colspan="2">-(e)n</td></tr>
<tr><td></td><td>Akk.</td><td>-0</td><td colspan="2">-(e)</td></tr>
</table>

Bei Klasse 1 gibt es völlige Übereinstimmung der Singularflexion bei Neutra und Maskulina; im Plural stimmen dagegen Maskulina und Feminina überein.

Nur eine relativ kleine Zahl starker Feminina flektiert nach diesem Muster, z. B. *mîle, rotte*. Im Gen. und Dat. Sgl. treten Doppelformen auf, vgl. Gen., Dat. *zît* oder *zîte*.

<table>
<tr><th colspan="5">Klasse 2</th></tr>
<tr><th></th><th></th><th>st. Neutra</th><th>st. Maskulina</th><th>st. Feminina</th></tr>
<tr><td></td><td></td><td>(lamb, blat, rint, tal)</td><td>(gast, apfel, zaher)</td><td>(kraft)</td></tr>
<tr><td>Sgl.</td><td>Nom.</td><td colspan="2">-0</td><td>-0</td></tr>
<tr><td></td><td>Gen.</td><td colspan="2">-(e)s</td><td>-0, -(e)</td></tr>
<tr><td></td><td>Dat.</td><td colspan="2">-(e)</td><td>-0, -(e)</td></tr>
<tr><td></td><td>Akk.</td><td colspan="2">-0</td><td>-0</td></tr>
<tr><td>Pl.</td><td>Nom.</td><td>-er (*) -0</td><td colspan="2">-(e)*</td></tr>
<tr><td></td><td>Gen.</td><td>-er (*) -(e)</td><td colspan="2">-(e)*</td></tr>
<tr><td></td><td>Dat.</td><td>-er (*) -(e)n</td><td colspan="2">-(e)n *</td></tr>
<tr><td></td><td>Akk.</td><td>-er (*) -0</td><td colspan="2">-(e)*</td></tr>
</table>

(Die Markierung * verweist hier auf Umlaut bei umlautfähigem Stammvokal.)
Ebenso wie bei Klasse 1 stimmen starke Neutra und starke Maskulina im Singular überein, im Plural dagegen starke Maskulina und starke Feminina.

Die Pluralbildung auf *-er* ist im Mittelhochdeutschen noch auf eine relativ kleine Zahl von starken Neutra beschränkt, u. a. *blat, ei, huon, kalp, tal,* aber noch nicht z. B. *kint, kleit, wort*; hier lauten die Pluralformen entsprechend Klasse 1 *diu kint, diu kleit, diu wort*.

Wie bei den starken Feminina der 1. Klasse sind im Gen., Dat. Sgl. bei Feminina Doppelformen möglich, z. B. Gen., Dat. Sgl. *kraft* oder *krefte*.

Klasse 3

		st. Feminina
		(*gëbe, zal, nâdel, brâ*)
Sgl.	Nom.	-0
	Gen.	-0
	Dat.	-0
	Akk.	-0
Pl.	Nom.	-0
	Gen.	-(*e*)*n*
	Dat.	-(*e*)*n*
	Akk.	-0

Nach diesem Muster flektieren viele starke Feminina, z. T. haben sie Doppelformen im Nom. Sgl., vgl. *keten* – *kete*; *küchen* – *küche*, die Formen mit *-en* im Nom. Sgl. bleiben z. T. durch alle Kasus unverändert. Doppelformen treten auch bei movierten Feminina auf, vgl. *künegin* – *küneginne*.

Schwache Deklination

<table>
<tr><th></th><th></th><th>sw. Neutra
(hërze, ouge)</th><th>sw. Maskulina
(bote, ar, pfâwe)</th><th>sw. Feminina
(zunge, sunne, videl(e), krâ(e))</th></tr>
<tr><td>Sgl.</td><td>Nom.</td><td>-0</td><td colspan="2">-0</td></tr>
<tr><td></td><td>Gen.</td><td>-(e)n</td><td colspan="2">-(e)n</td></tr>
<tr><td></td><td>Dat.</td><td>-(e)n</td><td colspan="2">-(e)n</td></tr>
<tr><td></td><td>Akk.</td><td>-0</td><td colspan="2">-(e)n</td></tr>
<tr><td>Pl.</td><td>Nom.</td><td colspan="3">-(e)n</td></tr>
<tr><td></td><td>Gen.</td><td colspan="3">-(e)n</td></tr>
<tr><td></td><td>Dat.</td><td colspan="3">-(e)n</td></tr>
<tr><td></td><td>Akk.</td><td colspan="3">-(e)n</td></tr>
</table>

Am stärksten vertreten sind in der schwachen Deklination Maskulina, am geringsten Neutra, insgesamt nur vier: *herze, ôre, ouge, wange*; *mensche* wird sowohl als schwaches Neutrum als auch als schwaches Maskulinum verwendet. Schwache Maskulina haben in einigen Fällen stark flektierte Formen daneben, vgl. Gen. Sgl. sw. *buochstaben* – Gen. Sgl. st. *buochstabes*. Schwache Maskulina gehen beim Übergang zum Neuhochdeutschen z. T. in die starke oder gemischte Deklination über, das gilt insbesondere für Wörter, die keine Lebewesen bezeichnen, mhd. *boge, balke, brunne*, sie enden nhd. auf *-en* im Nom. Sgl. *Bogen, Balken, Brunnen*. Schwach geblieben sind Bezeichnungen für Lebewesen, z. B. mhd. *recke* – nhd. *Recke*, mhd. *herre* – nhd. *Herr*.

Zusammenfassend lässt sich festhalten, dass durch den Umbau der Substantivdeklination der bereits im Althochdeutschen einsetzende Prozess der Kasusnivellierung und Numerusprofilierung weiter fortgeführt wird. Unter Kasusnivellierung versteht man dabei die Schwächung des Kasusausdrucks am Substantiv, der zunehmend durch Artikel und Adjektiv ausgedrückt wird. Gleichzeitig kommt es zu einem Ausbau der Pluralkennzeichen, insbesondere durch die Grammatikalisierung des Pluralumlauts, was die Differenz zum Plural stärker hervortreten lässt und als Numerusprofilierung bezeichnet wird.

3.4.3 Das Adjektiv

3.4.3.1 Deklination

Beim mhd. Adjektiv sind folgende Deklinationsformen zu unterscheiden:

1. starke Deklination
   nominale Formen (z. B. Nom. Sgl. Mask. *blint*), pronominale Formen (z. B. Nom. Sgl. Mask. *blinder*);
2. schwache Deklination (z. B. Nom. Sgl. Mask. *blinde*, Gen. Sgl. Mask. *blinden*).

Die nominalen Formen der starken Flexion stimmen ursprünglich und teilweise noch im Mittelhochdeutschen mit der starken Flexion der Substantive überein, und zwar im Mhd. mit den *a-/ô*-Stämmen.

Diese Übereinstimmung liegt vor im Nom. Sgl. Mask./Fem./Neutr., im Akk. Sgl. Neutr., im Gen. Sgl. Mask./Neutr. und im Akk. Sgl. Fem. Jedoch entsprechen die Endungen des Gen. Sgl. Mask./Neutr. und des Akk. Sgl. Fem. auch der pronominalen Flexion. Pronominale und nominale Formen können von ein und demselben Adjektivstamm gebildet werden. Die pronominale Beeinflussung der „ursprünglich substantivisch flektierenden Eigenschafts-Adjektiva" (KIENLE 1969, § 190) wird wohl von Pronominaladjektiven ausgegangen sein. So zeigt der Nom. Sgl. Mask. die pronominale Endung *-er* (*blinder*), die „wohl nach ursprünglichem *ther [...] geformt" ist (KIENLE 1969, § 191).

Die schwache Adjektivflexion stimmt völlig mit der schwachen Flexion der Substantive überein (s. 3.4.2.2). Beim mhd. Adjektiv ist die schwache Endung des Akk. Sgl. Fem. wie beim schwachen Substantiv *-en*, im Neuhochdeutschen dagegen ist sie *-e*:
mhd. *ich sah die klein**en** swalwen* – nhd. *ich sah die klein**e** Schwalbe.*

Starke Deklination der Adjektive

		Maskulinum	Neutrum	Femininum
Sgl.	Nom.	*blinder, blint*	*blindez, blint*	*blindiu, -e, blint*
	Gen.	*blindes*	*blindes*	*blinder(e)*
	Dat.	*blindem(e)*	*blindem(e)*	*blinder(e)*
	Akk.	*blinden*	*blindez, blint*	*blinde*
Pl.	Nom	*blinde*	*blindiu, (-e)*	*blinde*
	Gen.	*blinder(e)*	*blinder(e)*	*blinder(e)*
	Dat.	*blinden*	*blinden*	*blinden*
	Akk.	*blinde*	*blindiu, (-e)*	*blinde*

Neben *-em(e)* für Dat. Sing. Mask. und Neutr. findet sich in Handschriften z. T. *-en*, womit die Opposition starker und schwacher Adjektivflexion für diesen Fall neutralisiert wird (s. N. R. WOLF 1991, 108).

1. Die meisten Adjektive sind alte *a-/ô*-Stämme, so z. B. *geloubec, guot, hôch, rëht, stum, tôt*. Die Adjektive auf *-l/-r* (z. B. *hol*) und auf *-el/-er/-en* (z. B. *michel* 'groß') können Synkope und Apokope des *e* der Nebensilben aufweisen, z. B. Dat. Sgl. Mask./Neutr. *hol(e)me, michel(e)m(e)*.
2. Die adjektivischen *ja-/jô*-Stämme werden wie die *a*-Stämme flektiert. Die sog. unflektierte Form der *ja-/jô*-Stämme endet im Mittelhochdeutschen auf *-e* (aus älterem *-i*), z. B. *schœne*.

Ist der Wurzelvokal umlautfähig, so wird er umgelautet (ahd. *s(w)uozi* > mhd. *süeze*).
Im Mhd. zählen zu den *ja-/jô*-Stämmen u. a. noch folgende Adjektive: *bœse, drœte* 'schnell', *grüene, mære* 'berühmt', *milte* 'freigebig', *schiere* 'schnell', *stæte* 'beständig'. Zuweilen gibt es Nebenformen ohne *-e* (*herte/hart*).

3. Meistens stimmt die adjektivische Flexion der *wa-/wô*-Stämme mit der der *a*-Stämme überein. Jedoch erscheint das *w* des Themas nur noch in den flektierten Formen und in der Steigerung, nicht in den unflektierten Formen (*germ. *garwaz/*garwa(n)/*-garwô* > ahd. *garo* > mhd. *gar*, aber *garwer*). Es gibt nur noch wenige *wa-/wô*-Stämme, z. B. *blâ – blâwer* 'blau', *grâ – grâwer* 'grau', *zëse – zëswer* 'recht'.
4. An Stelle der Endung *-iu* im Nom., Akk. Pl. Neutr. und im Nom. Sgl. Fem. erscheint im Mitteldeutschen *-e* (statt *blindiu* also *blinde*). Im Alemannischen und im Fränkischen ruft das *-iu* Umlaut hervor, z. B. *elliu/älliu*.

Schwache Deklination der Adjektive

		Maskulinum	Neutrum	Femininum
Sgl.	Nom.		*blinde/hol*	
	Gen.		*blinden/holn*	
	Dat.		*blinden/holn*	
	Akk.	*blinden/holn*	*blinde/hol*	*blinden/holn*
Pl.	Nom		*blinden/holn*	
	Gen.		*blinden/holn*	
	Dat.		*blinden/holn*	
	Akk.		*blinden/holn*	

N. R. Wolf weist anhand seines Untersuchungsmaterials jedoch nach, dass synkopierte Endungen bei einsilbigen Adjektiven mit kurzem Tonvokal, die auf *-l* oder *-r* enden, nicht allgemeine Regel sind. In den untersuchten Handschriften erscheinen ausnahmslos nichtsynkopierte Endungen, allerdings hat er vorrangig die stark flektierten Adjektive des Syntagmas 'vorangestelltes attributives Adjektiv + Substantiv ohne Artikelwort' berücksichtigt (s. N. R. Wolf 1991, 109).

3.4.3.2 Komparation

1. Im Mittelhochdeutschen wird der Komparativ durch die Endung *-er*, der Superlativ durch die Endung *-est* gebildet:

   kreftic – kreftiger – kreftigest (flektiert *krefticste*).

Da im Althochdeutschen der Komparativ mit *-iro/-ôro* und der Superlativ mit *-isto/-ôsto* gebildet werden konnte, jedoch nur die Formen mit *i*-Umlaut des Wurzelvokals hervorriefen, haben nicht alle Komparative und Superlative im Mittelhochdeutschen Umlaut. So stehen z. B. nebeneinander

alt – alter/elter, junc–junger(e)/jünger(e) – jung(e)ste/jüng(e)ste; lanc – langer/lenger.

2. Einige Adjektive haben Suppletivsteigerung; Komparativ und Superlativ werden nicht vom Stamm des Positivs gebildet, sondern von anderen Stämmen:

guot	*bezzer(e)*	*bezzest, beste*
übel	*wirser(e)*	*wirsest, wir(se)ste*
michel 'groß'	*mêre, mêrer(e), mêrre*	*meiste*
lützel 'klein'	*minner(e), minre*	*min(ne)ste, minnest*

3. Bei einigen Steigerungsformen fehlt der Positiv. Er kann aber durch Adverbien oder Präpositionen ergänzt werden, so z. B.

ê, êr	bei	*êrer(e)*	*êr(e)ste*
in	bei	*inner*	*innerste*
vor	bei	*vorder(e)*	*vorder(e)ste*

Außerdem gehören hierzu: *hinder(e)/hinderste, nider/niderste, ober(e)/ober(e)ste, under(e)/underste, ûzer(e)/ûzer(e)ste.*

Der Superlativ *lezzeste/leste* gehört zu *laz* 'träge', wobei jedoch die Bedeutungsbeziehung zwischen Positiv und Steigerungsstufe verloren gegangen ist.

3.4.3.3 Adjektivadverbien

Bei Adverbien, die aus Adjektiven gebildet werden, tritt ein Morphem *-e* (ahd. *-o*) an den Stamm des Adjektivs. Der Adjektivstamm stimmt mit der unflektierten Form der *a-/ô*-Stämme überein.

Adjektivstamm	ahd.	*ubil*	mhd.	*übel*	nhd.	*übel*
Adverb		*ubilô/ubilo*		*übele*		*übel*

Bei den *ja-/jô*-Stämmen enden im Mittelhochdeutschen sowohl die unflektierte Adjektivform als auch das Adjektivadverb auf *-e*. Der Stammvokal des Adjektivadverbs wird im Gegensatz zum unflektierten Adjektiv nicht umgelautet, da beim Adverb im Althochdeutschen anstelle des Themas *-i* das Morphem *-o* auftrat.

Adjektiv	ahd.	*skôni*	mhd.	*schœne*	nhd.	*schön*
Adverb		*skôno*		*schône*		*schon*

Weitere Beispiele für dieses Nebeneinander von Adjektiv und Adjektivadverb sind *herte – harte, spœte – spâte, süeze – suoze, veste – vaste.*

Schon im Spätmittelhochdeutschen wird die Endung der Adjektivadverbien mehr und mehr aufgegeben und der Umlaut ausgeglichen, sodass im Neuhochdeutschen Adjektiv und Adjektivadverb nicht mehr formal unterschieden sind, abgesehen von *lang – lange.* Allerdings gibt es Formen, bei denen infolge Bedeutungsdifferenzierung von Adjektiv und Adjektivadverb der Umlaut auch im Neuhochdeutschen nicht ausgeglichen ist (*fest* und *fast, schön* und *schon*).

Adjektivadverbien können auch mit *-lîche/-lîchen* gebildet werden, vor allem von Adjektiven auf *-ec/-ic* und *-isch*: *ganz – ganzlîche, trûrec – trûreclîche.*

Komparation. In der Regel werden die einsilbigen Adjektivadverbien ohne Umlautung des Stammvokals gesteigert: *hôhe* – *hôher* – *hôhest*. Einige Sonderfälle der Steigerung des Adjektivadverbs sind *baz* 'besser' – *beste*; *ê* 'früher' – *êrst*(*e*); *mê*/*mêr*(*e*) 'mehr' – *meist*(*e*); *min*/ *minner*/*minre* 'weniger' – *minn*(*e*)*ste*; *sît*/*sîder*/*sint*/*sînt* 'später'; *wirs* 'schlechter' – *wirs*(*e*)*st*(*e*).

3.4.3.4 Zum Gebrauch der Adjektivformen

Die schwachen und starken Formen des Adjektivs werden im Mittelhochdeutschen im Allgemeinen in gleicher Weise verwendet wie im Neuhochdeutschen. Jedoch können Abweichungen von der zu erwartenden Form auftreten.

So kann u. a. die starke nominale (sog. unflektierte) Form des Adjektivs neben der starken pronominalen Form im Nom. Sgl. Mask./Fem./Neutr. und im Akk. Sgl. Neutr. verwendet werden, wenn das Adjektiv attributiv gebraucht wird: *ein* **guot** *man*; **lieht** *gesteine*. Ist das attributive Adjektiv nachgestellt, so wird meistens die nominale (sog. unflektierte) Form benutzt, z. B. *den degen* **guot** (NL), seltener die pronominale, z. B. *ein wolken sô* **trüebez** (MF).

Das prädikativ gebrauchte Adjektiv kann neben der gebräuchlicheren nominalen auch die pronominale Form aufweisen: *sîn jâmer wart sô* **vester** (H). Selten erscheint hier die schwache Form: *er lît* [...] *ze tôde* **erslagene** (NL).

Nach dem bestimmten Artikel kann neben der allgemein gebräuchlichen schwachen Adjektivform auch das pronominal flektierte Adjektiv stehen: *ûz dem* **betouwetem** *grase* (GO).

In der Anrede sind starke und schwache Formen möglich: **zieren** *helde* (GO); aber auch **guote** *liute* (H) (s. PAUL 2007, 357).

3.4.4 Das Pronomen

Den unterschiedlichen Flexionsweisen entsprechend, trifft man folgende Einteilung:

1. **ungeschlechtige Pronomen.** Sie sind nicht nach dem Genus differenziert und haben eine eigene Flexion, die sie von allen übrigen Nomina und Pronomen unterscheidet. Dazu gehören die Personalpronomen der 1. und 2. Person und das Reflexivpronomen;
2. **geschlechtige Pronomen.** Ihre Deklination ist der substantivischen verwandt, unterscheidet sich aber durch vollere Endungen. Die Bezeichnung weist darauf hin, dass sie nach dem Genus differenziert sind. Dazu gehören das Personalpronomen der 3. Person, die einfachen Demonstrativpronomen, die auch als Relativpronomen und definiter Artikel verwendet werden, sowie zusammengesetzte Demonstrativpronomen und die Interrogativpronomen;
3. **Pronominaladjektive.** Es sind ursprünglich Adjektive, deshalb besteht Übereinstimmung mit der Adjektivdeklination. Sie haben für die einzelnen Genera unterschiedliche Endungen und werden meist stark, z. T. aber auch schwach flektiert. Pronominaladjektive sind die Possessivpronomen, die meisten Indefinitpronomen und einige Demonstrativpronomen;
4. **Pronominalsubstantive.** Als ursprüngliche Substantive flektieren sie nach der starken Substantivdeklination, soweit sie nicht überhaupt nur im Nominativ vorkommen. Pronominalsubstantive sind einige Indefinitpronomen (z. B. *man*, *ieman*, *iht*).

3.4.4.1 Personalpronomen

Ungeschlechtige Pronomen

	1. Sgl.	2. Sgl.	1. Pl.	2. Pl.
Nom.	*ich*	*du, dû*	*wir, wî*	*ir, gî, î*
Gen.	*mîn, mînes, mîner*	*dîn, dînes, dîner*	*unser*	*iuwer*
Dat.	*mir, mî*	*dir, dî*	*uns*	*iu, iuch*
Akk.	*mich*	*dich*	*(unsich), uns*	*iuch, iu*

Nebenformen sind bei den Pronomen im Mittelhochdeutschen sehr zahlreich, z. T. sind sie unter Einfluss des unterschiedlichen Satztones entstanden, z. B. unbetont *ech*, stark betont *îch*; z. T. sind die Unterschiede als landschaftliche Sonderformen zu erklären, z. B. *ich, mich, dich* moselfränk., hess. (Zur Vielfalt der Formen, wie sie sich in den Urkunden aus mhd. Zeit zeigt, s. SPARMANN 1961, 1 ff.) Folgt das Pronomen der finiten Verbform, so kann es mit der verbalen Endung verschmelzen, z. B. *geloubest du* > *geloubestu*, der Vokal des Pronomens kann durch Abschwächung zu *e* werden und vor vokalisch anlautendem Wort schwinden, z. B. *geloubeste ëz* > *geloubest ëz*. Eine solche Enklise findet sich im Mittelhochdeutschen sehr häufig. Das Pronomen *ir* dient als Anredeform für sozial höherstehende wie für in der Gesellschaft gleichgestellte Personen. Im Bairischen kommen neben den Pluralformen auch die lautgesetzlichen Fortsetzungen germanischer Dualformen vor (Nom. *ëz*, Dat./Akk. *ënc*, seit dem 12. Jh. allerdings in pluralischer Bedeutung). Sie sind heute ein Merkmal des Bairischen gegenüber anderen Mundarten.

Geschlechtige Pronomen

		3. Sgl.	
	Maskulinum	Neutrum	Femininum
Nom.	*ër, hê, hie, hër*	*ëz*	*siu, sie, sî, si*
Gen.	*ës, sîn*	*ës, sîn*	*ir(e)*
Dat.	*im(e)*	*im(e)*	*ir(e)*
Akk.	*in*	*ëz*	*sie, siu, sî, si*
		3. Pl.	
Nom., Akk.	*sie, sî, si*	*siu, sie, sî*	*sie, siu, sî, si*
Gen.	*ir(e)*	*ir(e)*	*ir(e)*
Dat.	*in, inen*	*in, inen*	*in, inen*

Der Überblick zeigt, dass die Formen von unterschiedlichen Wurzeln gebildet sind (Suppletivbildung). Gen. und Dat. Pl. haben in allen drei Genera gleiche Formen.

3.4.4.2 Reflexivpronomen

Maskulinum/Neutrum			Femininum			
Sgl.	Gen.	*sîn*	*(ir)*	Pl.	Gen.	*(ir[e])*
	Dat.	*(im[e])*	*(ir)*			*(in)*
	Akk.	*sich*	*sich*			*sich*

Ein Nominativ wird, der Semantik des Reflexivpronomens entsprechend, nicht gebildet. Die Formen des alten Reflexivpronomens sind teilweise verloren gegangen, an ihre Stelle sind Formen des Personalpronomens der 3. P. getreten (im Paradigma in

Klammern). *sich* als Reflexivpronomen für den Dativ kommt in mhd. Zeit nur im Mittelfränkischen vor. Für die 1. und 2. Sgl. und Pl. werden die flektierten Formen der ungeschlechtigen Personalpronomina verwendet.

3.4.4.3 Possessivpronomen

Sgl.	1. P.	*mîn*	Pl. 1. P.	*unser*
	2. P.	*din*	2. P.	*iuwer*
	3. P.	*sîn, ir, sîn*	3. P.	*ir*

Die Possessivpronomen sind von den Genitivformen der Personalpronomen (1., 2. Sgl. und Pl.) und vom Reflexivpronomen (3. Sgl. Mask. und Neutr.) gebildet. Sie werden wie starke Adjektive dekliniert und haben im Nom. Sgl. meist endungslose Formen (Neutra und Feminina auch im Akkusativ), z. B. Nom./Akk. Sgl. *mîn frouwe.* Schwach flektierte Formen beginnen sich im Mhd. erst herauszubilden, sie kommen vereinzelt nach bestimmtem Artikel vor.

Bei der starken Flexion treten die Endungen im Oberdeutschen an einen Stamm *unser-*, vgl. *unser-er, unser-iu, unser-ez,* im Mitteldeutschen an einen Stamm *uns-*, vgl. *uns-er, uns-iu, uns-ez* (ebenso *iuwer-*, *iuw-*).

3.4.4.4 Demonstrativpronomen, bestimmter Artikel und Relativpronomen

der, daz, diu

		Maskulinum	Neutrum	Femininum
Sgl.	Nom.	*dër, dê*	*daz*	*diu, die*
	Gen.	*dës*	*dër(e)*	
	Dat.	*dëm(e)*	*dër(e)*	
	Akk.	*dën*	*daz*	*die*
Pl.	Nom., Akk.	*die*	*diu*	*die*
	Gen.		*dër(e)*	*dën*
	Dat.		*dën*	

Die Formen des Demonstrativpronomens werden zugleich in der Funktion des bestimmten Artikels verwendet. Da der Artikel häufig in unbetonter Stellung im Satz vorkommt, treten zahlreiche abgeschwächte Formen auf, z. B. *diu, die* > *de,* vor Vokal nur *d.*

dirre, dieser

		Maskulinum		Neutrum	Femininum
Sgl.	Nom.	*dirre, diser*		*ditze, diz*	*disiu*
	Gen.		*dises*		*dirre, diser*
	Dat.		*disem(e)*		*dirre, diser*
	Akk.	*disen*		*ditze, diz*	*dise*
Pl.	Nom., Akk.	*dise*		*disiu, dise*	*dise*
	Gen.			*dirre, diser*	
	Dat.			*disen*	

Verstärkung des hinweisenden Charakters wurde bereits in germanischer Zeit durch Zusammensetzung des einfachen Demonstrativpronomens mit einer verstärkenden Partikel erreicht. Die Zusammensetzung mit den einzelnen Genus- bzw. Kasusformen des Pronomens führte zu unterschiedlichen Formen, z. B. Nom. Sgl. Mask. as. *thë-se*, Nom. Sgl. Fem. as. *thiu-s*. Der Charakter der Zusammensetzung verblasste, die Verbindung wurde als neuer Stamm betrachtet. Ausgleichserscheinungen haben schließlich dazu geführt, dass im Mittelhochdeutschen die Kasusendungen an einen neuen Stamm *dis-* treten, der für alle Genera gilt. Allerdings kommen auch Nebenformen mit *-e-* vor, z. B. *dëser*.

Die Formen mit *-rr-* sind durch Angleichung des *s* an folgendes *r* und Synkopierung des Mittelvokals entstanden (as. **thësara* > *thërara* > *thërra*).

jener 'jener' findet sowohl substantivisch als auch adjektivisch Verwendung; seine Deklination entspricht der des starken Adjektivs. Es kommen keine unflektierten Formen vor.

sëlp 'selber, selbst' ist im Gegensatz zum Neuhochdeutschen im Mittelhochdeutschen. veränderlich. Nach Personalpronomen oder Substantiv kann es stark oder schwach, nach bestimmtem Artikel nur schwach flektiert werden. Nhd. *selber*, *selbst* sind erstarrte Kasusformen (mhd. *sëlber* = Nom. Sgl. Mask., stark, *sëlbes* = Gen. Sgl. Mask./ Neutr., stark).

Die in diese Gruppe gehörigen Wörter hatten nicht von vornherein relativische Funktion. Sie gehen z. T. auf alte Demonstrativpronomen zurück: mhd. *dër, daz, diu* (s. 3.4.4.4); z. T. sind es Indefinitpronomen (s. 3.4.4.6) mit vorangestelltem und z. T. auch nachgestelltem *sô*, vgl. *sô wër (sô)*, mhd. *swër* 'wer immer', *swaz* 'was immer', *swëder* 'welcher auch von beiden', *swëlch* 'welch auch'. Relativischer Anschluss eines abhängigen Satzes kann im Mittelhochdeutschen außerdem durch Pronominaladverbien *swa* 'wo auch', *swie* 'wie auch' u. a., durch das Adverb *sô* und durch die Konjunktion *unde* ausgedrückt werden.

3.4.4.5 Interrogativpronomen

wër, waz

		Maskulinum/Neutrum	Femininum
Sgl.	Nom.	*wër*	*waz*
	Gen.	*wës*	*wës*
	Dat.	*wëm(e)*	*wëm*
	Akk.	*wën*	*waz*
	Instr.		*wiu*

Dieses Pronomen wird nur substantivisch verwendet, es hat keine eigene Form für das Femininum.

Die alte Form *wës* wird in frnhd. Zeit allmählich durch *wessen* verdrängt, ist aber noch erhalten in *weswegen, weshalb*. *wiu* steht mhd. nur noch nach Präpositionen.

wëder 'wer von beiden' ist vom gleichen Stamm abgeleitet wie *wër* und flektiert wie ein starkes Adjektiv; Nom. Sgl. Mask. *wëderer/wëderre*, Fem. *wëderiu*, Neutr. *wëderez*. Es hat daneben für den Nom. Sgl. eine sog. unflektierte Form, die in der Konjunktion *weder* fortlebt.

welich, *welch, welîch* 'wie beschaffen, welcher' flektiert wie ein starkes Adjektiv, im Nominativ wird meist die sog. unflektierte Form verwendet.

3.4.4.6 Indefinitpronomen

Indefinitpronomen in der Bedeutung 'jeder, alles'
al 'alle' flektiert wie ein starkes Adjektiv; vor Artikel oder Pronomen steht meist die sog. unflektierte Form.
gelîch, mit einem Gen. Pl. verbunden, 'jeder', z. B. mhd. *manne gelîch, männeglîch* 'jedermann'.
iegelîch 'jeglich', *iewëder* 'jeder von beiden'.

Indefinitpronomen in der Bedeutung 'irgendein', 'jemand', 'etwas'
wër, ëte(s)wër 'irgendeiner' wird nur substantivisch verwendet, ebenso *ëte(s)waz* 'etwas'. Als Pluralform für *ëteswër* und *ëteswaz* steht meist mhd. *ëtelich* 'irgendwelche, einige'.
sumelîch 'irgendeiner' folgt der starken Adjektivdeklination.
ein – bei substantivischer Verwendung endet der Nom. Sgl. auf *-er, -iu, -ez*, bei adjektivischer Verwendung steht die nominale Form.
(Das Pronomen *ein* wird zugleich als Numerale und als unbestimmter Artikel verwendet.)
ieman 'jemand' und *iht* 'etwas' werden als Pronominalsubstantive stark flektiert (Nom. Sgl. *ieman*, Gen. *iemans, iemannes*, Dat. *iemanne, iemen*, Akk. *ieman*).

Indefinitpronomen in der Bedeutung 'keiner', 'niemand', 'nichts'
An der Bildung aller hier aufgeführten Formen ist die Negationspartikel **neh-* beteiligt.

nechein 'kein' ist die verneinte Form zu *ein*. Die nhd. Form *kein* ist entstanden durch Veränderungen von *ch* > *k* (der Laut *ch* > k, wenn er nachträglich in den Silbenanlaut tritt; *nechein* > *nekein*) (Paul 2007, 228) und Wegfall der Negationspartikel.

nieman, niemen 'niemand' (vgl. *ieman*). Seit dem 13. Jh. erscheinen daneben schon enklitische Formen mit Sprosskonsonant *d*: *niemand.*

nicht (*nieweht, neweht, niewet, niuwet*) 'nichts' wird nur substantivisch verwendet und stark flektiert. Nhd. steht bei substantivischem Gebrauch die erstarrte Genitivform *nichts*. Der Akk. *nicht* ist bereits seit mhd. Zeit Negationspartikel.

3.4.5 Das Numerale

Wir unterscheiden Kardinal- und Ordinalzahlen, daneben noch Zahladverbien und -adjektive.

3.4.5.1 Kardinalzahlen

Die Zahlwörter 1 bis 3 haben im Mittelhochdeutschen besondere Formen für alle drei Genera und sind deklinierbar.

Eins wird wie ein Adjektiv flektiert; nach bestimmtem Artikel oder einem entsprechenden Pronomen flektiert es schwach, sonst stark. – Im Nom. aller drei Genera sowie im Akk. Sgl. Neutr. (und z. T. auch im Fem.) steht die endungslose Form, wenn das Zahlwort attributiv vor einem Substantiv steht.

Zwei und **drei** weisen im Gen. und Dat. jeweils für alle drei Genera gleiche Formen auf.

	Maskulinum	Femininum	Neutrum
1	*einer, ein*	*einiu, ein*	*einez, ein*
	eines	*einer(e)*	*eines*
	einem(e)	*einer(e)*	*einem(e)*
	einen	*eine*	*einez*
2	*zwêne*	*zwô (zwuo, zwâ)*	*zwei*
		zwei(g)er	
		zwein, zweien	
	zwêne	*zwô (zwuo, zwâ)*	*zwei*
3	*drî, drîe*	*drî, drîe*	*driu*
		drî(g)er	
		drîn, drî(e)n	
	drî, drîe	*drî, drîe*	*driu*

Vier bis **zwölf** bleiben entweder unverändert oder folgen der Flexion der starken Adjektive. Die Formen des Nominativs lauten:

Vier	*vier, viere, vieriu*
Fünf	*finf, fünf, fünfe, fünviu*
Sechs	*sëhs*, (md. *sëss*), *sëhse, sëhsiu*
Sieben	*siben, sibene, sibeniu*
Acht	*aht, ahte, ähte, ähtiu*
Neun	*niun, niune, niuniu*
Zehn	*zëhen* (md. *zën*), *zëhen(e), zëheniu*
Elf	*einlif (einlef, eilf, elf)*
Zwölf	*zwelif, zwelf, zwelve*
13 bis **19**	Diese Grundzahlwörter bleiben unflektiert; sie heißen:
13	*drîzëhen, driuzëhen*
14	*vierzëhen*
15	*finfzëhen*
19	*niunzëhen*
20 ff.	Ebenso bleiben die vollen Zehner endungslos. Sie werden aus Einerzahl + Zehnersuffix *-zec, -zic* gebildet.
20	*zweinzec (zwênzec)*
30	*drîzec, drîʒec* usw.
	aber: **21** *einez unde zweinzec*, **22** *zwei unde zweinzec* usw.
100	*hundert* (älter: *zëhenzec*) oder *hunt*
200	*zweihundert*
300	*drîhundert*, **325** *drîhundert fünf unde zweinzec*
1000	*tûsent*
2341	*zwei tûsent drîhundert einez unde vierzec* usw.

Alle Zahlwörter bis **20** werden sowohl substantivisch als auch adjektivisch verwendet. Ab **20** sind sie ursprüngliche Substantive, sie werden im Mittelhochdeutschen ebenfalls adjektivisch gebraucht.

3.4.5.2 Ordinalzahlen

Die Ordnungszahlwörter werden schwach dekliniert.
1. und **2.** *êrste* und *ander* werden nicht von den Grundzahlen abgeleitet, sondern gehen auf andere Stämme zurück: *êrste, êreste* (< ahd. *êristo*, Superlativ zu *êr* 'früher'); *ander* (**2.**) ist eigentlich Pronominaladjektiv (*anderer, anderiu, anderez*) und kann auch stark dekliniert werden; *zweite* dringt erst im 16. Jh. durch.
3. *dritte* (md. *dirte, derte*).
4. bis **19.** Diese Ordinalzahlen werden aus der Kardinalzahl und dem Suffix *-te* (ahd. *-to*) gebildet: *vierde, fünfte, sëhste, sibende … einlifte* (*eilifte, eilfte*), *zwelifte* (*zwelfte*), … *niunzëhente*.
20. ff. Sie bestehen aus Kardinalzahl und Superlativsuffix *-este* (ahd. *-ôsto*): **20.** *zweinzegeste*, **30.** *drîzegeste*, **42.** *zwei unde vierzegeste*, **100.** *hundert(e)ste*, **1000.** *tûsent(e)ste*.

3.4.5.3 Zahladverbien

1–3-mal. *eines* (Gen. Sgl.) 'einmal', *zwir(e)* 'zweimal', *drîs* 'dreimal', daneben *drî-stunt*. Neben diesen einfachen Bildungen kommen häufiger zusammengesetzte Zahladverbien vor, bestehend ab **4-mal** aus Kardinal- oder Ordinalzahl und *-stunt* oder *-werbe* (auch *-warbe* oder *-warp*) oder *-mâl* (erst seit dem 13. Jh.): *vierstunt, vierwerbe, viermal, tûsentstunt* usw.; aber *dritte warp* 'zum dritten Male' usw. PAUL (2007, 232) verwendet hier auch die Bezeichnung Multiplikationszahlen.

3.4.5.4 Zahladjektive

Man unterscheidet die einfachen Zahladjektive *einic* 'einzig' und *zwisc* 'zwiefach' von den zusammengesetzten Zahladjektiven, die aus der Kardinalzahl und dem Suffix *-valt, -valtic, -velt, -veltic* bzw. *-lîch* oder *-vach* bestehen: *zwîvalt, drîlich, viervach*. Um genitivische Umschreibungen handelt es sich bei Formen mit *-hant, -leie* oder *-slaht*: *einerhant, drîer hande, zëhen hande, zwîer leie, drîer leie*; später *maneger-, allerslaht*.

3.5 Satzbau

3.5.1 Der einfache Satz

3.5.1.1 Stellung des finiten Verbs

Die besondere Bedeutung, die dem finiten Verb beim Bau des Satzes im Neuhochdeutschen zukommt, lässt die Frage nach seinen Stellungsbesonderheiten bzw. -gesetzmäßigkeiten im Mittelhochdeutschen kommen.

Für das Deutsche in seiner gesamten historischen Entwicklung hält BETTEN fest: „Im Deutschen hat es im Laufe seiner Geschichte, jedoch im wesentlichen auch in allen Perioden nebeneinander, die folgenden vier Satzorganisationsformen gegeben, ausgehend von der Position des finiten Verbs: (Absolute oder gedeckte) Anfangs- oder Spitzenstellung, Zweitstellung (betrachtet als Satzgliedstellung), Dritt- oder Späterstellung (im Hauptsatz) bzw. Nichtend- oder Späterstellung (im Nebensatz) und Endstellung." (BETTEN 2016, 121.) SONDEREGGER konstatiert eine seit althochdeutscher Zeit zunehmende Tendenz „zur Zweitstellung des finiten Verbs im Hauptsatz und Späterstellung (noch nicht Endstellung) im eingeleiteten Gliedsatz" (SONDEREGGER 1979, 282; s. auch ROELCKE 2011, FLEISCHER/SCHALLERT 2011).

Stellung im Aussagehauptsatz (Deklarativsatz): Im Mittelhochdeutschen gelten nach SCHIEB für die Stellung des Finitums im Hauptsatz im Wesentlichen die gleichen Grundsätze wie im Neuhochdeutschen; sie schränkt allerdings ein, dass vor allem in der Dichtersprache die alten freieren Möglichkeiten der Verbstellung unter dem Einfluss von Vers und Reim noch lange erhalten bleiben (s. SCHIEB 1970, 380).

Meist nimmt das finite Verb bereits im Mittelhochdeutschen Zweitstellung ein, z. B. *Sîn name* **was** *erkennelich: er* **hiez** *der herre Heinrich* (H).

Es können allerdings auch mehrere Satzglieder vor dem finiten Verb stehen, z. B. *den starken gêr er* **leinte** *an der linden ast* (NL); *Gunther sich dô* **neigete** *nider zuo der fluot* (NL).

Endstellung des finiten Verbs im Hauptsatz kommt vor allem noch in der Dichtung vor. Das Nibelungenlied bietet zahlreiche Beispiele dafür: *sô grôze missewende ein helt nu nimmer mêr* **begât** (NL); *Den gêr im gein dem herzen stecken er dô* **lie** (NL). Eine solche Endstellung in den dichterischen Denkmälern wird von vielen Forschern als die ursprüngliche germanische betrachtet (s. BETTEN 2016, 123).

Anfangsstellung des finiten Verbs, die im Germanischen vermutlich ausgeprägt war und sich auch noch im Althochdeutschen findet, ist im Mittelhochdeutschen äußerst selten geworden. DAL (1966, DAL/EROMS 2014) und LOCKWOOD (1968) sind der Meinung, dass zahlreiche Sätze mit gedeckter Spitzenstellung des Verbs noch auf diesen ursprünglichen Typ hindeuten, z. B. *ez* **hât** *nu allez ende unser sorge unt unser leit* (NL). Allerdings ist kaum eindeutig festzustellen, ob ein solches satzeröffnendes Wort völlig unbetont ist, ob es sich damit um gedeckte Anfangsstellung oder um Mittelstellung des finiten Verbs handelt. Besonders problematisch ist das bei Adverbien des Ortes oder der Zeit, z. B. *Dô* **viel** *in die bluomen der Kriemhilde man* (NL).

Stellung im Fragesatz: Entscheidungs- und Ergänzungsfrage unterscheiden sich in der Stellung des finiten Verbs.

Für die Entscheidungsfrage gilt Spitzenstellung, z. B. **welt** *ir mir loufen mit ze wette zuo dem brunnen* (NL), für die mit einem Fragepronomen oder -adverb eingeleitete Ergänzungsfrage Zweitstellung, z. B. *Waz* **mac** *ich dir sagen mê* (WA).

Stellung im Aufforderungssatz: Im Aufforderungssatz kann das finite Verb wie im Neuhochdeutchen sowohl Spitzen- als auch Zweitstellung einnehmen, z. B. *Und* **lât** *si des geniezen* [...] *durch aller fürsten tugende* **wont** *ir mit triuwen bî* (NL).

Spitzenstellung wird bevorzugt beim Gebrauch des Imperativs der 2. Person, z. B. **seht** *wie rôt mir ist der munt* (WA).

Auch im Aufforderungssatz gehen dem finiten Verb jedoch manchmal mehrere Satzglieder voraus, vor allem bei komplexen Verbformen, z. B. *mit laster ir gescheiden* **sult** *von guoten recken sîn* (NL).

Stellung im Gliedsatz: Im Mittelhochdeutschen sind Gliedsätze mit Endstellung des finiten Verbs in der gebundenen Rede noch selten, z. B. *Dâ der herre Sîfrit ob dem brunnen* **tranc** (NL). Meist handelt es sich um sehr kurze Sätze, z. B. *swaz si weinens*

getuot (NL). Bei zusammengesetzten Verbformen rückt in solchen Fällen die infinite Form an die letzte Stelle, z. B. *als er* **het'** *getrunken* (NL). Dabei kann auch noch nicht eindeutig zwischen Haupt- und Nebensatz differenziert werden.
Viel häufiger sind Gliedsätze mit sog. „Nichtzweitstellung“, z. B. *Swie wunt er* **was** *zem tôde* (NL); *daz ich ie* **gewan** *den sun* (NL). BETTEN konstatiert, „[...] die Personalform steht im Nebensatz auf einer späteren als der zweiten Position, wenn man das Einleitewort als Erstposition mitzählt.“ (BETTEN 2016, 127.)

Wie im Neuhochdeutschen steht das finite Verb z. T. bei uneingeleiteten Gliedsätzen an zweiter Stelle, z. B. *man giht, er* **sî** *sîn selbes bote* (H).

Im Unterschied zum Neuhochdeutschen können aber auch eingeleitete Gliedsätze Zweitstellung des finiten Verbs aufweisen, z. B. *daz von der wunden* **spranc** *daz bluot im von dem herzen vastę an die Hagenen wât* (NL).

Spitzenstellung des finiten Verbs gilt wie im Neuhochdeutschen für einen Teil der uneingeleiteten Gliedsätze, z. B. **het** *ich an iu erkennet den mortlîchen sit* (NL); **Hâstû** *triuwę unde stætekeit* (WA).

In der Prosa herrscht aber nach Auffassung von ADMONI die Endstellung der finiten Verbform im Gliedsatz bereits vor (s. 1967, 184): *daz er im sins rehtes* **helfe** (MR). Vgl. den folgenden Auszug aus den „Vier Predigten“ von Bertold von Regensburg:

Alle die zuo ir tagen kommen **sint**, *den hât unser herre fünf pfunt bevolhen unde hât uns diu an geschriben, daz wir ir niemer vergezzen* **mügen**, *wan er des niht enbern* **will** *von keinen menschen der ze sînen tagen komen* **ist**, *es müeze unserm Herren diu fünf pfunt widergeben* [...]

3.5.1.2 Bildung des prädikativen Rahmens

Im Mittelhochdeutschen bildet sich die typische verbale Klammer weiter heraus. Diese Konstruktionsweise erfährt im Zusammenhang mit weiteren syntaktischen und morphologischen Entwicklungen eine zunehmende Reglementierung und zeigt hinsichtlich ihrer Vorkommenshäufigkeit deutliche Veränderungen (s. ROELCKE 2011, 170 ff.).

Der volle prädikative Rahmen (Distanzstellung der Rahmenpartner) wird im Mittelhochdeutschen recht häufig gebraucht, obwohl er noch nicht zur vorherrschenden Regel geworden ist: *der rihter* **sol** *jenen ze aht* **tuon** (MR). Daneben kommen sowohl der verkürzte Rahmen (Nahstellung der Rahmenpartner): *dem* **sol** *der rihter daz* **gebieten** *bi des keisers hulden* (MR) als auch der potenzielle Rahmen (Kontaktstellung der Rahmenpartner) vor: *der sun* **sol sîn** *verteilet eigens und lehens und varends guotes* (MR).

Große Schwankungen können sich im Gebrauch der drei Rahmenvarianten zwischen einzelnen Texten ergeben, insbesondere zwischen Prosatexten und poetischen Texten. In der Prosa ist die volle Rahmenkonstruktion besonders häufig. Insgesamt verweist BETTEN aber darauf, „dass noch in der althochdeutschen und mittelhochdeutschen Periode vollständige Rahmenbildung (mit absoluter Verbendstellung) insgesamt selten, Distanzstellung der verbalen Teile mit weiteren Satzgliedern hinter den verbalen Teilen jedoch häufiger war.“ (BETTEN 2016, 129.)

3.5.1.3 Negation

Zur Verneinung dient im Mittelhochdeutschen wie bereits im Germanischen und Althochdeutschen die Negationspartikel *ne* (in unterschiedlichen Realisierungen wie *ni, no, nu* ..., vorangestellt *en-*), die unmittelbar beim Verb steht. Sie findet sich in formelhaften Wendungen, z. B. *nû* **en***welle got* (WA), oder auch, wenn ein Gliedsatz sehr eng mit dem Verb des Hauptsatzes verbunden ist, z. B. *ich* **en***weiz ob er zouber künne* (WA). Die Partikel kann mit einem anderen Wort, vor allem mit einem Pronomen, das beim Verb steht, verschmelzen, z. B. *mirn komme mîn holder geselle* (MF).

Allerdings sind Fälle, bei denen *ne* bzw. *en-* allein als Ausdruck der Verneinung dient, im Mittelhochdeutschen selten geworden. Im Gegensatz zum Germanischen und Frühalthochdeutschen bedarf die „ausdrucksseitig schwach und noch schwächer gewordene" (N. R. Wolf 2000a, 1356) Partikel im Mittelhochdeutschen meist der Unterstützung und Verstärkung durch ein zweites Negationswort. Dabei handelt es sich um Indefinitpronomen und Adverbien, die selbst bereits mit der Negationspartikel verschmolzen sind (*ne* + *eo* > *nie*; *ne* + *eo* + *man* > *nieman* u. a.), z. B. *ez* **en***wart* **nie** *vrouwen leider an liebem vriunde getan* (NL).

Besonders häufig wird der ursprünglich adverbiale Akkusativ (*ni eo wiht*) mhd. *niht* zur Verneinung neben *ne* gebraucht, z. B. *des* **en***mac diu schœne niht getuon* (WA).

niht verdrängt das alte *ne* im ausgehenden Mittelhochdeutschen allmählich und übernimmt allein die Verneinungsfunktion, z. B. *swer mit triuwen der* **niht** *phliget* (MF).

Bei den Konstruktionen mit *ne*, *en* + *niht* oder einem anderen Negationswort handelt es sich um eine doppelte Verneinung; im Unterschied zum Neuhochdeutschen heben sich die Verneinungen aber nicht gegenseitig auf, z. B. *daz* **nie kein** *münch ze kôre sô sêre mê geschrei* (WA).

„Dass mehrere Verneinungen sich gegenseitig aufheben, ist erst Errungenschaft der neueren Schriftsprache." (Behaghel 1928, Bd. 2, 80.) Behaghel bringt dies mit der Schulung am Latein in Zusammenhang. (Zum Sprachwandel im Zusammenhang mit der Negation vgl. u. a. Nübling 2017, 135 ff.)

Bei zusammengesetzten Verbformen mit einem Partizip Präteritum erfolgt die Verneinung der Verbalhandlung häufig durch Verschmelzung des Partizips mit dem Präfix *un-*, z. B. *daz ist mir* **un***benomen* steht gleichwertig neben *daz ist mir* **niht** *benomen*.

3.5.2 Komplexer Satz

3.5.2.1 Verbindung von Sätzen

Wie im Neuhochdeutschen gibt es die Möglichkeit der parataktischen und hypotaktischen Verbindung von Sätzen. Allerdings sind die Mittel zur Kennzeichnung der Fügungsart – koordinierend oder subordinierend – wie auch zur semantischen Charakterisierung der Beziehung zwischen den Sätzen – temporal, kausal usw. – zum größten Teil noch vielfältiger verwendbar, im funktionalen Anwendungsbereich noch nicht so stark festgelegt. Das System der Konjunktionen hat noch keine so klaren Konturen wie im Neuhochdeutschen, es ist in Herausbildung begriffen. In diesen wie in anderen Bereichen kann das Mittelhochdeutsche „als eine Epoche des Suchens und Versuchens gelten [...]. Es geht darum, die Tauglichkeit unterschiedlicher Ausdrucksmittel zu erproben, weil das Bedürfnis nach semantischer Differenzierung immer größer wird." (N. R. Wolf 2000a, 1354.) Im Hinblick auf das Übersetzen empfiehlt es sich daher, der Semantik der Konjunktionen besondere Beachtung zu schenken, nicht einfach von der weitgehend spezialisierten Bedeutung des Neuhochdeutschen auszugehen, sondern genau zu prüfen, welche der unterschiedlichen Bedeutungen in Frage kommt. Hinzu kommt, dass komplexe Sätze auch deshalb etwas schwerer zu durchschauen sind, weil sich die Reihenfolgebeziehungen in komplexen Gefügen „in erster Linie semantisch und nicht so sehr durch die ausdrucksseitige Kette“ konstituieren (N. R. Wolf 2000a, 1356).

3.5.2.2 Koordination

Die inhaltliche Beziehung, die zwischen nebeneinander stehenden (Teil-)Sätzen besteht, kann ohne spezielle lexische Mittel in asyndetischer Anreihung durch die Semantik der Sätze zum Ausdruck gebracht werden, z. B. *Sîn name was erkennelich: er hiez der hërre Heinrich* (H).

Durch die Verwendung von Konjunktionen oder demonstrativen Pronomen und Adverbien wird die Verknüpfung enger, der logische Zusammenhang deutlicher, z. B. *Ich kam gegangen zuo der ouwe:* **dô** *was mîn vriedel kommen ê* (WA).

Zur Verdeutlichung kausaler Zusammenhänge dient mhd. *wande*, nhd. wird stattdessen *denn* verwendet, z. B. *Si klageten mit den gesten,* **want** *in was harte leit* (NL).

Mhd. *wande, want* kann auch subordinierend verwendet werden, es ist dann mit *weil* zu übersetzen.

Vorwiegend koordinierend werden im Mittelhochdeutschen folgende Konjunktionen gebraucht:

- kopulativ: *unde, ouch, beidiu … und* ‘sowohl ... als auch’ …;
- disjunktiv: *oder, alde* ‘oder’, *niuwan* ‘außer’, *eintwëder … oder, wëder … oder* ‘entweder … oder’ …;
- adversativ: *aber, doch, iedoch, sunder* ‘sondern’ …;
- kausal: *wande* ‘denn’

Enger wird die Verbindung auch dadurch, dass ein Satzglied im zweiten Satz eingespart wird, z. B. *er hiez der herre Heinrich und was von Ouwe geborn* (H).

Koordiniert werden nicht nur Hauptsätze, sondern auch Wortgruppen und Gliedsätze, z. B. *swaz kriuchet unde vliuget und bein zer erde biuget* (WA). *Dô man daz gehörte* […] *unt man in gesarket hête* (NL).

3.5.2.3 Subordination

Die Möglichkeiten, syntaktische Abhängigkeit auszudrücken, sind vielfältig.

Unterordnung kann aus der s y n t a k t i s c h e n B e z i e h u n g allein deutlich werden, z. B. *Dô sprach von Tronege Hagene: ich bring' in in daz lant* (NL); *ich wæne sîn herze im sagte* (NL).

Häufig bezeichnet der K o n j u n k t i v die Abhängigkeit des Gliedsatzes, z. B. *man giht, er* **sî** *sîn selbes bote* (H). Diese Möglichkeit gibt es nicht nur in der vermittelten Rede, z. B. auch *daz er des hete willen, er* **næme** *im sîniu lant* ‘dass er das beabsichtigte, ihm seine Länder zu nehmen’ (NL).

Steht bei der Verbform im Konjunktiv die Partikel *ne, en-*, so wird in der Regel eine Einschränkung bezeichnet, z. B. *diu drî enhabent geleites niht, diu zwei* **enwerden** *ê gesunt* (WA). Man übersetzt diese Fügung am besten mit „wenn nicht“ oder „es sei denn dass“, also „… wenn nicht die beiden vorher wieder hergestellt/gesund werden“.

Der Konjunktiv findet sich auch in nichteingeleiteten Konditional- und Konzessivsätzen, z. B. **het** *ich an iu erkennet* (NL); *Es sî ein sî, es sî ein er* (WA).

Im Mittelhochdeutschen gibt es bereits Relativpronomen zur Einleitung von Gliedsätzen, z. B. *wir vinden ir vil wênic,* **die** *türren uns bestân* (NL); *Die sind da von bescholten,* **swaz** *ir wirt geborn* (NL).

Relativsätze können auch mit *unde* eingeleitet werden, z. B. *ergetzet si der leide* **und** *ir ir habet getân* (NL).

Besondere Bedeutung für die Kennzeichnung der Abhängigkeit und der semantischen Kategorie kommt den Subjunktionen (hypotaktische Konjunktionen) zu, die allerdings – wie oben ausgeführt – noch nicht so eindeutig festgelegt sind wie im Neuhochdeutschen. Auch die Grenzen zwischen den Wortarten Subjunktion und Adverb sind vielfach noch nicht klar zu bestimmen, da erstere häufig aus ursprünglichen Adverbien entstanden sind, z. B. **Da** *der herre Sîfrit ob dem brunnen tranc* (NL).

Einen breiten, noch weitgehend unspezifischen und so gut wie rein syntaktischen Anwendungsbereich hat das ursprüngliche Demonstrativpronomen *daz,* sein „Bedeutungswert wird durch den Kontext bestimmt“ (PAUL 1989, 438).

Durch Verbindung mit Adverbien ergeben sich zusätzliche Möglichkeiten zur Einleitung von Gliedsätzen, z. B.

Objektsatz: *daz bediutet sich alsus,* **daz** *wir in dem tôde sweben* (H);
Modalsatz: *Ein ritter sô gelêret was* **daz** *er an den buochen las* (H);
Finalsatz: *Ich enhân niht rosses* **daz** *ich dar gerîte* (WA);
Temporalsatz: *der helt doch nine tranc* **ê daz** *der künic getrunke* (NL).

Subjunktionen sind u. a.:

- temporal: *als, biz, dô* ‘sobald als’, *danne, ê daz* ‘bevor’, *sît, unz daz* ‘bis’, *die wîle daz* ‘während’ ...;
- kausal: *wande, wân, sît, umbe daz,* daneben schon vereinzelt *die wîle* ‘weil’ ...;
- konditional: *ob, sô* ‘wenn’ ...;
- konsekutiv: *daz, durch daz, umbe daz* ‘sodass’ ...;
- final: *daz, durch daz, umbe daz* ‘damit’ ...;
- konzessiv: *swie, ob* ...

(Der Überblick beschränkt sich auf wenige ausgewählte Beispiele und macht nicht die Polyfunktionalität der einzelnen Subjunktionen sichtbar.)

Die angeführten Beispiele wie überhaupt die Schriftform der textkritischen Ausgaben lassen syntaktische Strukturen der Fügung von Sätzen mehr oder weniger deutlich hervortreten. In den mittelhochdeutschen Handschriften gibt es jedoch „keine den heutigen Verhältnissen vergleichbare Interpunktionsregelung. Zwar können Initialen den Beginn eines Abschnitts oder eine inhaltliche Markierung hervorheben, und Reimpunkte kennzeichnen in der Regel das Ende eines Verses. Aber es ist oft nicht möglich, aus diesen Zeichen allein einen Satzbegriff zu entwickeln [...]“ (GROSSE 1985, 1153.) Demzufolge ist oft nicht zu entscheiden, ob es sich um einfache oder um komplexe Sätze handelt.

Der folgende Textauszug (Erec, Vers 1294–1308, auf der Basis der Ausgabe Albert Leitzmann, zit. nach CRAMER 1972) macht die Komplexität der Satzstruktur, die Möglichkeiten unterschiedlicher Satzverknüpfungen wie auch die (bedingte) Interpretationserleichterung durch die neuhochdeutsche Interpunktion deutlich:

do es alsô was komen, / als ir dâ vor habet vernomen, / daz recke sô wol gelanc / daz er Îdêrs betwanc / ûz dem hûs ze Tulmein, / der ie ein wârer degen schein, / und dô vrouwe Ênîte / behertet wart mit strîte, / sîns gelückes wâren dô / vil herzenlîche vrô / arme und rîche / und jâhen alle gelîche, / dâ enwære dehein zwîvel an, / der enwære der tiuriste man / der ie kœme in daz lant.

3.5.3 Satzglieder

Bereits in althochdeutscher Zeit sind (siehe Kap. 2.5) die zentralen Elemente des deutschen Satzbaus, auch seine Satzglieder – Prädikat, Subjekt, Objekt, Adverbialbestimmungen sowie bestimmte Satzgliedteile (Attribute, Modalwörter, Partikeln) – vorhanden. Wie für die Beschreibung der Syntax insgesamt gilt in diesem Bereich jedoch im Besonderen, dass die Beschreibung mhd. Sätze nicht ohne Weiteres von neuhochdeutschen Erfahrungen ausgehen kann. Die Bestimmung der Satzgliedfunktionen bedarf sehr sorgfältiger Analysen, die auch Kontext- und Sachwissen zu berücksichtigen haben. Im Folgenden sei nur auf einige ausgewählte Besonderheiten verwiesen, die für das Verständnis mhd. Texte von besonderer Bedeutung sind (s. u. a. BETTEN 1987/2016, SINGER 1996).

3.5.4 Wort-/Satzgliedfolge

Im Mittelhochdeutschen gibt es – wie im Neuhochdeutschen – kein starres System der Satzgliedstellung. Für die Anordnung der Satzglieder sind unterschiedliche Gesichtspunkte von Bedeutung. Als wesentlichste kommen in Frage:

a) der Mitteilungswert der einzelnen Satzglieder
   Hierfür gilt offensichtlich ähnlich wie für das Nhd. das Prinzip des steigenden Mitteilungswertes, andererseits aber auch die Möglichkeit, das Wichtigste affektbetont an den Anfang zu stellen.
b) die rhythmische Gestaltung
   In der gebundenen Rede wird die Satzgliedstellung wesentlich von Rhythmus und Reim mitbestimmt, aber auch sonst beeinflussen rhythmische Gesichtspunkte – Wechsel von stärker und schwächer betonten Gliedern – die Stellung der Satzglieder.
c) der Umfang der Glieder.

Auf die Bedeutung dieses Faktors hat bereits BEHAGHEL hingewiesen. Das von ihm formulierte G e s e t z d e r w a c h s e n d e n G l i e d e r lautet: „Von zwei Gliedern von verschiedenem Umfang steht das umfangreichere nach.“ (BEHAGHEL 1930, 86.) Aus den Behaghelschen Gesetzen etwickelte sich später Theorien zum sprachlichen Fokus (Thema-Rhema-Gliederung, Fokus vs. Comment.)

Solche Faktoren dürfen jedoch nicht isoliert betrachtet werden, „der Begriff des Umfangreicheren wird sich weithin mit dem des Gewichtigeren decken, aber nachdem die zweckmäßige Stellung zur überlieferten geworden ist, entsteht daraus ein unbewußtes rhythmisches Gefühl, das gebietet, einem kürzeren Glied einen längeren Abklang folgen zu lassen“ (BEHAGHEL 1930, 86).

Nur wenn man diese sowie weitere Aspekte im Zusammenhang berücksichtigt, wird die Anordnung der Satzglieder im Mittelhochdeutschen richtig zu erfassen sein.

3.5.5 Satzgliedteile – Stellung verschiedener Formen des Attributs

Generell verändern sich im Mittelhochdeutschen die Klassen der Attribute als solche wenig. Alle im Neuhochdeutschen geläufigen Formen wie Adjektiv-, Genitiv-, Partizipial-, Präpositionalattribut u. a. sind bereits seit althochdeutscher Zeit vorhanden (s. BARUFKE 1995, 51). Die einzelnen Attributformen können auch schon sehr komplex aufgebaut sein, was insbesondere bei den Attributsätzen deutlich wird. Demgegenüber sind Unterschiede im Stellungsverhalten sehr viel deutlicher. BARUFKE konnte zeigen, dass die mhd. Attribute generell die Fähigkeit besitzen, durch freie Wortstellung hierarchische Grenzen zu verwischen und damit die „Tendenz zur Phrasenautonomie über das syntaktische Ganze“ zu fördern. Attribute können vorangestellt, nachgestellt oder ferngestellt sein. Diese Besonderheit steht in Verbindung mit der noch nicht vollen Ausbildung des Artikels und der daraus resultierenden (noch) geringen Spannkraft der nominalen Klammer.

Stellungsbesonderheiten gegenüber dem Neuhochdeutschen, die besonders im Hinblick auf das Übersetzen aus dem Mittelhochdetschen zu beachten sind, bestehen u. a. in Folgendem:

Attributive Adjektive sowie Possessivpronomen können (inbesondere in Versen und Formeln) auch nach dem Beziehungswort stehen, vgl. *die recken* **vil balt** (NL), *ein gêrstange* **lanc** (NL), *an dem lîbe* **mîn** (NL). Ebenso können Adverbien, vgl. *nû muoz ich aber sorgen ûf den tag* **morgen** (IW), und Partizipien rechtserweiternd gestellt werden: *und ein herre* **genant** *alsus* (ER). Voran- und Nachstellungen können auch gemeinsam auftreten, vgl. *es hete der gebûre ein* **ragendez** *hâr* **rouzvâr** (IW) (s. SINGER 1996, 183). Appositionen sind möglich: *in liebte hof und den lîp manec maget unde wîp,* **die schœnsten von den rîchen** (IW).

Auch substantivische Attribute können als Links- und/oder Rechtserweiterung auftreten. Sie stehen im Genitiv, im Präpositionalkasus oder im merkmallosen Kasus (a. a. O., 182). Das Genitivattribut kann zwischen Artikel und Substantiv stehen, vgl. *die* **Sîfrides** *tugende* (NL), *der* **Kriemhilde** *man* (NL), oder diesen vorangestellt sein, vgl. *und fant* **der rede** *eine wârheit* (IW). Eine echte Besonderheit stellen doppelte Genitivformen dar, vgl. *ir* **mannes muomen** *sun* (PAR); *ir* **landes herre** *Parzival* (PAR) (a. a. O., 175).

Die unterschiedlichen Stellungsvarianten führen manchmal zu Zuordnungsproblemen, die in der Regel durch Kontext- oder Weltwissen aufgelöst werden können, vgl. *es hanget* **von einem aste von golde ein becke** *her abe,* (IW); *mit zorne sie zesamme rîten, dâvon der* **ungetriuwe man sînes valsches lôn** *gewan* (ER); *sîn* **ors von îser truoc ein dach** (PAR).

Substantivische Attribute im Präpositionalkasus können ebenfalls vorangestellt: *dô im wurden gegeben* **von golde** *zwô mark* (GREG) und substantivische Attribute im merkmallosen Kasus nachgestellt werden: *sî gap mir urloup* **ein jar** (IW) (a. a. O., 83).

Herkunftsbezeichnungen können dem Beziehungswort vorausgehen, vgl. **von Tronege** *Hagene* (NL), **von Sibilje** *ûz der stat* (PAR).

4 Frühneuhochdeutsch

4.1 Einleitung

4.1.1 Zeitliche Einordnung

Der vorliegende Abriss der frnhd. Grammatik bezieht sich entsprechend der Ansicht der meisten Sprachhistoriker auf die Zeit von etwa 1350 bis 1650. Zur Kennzeichnung größerer Entwicklungslinien wird gelegentlich auch über diesen Zeitraum hinausgegangen. Das Sprachsystem dieser drei Jahrhunderte hebt sich in mehrfacher Hinsicht deutlich sowohl von der Sprache um 1200 als auch von der um 1800 ab – besonders, wenn wir von den Texten des 16. Jh. ausgehen –, sodass das Ansetzen einer eigenständigen Periode zwischen dem Mittelhochdeutschen und dem Neuhochdeutschen gerechtfertigt ist. Allerdings sind sowohl gegenüber dem Mittelhochdeutschen als auch gegenüber dem Neuhochdeutschen längere Übergangsphasen anzusetzen. Wie auch neuere Publikationen zeigen, ist das heute ein weitgehend anerkannter Standpunkt (vgl. BESCH/WOLF 2009, 203; SCHMID 2017, 3, 37; SPEYER 2010, 75; s. auch 0.3). Dagegen stellt allerdings SOLMS (2000, 1516) fest, dass es sowohl in Bezug auf den Zeitraum als auch in Bezug auf den eigenständigen Charakter noch keinen Konsens gebe. Jedoch betont auch er die Bedeutung eines „unzweifelhaften Einschnittes" im frühen 16. Jahrhundert. Schon früh hat SCHIROKAUER (1957) für die Eigenständigkeit des Frühneuhochdeutschen plädiert. Nach EGGERS 1986, Bd. 2, 62, ist das Schaffen der neuen Schriftsprache **die** Leistung der frnhd. Zeit (vgl. ferner u. a. ERBEN 1970; SPRACHGESCHICHTE², Kapitel XII; MOSKALSKAJA 1985; WOLFF 2009, 103 ff.; Frühneuhochdeutsche Grammatik 1993, 5). Von der Entwicklung des Ostmitteldeutschen aus kommt auch SONDEREGGER (1979, 170 f.) zu dieser Entscheidung; allerdings tritt er insgesamt für eine nach Sprachlandschaften differenzierte Abgrenzung der Periode ein.

Als Kriterien für diese Einschnitte werden – neben anderen – meist folgende genannt: In der Mitte des 14. Jh. zeigen sich deutlich Ansätze zu überlandschaftlichen Schreib- und Verkehrssprachen, gut erkennbar vor allem in der Prager Kanzlei Karls IV. Außerdem bilden sich in dieser Zeit im Bereich der Gebrauchsprosa neue Textsorten mit veränderten Vertextungsstrategien und mit speziellen Normen heraus, vgl. z. B. die Flugschriften und Sendbriefe jener Zeit. Und in der Mitte des 17. Jh. hat sich das Mitteldeutsche, besonders das Ostmitteldeutsche, weitgehend auch in den niederdeutschen Städten durchgesetzt (vgl. die Übersicht bei GABRIELSSON 1983, 149; vgl.

ferner SANDERS 1982, 153 ff.; GERNENTZ 1980, 50 ff.). Außerdem sind spürbare Fortschritte des Ausgleichs zwischen dem Ostmitteldeutschen, dem Westmitteldeutschen und dem Ostoberdeutschen zu erkennen. Die Muttersprache erhält vor allem durch die Bibelübersetzungen sowie durch eine größer werdende Zahl unterschiedlicher Textsorten gegenüber dem Lateinischen ein stärkeres Gewicht. Es erweiterte sich der Kreis derjenigen, die muttersprachliche Texte schufen. Nicht wenige dieser Sprachteilhaber wurden sich vor allem im 17. Jh. mehr und mehr des Werdens einer einheitlichen (nationalen) Kultur und damit der Entstehung einer einheitlichen deutschen Sprache bewusst, also des Beginns einer neuen Epoche der deutschen Sprachgeschichte, was sich auch in einem neuen Normenverständnis äußert. Diese Einsichten förderten das Bemühen, den neuen Sprachzustand allgemeingültig zu normieren. Verändert hat sich nicht nur das Sprachsystem, vor allem der Wortschatz, sondern auch die Art seiner Verwendung (vgl. N. R. WOLF 1997, 357 ff.). Erinnert sei vor allem an die Schriften von Ratke, Opitz und Schottelius. Schottelius' Werke „Teutsche Sprachkunst" (1641) und „Teutsche HaubtSprache" (1663) werden mitunter als Markierung für das Ende der Periode gewertet. Geht man von der Vereinheitlichung der wichtigsten Schreibdialekte aus, ist der Abschluss der Periode wohl nicht vor 1700 anzusetzen (vgl. PENZL 1984, 12 f.). Wendet man diesen Gesichtspunkt konsequent an, dann wäre das Ende der frnhd. Periode erst um oder gar nach 1750 erreicht; denn die einheitliche deutsche Schriftsprache hat sich im Oberdeutschen erst im 18. Jh. durchgesetzt. (Vgl. WIESINGER 1990, 411; 1996, 315 ff.; PENZL 1988, 1 ff.; REIFFENSTEIN 1988, 27 ff.; ROELCKE 2000.) Die Bemühungen um eine Normierung der einheitlichen deutschen Schriftsprache werden im 18. Jh. fortgesetzt, sodass sie am Ende dieses Jahrhunderts relativ abgeschlossen sind; davon zeugen u. a. die Arbeiten von Gottsched, Adelung und Wieland.

Von den außersprachlichen Faktoren sind u. a. folgende Phänomene zu nennen: In der Mitte des 14. Jh. festigten sich die deutschen Territorialstaaten, die für die Ausbildung von Sprachgrenzen Bedeutung erlangen. In der Mitte des 17. Jh. geht der 30-jährige Krieg zu Ende; der Westfälische Friede sanktioniert das Ausscheiden der Niederlande aus dem deutschen Reich, wodurch die lange vorher einsetzende Sonderentwicklung des Niederländischen endgültig besiegelt wird.

Als lautlich-phonologische Kriterien werden oft die nhd. Diphthongierung für den Beginn und der Ausgleich des Stammvokals im Präteritum der starken Verben für das Ende der Periode hervorgehoben. Diese Kriterien treffen aber nur bedingt zu und reichen auch nicht aus, um diese Sprachgeschichtsperiode abzugrenzen. (Zur Problematik der Kriterien siehe 0.3 und die dort genannte Literatur, besonders HARTWEG/WEGERA 2005, 22 ff.)

Wir können die frnhd. Periode in drei Abschnitte untergliedern:

1. die Zeit von 1350 bis etwa 1500, das ältere Frühneuhochdeutsch;
2. das 16. Jh. als mittleren Abschnitt, als den „engsten Kernbereich" des Frühneuhochdeutschen (SONDEREGGER 1979, 170), in den also auch das Wirken Luthers gehört;
3. die Zeit bis etwa 1650, das jüngere Frühneuhochdeutsch. Mitunter fasst man den 2. und 3. Abschnitt zusammen und unterscheidet dann also nur zwischen älterem und jüngerem Frühneuhochdeutsch. In diesem Fall wird der allgemein anerkannte Einschnitt um 1500 noch stärker betont.

4.1.2 Räumliche Gliederung

Die frnhd. Grammatik erfasst die Sprache des oberdeutschen und des mitteldeutschen Raumes. Die Entwicklung des Niederdeutschen wird nur in wenigen Fällen einbezogen. Zu beachten ist dabei, dass die zeitliche Gliederung der niederdeutschen Sprachgeschichte nicht mit der hochdeutschen Sprachgeschichte übereinstimmt (s. 0.3).

Die räumliche Gliederung des hochdeutschen Raumes in frnhd. Zeit entspricht im Wesentlichen der in mhd. Zeit (s. 3.1.2, vgl. PIIRAINEN 1985, 1368 ff.). Wir unterscheiden folgende Hauptgebiete:

Das Oberdeutsche
1. das Alemannische (einschließlich des Schwäbischen)
2. das Bairisch-Österreichische
3. das Ostfränkische

das Mitteldeutsche
1. das Westmitteldeutsche
   a) das Rheinfränkische
   b) das Mittelfränkische (das Moselfränkische und das Ripuarische)
2. das Ostmitteldeutsche
   a) das Thüringische
   b) das Obersächsische (Meißnische)
   c) das Lausitzisch-Schlesische
   d) das Hochpreußische (ausgestorben)
   e) das Böhmische (das Deutsche in Böhmen, mit starker Verbindung zum Ostoberdeutschen)

Fasst man die Mundarten zu größeren Sprach-(Schreib-)landschaften zusammen, werden oft vier Räume unterschieden: Westoberdeutsch, Ostoberdeutsch, Westmitteldeutsch, Ostmitteldeutsch. Daneben gibt es auch eine Fünfteilung; dann erhält das Ostfränkische als Nordoberdeutsch entsprechend seinem Charakter als „Kontakt- und Übergangsraum zwischen dem Md. und dem Obd.“ (HARTWEG/WEGERA 2005, 30) eine Sonderstellung; doch ist die Abgrenzung dieses Gebietes vom Nordbairischen aufgrund zahlreicher Gemeinsamkeiten schwierig. Jedoch nehmen das Ostfränkische und das Deutsche in Böhmen (einschließlich der Prager Kanzleisprache) eine Mittelstellung zwischen dem Oberdeutschen und dem Mitteldeutschen ein. Manchmal unterscheidet man noch das Südrheinfränkische als eine Art Übergangszone, die zwischen dem Ostfränkischen/Rheinfränkischen im Norden und dem Alemannischen im Süden liegt (vgl. REICHMANN 2000, 1623 ff.; s. auch Karte 8).

Die Zuordnung eines Textes zu einem Sprachraum ist für das Frnhd. oft noch schwieriger als für das Mhd.; auch hier stimmen die sprachlichen Eigenarten der Schreiber häufig nicht oder nur zum Teil mit den Sprachmerkmalen des Autortextes überein. Die sprachliche Gestaltung wird u. a. durch die Herkunft des Schreibers und die Traditionen der Schreibwerkstätten beeinflusst. Daher enthalten viele Texte Merkmale verschiedener Sprachlandschaften. Ähnliches gilt auch für die sich nach 1450 entwickelnden Druckersprachen. (Vgl. HUGO MOSER 1965, Karte 6; R. E. KELLER 1995, 346 ff., Abb. 12; WELLS 1990, 200 ff.; RIECKE 1998, 23 ff., ferner Kap. 1.5.1; zur Rolle der Druckersprachen als Faktoren des Sprachausgleichs vgl. vor allem HARTWEG/WEGERA 2005, 93 ff.) Die wichtigsten Zentren dieser Druckersprachen sind:

im Bairisch-Österreichischen: Ingolstadt, Wien;
im Schwäbischen: Augsburg, Ulm, Tübingen;
im Alemannischen: Basel, Straßburg, Zürich;
im Ostfränkischen: Nürnberg, Bamberg, Würzburg;
im Westmitteldeutschen: Frankfurt, Mainz, Worms, Köln;
im Ostmitteldeutschen: Wittenberg, Erfurt, Leipzig.

4.2 Schreibung und Aussprache

4.2.1 Schrift und Schreibung

Zur Schrift frühneuhochdeutscher Texte: Die frnhd. Texte sind uns sowohl als Handschriften wie auch – nach 1450 – als Drucke überliefert. Drucke, die in der Zeit bis 1500 entstanden sind, werden als Inkunabeln oder als Wiegendrucke bezeichnet.

Abb. 15: Varianten gotischer Schreibstile (nach HAARMANN 1991, 475)

Bis ins 16. Jh. wurden die meisten Texte mit Hilfe der sogen. gotischen Schrift aufgezeichnet (s. Abb. 15). Dieser Schrifttyp hat sich seit dem 12./13. Jh. aus der karolingischen Minuskel (siehe das Hildebrandslied, S. 64) entwickelt. Er hat außer dem Namen nichts mit der westgotischen Schrift des 4. Jh. gemein. In gotischer Textura ist z. B. die 42-zeilige Bibel Gutenbergs (1455) gedruckt. Die gotischen Kursivschriften verdanken ihre Entwicklung vor allem der Zunahme des Schriftwesens. „Wo viel geschrieben wurde, mußte kursiver geschrieben werden." (MAZAL 1986, 119.) Die verschiedenen Varianten dieses Typs, die im Hoch- und Spätmittelalter weit verbreitet waren, bildeten oft auch die Vorlage für die Druckbuchstaben, die Buchkursive. Durch das Bemühen, schneller zu schreiben, wurden zahlreiche Ligaturen, Abkürzungen und weitere Erleichterungen genutzt, deren Häufung das Lesen mancher Texte erschwert (s. die beiden Texte in Abb. 16).

Neben die verschiedenen Formen der gotischen Buchschrift traten seit dem 15. Jh. zwei neue Schrifttypen: die Fraktur und die Antiqua. Die Frakturschrift ist aus einer Variante der gotischen Schrift, der sogenannten Bastarda bzw. ihrer Sonderform, der Schwabacher, hervorgegangen.

Mitunter wird auch noch der Einfluss einer neuen Renaissanceschrift angenommen. Sie bildet auch die Grundlage für die deutsche Schreibschrift. Die Antiqua, eine aus Italien kommende, von den Humanisten geprägte Schrift, lehnte sich bewusst an ältere (antike) Formen an. Sie hat sich in frnhd. und nhd. Zeit mehr und mehr als die Druckschrift durchgesetzt, allerdings ebenfalls in verschiedenen Varianten. Von ihr ist auch die lateinische Schreibschrift abgeleitet worden.

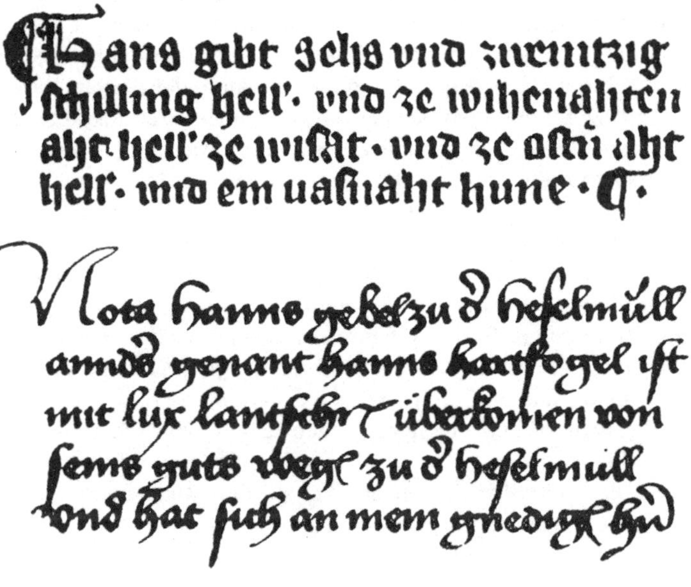

Abb. 16: Gotische Minuskel (14. Jh.) und Gotische Buchkursive (1464)
(nach Sturm 1955, S. 37 und 43)

Fraktur und Antiqua sind also in frnhd. Zeit sowohl die beiden wichtigsten Druckschriften als auch die Grundlage neuer Schreibschriften.

Für die Bestimmung von Texten, deren zeitliche und räumliche Herkunft unbekannt ist, bilden genaue Kenntnisse der gebräuchlichen Schriftformen jener Zeit eine wichtige Rolle (vgl. König 2015, 30 ff.; Philipp 1980, 19 ff.; Haarmann 1991, 471 ff.).

Zur Schreibung: Während der Phonembestand des Frühneuhochdeutschen weitgehend mit dem des (normalisierten) Mittelhochdeutsch übereinstimmt, existieren in der Schreibung größere Unterschiede, die schon bei einem flüchtigen Vergleich beider Sprachzustände ins Auge fallen. Die Besonderheiten in der Schreibung frnhd. Texte zeigen sich u. a. in Unregelmäßigkeiten bei der Bezeichnung langer und kurzer Vokale sowie in der unmotivierten Häufung insbesondere von Konsonanten. Diese Eigenarten sind mitunter diktiert von der Freude am Ausmalen, von der Absicht, Wörter zu längen und Zeilen zu füllen. Entscheidend für den hohen Grad an Varianz der Schreibung ist zweierlei: Zum einen werden die verschiedenen Prinzipien der Schreibung – das phonologische, das historische, das morphologische und das semantische –

nicht konsequent realisiert; zum anderen sind zahlreiche Varianten durch die Situation (Partner, Textfunktion u. a.), durch den Raum (Dialekt), die Tradition der Schreibwerkstatt und die Zeit bedingt (vgl. Frnhd. Grammatik 1993, 18 ff.). Besonders für das ältere Frnhd. ist das Fehlen einheitlicher Schreibnormen charakteristisch.

Als überholt gilt heute die Meinung V. MOSERS (1929, Bd. 1.1., §§ 1 und 28 f.), dass bis in das 16 Jh. hinein die Orthographie in zunehmendem Maße verwahrlost sei. FLEISCHER (1965) weist mit Recht darauf hin, dass auch im Frnhd. die Zahl der Varianten begrenzt gewesen sei, da sonst die Verständigung gefährdet gewesen wäre. Denn eine gewisse Systemhaftigkeit als Voraussetzung für das Funktionieren der Sprache ist auch damals, besonders in den Kanzleien, anerkannt worden. Auch V. MOSER betont nicht nur die „Sinnlosigkeit" dieser Schreibweise, sondern zeigt, dass manche Konsonantenhäufung durchaus ihre Funktion besaß. Hinzu kommt, dass z. B. bestimmte Varianten innerhalb einer Druckersprache nur unter bestimmten Bedingungen, also relativ selten, gebraucht worden sind und dass im Laufe der Periode die Zahl der Graphemvarianten eingeschränkt worden ist. Das wird auch daran deutlich, dass die Vokalgraphie im jüngeren Frnhd. der gehobenen Schreibtradition nur 25 Zeichen umfasste. Die Zahl der Graphe für die Konsonanten war allerdings wesentlich größer (vgl. die Übersicht in der Frnhd. Grammatik 1993, 19; vgl. ferner KETTMANN 1987, 21 ff.). Aber noch bei Luther kommen zahlreiche unterschiedliche Schreibungen vor (vgl. H. BACH 1974). Auch bei der Schreibung im Frnhd. sollte man zwischen Usus und Norm unterscheiden.

Daher lässt sich trotz aller Besonderheiten der Schreibung in frnhd. Zeit aus den Texten – zumindest für das jüngere Frnhd. – ein weitgehend einheitliches Grapheminventar, quasi ein Archisystem, abstrahieren; vgl. die Darstellung bei N. R. WOLF (2000, 1527 ff.), wo auch auf einige wichtige Varianten (Allographe) hingewiesen wird. In der Übersicht zu den Vokalgraphemen fehlen zwar die Umlautgrapheme <*ö*> und <*ü*>, doch werden sie in die folgenden verbalen Erläuterungen einbezogen. (Zur Vielfalt der Schreibvarianten der Vokale und Konsonanten vgl. Frnhd. Grammatik 1993, Kap. II; HARTWEG/WEGERA 2005, 123 ff.)

4.2.1.1 Vokalzeichen

Umlaute: Dass man sich in frnhd. Zeit der phonetisch-phonologischen und grammatischen Bedeutung der Umlaute stärker bewusst wird, zeigen Ausführungen in zeitgenössischen grammatischen und orthographischen Werken zur Schreibung und Aussprache dieser sprachlichen Zeichen. FRANGK (1532, I VJ V – I VIJ R) nennt die Umlaute *halp duplirte ſtimmer* [Vokale R.B.], die er folgendermaßen charakterisiert:

> *Es ſein auch drey ſonnderliche ſtimmer / als nemlich /aͤ oͤ uͤ/ die man halp duplirte nennen moͤcht / Weil ſie das mittel ʒwuͤſchen den eintzeligen vnd duplirten halten / vnd auff eine ſonndere art jr ausſprache haben / Werden bei den alden / mit einem kleinen vberſchriebenen e betzeichnet / drumb das ſie ſamptlich/ vnd ein jdlicher in ſonderheit / halb aus dem e herkommen / als ſchrieb man ſie alſo / ae oe ue / Itzunt aber / werden ſie gewoͤnlich / mit ʒweyenn puͤnctlin (vbereinander geſeʒt) beʒeichnet / Ire recht auſſprechung / in dieſen nachgeseſetʒten vnd anndern worten /gemerckt wirdt / Als / taeglich / moͤglich /huͤbſch etc.*
>
> (Orthographia 1532, Abschnitt *Wie die Schlechten / auch duplirten lautbuchſtaben odder Stymmer ſollen rein auſgeſprochen werden.*)

Ähnlich beschreibt auch KROMAYER (1618, 2) die Umlaute: *Hieher gehoͤren die dreye mit ʒweyen dippelein oder kleinen puͤnctlein oben geʒeichnet /welche faſt so viel gelten als e oder i / oder y. ä / ö / ü / aͤ / oͤ / uͤ. Als: Ʒufaͤlle /oͤde /druͤber / etc.*

Zur Kennzeichnung der Umlaute werden insbesondere darüber gesetzte Vokale, vor allem <*e*> oder andere diakritische Zeichen (häufig Punkte) verwendet. Konsequent geschieht dies von Anfang an nur bei den Umlauten von /*a, a:, ao*/; allerdings gibt es auch hier keine einheitlichen Grapheme. Für den Umlaut von /*a*/ werden außer <*e*> besonders <*aͤ*> und <*ä*> benutzt. Bei allen anderen Vokalen ist die Umlautkennzeichnung nur im Oberdeutschen die Regel. Im Mitteldeutschen, besonders im Ostmitteldeutschen, unterbleibt in vielen Fällen die Kennzeichnung des Umlauts. Hier dringt sie erst im 15. und 16. Jh. durch. Bei anlautendem /*u*/ und /*uo*/ fehlt sie meist noch am Ende des Frnhd. Sonst wird im 17. Jh. der Umlaut in der Regel durch ein <*e*> über dem betreffenden Vokal markiert (vgl. Hartweg/Wegera 2005, 129.; Frnhd. Grammatik 1993, 34 ff.).

<**y**> wird in frnhd. Zeit verstärkt aus dem Griechisch-Lateinischen in die deutsche Sprache übernommen; z. T. ist es durch Ligatur (Buchstabenverbindung) aus <*ij*> entstanden. Es steht für <*i*> und <*j*>: *kynd, yetz.* Seit dem 16. Jh. geht sein Gebrauch zurück, es kommt aber selbst im 18. Jh., vereinzelt sogar noch im 19. Jh. vor, z. B. *einerley, meynt* (Gottsched) *Geschrei, vorbey* (Goethe 1777), *bey, freylich, May* (Adelung 1793), *Juny* (1857). In Eigennamen begegnet uns diese Schreibweise noch heute, z. B. *Mayer.* Selten ist <*y*> Ersatz für <*ie*>, z. B. *history, dy, Kytz* 'Kietz'.

Diphthonge:
<**ai, ay**> ist bis ins beginnende 16. Jh. vornehmlich bair. und schwäb. Zeichen für mhd. <*ei*> im Gegensatz zu dem aus mhd. /*i:*/ entstandenen jüngeren Diphthong, der meist mit <*ei*> oder <*ey*> wiedergegeben wird. Später finden wir auch im Oberdeutschen <*ei*> für mhd. <*ei*>, z. B. *ein, zeigt* (S).

<**au, aw, ow**> und <**eu, ew, äu**>, die Zeichen für die beiden anderen steigenden Diphthonge, zeigen keine klaren landschaftlichen Unterschiede. Mitunter deutet eine verschiedene Schreibweise wie bei <*ai, ei*> auf die unterschiedliche Herkunft der Diphthonge hin (s. 4.3.1.1 und 4.3.1.2). Am Ende der frnhd. Periode steht <*äu*> fast immer für den Umlaut aus mhd. /*ao*/. (Zur Fülle der Varianten für die Schreibung der Diphthonge aus mhd. /*ü:*/ und /*öu*/ vgl. die Übersicht bei Hartweg/Wegera 2005, 130; Frnhd. Grammatik 1993, 56, 60.)

<**ie, ů (uo), ue, üe**> sind im Oberdeutschen (im Ostfränkischen nur im westlichen Teil) Diphthongzeichen für mhd. /*ie, uo, üe*/ im Gegensatz zu den Graphemen <*i, u, ü*>, die mhd. /*i, i:, u, u:, ü, ü:*/ entsprechen.

Bezeichnung der Länge
Auch hier gibt es im Frühneuhochdeutschen keine Einheitlichkeit. Oft wird sogar das gleiche Wort im selben Text verschieden geschrieben. Erst in der 2. Hälfte des 16. Jh. beginnen bestimmte Schreibungen fest zu werden, ohne dass sich klar abgrenzbare Regeln durchsetzen. Hierin liegt eine der Ursachen für die Schwierigkeiten der heutigen Orthographie.

Die Verdoppelung von Vokalen ist seit dem 14. Jh. zu beobachten. Im 15. Jh. nimmt sie stärker zu, besonders im Oberdeutschen. Im Ostmitteldeutschen finden wir Doppelvokale in größerer Anzahl erst in späterer Zeit. Am häufigsten kommt <*ee*> vor, besonders für mhd. /*e:*/. Auch <*aa*> wird des Öfteren verwendet, vor allem im Alemannischen, z. B. *spraach* (F). Selten kommen <*ii*> und <*oo*> vor, ganz vereinzelt tritt <*uu*> auf.

<*e*> verliert durch die frnhd. Monophthongierung im Diphthong /*ie*/ seinen Lautwert (s. 4.3.1.2). Dadurch kann es zum Längezeichen werden. Eine gewisse Regelmäßigkeit in seiner Anwendung wird erst im späteren Frnhd. erreicht. Im Oberdeutschen ist dieses Längezeichen zunächst unbekannt, da hier die Monophthongierung in den Mundarten meist nicht eingetreten ist. Stärker setzt es sich in diesem Raum erst im 17. Jh. durch. In manchen oberdeutschen Drucken tritt es selbst in dieser Zeit noch nicht auf.

Im Mitteldeutschen, besonders im Westmitteldeutschen, werden <*e*> und <*i* (*y*)> auch zur Kennzeichnung der anderen langen Vokale benutzt: *jaer, jair, broid, broeder*. Einige Familiennamen haben diese Schreibweise noch heute, z. B. *Voigt*. Diese Längenbezeichnung gibt es auch in niederdeutschen Mundarten, vgl. den Ortsnamen *Soest*, im Mittelniederdeutschen auch *Soist* geschrieben.

<*h*> konnte – wenn auch erst später – zum Kennzeichen eines vorangehenden langen Vokals werden, weil es im In- und Auslaut in vielen Fällen verstummt ist (s. 4.3.2.3). Durch Analogie ist es von den historisch berechtigten Fällen (z. B. mhd. *sehen*) auf andere Formen übertragen worden, vgl. mhd. *êre*, nhd. *Ehre*. Auch dieses Zeichen wird im Mitteldeutschen früher und häufiger benutzt als im Oberdeutschen Nach FRANKE (1913, Bd. 1, § 20) kommt <*h*> als Dehnungszeichen im Mitteldeutschen vereinzelt schon im 12. Jh. vor; doch setzt es sich erst in der 2. Hälfte des 16. Jh. und in der 1. Hälfte des 17. Jh. durch. Im Oberdeutschen ist es bis zur Mitte des 16. Jh. wenig bekannt, erreicht aber bis zum Ende des 17. Jh. etwa die gleiche Verwendungsbreite wie im Ostmitteldeutschen. Die Schreibung schwankt jedoch oft, und die Längenbezeichnung unterbleibt häufiger als in der Gegenwart, auch bei Wörtern, die schon mhd. einen langen Vokal bzw. einen Diphthong haben, z. B. *jar, hun* (L) (s. auch Abschnitt 4.2.1.2).

Bezeichnung der Kürze

Im Allgemeinen wird angenommen, dass bis ins Mittelhochdeutsche Doppelkonsonanz nur dort stand, wo sie wirklich gesprochen wurde. Nach SZULC (1987, 121) ist die Opposition Simplex : Geminata im Mhd. zum Teil noch erhalten, vor allem bei /*ff*/, /*nn*/ und /*ll*/; doch über die Aussprache der Doppelkonsonanten „läßt sich für die historischen Sprachstufen nichts Sicheres aussagen" (PAUL 1998, 129). Beim Übergang zum Frühneuhochdeutschen geht diese Opposition, soweit sie noch existierte, verloren, d. h., die Aussprache wird vereinfacht, indem nur noch ein Konsonant gesprochen wird. In der Schreibung bleibt jedoch die doppelte Konsonanz erhalten. Daher sieht es in der Schrift jetzt so aus, als ob die Kürze eines Vokals durch Doppelkonsonanz gekennzeichnet würde. Aus diesem Grunde setzt man im Frnhd. oft auch dort die doppelte Konsonanz ein, wo sie nie gesprochen worden ist: mhd. *site* > frnhd. *sitte*, mhd. *kan* > frnhd. *kann*. Besonders im älteren Frnhd. tritt jedoch Doppelkonsonanz auch in anderen Fällen auf (s. 4.2.1.2).

Die Übertragung der Doppelkonsonanz in den Auslaut zeigt das Bestreben, die Schreibung der Stammformen einheitlich zu gestalten; jedoch steht im Frnhd. im Gegensatz zum Nhd. des Öfteren auch nach kurzem Vokal nur ein Konsonant: *from, komen, sol, man* 'Mann'.

4.2.1.2. Konsonantenzeichen

Häufung verschiedener Konsonanten

Eine Ursache für diese Erscheinung, zu der auch die Häufung von Varianten eines Graphems gehört, besteht darin, dass im Frnhd. jedes Graphem durch unterschiedliche Graphe repräsentiert werden kann. Die Affrikata */ts/* erscheint in sehr verschiedenen Schreibungen: u. a. <*tz, zc, tcz, zzc, czc, czz*>. Diese Graphemvarianten kommen sowohl im In- und Auslaut als auch – allerdings seltener – im Anlaut vor; z. B. *viertzig, hercz, besiczen, zcu, czum*. Im Allgemeinen überwiegen jedoch die Zeichen <*z*> und <*tz*>.

Auch das Graphem <*k*> wird durch unterschiedliche Graphe gekennzeichnet, u. a. durch <*k, kh, ck, gk, ch, c, x, q*>. <*c*> und <*ch*> stehen häufig in Wörtern griech.-lat. Herkunft, z. B. *cristall, Christus, capitel, Consilium, copuliren*; <*ch*> und <*kh*> markieren im Oberdeutschen mitunter die Affrikata */kx/*, sind also Ergebnis der 2. Lautverschiebung; doch ist der Lautwert dieser Zeichen nicht immer genau zu bestimmen. (S. auch Abschnitt 4.3.2.1.) <*kk*> und <*ck*> stehen ursprünglich meist nach kurzem Vokal, später aber auch nach langem Vokal und Diphthong (*gauckeln*) und nach Konsonanten (*danck, mercken, trincken*).

Konsonanten wird oft ein <*h*> angehängt. Anfänge dieser Schreibweise gibt es schon im Mittelhochdeutschen Sie erreicht im 15./16. Jh. ihren Höhepunkt (vgl. *thadeln, vorrhad* (L)) und hat sich in Resten bis in den Anfang des 20. Jh. erhalten: *Thaler, Theil, thun*. Heute kennzeichnet es oft die Schreibung von Fremdwörtern, vgl. *Theater, Theorie*, doch kommt es auch noch in deutschen Wörtern vor, vgl. *Thale, Thing, Thüringen*. Ob <*h*> vor dem Vokal als Zeichen der Länge fungiert, ist umstritten. H. BACH (1974, 377) meint, es handele sich meist um Einfluss der griech.-lat. Orthographie oder um historische Schreibweise. Häufiger steht <*h*> als Längezeichen hinter dem Vokal: *taht, tohr*.

Seit der 2. Hälfte des 15. Jh. wird für <*d*> oder <*t*> des Öfteren <*dt*> geschrieben, z. B. *endthen, kundte, todt*. Diese Fälle sind von den historisch entstandenen Verbindungen zu unterscheiden: *er redet* > *er redt*; *geredet* > *geredt*.

Für <*g*> steht oft <*gk*>. Da diese Verbindung vor allem im Auslaut auftritt, kennzeichnet sie wahrscheinlich die Auslautverhärtung: *bergk, gangk*. <*gk*> kommt auch für <*k*> vor. Viellcht soll die Einfügung des <*g*> nach Nasalen den gutturalen Nasal andeuten: *angker, Frangkfurt, zangken, Fabian Frangk*.

Verdoppelung von Konsonanten

Konsonanten werden im Frnhd. häufig verdoppelt: *Pottstamb* 'Potsdam'. Das gilt sogar für Affrikaten; so steht z. B. für */pf/* auch <*pff, ppff, ppf*>, z. B. *pffenning* (ZA). Besonders oft tritt die Verdoppelung im Inlaut nach kurzem Vokal auf (in Anlehnung an die eigentliche Gemination). Daraus entwickelt sich der Grundsatz, kurze Stammsilbenvokale durch Verdoppelung des folgenden Konsonanten zu kennzeichnen: *ann, sack, vadder, vnndt*.

In den Fällen, in denen später eine Dehnung des ursprünglich kurzen Vokals eingetreten ist (s. 4.3.1.3), wird die Verdoppelung wieder rückgängig gemacht: *fedder/feder, gebben/geben*. Ebenso geschieht dies im Auslaut und vor mehrfacher Konsonanz. Weitaus seltener ist die Verdoppelung im In- und Auslaut nach langem Vokal, nach Diphthong sowie nach einem Konsonanten: *auff, eynn, Gauckelspiel, guͤtter, der ratt, wortte, zukunfft*. In einigen Dialekten, z. B. im Bairischen, kann die Doppelkonsonanz eine Fortis anzeigen: *kauffen*. Mitunter kommt Doppelkonsonanz sogar nach unbetontem Vokal vor, z. B. *gebenn, siebenn, sprachenn, teuffell*.

Neben <*ſſ (ss)*> steht oft auch <*ſs*>, z. B. *ſaſs, groſs*. Für diese Schreibung setzt sich später <*ſz, ß*> durch: *beſzer, füße, heißen*. Die Verbindung *sz* für diesen Laut, die dem Zeichen ja auch seinen Namen gegeben hat, hat sich zum Teil bis in die Neuzeit gehalten. So schreibt z. B. Jacob Grimm, allerdings nur nach Lang- und Kurzvokal und Diphthong im (gedeckten) Auslaut, konsequent *sz*: *blosz, musz, heiszen* („Ueber das pedantische in der deutschen sprache", 1847).

4.2.1.3 Zeichen mit vokalischem und konsonantischem Wert

<i, j, y>: <*i*> und <*j*> treten etwa ab 1400 je nach ihrer Stellung als Vokal oder Konsonant auf: <*j*> steht im Anlaut für den Vokal und für den Konsonanten: *jrer, jrdisch, jar*; doch gibt es Ausnahmen: *iunger*. Im Inlaut steht in der Regel für beide Laute <*i*>: *himel, nåien*. Im Auslaut tritt <*j*> als Vokal selten auf.

Erst im 17. Jh. beginnt man in mitteldeutschen Drucken zwischen dem Vokal <*i*> und dem Konsonanten <*j*> zu unterscheiden. <*y*> wird ebenfalls als Vokal und als Konsonant verwendet, jedoch nicht so häufig wie <*i*> und <*j*>: *ym, yamer*. Doch noch Goethe schreibt 1772 *ietzt*.

<u, v, w>: Auch bei diesen drei Allographen macht sich seit dem 15. Jh. eine Tendenz zur Trennung nach der Stellung im Wort bemerkbar: <*v*> steht als Vokal vor *n, m* und als Konsonant vorwiegend im Anlaut, z. B. *vnwert, vnuleis* 'Unfleiß', *vater*; <*u*> steht im sonstigen (Silben-)Anlaut und im Inlaut, vgl. *uaſtnaht, Graven, uber, gerechtuertigt, darumb, freuel*. Eine Trennung zwischen dem Zeichen für den Vokal und dem für den Konsonanten setzt sich hier erst spät durch. Die heutige Unterscheidung gilt etwa seit 1650. Sie wird u. a. von SCHOTTELIUS gefordert.

<w> wird als Zeichen für einen Vokal seltener verwendet: *schw* 'Schuh', *zwcht* 'Zucht'. Häufiger tritt <*w*> als zweiter Bestandteil von Diphthongen auf: <*aw, ew, ow*>, und zwar besonders im Auslaut sowie dort, wo im Mhd. <*w*> Element des Stammes ist, z. B. *bawen, newe, fewrig*.

Am Ende der frnhd. Periode werden die Vokal- und die Konsonantengrapheme fast immer streng getrennt. Eine Ausnahme hat sich bis in die Gegenwart gehalten, nämlich <*u*> für /v/ in der Graphemkombination <*qu*>, vgl. z. B. *Qual*. Doch geht dieser Prozess der Differenzierung langsam vor sich. KROMAYER weist noch in seiner Grammatik (1618, 2) auf den doppelten Lautwert verschiedener Buchstaben hin: *Das w gilt bißweilen ſo viel als der Vocal u. Als: Ewer / thewer. Wiederumb das j vnd v gelten bißweilen ſo viel als die Conſonanten g vnd f. Als: Jung / vor.* Er selbst verwendet ferner *u* und *v* sowie *i* und *y* sowohl als Vokal wie auch als Konsonant.

4.2.1.4 Abkürzungszeichen

Im älteren Frnhd. werden z. T. die gleichen Abkürzungszeichen wie im Mhd. verwendet. Nach FRANGK (1532, L iij v) gehen verschiedene Abkürzungen auf den Einfluss des Lateinischen zurück:

> *AVch ſol man nichts frembds vnůbigs vñ abgethanes brauchen / Nämlich / der Titel vnd abbreuiaturn / odder verkůrtzerungen/ ſo im latin vbig ſein* [...] *Eins find ich leidlich vnd vbig / das beim end eins worts an ſtat des e (wenn das n zunehſt folget) offtmals ein tittell geſatʒt wird / als nebñ harrñ / hoffñ etc.* [...]
> (FRANGK, 1532, Abschnitt *Das nichts frembds abgethanes eingefůrt werd.*)

Im Frnhd. treten folgende Zeichen relativ häufig auf:

(1) *– oder ~ über einem Vokal steht für folgendes* <*m*> *oder* <*n*>: *hĩel, frẽder, segẽ, niemā̃dt*; in Handschriften erscheint dafür oft ein ˆ über dem Vokal. Steht ein solches Zeichen über <*m*> oder <*n*>, so bezeichnet es meist die Verdoppelung des Konsonanten: *kom̃en, deñ.* Diese Schreibweise hat sich teilweise bis in die Gegenwart erhalten. Seltener ersetzt es einen anderen folgenden Konsonanten oder ein vorangehendes <*e*> in Nebensilben, z. B. *vñ* 'und', *gebñ.*

(2) 'über oder nach einem Vokal vertritt, vor allem im älteren Frnhd., ein <*r*>, z. B. *já, wase'*, über einem oder nach einem Konsonanten den Lautkomplex *-er*, z. B. *w'den, vns', v'altet, od'.* Das Zeichen hat in den Handschriften eine unterschiedliche Form; oft wird es mit dem vorhergehenden Buchstaben verbunden (s. Abb. 16). Die gleiche Funktion erfüllt mitunter der Zirkumflex, z. B. *d^.*

(3) Auch der nachgesetzte Punkt wird als Abkürzungszeichen genutzt. Er kann fast an allen Stellen eines Wortes gesetzt werden: *mayest., m.* 'mich', 'mir', *pr. nr.* 'Pater noster'. Oft wird er in formelhaften Wendungen gebraucht: *G. u. F.* 'Gnade und Friede'. *E. F. G. williger Martinus Luther D* 'Euer Fürstlicher Gnaden …'.

(4) In kurzen Wörtern der Buchstabenfolge Konsonant, Vokal, Konsonant fällt der Vokal oft aus, vgl. *dz* 'das', *wz* 'was'. Darüber hinaus kennt insbesondere die Schreiberpraxis weitere Abkürzungszeichen, u. a. Ligaturen. Die wichtigsten Abkürzungen Luthers in seinen deutschen Briefen verzeichnet MOULIN (1990, 71 ff.). Vgl. für die kursächsische Kanzleisprache der Lutherzeit KETTMANN (1969, 15 f.), ferner die „Beichte des Cunrad Merbot von Weida“ (nach METTKE 1958, 20 ff.):

Ich sundig' mensche Ich bekeñe gote
vnd syn' libe mut' ma' iaz vũd allẽ gotP
heilign̄ vñd ũch p'st° in gotP stat. aller mý
n' sundȳ.“
[…]
Der erste výnt daz ist der lichnā daz
ich dem gefulgit habe yn allir ytelkeýt
vñd ýn alln̄ an fechtũge. daz ich em nicht
wed'standý habe mýt kreftygý gelauwý
daz ru. mich und yst m' leyt. […] *Ich habe gesũ*
digit mẏt der dritten sũde daz ist der bo
ze geýst daz ich deme gefulgit habe
zcu aller stũde zcu welch' zceýt h' mich
an gefűchte hat myt trawmey mt.
bozẽ gedankȳ dy wed' gote sint ge
west. vñd wed' myne arme zele daz.
r. m. u. ist m'leyt. […]
Ich habe gesũdigit zcu dẽ and'n mAle
daz ich sȳne werdn̄ nAmẽ offte vñd dig
ke gekrenkit habe mýt mynẽ eyden
gesworẽ habe bý sȳnẽ nAmẽ sýn'
mut'. bý synẽ blute bý syn' mart'. bý al
len dingn̄ dy gote an gelegit syn
daz ruwet mich u. i.m' leyt. […]”

P steht hier für *-es, -is,* ° für *-er.*

(Der Text der Beichte ist mit aufgelösten Abkürzungen in der Wiss. Zs. der Fr.-Schiller-Universität Jena, Jg. 1955/56, Heft 6, S. 735–740, veröffentlicht.)

Die Ausschnitte sind auch geeignet, Besonderheiten der Interpunktion, der Schreibung und der Lautung eines ostmitteldeutschen Textes des älteren Frnhd. zu erfassen.

Manchmal haben Buchstaben die Funktion von Ziffern. Dieser Gebrauch ist aber nur bedingt zu den Abkürzungszeichen zu zählen. In diesen Fällen entspricht ein <*i*> oder <*j*> der 1, ein <*v*> der 5, ein <*x*> der 10. Luther hat diese Schreibweise teilweise bei der Niederschrift seiner Fabeln benutzt, z. B. *iiij* (= 4), *vj* (= 6).

4.2.1.5 Zusammenschreibung und Trennung der Wörter

Auf diesem Gebiet sind – besonders im älteren Frnhd. – noch keine festen Regeln zu erkennen. Wortgruppen, die auf dem Wege zum Kompositum sind, werden häufig noch getrennt geschrieben: *sunnen schyn, Vatter Land, zu friden, da mit, dar vnd', ein ander, haupt Artickel, Priester weyhe*, CANZLEY UND TITEL BUECHLIN (FR 1532). Schwankungen gibt es mitunter bei der gleichen Fügung: *Ern vest/Ernvest* 'ehrenwert' (FR 1532, a. a. O.). Sogar in einem Satz kommen bei ihm verschiedene Schreibungen vor: *heuptsprachen / heupt sprachen.*

Noch bei SCHOTTELIUS (1663) stehen folgende Varianten bei Komposita: *das alt Saͤchsische, Mit=uhrsache, Consistorial-Raht, Hochteutsch.* Der Bindestrich deutet den Übergang zum Kompositum an. In seinem Werk „HaubtSprache" (1663, 195) heißt es jedoch: Wörter und Silben, „welche wesentlich zusammen gehoren / sollen billig unzerteihlt […] und unzertrennet geschrieben werden […]". Doch noch Goethe schreibt 1777: *zu erst, Selzer Wasser.* Selbst im 19. Jh. kommen Varianten in der Schreibung von Komposita vor, vgl. z. B.: *Polizei Direction, Polizei-Direction, Polizei=Direction, Polizeidirektion* (Polizeiakten 1857/58). Im Grunde sind die Unsicherheiten in der Getrennt- und Zusammenschreibung bis in die Gegenwart geblieben. Die Problematik ist auch durch die Orthographiereform 1996 ff. nicht gelöst worden, auch wenn die jüngsten Korrekturen (2006) einige Unsicherheiten beseitigt haben. (S. Abschnitt 1.8.4.)

Andererseits werden auch selbständige Wörter zusammengeschrieben: *herwirt* 'Herr Wirt', *diehherberg, zemercken* 'zu merken', *zeuͤben* 'zu üben'.

Die Trennung der Wörter am Zeilenende ist bis ins 2. Viertel des 16. Jh. nicht an die Silbengrenze gebunden, sondern kann nach jedem Buchstaben erfolgen: *Artick-el, Empoͤrung-en, gesch-opf, Sch-rifft* (L 1534). Sehr oft werden keine Trennungsstriche gesetzt: *Buch ſtaben, da rinnen, ge noſſen, Oberschri fft, Schlos herrn, wech ſſel* (FR 1532), *ge gen, Hir te* (L 1534). Seit dem 16. Jh. setzt sich immer stärker die Trennung nach Sprechsilben durch.

4.2.1.6 Großschreibung

Die großen Anfangsbuchstaben (Majuskeln) sind ursprünglich ähnlich wie die Satzzeichen Hilfen für das Lesen. Am Beginn eines Textes (Textteiles) kommen sie mitunter schon in ahd. und in mhd. Zeit vor, und zwar meist als Schmuckinitialen. Das gilt auch noch für das Frnhd. Mitunter wird den Schmuckinitialen ein zweiter Großbuchstabe hinzugefügt: *WEr.* Seit dem 13. Jh. verwendet man die Großbuchstaben schon häufiger am Anfang eines Absatzes und einer Strophe. S. Brant setzt in seinem „Narrenschiff"

(1494) den Großbuchstaben konsequent nur am Beginn einer Zeile ein. Zur Kennzeichnung des Satzbeginns kommt die Majuskel erst seit dem 16. Jh. ziemlich regelmäßig vor. Auch im Innern eines Satzes wird sie im älteren Frnhd. schon benutzt. In allen diesen Fällen hat der Großbuchstabe die Funktion, einen Sprecheinsatz zu kennzeichnen, also Lesehilfe zu sein.

Seit spätmhd. Zeit wird eine zweite, eine semantische Funktion des Großbuchstabens erkennbar: die Hervorhebung eines Wortes innerhalb eines Textes. Obwohl dieser Gebrauch nicht auf eine Wortart beschränkt ist (vgl. *Jüdisch, Ewer, Ihr, Keiserlich, dem Edlen Herrn, Dem Durchleuchtigisten Hochgebornen Fürſten vnd Herrn, „Alhier lieget begraben der Weÿland Hoch und Wohlgebohrene Herr / Herr Jacob Paul Freÿ=Herr von Gundling“* (Teil einer Grabinschrift in Bornstedt bei Potsdam); (zur Großschreibung von Attributen innerhalb von Anreden an Adlige vgl. Frangk 1532,F vij r – H vij v). Jedoch trifft sie vor allem auf die Substantive zu. Am schnellsten setzt sich die Großschreibung bei den Eigennamen durch. Vereinzelt findet man sie schon in mhd. Zeit. Doch noch auf Dürers Zeichnung seiner Mutter von 1514 steht: *Dz ist albrecht dürers muter.* Bei den übrigen Substantiven breitet sich die Großschreibung erst in der 2. Hälfte des 16. Jh. stärker aus, doch kann man noch lange eine schwankende Schreibweise feststellen. Im „Buch von der Deutschen Poeterey“ (1624) schreibt Opitz noch des Öfteren die Substantive klein, vgl. *eigenschafft, gebrauch, jahr* (neben *Jhar*),) *preiß*. Doch im Allgemeinen gilt im 17. Jh. die Großschreibung der Substantive nahezu als Regel. Allerdings bleiben Ausnahmen bestehen: *brünnlein* (Matrikel der Universität Wittenberg 1644).

Trotz allen Schwankens lassen sich also mehrere Gesichtspunkte feststellen, nach denen man in frnhd. Zeit zur Großschreibung übergeht: Früh und oft wird der Großbuchstabe am Beginn eines Absatzes und am Satzanfang verwendet. Im letzteren Fall hat die Majuskel auch die Funktion eines Satzzeichens. Darüber hinaus werden Eigennamen und andere Substantive großgeschrieben. Zunächst sind es nur solche Substantive, die den Eigennamen nahestehen, z. B. Titel (*Bapst, Keiser, Churfürst*), weitere Personenbezeichnungen und Kollektivbegriffe (*Apostel, Mensch, Münch, Welt*); ferner werden Wörter, die etwas Verehrungswürdiges bezeichnen – vor allem aus dem religiösen Bereich (*Christ, Geist, Evangelium, Sacrament, UNser Vater*) – früh mit großem Anfangsbuchstaben geschrieben. Bei den Nomina sacra verwendet man des Öfteren mehrere Majuskeln, vgl.: *AMEN, GOTT, HErr*. In Verlautbarungen von Vertretern des Hochadels werden die Personalpronomen (1. Sgl. und Pl.) bis in die Neuzeit großgeschrieben (pluralis majestatis): *So wollen Wir, daß in dem von Uns gestifteten Waysenhause* [...] (Friedrich Wilhelm I., 1724).

Auch in der Gegenwart hat der Großbuchstabe mitunter eine ähnliche Funktion zu erfüllen. Nicht selten werden heute Großbuchstaben verwendet, um ein Wort oder ein Wortteil hervorzuheben, vgl.: *UNOrdnung, PorNO, HERRschaftssystem*. Hierhin gehört auch Groß-I als Binnen-Majuskel, das die Gleichberechtigung von Frau und Mann zum Ausdruck bringen soll, z. B. *LehrerInnen, BürgerInnen*. Relativ häufig wird auch der Anfangsbuchstabe des zweiten Teils eines Kompositums großgeschrieben: *BahnCard, Bad SaarowCenter, SaarowTherme, WeltTrends*.

In den Schriften Luthers setzen sich die Prinzipien der Großschreibung relativ schnell durch. Im „Sendbrief vom Dolmetschen“ (1530) sind außer den Satzanfängen und den Eigennamen fast nur die Wörter großgeschrieben, die hervorgehoben werden sollen (*Christus, Deutsch, Esel*, s. die Textprobe im nächsten Abschnitt). Nach FRANKE, Bd. 1, 1913, sind in etwa zehn Jahren wesentliche Fortschritte erzielt worden. Waren es 1532 außer den Eigennamen nur solche Substantive, die einen hohen Rang bezeichnen (*König, Fürst*), so werden 1540 etwa 80 % auch der Substantive, die nicht Eigennamen sind, großgeschrieben.

In der Wittenberger Ausgabe der „Christlichen Geseng“ von 1542 sind fast alle Substantive großgeschrieben. Andererseits zeigt sich hier und auch noch in der Bibel von 1545 die Wirkung des Prinzips, nur betonte Substantive mit großem Anfangsbuchstaben zu schreiben, worin die Funktion der Lesehilfe nachwirkt: „Dein auge sol sein nicht schonen, Seel vmb seel, Auge vmb auge, Zan vmb zan, Hand vmb hand, Fus vmb fus.“ (Nach FRANKE, Bd. 1, 1913, § 32.) Auch in den handschriftlichen deutschsprachigen Briefen Luthers zeigt sich eine ähnliche Tendenz bei der Großschreibung der Substantive. In den anderen Bereichen der Grammatik und der Lexik gibt es jedoch im Gebrauch der Majuskel zwischen Handschrift und Druck z. T. deutliche Unterschiede (vgl. MOULIN 1990).

Seit der Mitte des 16. Jh. fordern einige Grammatiker die Großschreibung der Substantive, doch dauert es noch lange, bevor sich eine einheitliche Regelung durchsetzt. So schreibt noch KROMAYER in seiner „Deutschen Grammatica“ (1618) zwar die meisten Substantive groß, doch werden allein in seiner Vorrede u. a. noch folgende Substantive kleingeschrieben: *achtung, anleitung, fleiß, henden, hulffe, vbung, verbeſſerung, Verfertigung, werck, wolfart* ‘Wohlfahrt’, *zeit.* Erst durch GOTTSCHED wird die Großschreibung aller Substantive sanktioniert. (Zur Gesamtentwicklung vgl. BERGMANN/NERIUS 1998, bes. 963 ff.)

4.2.1.7 Interpunktion

Im Mittelhochdeutschen gibt es noch keine geregelte Interpunktion. Als Satzzeichen kommen vor allem der Punkt und (seltener) die Virgel vor. (Die Virgel besteht im Original oft aus einem Punkt mit einem darüber gesetzten Haken.) Beide dienen der Kennzeichnung von Sprechpausen. Diese Funktion erfüllen sie auch noch im älteren Frühneuhochdeutsch. Etwa seit der 1. Hälfte des 16. Jh. beginnt sich die syntaktische Interpunktion durchzusetzen, die mit einer Erweiterung und Differenzierung der Satzzeichen verbunden ist. Das Überwiegen der syntaktischen Interpunktion gegenüber der nach Sprechtakten ist schon bei Luther festzustellen, wie der folgende kleine Textausschnitt zeigt:

Ich hab mich des gevliſſen ym dolmetſchen / das ich rein vnd klar deudſch geben mochte. Vnd iſt vns wol offt begegnet / das wir xiiij. tage / drey / vier Wochen habñ ein einiges wort geſucht vnd gefragt / habens dennoch zu weilen nicht funden. Im Hiob erbeiten wir alſo / M. Philips / Aurogallus vnd ich / das wir ynn vier tagen zu weilen kaum drey zeilen kundten fertigen. Lieber / nu es verdeudſcht vnd bereit / kans ein jeder leſen vnd meiſtern / [...] *denn man mus nicht die buchſtaben jnn der Lateiniſchen ſprachen fragen / wie man ſol Deudſch reden / wie dieſe Eſel thun / ſondern man mus die mutter jhm hauſe / die kinder auff der gaſſen / den gemeinen man auff dem marckt drůmb fragen / vnd den ſelbigen auff das maul ſehen / wie ſie reden / vnd darnach dolmetſchen / ſo verſtehen ſie es denn / vnd mercken / das man Deudſch mit jhn redet.*

(Sendbrief vom Dolmetschen. 1530, Wittenberger Druck.)

Im älteren Frnhd. kommt die Virgel noch selten vor, bald aber setzt sie sich rasch durch; in frnhd. Zeit ist sie das wichtigste Interpunktionszeichen. Seit dem 16. Jh. wird sie allmählich durch das Komma verdrängt. Dieses ist als Reduktion der Virgel aufzufassen. Einerseits wird das Komma z. T. schon früh verwendet, in manchen Texten früher als die Virgel, andererseits finden wir die Virgel sogar noch im 17. Jh., z. B. bei Opitz und bei Schottelius.

Der Punkt, im Mhd. das wichtigste Zeichen, fehlt im älteren Frnhd. des Öfteren; auch in Texten der 1. Hälfte des 16. Jh. wird er mitunter recht selten gebraucht, z. B.

bei FRANCK 1532. Er hat zunächst oft die Funktion, einen Redeeinschnitt und damit eine Sinneinheit zu kennzeichnen, wird aber sehr unregelmäßig gesetzt, z. B. zwischen Haupt- und Nebensatz. Erst im Laufe der frnhd. Zeit setzt sich eine gewisse Regelmäßigkeit durch.

Fragezeichen und Ausrufezeichen werden erst seit dem 16., z. T. sogar erst seit dem 17. Jh. häufiger gebraucht. Das Fragezeichen steht oft auch nach der indirekten Rede.

Anführungszeichen, wohl zuerst in Wittenberger Drucken von H. Lufft verwendet, werden nur selten benutzt. Das macht mitunter das Erfassen der wörtlichen Rede schwer.

Der Doppelpunkt, der schon im 15. Jh. gebraucht wird, erfüllt meist eine ähnliche Funktion wie der Punkt bzw. die Virgel. Er kennzeichnet also auch einen Satzeinschnitt, wird aber auch schon wie im Nhd. verwendet, nämlich vor Aufzählungen und vor der direkten Rede.

Das Semikolon erfüllt etwa die gleiche Aufgabe wie der Doppelpunkt. Es tritt aber weitaus seltener auf. Erst im 17. Jh. wird es häufiger gebraucht.

Obwohl sich also eine nach syntaktischen Aspekten geregelte Interpunktion sehr langsam durchsetzt, gibt es bereits im 15. Jh. Bemühungen, den einzelnen Satzzeichen eine bestimmte Funktion zuzuordnen. So schreibt WYLE (1478, 15) u. a.:

> *Wyle ich aber dise translatze nach dem latine so gnäwist ich mocht, vnd so ferre sich ouch gepürt, gemachet hab; So ist nott wer disz büchlin recht schriben lesen oder versteen wil; das der acht hab vnd merck uf die virgel puncten vnd vnterschaide die also hierInne gesetzet werden etc. ?* [...]. *danne das klain erst strichlin* [das Komma – R.B.] *betütt ain schlechte sundrung ains wortes oder ainer oratz von der andern äne volkomenhait ainches gantzen sines. Aber die virgel* [...] *gibt zemercken ainen vnderschaide zwüschen den geschriften vor vnd näch gende, also doch, daz die vorder geschrift dennocht ouch nit ainchen volkomen sine hät / danne daz zů des volkommenhait etwas mer hernäch folgen můs. Aber der punckt* [...] *gibt zeerkennen daz daselbs ain volkomner sine beschlossen wirt. So betüttet diser punckt also gesetz ? daz die geschrift dar vor stende In fräg wyse zemercken ist. Wo aber ain geschrift mit zwyen krummen strichlin ingezogen wirt als hie (Jhesus cristus) so wirt die gehaissen parentesis näch dem latine oder interposicio. vnd ist ain zaichen daz das so her näch folget dienet vnd gelesen werden mag vf das, so vor der ingezogen schrifte geschriben steet / glycher wyse, als ob dieseb ingezogen schrifte nienert alda geschriben stünd* [...]

Diese Darlegungen sind insofern besonders aufschlussreich, als bei WYLE die Satzzeichen in der Regel noch nicht die Aufgabe haben, syntaktische Einheiten zu kennzeichnen; auch die Sprechpausen sind nur z. T. markiert. Das hängt wohl damit zusammen, dass er nicht vorrangig Theoretiker der Interpunktion ist, sondern versucht, „das in der lat. Tradition gegebene Lehrgut für den deutschsprachigen Buchdruck nutzbar zu machen und ins Deutsche zu übertragen" („Das bůch der tugenden" 1984, LXVIII, Anm. 2; vgl. die Ausführungen von BERG in dem Abschnitt „Zur Interpunktion des Textes", S. LXVIII ff.).

Rund 150 Jahre später unterscheidet KROMAYER (1618, 87 f.) vier Satzzeichen, deren Beschreibung nur zum Teil mit den Erläuterungen von WYLE übereinstimmt:

> *Es ſeind auch ſchließlichen zu mercken die vnterſcheide der Rede / welche man nennet Diſtinctiones / derer ſind viererley: Ein Comma / das iſt ein ſtrichlin (/): ein Colon / das ſind zwey punct (:) (wiewol dieſes in teutſcher Sprach weniger gebraucht wird) Ein Punct damit endet ſich ein Periodus oder gewiſſer Spruch (.) Ein punctum interrogationis / das iſt das Zeichen / wenn man fraget. (?) als Gen: 3. v. 9. vnd 10. Vnd Gott der Herr rief Adam vnd ſprach zu jhm: Wo biſtu?* [...].

Dieser kleine Textausschnitt aus der Phase des jüngeren Frnhd. verdeutlicht – nicht nur im Hinblick auf die Interpunktion – den langen und komplizierten Prozess zur einheitlichen Schriftsprache.

Insgesamt zeigen bereits die Ausführungen zur Schreibung und Schrift – die folgenden Darlegungen werden dies unterstreichen –, dass das Frühneuhochdeutsche gegenüber dem Neuhochdeutschen und dem (normierten) klassischen Mittelhochdeutsch einen hohen Grad an Heterogenität besitzt.

4.3 Lautlehre

4.3.1 Vokalismus

4.3.1.1 Frühneuhochdeutsche Diphthongierung

Die mhd. Monophthonge /*i:, u:, ü:*/ werden zu den nhd.Diphthongen /*ae*/, /*ao*/, /*oi*/:

mhd. *zît* > nhd. *Zeit*; mhd. *mûs* > nhd. *Maus*; mhd. *niun* > nhd. *neun*
Merkworte: mhd. *mîn niuwez hûs* > nhd. *mein neues Haus*

Die neuen Diphthonge sind ein wichtiges Kennzeichen des nhd. Vokalismus. Erste Anzeichen der Diphthongierung finden sich schon in einer Handschrift der Wessobrunner Predigten aus dem 11. Jh, also im bairischen Raum. *huosherro* (neben *husherro*). Ortsnamen aus Ober- und Niederösterreich, seltener aus Kärnten und der Steiermark sind schon im 12. Jh. des Öfteren diphthongiert: *Vreiling* 'Freiling bei Linz', *Leiyvz* 'Leis in Niederösterreich'. In der Kaiserchronik und in geistlichen Texten sind Diphthongschreibungen noch selten: *dinev, ewer, haus : uz* neben *hus : uz* in der Vorauer Handschrift im 12. Jh. (vgl. SCHNEIDER 1987, 40f.). Im 13. Jh. breiten sich die Diphthonge besonders in Urkunden aus, deutlich vom babenbergischen Zentrum Wien aus nach Westen. Hier lassen sich soziale Unterschiede feststellen: Texte mit Produzenten und Adressaten auf höherer Ebene, also in professionelleren Kanzleien, sind konservativer als Texte auf unterer Ebene bzw. von Einzelschreibern (vgl. REIFFENSTEIN 2000, 325ff.)

Die Diphthongierung breitet sich seit dem späten 13. Jh., besonders im 14. Jh. nach Norden und Nordosten, allmählich auch nach Westen und Nordwesten aus. Da die geschriebene Sprache in der Regel das Eindringen der Diphthonge später widerspiegelt, lassen sich nur schwer genaue Angaben über die Verbreitung machen. Im Ostmitteldeutschen finden wir vor 1400 in der Schrift nur wenige Diphthonge, doch gibt es auch hier größere Unterschiede. Im mitteldeutsch-niederdeutschen Übergangsgebiet erscheinen Diphthonge noch gar nicht (SB), in BM nur selten. Nur 8-mal ist hier *î* > *ei* diphthongiert. Die Diphthongierung *û* > *au* ist hier überhaupt nicht, die von *iu* > *eu* nur einmal belegt: *newn*. Auch die Handschriften des thüringischen Evangelistars im 14. Jh. zeigen meist noch Monophthonge, selten den Diphthong. Dagegen weisen die Urkunden der Vögte von Weida, Gera und Plauen, obwohl sie etwa aus der gleichen Zeit stammen, schon des Öfteren Diphthonge auf. Hier ist deutlich die Ausbreitung der Diphthongierung von Süden nach Norden bzw. Nordosten nachweisbar. Das wird noch deutlicher, wenn man die Prager Kanzleisprache des 14. Jh. zum Vergleich heranzieht (UK, KW). Hier sind am Ende des 14. Jh. Diphthonge schon in der Überzahl, Monophthonge treten seltener auf:

zeiten, veint; – seltener *ziten, vintschaft*; *pawen, haws* – seltener *gebuwet, sume*; *newen, Dewtscher* – seltener *frunde, Dutschen*.

Das Meißnische besitzt die neuen Diphthonge wahrscheinlich schon seit dem älteren Frnhd. Auffallend ist jedoch, dass sie in der Meißner Kanzlei später auftauchen als in den Thüringer Kanzleien. (Vgl. Feudel 1961, 36 ff.; Lindgren 1961, u. a. Übersicht, S. 43; Frings 1956, 1957, K. 36; Große 1955, § 96; zu den rezenten Mundarten Wiesinger 1983b, 1076 ff.)

Luther benutzt meist schon die neuen Diphthonge, z. B. *beyssen, meyn, aus, haus, meuse, leute*. Schwankungen treten bei ihm auf u. a. in *jenseyd / iensit*; *erdreich : erdrich*; *begreifflich : vnbegriflich*. Im Weihnachtsliedreim sind *dein : windelein* und *hin : krippelin* belegt (vgl. Bach 1974, 186 f.; Arndt/Brandt 1983, 146). Auch in der kurfürstlichen Kanzlei treten meist diphthongierte Formen auf. Beim Suffix mhd. *-îe* sind diphthongierte Formen häufig: *propheceyen, theologey, melancoley* (L). Noch Heine reimt *dabei : Melodei*.

Das Mitteldeutsche weist eine Besonderheit auf: Vor */w/* ging */ü/* schon in mhd. Zeit zu */u:/* über, sodass im Frnhd. bisweilen <*eu*>- und <*au*>-Formen nebeneinander stehen: *grewlich / grawlich; treu / trau*. Heute ist dies noch an Orts- und Familiennamen erkennbar: *Neuburg an der Donau / Naumburg / Nienburg* (*Weser*); *Neumann / Naumann / Niemann*.

Die nhd. Diphthongierung ist nämlich im Niederdeutschen und in drei Gebieten des hochdeutschen Raumes nicht durchgeführt worden: im Alemannischen, in Teilen des Thüringischen und Hessischen sowie im Ripuarischen. Seit dem 16./17. Jh. gibt es in diesen Gebieten lediglich die sog. Hiatusdiphthongierung (Hiatus: Zusammenstoßen zweier Vokale in aufeinanderfolgenden Silben) und die Auslautdiphthongierung: *schrîen* > *schreien*, *bî* > *bei*.

Allerdings dringt mit der immer stärkeren Entwicklung und Festigung der Schriftsprache im 16./17. Jh. die Diphthongierung auch in die geschriebene Sprache jener Gebiete ein. Im Laufe der nhd. Periode hat sich die Diphthongierung mit der Zurückdrängung des Niederdeutschen weitere Räume erobert. Das gilt z. B. für ein großes Gebiet nördlich von Halle und Leipzig sowie für große Teile Thüringens (vgl. Bischoff 1957, bes. 40 f.; Kettmann 1969, §§ 8, 10, 11.)

Die **ursprünglichen Grapheme** für die neuen Diphthonge sind <*ei, ou, öu*>, die aber oft bald durch <*ai/ay, au, eu/äu*> ersetzt werden. Die Verteilung der Graphien <*eu*> und <*äu*> in der Gegenwartssprache hängt vom morphologischen Prinzip der Schreibung ab (*heute* vs. *Häute*); <*ai, ay*> ist entweder historischer Reflex (*Kaiser*) oder dient der Vermeidung von Homographen (*Laib* vs. *Leib*, *Seite* vs. *Saite*) oder kennzeichnet die Schreibung von Eigennamen (*Maier*).

Die neuen Diphthonge fallen heute in der Schriftsprache mit den alten Diphthongen (mhd. */ei, ou, öu/*) zu jeweils einem Phonem zusammen, da diese sich zu weiten Diphthongen öffnen (s. 4.3.1.8).

mhd.	nhd.	mhd.
wîp 'Weib'	*ei* (*ai*)	*heim* 'Haus', 'Heimat'
lûten 'lauten'	*au*	*loufen* 'laufen'
liuten 'läuten'	*eu/äu*	*böugen* 'beugen'

(S. auch die Übersicht 4.3.1.12.) Für die Mundarten gilt dieser Zusammenfall in der Regel nicht, wie z. B. die Veränderungen von mhd. */ei, ou, öu/* im Mitteldeutschen beweisen. Auch in der Umgangssprache sind die mhd. Diphthonge oft monophthongiert worden; vgl.: */e:n/*, */lo:fn/* (s. 4.3.1.8). Wie schwierig der Stand der Entwicklung zu beurteilen ist, zeigt sich u. a. daran, dass das Nebeneinander graphischer Doppelformen im selben Schriftstück mitunter als eine besondere Zierde galt: „[...] *zu allen* ***zeiten*** *merer des* ***richs***" (KW).

Entstehung und Ausbreitung der frnhd. Diphthongierung sind noch immer nicht ausreichend geklärt. Mitunter werden Zusammenhänge zwischen Diphthongierung und Monophthongierung gesehen, doch tragen entsprechende Erklärungsversuche noch weitgehend hypothetischen Charakter. So sehen Erben (1970, 406) und Trost (1981, 222 f.) die Diphthongierung – zumindest im Mitteldeutschen – als eine Art Reaktion auf die Monophthongierung. Das setzt voraus, dass die Diphthongierung im Mitteldeutschen früher eingesetzt hat, als bisher angenommen worden ist. Gegen diese These sprechen aber vor allem die unterschiedlichen Ausgangspunkte beider Veränderungen. Nach Penzl (1984, 52) besteht vielleicht ein Zusammenhang zwischen der Dehnung kurzer Vokale im Bairischen und der Entstehung der Diphthongierung. Wiesinger (1983b, 1080) u. a. nehmen eine polygenetische Entwicklung der Diphthongierung an. (Zu weiteren Einzelheiten vgl. Reiffenstein 2000; Hartweg/ Wegera 2005, 134 ff.; Paul 1998, 70 f.; Frnhd. Grammatik 1993, 64 ff.)

4.3.1.2 Frühneuhochdeutsche Monophthongierung

Die mhd. Diphthonge */ie, uo, üe/* werden im Neuhochdeutschen zu den langen Vokalen */i:, u:, ü:/* monophthongiert. Zum Teil bleibt die alte Schreibweise erhalten: <*ie*>. Als Reminiszenz des alten Diphthongs erscheint bis ins 20. Jh. *o* als Bogen über dem *u* (*ů*). Da das *e* durch die Monophthongierung seine Funktion verliert, kann es zum Längezeichen werden, z. T. auch dort, wo es etymologisch nicht berechtigt ist (s. 4.2.1.1). Die neuen Monophthonge werden zu einem kennzeichnenden Merkmal des nhd. Phoneminventars.

mhd. *lieb* > frnhd. *līb, lieb*; mhd. *huon* > frnhd. *hū(h)n*; mhd. *süeze* > nhd. *süß*.
Merkworte: mhd. *lieben guoten brüeder* > nhd. *liebe gute Brüder*.

Der Lautwandel beginnt schon in mhd. Zeit (etwa ab 1100) im Mitteldeutschen; daher wird er auch md. Monophthongierung genannt. Seine graphische Kennzeichnung erfolgt zum großen Teil erst in frnhd. Zeit. <*ie*> behält oft seine historische Schreibweise; die neuen Monophthonge */u:/* und */ü:/* werden vor allem im Mitteldeutschen meist mit <*u*> wiedergegeben. Über den genauen Ausgangspunkt gehen die Meinungen auseinander, ebenso über Entstehung und Ausbreitung (vgl. Paul 1998, 71 f.; Frnhd. Grammatik 1993, 67 ff.). Auf jeden Fall kennt das Ostmitteldeutsche sehr früh die neuen Monophthonge. Das lässt sich bereits in Schriften des 14. Jh. nachweisen:

dy, flysen; *mut* 'Mut', *zcu*; *gutlich* 'gütlich', *huner* 'Hühner' (BM, BE).

Auch in der Prager Kanzlei des 14. Jh. (UK, KW) erscheinen schon sehr oft die Monophthonge. Allerdings schwanken die Quellen allgemein zwischen der historischen Schreibweise (<*ie, ye*>) und der phonologischen (<*i, y*>). Selbst in Urkunden Südböhmens aus dem 14. Jh. finden sich schon relativ viele Formen mit Monophthongen: *brif, liben*; *tvn, bruder*. Insgesamt überwiegen hier jedoch die Diphthonge (Boková

1981, 183 f.). In späteren Quellen des Ostmitteldeutschen, z. B. bei Luther oder gar bei Opitz, werden meist schon die Monophthonge verwendet. In ihren Schriften kennzeichnet das *e* des Öfteren bereits die Länge des /*i:*/. Doch lässt die Schreibung vielfach keinen eindeutigen Schluss zu. In der KK steht vorwiegend <*ie*>, seltener <*i*> bzw. <*y*> (vgl. KETTMANN 1969, 114). Außer großen Teilen des Mitteldeutschen hat auch der östliche Teil des Ostfränkischen diese Entwicklung sehr früh mitgemacht. Im größten Teil des Oberdeutschen aber sind die Diphthonge erhalten geblieben, oft allerdings nicht in gleicher Qualität; meist ist der zweite Bestandteil verändert (abgeschwächt) worden. Der diphthongische Charakter wird durch unterschiedliche Digraphien wiedergegeben (z. B. *thůn, zůn, guͤtlich*). Dieser lautliche Zustand gilt für die Mundarten dieses Gebietes auch noch heute. Mitunter finden wir in frnhd. Drucken aus dem Oberdeutschen auch Monophthonggraphie, doch täuscht dies manchmal über den diphthongischen Charakter der Phoneme hinweg.

Allerdings gibt es – wie in der Schriftsprache – die Monophthonge unter bestimmten Bedingungen auch im Oberdeutschen. So ist /*ie*/ durch Zusammenziehung und Verkürzung oder Abschwächung zu /*i*/ geworden in *immer, nimmer*. Auch in Präteritalformen findet sich mehrfach /*i*/, z. B. *fing, ging, hing*. Schließlich ist unter dem Einfluss der geschriebenen Sprache des mitteldeutschen Gebietes der Monophthong mitunter auch in andere Wörter eingedrungen, besonders im jüngeren Frühneuhochdeutsch:

fichte, liht, fligen, ligen, verliren, zihen.

Der größte Teil des Niederdeutschen sowie Teile des Mitteldeutschen (das Ripuarische, das Osthessische und Westthüringische) haben anstelle der mhd. Diphthonge die Längen *ē*, *ō* und *ȫ*. Die Vokale des Niederdeutschen repräsentieren noch den germanischen Vokalismus; ob das auch für die angeführten Räume des Mitteldeutschen gilt, ist umstritten. (Zum Grundsätzlichen und zu Einzelheiten vgl. WIESINGER 1983b, 1076 ff.)

4.3.1.3 Dehnung kurzer Vokale

Kurze Vokale in offener Silbe werden gedehnt:

mhd. *leben* > frnhd. *lēben*; mhd. *wonen* > frnhd. *wo(h)nen*; mhd. *lewe* > nhd. *Löwe*; mhd. *vride* > frnhd. *frīd* (L 1522/1524), *friede* (L 1533), *Friede* (L 1546).

Auch Vokale in geschlossenen Silben werden häufig gedehnt, und zwar unter folgenden Bedingungen:

1. in Analogie zu flektierten Formen mit kurzen Vokalen in offener Silbe:

   mhd. *sunes* > frnhd. *sūnes*; daher mhd. *sun* > frnhd. *sūn, so(h)n*;

2. vor bestimmten Konsonanten (vor allem *r, l, m, n*) und Konsonantenverbindungen (r plus Dental)

   mhd. *für* > frnhd. *fǖr*; mhd. *her* > frnhd. *hēr*, nhd. *Heer*; mhd. *dem* > frnhd. *dēm*; mhd. *wol* > frnhd. *wōl*; mhd. *art* > frnhd. *ārt*; vor *r* plus Konsonant bleibt jedoch oft der kurze Vokal auch erhalten: vgl. nhd. *bergen, fertig, Garben, Herz*;

mitunter kann auch eine zweisilbige Nebenform mit offener Tonsilbe Ausgangspunkt der Dehnung gewesen sein:

mhd. *vil(e)* > frnhd. *vīl, viel;*

3. unterschiedlich langem Stammvokal in Formen des gleichen Wortes (Ausgleich durch Systemzwang):

mhd. *sprach, sprāchen* > frnhd. *sprāch, sprāchen.*

In manchen Fällen ist die Dehnung nicht eingetreten, besonders vor *t, m* und den Endungen *-er, -el, -en*; z. B. *odder, widder* 'wieder' (FR). Als Erklärung für diese Ausnahmen wird häufig auf die silbische Aussprache von Liquiden und Nasalen nach Synkope des *e* verwiesen. (Frnhd. Grammatik 1993, 72.) Meist sind dann, vor allem seit dem 16./17. Jh., die Konsonanten verdoppelt worden. Im Zusammenhang damit ist auch die Grenze der Sprechsilben verlagert worden. Im Allgemeinen nimmt man an, dass die Silbengrenze im ambisilbischen (Gelenk-)Konsonanten liegt. (Vgl. MEINHOLD/STOCK 1982, 175; RAMERS 1992, 246 ff.)

mhd. *himel* > frnhd. *himel*, nhd. *Himmel*; mhd. *wëter* > frnhd. *weter*, nhd. *Wetter.*

Dadurch stehen sich manchmal bei gleichem Ausgangsvokal im Neuhochdeutschen Länge und Kürze gegenüber:

mhd. *beliben, geriten* > nhd. *geblieben, geritten.*

Regelmäßig unterbleibt die Dehnung vor <*sch*> und <*ch*> (germ. *k*). In beiden Fällen handelt es sich um ursprüngliche Doppelkonsonanz, d. h., hier liegt eigentlich keine offene Tonsilbe vor:

ahd. *fiskâri* – frnhd. *fischer*; ahd. *brëchan* – frnhd. *brechen.*

Die Dehnung beginnt in frmhd. Zeit – im Niederfränkischen wohl schon in ahd./as. Zeit – im Nordwesten des deutschen Sprachgebietes. Ob diese Veränderung „vor Beginn des Frnhd. bereits weitestgehend abgeschlossen ist" (Frnhd. Grammatik 1993, 71), lässt sich nicht nachweisen. Genaue Angaben sind schwierig, weil die Schreibung nicht sofort die Änderungen in der Aussprache widerspiegelt. Außerdem werden Länge und Kürze sehr unregelmäßig bezeichnet. Gedehnte Vokale treten schon bei Heinrich von Veldeke (12. Jh.) auf. Im Mitteldeutschen lässt sich die Dehnung für das 13. Jh., im Oberdeutschen für das 14. Jh. nachweisen. Hier dringt die Entwicklung nicht vollständig durch. Teile des Alemannischen haben die Kürze des Vokals z. T. bis in die Gegenwart erhalten. Im Oberdeutschen, besonders im Hochalemannischen, sind aber die Verhältnisse recht kompliziert; hier gibt es auch eine Dehnung von Vokalen in geschlossener Silbe vor einfacher und doppelter Konsonanz:

mhd. *kopf* > frnhd. (alem.) *kōpf*; mhd. *an* > frnhd. (obd.) *ān.*

Diese Erscheinung finden wir auch in einigen ostmitteldeutschen Mundarten. Bei der Erläuterung eines Textes muss also dessen zeitliche und räumliche Einordnung beachtet werden. Von der Schreibung aus ist die Vokalquantität schwierig zu beurteilen. Frühe Texte aus dem oberdeutschen Raum enthalten oft noch kurze offene Vokale (z. B. die Fabeln von Steinhöwel). Luther dagegen hat schon die gedehnten Vokale, auch wenn die Längenbezeichnungen, z. B. in *nehmen* und *fahren*, nur gelegentlich verwendet werden. Ferner ist zu bedenken, dass die Dehnung in vielen Wörtern bis heute nicht markiert wird, z. B. in *geben, gewesen, zogen*. Die im Einzelnen sehr differenzierte Entwicklung der Kennzeichnung der Dehnung, die auch vom Druckort abhängig ist, zeigt RIECKE (1998) am Beispiel der deutschsprachigen Bibeln des 16.–18. Jahrhunderts.

Die Ursachen für die Dehnung wie auch für die Kürzung (siehe den nächsten Abschnitt) sind umstritten. Oft werden sie im Zusammenwirken verschiedener Faktoren gesehen. „Die Kürzung von Vokallängen und die Dehnung von Vokalkürzen [...] resultieren aus dem Bestreben, im Zusammenspiel von Vokalquantität, Akzent, Konsonantenquantität bzw. -intensität und Silbenanzahl der Wörter einen Ausgleich der Silbenquantitäten (Silbengewichte auf Grund der Silbenstrukturen) und der Wortquantitäten (Wortgewichte auf Grund der Silbenanzahl) herzustellen [...].“ (WIESINGER 1983a, 1090; vgl. auch PAUL 1998, 74 ff.; Frnhd. Grammatik 1993, 73.)

4.3.1.4 Kürzung langer Vokale

Lange Vokale vor mehrfacher Konsonanz werden in frnhd. Zeit gekürzt, vor allem im Ostmitteldeutschen und Ostfränkischen. Dieser Wandel tritt seltener als die Dehnung ein. Er erscheint vor allem vor <*ht* (*cht*), *ft*> sowie vor *r* plus Konsonant:

mhd. *dâhte* > frnhd. *dachte*; mhd. *klâfter* > frnhd. *klafter*; mhd. *lêrche* > frnhd. *lerche*.

Vor <*st*> unterbleibt die Kürzung oft, jedoch nicht konsequent; vgl. mhd. *ôster*, *trôst*, aber mhd. *ôsten, rôst*.

Die Kürzung erfasst teilweise auch die Monophthonge, die erst durch die frnhd. Monophthongierung entstanden sind:

mhd. *lieht* > frnhd. *licht*; mhd. *stuont* > frnhd. *stund*; mhd. *nüehtern* > frnhd. *nüchtern*.

Die Kürzung tritt auch dann ein, wenn die mehrfache Konsonanz durch Komposition entstanden ist. Die Veränderung des zweiten Stammvokals bei ehemaligen Komposita ist das Ergebnis der Abschwächung infolge des germ. Anfangsakzents:

mhd. *brâmber* > frnhd. *brambör, bramber*; mhd. *hôchzît* > frnhd. *hochzeit*; mhd. *hôchvart* > frnhd. *hoffart*; mhd. *alwære* > frnhd. *alber(n)*; mhd. *gruon mât* > frnhd. *grumat*, nhd. *Grummet*; mhd. *hêrlîche* (Adv.) > frnhd. *herrlich*; mhd. *vierteil* > frnhd. *virtel*.
So ist auch die Kürzung in den Suffixen mhd. *-lîch* und *-rîch* zu erklären:
mhd. *sterblîch* > frnhd. *sterblich*; mhd. *Heinrîch* > frnhd. *Heinrich*.

In vielen Fällen wird auch vor einfacher Konsonanz gekürzt, besonders vor <*t*> und <*m*> sowie vor *-er, -el, -en*. Diese Kürzung gilt vor allem für das mitteldeutsche Gebiet:

mhd. *muoter* > frnhd. *muter, mutter*; mhd. *iemer* > frnhd. *imer*; mhd. *rüezel* > frnhd. *rüssel*; mhd. *wâfen* > frnhd. *waffe(n)*.

Selten tritt die Kürzung vor anderen Konsonanten ein, z. B. mhd. *slôz* > frnhd. *schloß*.

Die Kürzung beginnt in der zweiten Hälfte des 12. Jh. Auch sie ist in der Schreibung schwer nachzuweisen. Ihre Entwicklung verläuft in den einzelnen Mundarträumen recht kompliziert. Im Allgemeinen zeigt sich der Wandel am konsequentesten im Mitteldeutschen und im Ostfränkischen. Daher wird mitunter ein Zusammenhang mit der frnhd. Monophthongierung angenommen. (S. 4.3.1.2; vgl. ferner WIESINGER 1983a, 1088 ff.; PAUL 1998, 76 f.; Frnhd. Grammatik 1993. 74 f.)

Bei der Textanalyse ist zu beachten, dass die Schreibung in frnhd. Zeit meist nicht zwischen langen und kurzen Vokalen unterscheidet. In BM steht z. B. <*a*> für mhd. <*â*>, unabhängig davon, ob der Laut gekürzt worden ist oder nicht, z. B. *missetat, vollbracht, getan, iar, waren*. Ähnlich ist die Situation bei den anderen Vokalen.

4.3.1.5 Entrundung und Rundung

Entrundung

Die mit Lippenrundung gesprochenen Vokale und Diphthonge /*ö, ö:, ü, ü:, oi, üe*/ werden in vielen Gebieten entrundet (entlabialisiert) und fallen daher mit den Phonemen /*e, e:, i, i:, ae*/ zusammen; vgl. mhd. *eröugnen*, nhd. *ereignen* > mhd. *müeder* > nhd. *Mieder* (Entrundung plus Monophthongierung). Dieser Prozess beginnt schon in mhd. Zeit, in der Mitte des 12. Jh., und erfasst den größten Teil des hochdeutschen Raumes. Ausnahmen bilden das Hochalemannische, Ostfränkische und das Ripuarische. Am frühesten zeigt sich diese Entwicklung im Bairischen, im Ostmitteldeutschen dagegen erst im 16./17. Jh. Vorher ist hier die Entrundung zumindest selten; z. B. *sintlichn* (BM). Luther unterscheidet im Allgemeinen klar zwischen gerundeten und entrundeten Lauten, doch kommen bei einigen Wörtern Doppelformen vor: *abtrinnig, getzichte* 'Gezücht', *zichtigen*. Bei einzelnen Wörtern hält er am älteren, gerundeten Laut fest, z. B. *kuͤssen* 'Kissen', *zcerknursßen* 'zerknirschen'. Als Folge der Entrundung zeigt sich in vielen Texten des 15./16. Jh. eine zunehmende Vermischung der entsprechenden Zeichen. Sie beweist den Zusammenfall der gerundeten mit den entrundeten Lauten: *breitigam 'Bräutigam'*, *minster* 'Münster', *werter* 'Wörter'.

In der Schrift kommt jedoch diese Veränderung mitunter nicht zum Ausdruck. Im Ostmitteldeutschen wird dies auch deshalb nicht immer sichtbar, weil die Umlaute oft nicht bezeichnet werden, z. B. *huner* statt *hüner*. Das sagt aber nichts über die Situation in den Mundarten aus. Wie stark in diesem Raum die Entrundung gewirkt hat, zeigen die Schriften von M. Opitz. Bei ihm ist z. B. mhd. <*üe*> und <*ü*> in vielen Fällen zu <*i*> geworden. Das beweisen Reime wie *entzückt – geblickt, Bild – füllt*. Auch <*eu*> ist häufig entrundet, vgl. Reime wie *Frewden – weiden*. (Zur Situation in den rezenten Mundarten vgl. WIESINGER 1983d, 1101 ff.) In die Schriftsprache sind relativ wenige Wörter mit entrundetem Vokal eingegangen, u. a. *Pilz* (mhd. *bülez*), *Kissen* (mhd. *küssen*), *spreizen* (mhd. *spriuzen*), *spritzen* (mhd. *sprützen*).

Rundung

Die Rundung von ursprünglich nichtgerundeten Vokalen besitzt eine geringere Bedeutung, da sie vorwiegend oberdeutsche Mundarten erfasst. Als Ursache für die Labialisierung nimmt man meist den Einfluss benachbarter Laute an.

Mhd. *e* > *ö* nach *w*, vor Labialen sowie *sch* und *l*:

zwoͤlf, swoͤster, woͤllen, hoͤben, droͤschen (auch schon *dreschen*).

Erste Rundungen dieser Art lassen sich schon im Alemannischen des 13. Jh. nachweisen. In diesem Raum zeigt sich auch eine gewisse Einheitlichkeit. Sonst gibt es meist größere Unterschiede und häufiges Schwanken.

In die Schriftsprache aufgenommen wurden u. a. *Hölle, Löffel, Löwe, löschen, schöpfen, schwören, zwölf*, die z. B. sämtlich in dieser Form bei Opitz vorkommen. Luther hat die Rundung nur in *zwolf, fromede, ergötzen*, es überwiegen auch hier die Formen mit <*e*>. Sonst bewahrt Luther wie das ostmitteldeutsche Schrifttum das <e>: *gewelbe, hel, leschen, Scheppe* 'Schöffe', selbst bei der Entlehnung *Schepps* 'Hammel'. Luther steht also hier ganz auf omd. Grundlage.

Mhd. *i* sowie *ie* > *ü* nach *w*, vor *sch* sowie Nasal- und Liquidverbindung, besonders vor Doppelnasal:

zwüschen, schwümmen, wüschen, würdig, fünden, lügen.

Auch dieser Wandel zeigt sich am stärksten im Alemannischen. Daher kommt es in Schriften aus diesem Raum mitunter zu hyperkorrekten Formen; vgl. u. a. *müschen, wüsse* 'wisse'. In den übrigen Gebieten sind Formen mit gerundeten Lauten bedeutend seltener festzustellen. GROßE (1964) führt nur wenige Beispiele an, u. a. *fünf, nummer* 'nimmer', *sulbe*, von denen nur das erste Beispiel konsequent die Rundung zeigt. Luther verwendet bei einigen Wörtern entrundete Formen, wo sich in der Schriftsprache die Rundung durchgesetzt hat, z. B. *wirde* 'Würde', *liegen* 'lügen'. Bei dem Substantiv *Hilfe* und einigen Weiterbildungen, z. B. *Gehilfe*, kommen Formen mit <*ü*> bis ins 20. Jh. vor, vgl. *Hülfsbuch* (1873), *Hülfe, neben Hilfe* (8. Auflage des „Dudens" von 1911), *Hülfe* (Th. Mann mehrfach in seinen Briefen). In mhd. *sintfluot* 'große Flut' ist keine Rundung eingetreten; vielmehr hat das Wort schon vor 1500 in Anlehnung an *Sünde* eine volksetymologische Umdeutung erfahren; doch hat sich die Form *Sintflut* (neben *Sündflut*) bis ins 20. Jh. gehalten.

4.3.1.6 Senkung von mhd. *u, ü* und *i*

Mhd. /*u*/ und /*ü*/ werden im Mitteldeutschen oft zu /*o*/ und /*ö*/ gesenkt. Der Wandel setzt bereits in mhd. Zeit ein und ist am Ende des Frnhd. noch nicht abgeschlossen: mhd. *vrum, vrom* > frnhd. *frum(m), from(m)*. Besonders häufig setzt sich dieser Wandel vor Nasalen und Nasalverbindungen durch:

mhd. *sun* > frnhd. *son* (md.); mhd. *künec* > frnhd. *könig, konig* (md.); mhd. *sunst* > frnhd. *sonst* (md.); mhd. *sumer* > frnhd. *somer* (md.).

Aber auch in anderer Nachbarschaft ist diese Entwicklung festzustellen, vor allem vor *r, l* plus Konsonant:

mhd. *mügen* > frnhd. *mögen*; mhd. *burse* > frnhd. *borse* (md.); mhd. *durst* > frnhd. *dorst* (md.); mhd. *wurst* > frnhd. *worst* (md.).

Die Entwicklung von /*u*/>/*o*/ ist im Mitteldeutschen schon in mhd. Zeit in vollem Gange. Sie verläuft zwar in den einzelnen Mundarten unterschiedlich (zur heutigen Situation vgl. WIESINGER 1983c), ist aber für den ganzen md. Raum typisch. Von hier aus sind viele Formen in die Schriftsprache eingedrungen, vor allem, wenn der Vokal vor <*m(m)*> und <*n(n)*> steht; siehe oben, ferner u. a. *Nonne, Sonne, Trommel.*

Luthers Schriften zeigen in vielen Fällen den Übergang von /*u, ü*/>/*o, ö*/. Oft stehen beide Formen nebeneinander. Später jedoch verwendet er /*o*/ und /*ö*/ häufiger. Im Laufe der Zeit dringen diese beiden Vokale u. a. in folgenden Wörtern vor:

Antwort, besonders, gesponnen, gewonnen, Gönner, gönnen, kommen, König, Sohn, Sommer, sondern, sonst, Wonne.

In einigen dieser Wörter treten die Formen mit /*u, ü*/ gar nicht auf. Andererseits gibt es bei ihm auch noch 1545 alte Formen, z. B. *frum, gülden, kundte, künnen, mügen, münch*. Dies zeigt, dass der Prozess selbst im Mitteldeutschen in der Mitte des 16. Jh. noch nicht abgeschlossen ist. Im Oberdeutschen sind mhd. */u/* und */ü/* erhalten geblieben. Ausnahmen gibt es aber auch hier, besonders vor Nasalen. Mhd. */i/* wird nur selten zu */e/* gesenkt, vgl. mhd. *biben*, nhd. *beben*. Andere Formen wie *hemel, vrede, seben* bleiben auf die md. Mundarten beschränkt.

Zur Senkung von mhd. */ei/* und */ou/* zu */ae/* und */ao/*, die im Oberdeutschen – außer dem Alemannischen – zu beobachten ist, s. Abschnitt 4.3.1.8 sowie Frnhd. Grammatik 1993, 70 f.; HARTWEG/WEGERA 2005, 138 f.

4.3.1.7 Entwicklung der mhd. *e*-Laute

Im Mittelhochdeutschen gibt es fünf verschiedene [*e*]-Laute, die mindestens drei Phoneme repräsentieren. Allerdings gilt dies nicht für alle Mundarten jener Zeit. Im Frühneuhochdeutschen werden diese Unterschiede z. T. beseitigt: Die kurzen Vokale werden offen und die langen meist geschlossen gesprochen. Dadurch fallen mhd. [*ë, ẹ, ä*] im Neuhochdeutschen zusammen; vgl. nhd. *helfen, Eltern, Gäste, mächtig*. Auch das durch <*ä*> wiedergegebene Phonem */ä:/* wird offen gesprochen. Allerdings ist der phonetische Unterschied zwischen */e:/* und */ä:/* gering; vgl. nhd. *Ehre* und *Ähre, sehen* und *säen*. Einige Forscher gehen von einer völligen Angleichung der beiden mhd. langen *e*-Laute aus. In den rezenten Mundarten sind die beiden Laute nur zum Teil verschmolzen.

Im Frnhd. ist der Stand der Gegenwart noch nicht erreicht. Die genaue Feststellung der Entwicklung wird dadurch erschwert, dass im Frnhd. für die Wiedergabe der verschiedenen *e*-Allophone nur zwei Zeichen (<*e*> und <*ä*> bzw. <*aͤ*>) oder gar nur ein Zeichen (<*e*>) benutzt wird. Das gilt besonders für das ältere Frnhd. So steht z. B. in omd. Quellen (BM, BE, UW) das Graphem <*e*> durchweg für alle mhd. [*e*]-Laute; vgl. u. a. *recht, mensche, were, erste*. Ähnlich ist es auch noch bei Luther:

mhd. *ë*: *bret, recht, wer*; mhd. *ẹ*: *lemblin, rede*; mhd. *ä*: *engsten* 'sich ängstigen'; mhd. *æ*: *were, klerlich, nemlich*; mhd. *ê*: *mehr, stehen*.

Nur ganz selten wird bei ihm der Umlaut von */a/* und */â/* durch das Graphem <*aͤ*> bezeichnet: *faͤlschlich*.

Aus der einheitlichen orthographischen Wiedergabe darf man aber bei keiner Quelle ohne Weiteres auf einen lautlichen bzw. phonematischen Zusammenfall schließen.

Die Länge von mhd. *e* wird im Frnhd. oft durch Doppelvokal oder *h* gekennzeichnet. <*ä*, (*aͤ*)> ist in der Regel Zeichen für die offenste Lautqualität des [*e*]. Daher steht z. B. im Oberdeutschen dieses Zeichen häufig für den Sekundärumlaut.

Daneben setzt sich im Laufe der frnhd. Periode die morphematische Schreibweise von [*ä*] durch. Dadurch wird nun auch der Primärumlaut mit <*ä*> bezeichnet. Am frühesten und konsequentesten ist dies beim Plural der Substantive erfolgt; vgl.: mhd. *krẹfte*, nhd. *Kräfte*, mhd. *gẹste*, nhd. *Gäste*. Im Ostmitteldeutschen beginnt diese Veränderung der Schreibung erst im 16. Jh., setzt sich dann aber rasch durch.

Im Einzelnen gibt es jedoch auch hier starke Unterschiede. Allgemein hat sich die morphematische Schreibung dort nicht durchgesetzt, wo der etymologische Zusammenhang mit dem [*a*] nicht mehr deutlich war; vgl. nhd. *behende* (seit der Orthographiereform 1996 ff.: *behände* – obwohl hier der Zusammenhang mit *Hand* den meisten Sprechern nicht mehr bewusst war), *Eltern, fertig, fest*. Zum Teil ist dadurch auch die unterschiedliche Schreibung des Infinitivs schwacher Verben mit Umlaut zu erklären: *legen, senken, setzen*, aber *fällen, tränken*. Geblieben ist das <*e*>

auch bei den schwachen Verben, die heute noch „Rückumlaut" aufweisen, z. B. *kennen, nennen, rennen.* Das Problem der morphematischen Schreibung (Stammschreibung) spielt auch bei der 1996 beschlossenen Reform der Orthographie eine Rolle; s. Abschnitt 1.8.4. (Vgl. zur Entwicklung der *e*-Laute Frnhd. Grammatik 1993, 39 ff.; Hartweg/Wegera 2005, 139 f.)

4.3.1.8 Entwicklung von mhd. *ei, ou, öu*

Mhd. /*ei*/ und /*ou*/ sind seit dem 11./12. Jh. teilweise im Oberdeutschen zu /*ae*/ und /*ao*/ gesenkt worden, also sicher schon vor der Zeit, in der die Entwicklung der frnhd. Diphthongierung begann. Deshalb werden meist die alten Diphthonge (mhd. /*ei, ou*/) und die neuen Diphthonge (<mhd. /*i:, u:*/) in der Schreibung in bairischen und schwäbischen Texten bis ins 18. Jh. unterschieden: *ai, ay* steht für mhd. *ei, ei* für mhd. *î*: *zeit*, aber *brait*. Auch Reime zwischen *ei* aus mhd. *î* und *ai* aus mhd. *ei* werden bis ins 15. Jh. konsequent gemieden. Bei Luther sind dann beide Laute in der Schrift zusammengefallen, wenn auch nicht ganz konsequent. So schreibt er z. B. <*ai, ay*> nie für mhd. /*i:*/, wohl aber mitunter für mhd. /*ei*/. Seit dem 16. Jh. werden die Schreibungen mit <*ai*> allgemein durch die mit <*ei*> zurückgedrängt. Einige Lexeme sind mit <*ai*> in die Schriftsprache übernommen worden, u. a. *Kaiser, Laib, Saite.*

Ähnlich ist das bei <*au/ou*>, nur setzt sich hier das oberdeutsche <*au*> gegen das mitteldeutsche <*ou*> (bisweilen mit <*o*>, <*oi*>-Graphie) allgemein auch in der Schrift durch, während bei <*ai/ei*> meist die mhd. Schreibung <*ei*> beibehalten wird. /*öu*/ als Umlaut von mhd. /*ou*/ wird in frnhd. Zeit durch <*eu/äu*> verdrängt. Von diesen beiden Graphemen setzt sich <*äu*> allmählich durch.

In den Mundarten haben diese drei Diphthonge oft besondere Entwicklungen durchgemacht. (Zur Lage in den heutigen Mundarten vgl. u. a. Frings 1956, Bd. 3, 65 f. u. Karte 30; Schirmunski 2010, 284 ff.; Wiesinger 1983e.)

Von Bedeutung sind die Veränderungen im Mitteldeutschen und Ostfränkischen. Hier haben <*ai/ei, au/ou, öu/äu*> wie im Niederdeutschen eine Monophthongierung erfahren, gewissermaßen die Fortsetzung der ahd. Monophthongierung (s. 2.3.2.4). Besonders früh, meist schon in mhd. Zeit, lässt sich dieser Wandel im Ostmitteldeutschen und im Mittelfränkischen feststellen. In der geschriebenen Sprache spiegelt sich das aber nur relativ selten wider. In Quellen des mitteldeutschen Ostens aus dem 14. Jh. wird mhd. /*ei*/ mit <*ei, ey*>, nie aber mit <*ai, ay*> wiedergegeben, z. B. *fleisch, eyn, steyn*; doch kommen auch Monophthonge vor, z. B. *enyr* 'einer', *enig* 'einig', *helikeit, vlesch.* Ähnlich ist es bei mhd. /*ou*/. Meist steht noch <*ou*>, seltener <*au*>, z. B. *boum, ouch, ouge, auch, frauwin.* Auch hier kommt der Monophthong vor, z. B. *bom, globin, trom, zoberer* (BE). UW hat nur wenige Monophthonge, z. B. *och, bede.* Ähnlich ist es in der Prager Kanzleisprache des 14. Jh. (UK, KW). Zahlreicher treten die Monophthonge im nd.-md. Übergangsgebiet auf, allerdings überwiegen bei den entsprechenden Wörtern auch hier die Diphthonge (SB). Bei Luther kommen die Monophthonge selten vor. Seine Lautung entspricht in diesem Fall im Wesentlichen dem mhd. Stand. Die ostmitteldeutschen Mundarten seiner Zeit weisen dagegen zweifellos schon in starkem Maße die Monophthonge auf. Nur in wenigen Fällen gingen Formen mit Monophthong in die Schriftsprache ein, z. B. *wenig, Lehm.* (*Lehm* wird vereinzelt bis ins 19. Jh. mit <*ei*> geschrieben.)

Mhd. /*öu*/, der Umlaut von /*ou*/, wird mitunter monophthongiert und mit <*ē, ǟ*> oder <*ā*> wiedergegeben, aber auch dieser Wandel ist in der Schrift nur selten zu erfassen.

Mhd. <*öu*>, das aus ahd. <*ew*>, germ. <*awi*>, entstanden ist, zeigt schon seit ahd. Zeit Besonderheiten in der Schreibung. Das hat folgende Ursache: Nachfolgendes <*i*> lautete das <*a*> um, z. B. ahd. *frewida* 'Freude', *gewi* 'Gau', *hewi* 'Heu'. Bei folgendem <*j*> wurde das <*w*> verdoppelt und durch Vokalisation des ersten <*w*> wurde der Diphthong <*au*> entwickelt. Dieser wurde nicht umgelautet. Da meist im gleichen Wort bald <*i*>, bald <*j*> auftrat, haben viele Wörter beide Lautformen entwickelt, z. B. ahd. *frewen* neben *frouwen*, *strewen* neben *strouwen*. In frnhd. Zeit war wohl dieses [*eu*] (aus <*ew*>) von [*öu*] (Umlaut von /*ou*/) getrennt, doch sind in den meisten Gebieten beide Laute zusammengefallen. In der Schreibung gibt es oft noch Unterschiede. Einige Wörter behalten z. B. noch sehr lange das *w*, z. B. *drewen, frewen, frewde, hew, strewen*. In den frnhd. Texten ist die Schreibweise recht schwankend, z. B. *vreude, vrouwet* (3. Sgl. Prät.), *gevreuwit* (Part. Prät.), *vroude, vrowit uch, ich frowe mich* (BE). Überhaupt zeigt die graphische Wiedergabe von /*öu*/ eine große Variantenvielfalt. (Vgl. Frnhd. Grammatik 1993, 60 ff.; s. auch 4.3.1.9.)

4.3.1.9 Weiterentwicklung des Umlauts

Sehen wir zunächst von Einzelheiten ab, so ist die Entwicklung des Umlauts im Frnhd. vor allem durch zwei Tendenzen charakterisiert (vgl. Sonderegger 1979, 269 ff., Besch 1980, 592):

1. Der Umlaut wird mehr und mehr gekennzeichnet, sodass die Phonemopposition auch ihren graphischen Ausdruck findet; vgl. /*u*/ und /*ü*/ in *mutter – mütter*. Die Opposition /*a*/:/*e*/ wird meist durch die Grapheme <*a*> und <*ä*> markiert. Diese morphematische Schreibweise macht den etymologischen Zusammenhang deutlich.
2. Der Umlaut erhält stärker als im Mittelhochdeutschen eine grammatische Funktion, vor allem bei der Pluralbildung der Substantive (der Differenzierung der Numeri) und der Komparation der Adjektive. Dies geschieht häufig auch dort, wo der Umlaut nicht lautgesetzlich bedingt ist; vgl. mhd. *nagele*, nhd. *Nägel*. In diesen Fällen spricht man vom Analogieumlaut. (Zur grammatischen Funktion des Umlauts s. Kap. 4.4.2.)

Im Einzelnen gibt es bedeutende Unterschiede zwischen den Dialektgebieten. Die Umlautbezeichnung entwickelt sich im Oberdeutschen früher als im Mitteldeutschen. Erst im 16./17. Jh. setzt sich in den Drucken die einheitliche Kennzeichnung des Umlauts weitgehend durch. Da im älteren Frnhd. jedoch der Umlaut nicht immer bezeichnet wird, ist die Entwicklung schwer zu bestimmen. Selbst diakritischen Zeichen (z. B. oͤ) kommt mitunter kein eindeutiger Lautwert zu. So zeigt sich z. B. in BM folgender Stand:

Umlaut von	*o*:	*gotlicher, hobischscheyt, lṓbelichen̄*
	ô:	*boze, horen̄, schone*
	u:	*wṓrfiln, erczṓrnt, sundig*
	iu/û:	*fū́chtygkeyt, uch*
	uo:	*gutlich, berumit* 'berühmt', *huner* 'Hühner'
	ou:	*fraū́de, frawit*

Ob das Akzentzeichen in Verbindung mit einem waagrechten Strich über einem Vokal nur die Länge oder auch den Umlaut bezeichnen soll, ist ungewiss. Ähnlich sieht es in anderen md. Quellen jener Zeit aus. Im Allgemeinen wird in den obd. und den wmd. Quellen der Umlaut früher bezeichnet als in omd. Texten. Luther kennzeichnet in seinen frühen Schriften den Umlaut meist noch nicht, mit Ausnahme des Umlauts von

/*a*/ und /*a*:/. In diesen beiden Fällen geschieht es aber konsequenter als bei den meisten anderen Autoren: *anfenglich, gnedig, underthenig, tzwentzig* (L 1520). Mitunter tilgen sogar die Drucker vereinzelte Umlautbezeichnungen Luthers. Etwa von 1524 an nehmen die Umlautbezeichnungen zu. In der Bibel von 1545 überwiegen sie dann deutlich, doch sind nichtbezeichnete Umlaute nicht selten. Regelmäßig unterbleibt die Kennzeichnung, wenn im Anlaut <*v*> für <*u*> steht, z. B. *vbel, vber*. Ähnlich wie bei Luther steht auch bei Frangk (1532) für den Umlaut von /*a*/ und /*a*:/ wortgebunden *e*: *gentzlich, hende, leng* 'Länge', *teglich, Allergnedigsten, geberen, nehst, nemlich, were*.

Bei der Flexion der Substantive tritt der Umlaut zunächst nur im Plural der *i*- und *es*-/*os*-Stämme auf (s. 4.4.2). Später ist er auf viele andere Substantive übertragen worden. Zum Teil schwankt der Sprachgebrauch bis in die Gegenwart, z. B. *Bogen/Bögen, Wagen/Wägen*.

Die Ausbreitung des *er*-Plurals ist bei umlautfähigem Stammvokal durchweg mit Umlaut verbunden, vgl. nhd. *Dörfer, Länder, Wälder*. Im Frnhd. ist der Umlaut mitunter nicht bezeichnet: *huner* (BM). Größeres Schwanken lässt sich innerhalb der Wortbildung beobachten. Bei den Nomina agentis auf *-er* (mhd. *-œre*, ahd. *-âri*) steht im Mittelhochdeutschen häufig noch kein Umlaut. Er fehlt auch zunächst in frnhd. Zeit im oberdeutschen Raum, besonders im Bairischen: *gartner, kramer, rauber, traumer*. Im 17. Jh., mitunter schon früher, finden wir daneben auch die Formen mit Umlaut: *gärtner, krämer, räuber, träumer*. Im Mitteldeutschen ist der Umlaut schon im älteren Frnhd. vertreten. In vielen Wörtern hat er sich aber in der Schriftsprache nicht durchgesetzt: *-halter, Hauer, Klausner, Maurer, Zauberer*.

In all diesen Fällen gibt es im Frnhd. auch Formen mit Umlaut. Die Ursachen für die unterschiedlichen Schreibungen lassen sich nicht genau angeben. Das Schwanken kann man bis heute auch an den verschiedenen Formen der Eigennamen erkennen: *Förster/Forster, Bürger/Burger*. Auch die Substantive auf *-nis* (*-nus/-nüs*) haben im Frnhd. oft konkurrierende Formen: *behaltnuß/behältnuß*. In einigen Fällen setzte sich in der Schriftsprache die umlautlose Form durch, z. B. *Bewandtnis, Verdammnis*. Ähnlich ist die Situation bei den Adjektiven auf *-ig* und *-lich*.

Umlauthemmungen treten besonders im Oberdeutschen auf; sie entsprechen im Großen und Ganzen denen in mhd. Zeit. Der Umlaut von *u* unterbleibt vor *r* plus Konsonant, teilweise auch vor *tz, pf, ck, gg, kk* sowie anderen Konsonantenverbindungen: *kurtzlich, hupffen, rucken, drucken, bruck* (vgl. *Innsbruck*), *tuck* 'Tücke' (L 1533), *schuldig*; *drucken* bzw. *trucken* hat im Frnhd. die Bedeutung von 'drucken' und 'drücken'; vgl. *„Gedrückt zu Wittemberg“* (1533). Die lautliche Unterscheidung existiert erst seit dem 18. Jh.

Der Umlaut von mhd. /*u*:, *uo, ou*/ wird allgemein vor *w*, im Oberdeutschen auch vor den übrigen Labialen (besonders *m*) und Velaren verhindert: *frau* (<*frouwe*), *glauben, haupt, traumen*. Umlaut haben meist, auch gerade im Oberdeutschen, *frewen, gew* 'Gau' (siehe *Allgäu*), *strewen* u. a., weil hier *aw* und nicht *auw* zugrunde liegt; *a* vor *w* wurde umgelautet, *a* vor *uw* nicht. Das Mitteldeutsche kennt kaum Umlauthemmungen; vgl. *heupt, seumen, treumen*. Auch Luther schreibt *erleuben, gleuben, heupt, keufen*. Später hat er mitunter die oberdeutschen Formen übernommen. In einigen Fällen existiert im Frnhd. auch ein Umlaut, der nicht durch *i* oder *j* bewirkt ist, sondern z. B. durch *ei*: *erbeit, erbeiten* (im Ostmitteldeutschen z. B. bei Luther) oder durch *sch*: *Eschermittwoch* (G), *åsche, flåsche, nåschen*. Diese Formen kommen vor allem im Schwäbischen und im Westmitteldeutschen vor. (Zu weiteren Einzelheiten vgl. Frnhd. Grammatik 1993, 34 ff.; V. Moser 1929, 87 ff.)

4.3.1.10 Ausgleichserscheinungen

Der Ausgleich des Vokalwechsels aufgrund von Ablaut, Alternanz (Brechung) und Umlaut spielt im Frnhd. eine große Rolle. Am wichtigsten ist der Ausgleich innerhalb der Flexion. Beim Substantiv werden vielfach die Varianten mit Umlaut im Singular aufgegeben, während sie sich im Plural durchsetzen (s. 4.4.2).

Beim starken Verb werden die Unterschiede im Ablaut zwischen Sgl. und Pl. des Prät. ausgeglichen (s. 4.4.1.1). Ferner setzt sich bei den Verben mit dem Stammvokal */a/* in der 2. und 3. Sgl. Präs. Ind. die morphematische Schreibung mit <*ä*> durch, vgl. mhd. *du verest*, frnhd. *du fä(h)rst*.

Die durch die Alternanz entstandenen Vokale der 1. Sgl. Präs. Ind. der Reihen 2, 3b, 4 und 5 werden konsequent, die der 2. und 3. Sgl. Präs. Ind. der Reihe 2 werden weitgehend dem Vokal des Inf. bzw. des Pl. Präs. angeglichen; vgl. mhd. *ich nime* > nhd. *ich nehme*, mhd. *du biutest* > nhd. *du bietest*. Dieser Ausgleich beginnt im mitteldeutschen Gebiet in mhd. Zeit. Im Oberdeutschen treten alte Formen noch im 16. Jh. auf, z. B. *ich gilt, ich stirb*. Die Entwicklung geht langsam und ungleichmäßig vor sich. Bei Luther (*zeucht, fleucht*) und selbst bei Klopstock (*leugt, treugt*) und Schiller (*gebeut*) ist der Ausgleich noch nicht immer eingetreten; vgl. noch heute die Wendung *was da fleucht und kreucht*.

Ausgleichserscheinungen treten auch beim schwachen Verb auf. Der sogen. Rückumlaut (s. 2.3.2.3) wird bei den meisten Verben beseitigt. In der Regel gleichen sich die nichtumgelauteten Formen des Prät. und des Part. Prät. dem Infinitiv an:

mhd. hœren, hôrte, gehôrt > frnhd. hören, hörte, gehört.

Selten geschieht der Ausgleich nach der umlautlosen Form, z. B. bei mhd. *lenden*.

Auch innerhalb des Paradigmas der unregelmäßigen Verben tritt des Öfteren Vokalausgleich ein. Im Frnhd. sind allerdings meist noch Doppelformen vorhanden. Die Änderungen bewirken eine Vereinfachung der Verbalflexion, kommt doch dadurch das mit der Entstehung der schwachen Verben im Germanischen wirksam gewordene Prinzip, den Wurzelvokal in der Flexion unverändert zu lassen, erneut zur Geltung.

Die genannten Erscheinungen brauchten Jahrhunderte, bevor sie sich endgültig durchsetzten. In manchen Fällen sind die ersten Anzeichen der Veränderung schon im Mittelhochdeutschen greifbar, doch ist die Entwicklung am Ende der frnhd. Epoche noch nicht abgeschlossen. Die räumliche und zeitliche Ausbreitung lässt sich schwer bestimmen. Es ist nicht so, dass eine Landschaft, dass ein bestimmter Schriftsteller oder eine bestimmte Druckerei grundsätzlich die Ausgleichsvorgänge fördert oder hemmt. Vielmehr stellen wir in der Regel ein Nebeneinander verschiedener Formen fest.

Ältere Werke zeigen meist auch ältere Formen, z. B. Verbformen mit Rückumlaut: *derkant, gehôrt, bedackit* (BM). Aber auch Luther benutzt noch alte Formen, z. B. bei der Konjugation der starken Verben: *er schrey, steig, treib, ward* (Sgl. Prät.), *funden, sungen* (Pl. Prät.). Auch der Ausgleich im Präs. der starken Verben der 2. Reihe ist bei ihm noch nicht immer eingetreten: *fleuget, verleuret*. Prät.-Präsentien zeigen bei Luther z. T. noch alte Formen, z. B. *kundte*. Dabei darf aber nicht übersehen werden, dass auch er schon Ausgleichsformen benutzt, z. B. *sie zogen*. Selbst bei einem Schriftsteller herrscht also im Frnhd. keine Einheitlichkeit.

A u ß e r h a l b d e r F l e x i o n spielt der Ausgleich des Vokalwechsels keine große Rolle.

Im Frnhd. gibt es viele Dubletten, deren verschiedene Formen auf Ablaut oder Brechung beruhen. Diese sind verhältnismäßig rasch, oft schon im älteren Frnhd., beseitigt worden: *verdrusz – verdriesz*; *und – ind* (ripuarisch); *kirse – kerse*; *hilffe – helffe*.

Wichtiger sind die Unterschiede innerhalb von Wortgruppen, die oft mit Wortbildungsprozessen zusammenhängen. Sie halten sich länger; z. T. bleiben die verschiedenen Stammsilbenvokale bis in die Gegenwart erhalten:

erde – irdisch, irden – erden; *gold – gulden, gülden/golden* (erst seit dem 17. Jh.).

4.3.1.11. Vokalismus der Nebensilben

Seit der Festlegung des im Indogermanischen freien Akzents auf die erste Wortsilbe, dann auf die Stammsilbe haben die schwach betonten und die unbetonten Silben sehr starke Veränderungen erfahren. Das zeigt z. B. ein Vergleich der Leitformen der starken Verben in ahd. und mhd. Zeit (Klasse 1):

ahd.:	*rîtan*	*rîtu*	*reit*	*ritum*	*geritan*
mhd.:	*rîten*	*rîte*	*reit*	*riten*	*geriten*

Das Ahd. kennt also, wie die Graphien zeigen, volle Endsilbenvokale, während das Mhd. und natürlich auch das Frnhd. an diesen Stellen nur das unbetonte <*e*> (im Mitteldeutschen oft auch <*i*>) kennt. Das heißt, in spätahd. Zeit werden die vollen Vokale in unbetonten Silben geschwächt. Diese Abschwächung der Nebensilben hat für das Sprachsystem gravierende Folgen. Oft ist die Veränderung Ausgangspunkt morphologischer Wandlungen gewesen. (S. auch Abschnitte 2.3.2.7 und 3.3.2.5.)

Vokale in schwach betonten Silben
Hier handelt es sich vor allem um Vokale in Wortbildungsmorphemen, und zwar in Suffixen. Sie besitzen zum großen Teil einen Nebenton. Dieser bewirkte, dass ihre Vokale nicht oder nur in geringem Maße reduziert wurden.
Beispiele:

mhd. *-heit*: *menscheyt, vnkűscheyt, tragheyt, warheyt, auch* schon als *-keit*: *ytelkeýt*
mhd. *-lîch/-lich*: *gutlich, teglich*

Das Morphem *-lîch* besitzt schon im klass. Mhd. Nebenformen mit kurzem Vokal, besonders im Mitteldeutschen. Im Oberdeutschen überwiegen die Formen mit langem Vokal bis ins Frnhd. hinein, wenn auch die Länge nicht immer bezeichnet wird. Daher tritt hier mitunter auch die diphthongierte Form *-leich* auf.

mhd. *-schaft*:	*fruntschaft, herschafften*
mhd. *-ung(e)*:	*hoffenūge, weiſſagung*
mhd. *-ec, -ig/-ic*:	*heylige, schuldig, wirdiklichen*
mhd. *-isch*:	*yrdisch, kindisch, hobischeyt, auszlendisch*

Vokale in unbetonten Silben

Mittel- und Endsilben (Endungen). In den unbetonten Silben erscheint – wie schon in mhd. Zeit – in der Regel <*e*>. Doch sind mancherlei Besonderheiten zu beachten. Einige Gebiete des Oberdeutschen, bes. das Alemannische, haben bis in die Neuzeit volle Vokale in unbetonten Silben. Im Mitteldeutschen ist das <*e*> in unbetonten Silben oft zu <*i* (*y*)> gehoben; vgl. *gesangis, habin, undir* (R); *gedankin, sebin* 'sieben', *wortin* (BM); *grozir, mutir, tagis* (BE). Oft stehen <*e*> und <*i*> in regellosem Wechsel in den gleichen Wörtern nebeneiander. Möglicherweise ist das <*i*> in diesen Stellungen nur als Schreibmode zu betrachten. In anderen Quellen, vor allem der späteren Zeit, herrscht das <*e*> meist ausnahmslos vor, so z. B. auch bei Luther. Nur in der Flexion halten sich Varianten mit <*i, o, a, u*> besonders im Oberdeutschen bis ins 16./17. Jh.

Vokale in Präfixen. Obwohl es sich hier meist um ehemals selbständige Wörter handelt, sind die Vokale in diesen Morphemen schon im Mhd. aufgrund ihrer Unbetontheit meist zu <*e*> abgeschwächt worden. Dieser Laut herrscht auch im Frnhd. vor, z. B. *begert, erboten, entphangen, gefolgit.* Ausnahmen sind relativ selten, z. B. *czustoret, irsten* 'erstehen', *intphangen, inczuͤndit* (Part.). Nur mhd. *vor(e)-, vur-, ver-, ur-, miß-* und die Negationspartikel *un-, en-* enthalten oft <*o*> bzw. <*u*>: *vorsmet* 'verschmäht', *georteylt, vnkůscheyt.*

Synkope und Apokope. Die Unterschiede gegenüber dem Mhd. sind gering. Auch im Frnhd. ist das Oberdeutsche im Abstoßen und Ausstoßen des unbetonten <*e*> konsequenter als das Mitteldeutsche. Im Laufe der Entwicklung findet ein Ausgleich statt, meist zugunsten des Mitteldeutschen. Die Formen mit nichtapokopiertem <*e*> setzen sich im Oberdeutschen erst im 17./18. Jh. durch. Im Frnhd. stehen häufig beim gleichen Wort Formen mit erhaltenem und mit aus-(ab-)gestoßenem <*e*> nebeneinander. Das gilt auch für <*e*> nach <*l*> und <*r*>.

Die Synkope tritt im Innern des Wortes zwischen hochtoniger und tieftoniger Silbe sowie in der Kompositionsfuge auf: *houbet/houpt, maget/magt, betehuͤs/bethuͤze; nackit/nakt; wittewe/ witven* (BE). Relativ oft ist sie bei den Endungen der Konjugation zu beobachten: *sagete/sagte, sprichest/sprichst.* Geht die Wurzel auf Dental oder eine bestimmte Konsonantenverbindung aus, so bleibt der Bindevokal erhalten (*regnete, widmete*), oder er wird später wieder eingesetzt (*redte, geredt*). Sonst aber setzt sich die Synkope im Laufe der frnhd. Zeit immer stärker durch. Ebenso ist es bei der Deklination, z. B. *Bergwerks, Getichts* (OP).

Eine besondere Rolle spielt die sog. Ekthlipsis, die Ausstoßung des *e* zwischen gleichen und ähnlichen Lauten: *durste* 'dürstete', *gekleit* 'gekleidet', *geschat* 'geschadet'. Meist gibt es daneben auch die Form mit erhaltenem *e.* Diese Synkopierung ist nur selten in die Schriftsprache eingedrungen, bzw. sie ist hier wieder rückgängig gemacht worden, um die grammatischen Formen deutlich zu markieren (siehe oben).

In den Präfixen *ge-* und *be-* hat vor allem das Oberdeutsche häufig synkopiert. Die Wörter, die auch im Mitteldeutschen Synkope zeigen, sind z. T. in die Schriftsprache eingedrungen: *glauben, Glaube, gleich, Glück, Gnade, bleiben.*

Die Apokope kann prinzipiell jedes Endungs-*e* betreffen; doch ist der Abfall dieses Vokals in den einzelnen Sprachlandschaften recht unterschiedlich festzustellen (s. die Übersicht in der Frnhd. Grammatik 1993, 80). Die Apokope spielt besonders in der Flexion eine wichtige Rolle, und zwar sowohl bei der Deklination der Substantive, vgl. z. B. *tag/tage* (Dat. Sgl.); *mensch/mensche, herz/herze* (Nom. Sgl.), als auch bei der Konjugation der Verben, vgl. z. B. *hab, sag* (1. Sgl. Präs. Ind.), *wer* (3. Sgl. Prät. Konj.).

Sie unterblieb hier, wo *-e* zur Aufrechterhaltung der Eindeutigkeit notwendig war: *komme* (3. Sgl. Präs. Konj.) gegenüber *komm* (Imp.). Beim Substantiv ist sie oft Ausgangspunkt für Veränderungen in der Deklination gewesen, z. B. bei der *ja*-Deklination (s. 4.4.2). (Zu weiteren Einzelheiten vgl. PAUL 1998, 79 ff.; HARTWEG/WEGERA 2005, 140 ff.; Frnhd. Grammatik 1993, 78 ff.; LINDGREN 1953, 192 ff.; BÜTHE-SCHEIDER 2017, 219 ff.).

4.3.1.12 Übersicht über die vokalischen Phoneme

Da für das gesamte Frnhd. noch kein allgemeingültiges Phonemsystem anzusetzen ist (vgl. Frnhd. Grammatik 1993, 36 f.) und ein Gesamtüberblick über die Phoneminventare der wichtigsten Sprachlandschaften nicht gegeben werden kann, abstrahiert die folgende Übersicht zunächst von allen zeitlichen, räumlichen und soziologisch bedingten Unterschieden, die auch am Ende dieser Periode noch vorhanden sind. Sie spiegelt die Ergebnisse aller wichtigen lautlich-phonemischen Wandlungen in frnhd. Zeit wider und entspricht daher weitgehend dem vokalischen Phonembestand der nhd. Schriftsprache.

		vorn	neutral	hinten	Beispiele
Kurze Vokale					
	hoch	*/i/ /ü/*		*/u/*	*/i/ /rint/*
					/ü/ /fülə/
					/u/ /runt/
	mittel	*/e/ /ö/*	[ə][1]	*/o/*	*/e/ /heft/*
					/e/ /hölə/
					/o/ /fol/
	tief		*/a/*		*/a/ /man/*
Lange Vokale					
	hoch	*/i:/ /ü:/*		*/u:/*	*/i:/ /fi:l/*
					/ü:/ /fü:r/
					/u:/ /bru:t/
	mittel	*/e:/ /ö:/*		*/o:/*	*/e:/ /e:rə/*
		/ä:/[2]			*/ö:/ /ö:l/*
					/o:/ /bro:t/
					/ä:/ /ä:rə/
	tief		*/a:/*		*/a:/ /ka:n/*
Diphthonge[3]					
	mittel			*/oi/*	*/oi/ /hoi/*
	tief		*/ae/ /ao/*		*/ae/ /haes/*
					/ao/ /haos/

Anmerkungen:

1 Das unbetonte ə wird meist als positonsbedingtes Allophon des */e/* angesehen.

2 */ä:/* besitzt im Nhd. die Tendenz, mit dem Phonem */e:/* zusammenzufallen. Diese *e*-Verschmelzung ist jedoch am Ende der frnhd. Epoche noch nicht abgeschlossen, wie dies HARTWEG/WEGERA (2005, 134) offensichtlich meinen.

3 Die Einordnung der Diphthonge erfolgt nach ihrem ersten Bestandteil.

Aus dieser Übersicht lassen sich auf der Grundlage ausreichender Texte die den einzelnen Sprachlandschaften eigenen (spezifischen) Phonemsysteme ableiten. So stehen in bestimmten Sprachräumen selbst noch im jüngeren Frnhd. neben den Phonemen /*i:, u:, ü:*/ die Allophone [*ie, uo, üe*], neben den Phonemen /*ae, ao, oi*/ die Allophone [*i:, u:, ü:*]. Dies kann oft aus Zeit und Raum der Entstehung des Textes, mitunter auch aus der Schreibung erschlossen werden; vgl. z. B. <*zů, thů, dyenest, muͤßt, bruͤderlich* (ZA), *Ißleben, Vlenspiegel, koflüt*> (Eulenspiegel). Mitunter sind die angeführten Allophone auch die dominierenden Varianten, also als Phoneme anzusetzen, und die sich entwickelnden Laute als Allophone zu interpretieren.

Dass in frnhd. Zeit ein allgemeingültiger Stand kaum zu erfassen ist, erkennen wir daran, dass selbst bei einer Beschränkung auf einen kürzeren Zeitabschnitt – z. B. die Mitte des 16. Jh. – noch zahlreiche Varianten nebeneinanderstehen. Dies sei am Beispiel der langen Vokale des Mhd. demonstriert:

Mhd.	Bair.	Alem./Schwäb.	Ostfränk.	Wmd.	Omd.
î	/*ae*/	/*i:*/	/*ae*/	/*i:, ae*/	/*i:, ae*/
û	/*ao*/	/*u:, ao*/	/*ao*/	/*u:, ao*/	/*u:, ao*/
iu	/*oi*/	/*ü:, oi*/	/*oi*/	/*ü:, oi*/	/*ü:, oi*/
ê	/*e:*/	/*e:*/	/*e:*/	/*e:*/	/*e:*/
ô	/*o:*/	/*o:*/	/*o:*/	/*o:*/	/*o:*/
œ	/*ö:, e:*/	/*ö:, e:*/	/*ö:,e:*/	/*ö:, e:*/	/*ö:,e:*/
â	/*a:, o:*/	/*a:*/	/*a:*/	/*a:*/	/*a:, o:*/
æ	/*ä:, a:*/	/*ä:*/	/*ä:*/	/*ä:*/	/*ä:*/

Wie kompliziert der Stand der Entwicklung zu einer bestimmten Zeit in einem bestimmten Raum ist, zeigt Penzl (1984, 58 f., 166 ff.). Er erläutert das frnhd. Vokalsystem am Beispiel eines Textes von Heinrich von Wittweiler. Die Handschrift ist um 1400 entstanden und zeigt trotz der alemannischen Herkunft des Verfassers vorwiegend bairische Züge. Die kurzen [*e*]-Laute sind noch nicht zu einem Phonem zusammengefallen, die Monophthongierung ist noch nicht durchgeführt, wohl aber die Diphthongierung, doch unterscheiden sich die neuen Diphthonge noch von den alten (was allerdings nicht exakt nachzuweisen ist). Das ergibt 23 Phoneme (einschließlich des unbetonten /*ə*/). Bei Texten aus einem anderen Raum und/oder einer anderen Zeit, die auch die langen Vokale /*i:, u:, ü:*/ besitzen, käme man sogar auf 26 Phoneme. In das System der nhd. Schriftsprache sind aber deutlich weniger Phoneme eingegangen. (Vgl. Philipp 1980, 40 ff.; Meinhold/Stock 1982, 93 ff.; Penzl 1984, 58 f.; N. R. Wolf 2000, 1527 ff.)

Ein Vergleich mit den vokalischen Phonemen des Mittelhochdeutschen (s. 3.3.1.1) zeigt, dass in Bezug auf die Art und die Zahl der Phoneme zwischen beiden Sprachzuständen eine recht große Übereinstimmung herrscht. Lediglich im Bereich der Diphthonge sowie der /*e*/-Phoneme – sofern man hier im Mhd. fünf Phoneme ansetzt – gibt es deutliche Unterschiede, wodurch das nhd. Phoneminventar gegenüber dem mhd. vereinfacht wird. Den 23 Phonemen im Mhd. stehen nur noch 18 vokalische Phoneme – ohne [*ə*] – am Ende der frnhd. Periode gegenüber. Betrachtet man jedoch die Distribution der Phoneme in vergleichbaren Lexemen, so zeigen sich größere Differenzen zwischen beiden Sprachzuständen (s. Tafel 6). Aus einem solchen Vergleich lassen sich auch, wie die folgende schematische Übersicht zeigt, die wichtigsten Arten des Laut- und Phonemwandels vom Mhd. zum Frnhd. ablesen. (Vgl. ausführlicher Herrlitz 1970, Kap. 2; Philipp 1980, 36 ff.; Szulc 1987, 123 ff.; Hartweg/Wegera 2005,134.)

Übersicht über die wichtigsten vokalischen Veränderungen vom Mhd. zum Frnhd.

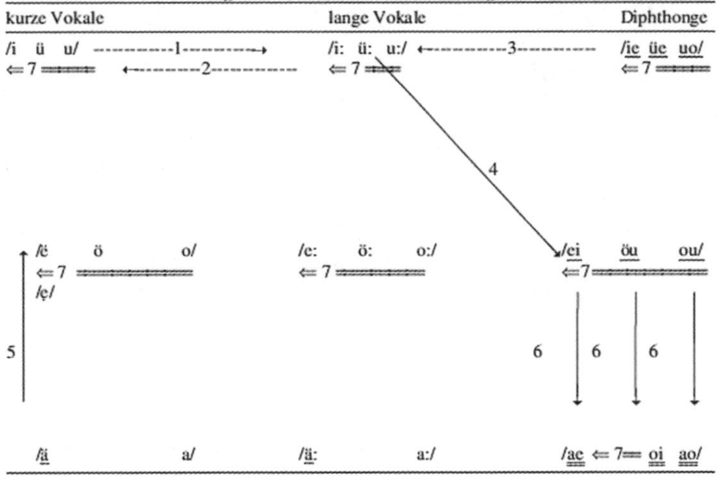

Die Zahlen bedeuten:

1: Dehnung (partielle Phonemverschiebung)
2: Kürzung (partielle Phonemverschiebung)
3: Monophthongierung (Phonemverschmelzung)
4: Diphthongierung (Phonemspaltung)
5: Phonemverschmelzung der drei kurzen /e/-Phoneme
6: (partielle) Senkung; in Landschaften, in denen die Diphthonge zeitweise phonologische Oppositionen bildeten, Phonemververschiebung
7: Entrundung (Phonemverschiebung)
– Nur mhd. Phonem = Nur nhd. Phoneme

Der folgende Text von Hans Sachs enthält relativ viele typische Merkmale der Schreibung und der Lautung des Frnhd.; er ist also für die wiederholende Interpretation bisher behandelter Erscheinungen geeignet. Da er aber auch manche Besonderheiten des Konsonantismus besitzt, weist er gleichzeitig auf den folgenden Abschnitt hin.

„Der paurenknecht fras sein hantschuͤch“
In dem kurczen thon Hans Sachsen (1550)

1. *Ein pauren knecht hin gen Muͤnichen kam*
Mit eim weisen federpusch fuͤr ain kram,
Fragt, wo man federpuͤesch wohl waschen kuͤnde.
Man weist in zv dem koch hinein gen hoff.
Der pauren knecht mit frewden hinein loff
Zuͤm koch, der stack vol schalckheit, list vnd fuͤnde.
Den pusch er nuͤmb,
Sprach zv im: „Kuͤmb
In thuernicz, pis er druͤcken wideruͤmb
So wil ich dir die weil ein suͤppen geben,
Las herausen die hirsen hantschuͤch dein!
Prechstuͤs mit dir in die hoffstueben nein,
Die rewter wurden spotlich mit dir leben.“

4.3.2 Konsonantismus

4.3.2.1 Explosivlaute und Affrikaten

Die Explosivlaute und Affrikaten des Frnhd. entsprechen in vielen Fällen sowohl denen des normalisierten Mhd. als auch denen der nhd. Standardsprache (s. Tafel 2 im Anhang: Entwicklung des Konsonantismus.) Die folgenden Erläuterungen konzentrieren sich daher auf einige der zahlreichen Varianten, die für das Erfassen von Lexemen bedeutsam sind. Ursache für die Vielfalt der Erscheinungen sind u. a. folgende Prozesse:

1. Der unterschiedliche Anteil der einzelnen Landschaften an der ahd. Lautverschiebung.
2. Die binnen(hoch)deutsche Konsonantenschwächung; Darunter versteht man eine Schwächung (Lenisierung) der stl. Verschlusslaute *p, t, k* sowie der germ. Reibelaute *f, þ, s* und *h*. Sie erfasst die hochdeutschen Mundarten mit Ausnahme des Hochalemannischen, Südbairischen, des westl. Moselfränkischen, des Ripuarischen, des Nordthüringischen und des Schlesischen. Unterschiede gibt es jedoch sowohl bei den einzelnen Lauten als auch in zeitlicher Hinsicht. Im Oberdeutschen beginnt die Schwächung der Verschlusslaute schon im Spätalthochdeutschen, im Ostmitteldeutschen erst im 15. Jh. Diese Lenisierung hängt vielleicht mit ähnlichen Prozessen im Niederdeutschen zusammen, sodass der Ausdruck „binnenhochdeutsch" fehl am Platze ist.
3. Die Aufgabe des Stimmtons bei *b, d, g*. Dieser Prozess lässt *b, d, g*, soweit sie überhaupt erhalten bleiben, in vielen hochdeutschen Gebieten zu stl. Lenes werden. Ob dieser Prozess mit der Schwächung von *p, t, k* zusammenhängt, ist nicht restlos geklärt. Wichtig ist aber für viele Räume des Frnhd. (wie der nhd. Mundarten), dass die stl. Tenues *p, t, k* mit den sth. Lenes *b, d, g* zu den stl. Medien *b, d, g* zusammenfallen, das heißt, dass aus den sechs Phonemen des Mhd. in verschiedenen Räumen drei neue Phoneme entstehen; vgl. noch heute z. B. obersächs. *ḅelə* 'Pelle' und 'Bälle'. In der Schriftsprache bleibt jedoch die Opposition zwischen den Tenues und den Lenes erhalten.
4. Verschlusslaute erscheinen in md. und nd. Dialekten bisweilen als Reibelaute (omd. *orwēd* für mhd. *arebeit*, rhein., nd. *jut* für mhd. *guot*).
5. Die Unterschiede zwischen gesprochener und geschriebener Sprache. Da die Schrift oft nicht oder nur teilweise den Stand der Entwicklung widerspiegelt, ist der Lautwert der einzelnen Zeichen nicht immer genau zu bestimmen. Deshalb sind die folgenden Ausführungen zu den einzelnen Explosivlauten und Affrikaten stets im Zusammenhang zu sehen. (Vgl. V. MOSER, Bd. I,3., 1951, 103 ff.; BRAUNE 2004, §§ 83–90; METTKE 1989, § 62; PAUL 1998, 121 f., 132 ff.; SZULC 1987, 158 f.; HARTWEG/WEGERA 2005, 143 f.; SIMMLER 1983, 1121 ff.; Frnhd. Grammatik 1993, 83 ff.)

Mhd. b

Frnhd. <*b*> konkurriert in der Schreibung nicht selten mit <*p*>. (Daher werden in Wörterbüchern des Frnhd. beide Laute – genauso wie <*d*> und <*t*> – an einer Stelle zusammengefasst.) Das Nebeneinander von <*b*> und <*p*> hat vor allem folgende Ursache:

Germ. /*b*/ ist im Oberdeutschen durch die 2. Lautverschiebung zu /*p*/ geworden. Dieses <*p*> gibt es im Anlaut auch noch in frnhd. Zeit im Bair.: *pauren, pald, paide.* In den übrigen oberdeutschen Gebieten ist das <*p*> meist auf wenige Wörter beschränkt, z. B. alem. *Payern, plitz.* Auch im Mitteldeutschen, das generell den Wandel von /*b*/ zu /*p*/ nicht mitgemacht hat, erscheint in einigen Wörtern unter oberdeutschem Einfluss des Öfteren <*p*>: *dem pusche, puttyr* (BE); *pauer, pusch, putter* sind im Ostmitteldeutschen weit verbreitet. Häufig tritt <*p*> im Silbenanlaut auf: *gepaut, entpot* (3. Sgl. Prät.). Auch Luther verwendet in frühen Schriften das <*p*>: *peycht* (1520), *gepar, geperen, gepott* (1522), *emperen* (1529) 'entbehren', aber *gebar, geboren, Gebot* (1545). Verhältnismäßig stark ist <*p*> in den deutschen Mundarten Böhmens vertreten, jedoch selten in der Prager Kanzleisprache.

In die Schriftsprache werden – vor allem über ostmitteldeutsche Texte – u. a. folgende Wörter mit <*p*> übernommen: *pochen, Polster, Posaune, prangen, Prügel, purzeln, putzen.* Zum Teil sind schon im Mhd. Nebenformen mit <*p*> vorhanden.

Im Inlaut kommt fast nie <*p*> für <*b*> vor. Oft geht aber der Verschlusslaut in einen Reibelaut über, der häufig durch <*w*> wiedergegeben wird: bair. *lewen,* omd. *strewin.*

Die zwischenvokalische Geminata <*bb*> erscheint des Öfteren als <*pp*>: *crippe, rappe* 'Rabe', dann auch 'schwarzes Pferd', *rippe, üppig.* Doppelformen führen zur Bedeutungsdifferenzierung bei *rappe/rabe, knappe/knabe.*

Mhd. d

Auch für frnhd. <*d*> stehen des Öfteren historisch bedingte Varianten. Im Frnhd. wird /*d*/ vor <*r*> zu /*t*/, vor allem im Oberdeutschen. Später, im 16./17. Jh., dringt dieser Wandel, der der Lenisierung entgegenwirkt, auch in verschiedene Gebiete des Mitteldeutschen ein. Dadurch wird manche Form schriftsprachlich: mhd. *drabant, draben, dröschen, drucken* > frnhd. *trabant, traben, treschen, trucken.*

Vor Vokalen spielt der Wandel zu <*t*> eine geringere Rolle. In einigen Wörtern wird jedoch <*t*> häufig gebraucht, z. B. *tacht/tocht, tausent, teutsch, tölpel, tosen, tuncken, Thöring* (L)/ *Thüringen.* Meist bleiben die Formen mit <*d*> im Frnhd. daneben erhalten. Im Oberdeutschen ist dieser Wandel früher und häufiger als im Mitteldeutschen zu beobachten. *teutsch* ist besonders typisch für das Oberdeutsche. Das anlautende <*t*> ist hier unter dem Einfluss der lat. Bildungen *theodiscus, teudiscus* bzw. des lat. *teutonicus* 'deutsch' angenommen worden und hat sich bis in die nhd. Zeit gehalten; es kommt z. B. noch bei E. M. Arndt vor. Erst mit der genaueren Kenntnis der Etymologie des Wortes setzt sich im 19. Jh. endgültig die Form mit <*d*> im Anlaut durch (s. 1.2.4.5). Bei *Thüringen* ist das <*t*> im Anlaut sicher durch Einfluss der lateinischen Form zur Norm der Schriftsprache geworden.

Dieser Wandel von /*d*/ zu /*t*/ ist kaum als späte Wirkung der 2. Lautverschiebung zu erklären (vgl. TSCHIRCH, Bd. 2, 1989, 18).

Mhd. g

Das durch die 2. Lautverschiebung im Oberdeutschen entstandene /*k*/ kommt im Anlaut nur noch ganz selten vor. In weiten Teilen des Mitteldeutschen und im Nürnbergischen geht das <*g*> in einen meist sth. Reibelaut über bzw. es bleibt ein aus dem Germanischen stammender Spirant erhalten, z. B. in *jah, jut* (md.), *jach, jar* (Nürnberg). Einige Formen sind in die Schriftsprache übernommen worden: *jäh, jählings.* In der Umgangssprache ist *Jeck* weit verbreitet. Schon Schottelius verzeichnet hier Doppelformen: *gach/Jach, jahe, gekh/jekh.*

Im Inlaut verläuft die Entwicklung ähnlich. Das Oberdeutsche bewahrt meist den Verschlusslaut, allerdings als Lenis, das Mitteldeutsche und Teile des nördlichen Oberdeutschen haben durchweg sth. oder stl. Reibelaut; letzterer gilt vor allem im Ostmitteldeutschen. Die Schrift spiegelt diese Entwicklung nur selten wider. Mitunter wird der stl. Reibelaut mit <*gh*> wiedergegeben, z. B. *Jaghen, volghen*, manchmal auch mit <*ch*>, z. B. *sachten, nachvolchen.* Durchgesetzt hat sich dieser Wandel in *mancher* und *mancherlei* (mhd. *manec, manegerleie*).

Die Geminata bleibt im Oberdeutschen meist erhalten: *bruggen, egge, mugg(en), ruggen.* Im Mitteldeutschen steht dagegen stets <*k, ck, kk*>, z. B. *brücke, ecke, mücke/mucke, rucke(n).*

Im Auslaut hat das Oberdeutsche meist <*g*>. Doch gibt es auch Belege für den Übergang zum Reibelaut. Das gilt besonders für das <*g*> im Suffix *-ig.* Auch im Mitteldeutschen gibt es den Reibelaut, allerdings wird er in der Schrift selten bezeichnet: *adelich, vnzelich.* Nur im Mittelfränkischen, wo der frnhd. Reibelaut den westgerm. Reibelaut fortsetzt, wird meist <*ch*> geschrieben: *dach* 'Tag', *gesacht, klachte.*

(Zur Assimilation von <*b*> zu <*p*> siehe Abschnitt 4.3.2.6, zur Auslautverhärtung Abschnitt 4.3.2.7.)

Mhd. p und pf

Im Anlaut setzt sich */pf/*, die in der 2. Lautverschiebung entstandene Affrikata, auch in der Schrift immer mehr durch, doch finden sich noch während der gesamten frnhd. Periode Formen mit unverschobenem <*p*>: *paffe, plastern, pul.* Das gilt besonders für das Westmitteldeutsche, das die 2. Lautverschiebung in dieser Position nicht mitgemacht hat, sowie für das nördliche Thüringen und nördliche Obersachsen, die ursprünglich zum niederdeutschen Gebiet gehörten.

Unter nd.-md. Einfluss dringen einige Wörter mit anlautendem <*p*> in die Schriftsprache ein: frnhd. *pellen, plunder, plündern, pocke, pökeln.* Das trifft auch auf einige jüngere Fremdwörter zu, z. B. frnhd. *Palast, belz/pelz, Preyß.* Im Ostmitteldeutschen spricht man in Mundart und Umgangssprache auch heute noch statt der Affrikata */pf/* meist den Reibelaut *[f]*, wahrscheinlich schon seit der Siedlerzeit: */funt/.* Als Weiterentwicklung der 2. Lautverschiebung ist dieser Wandel wohl kaum zu bewerten. Frings (1956, Bd. 3, 31) sieht das *[f]* als „Ergebnis kolonialer Mischung“ von */pf/* und */p/.* (Vgl. dazu auch V. Moser 1951, Bd. I,3, 132 f.; Hartweg/Wegera 2005, 145.) In der geschriebenen Sprache steht jedoch oft <*pf*> bzw. <*ph*>, z. B. in BE.

Im In- und Auslaut nach <*m*> sowie in der Gemination ist die Verschiebung zur Affrikata im Mitteldeutschen zum großen Teil unterblieben. Auch in der Schrift stehen mitunter unverschobene Formen, z. B. *appele*; doch setzt sich <*pf*> immer stärker durch. Eine Reihe von Wörtern ist mit unverschobenen Formen schriftsprachlich geworden: *klappern, Knüppel, Lippe, Stempel* (frnhd. oft *knüpfel, stempfel*). Andere Formen bleiben auf Mundart und Umgangssprache beschränkt: *appel, schimpen, strump.*

Im Mittelfränkischen ist auch die Verschiebung nach <*r*> und <*l*> unterblieben: *dorp, helpen.* Im Laufe des Frnhd. setzt sich anstelle der Affrikata die Schreibung mit <*f*> durch. Unverschobene Formen werden ganz selten in die Schriftsprache aufgenommen, z. B. *Krampe, Krempe, stolpern.*

Mhd. t, z (/ts/)

Die Affrikata */ts/* wird im Frnhd. durch zahlreiche Allographe wiedergegeben. (Zu den Bedingungen ihres Vorkommens vgl. Frnhd. Grammatik 1993, 130 ff.) Die wichtigsten Graphemvarianten sind im An-, In- und Auslaut <*z*> und <*tz*>, die sich auch im Nhd. durchsetzen.

Zur Entwicklung des */t/*:

Im Anlaut hat das Westmitteldeutsche den Wandel von germ. */d/* zu ahd. */t/* nicht mitgemacht. In frnhd. Zeit dringt das gemeindeutsche */t/* allmählich über die geschriebene Sprache auch in die Mundarten dieses Raumes ein. Viele Wörter sind jedoch mit anlautendem <*d*> in die Schriftsprache eingegangen. Oft schwankt in diesen Fällen schon im Mittelhochdeutschen die Schreibweise, z. B. frnhd. *dalhe* 'Dohle', *dotter, tom/dum, tuften, dunkel*. In anderen Wörtern dürfte der niederdeutsche Einfluss den Ausschlag für die Schreibung mit <*d*> gegeben haben: frnhd. *dam* (neben *tam*), *Dene* 'Däne'. Hinzu kommen einige Lehnwörter, bei denen das nhd. <*d*> der ursprünglichen Form entspricht: frnhd. *dichten, doppeln, dutzent*.

Im Inlaut gibt es auch noch im Frnhd. die Erweichung nach Liquiden und Nasalen: *gehalden, sulde, virde* (BM), *alde, halden, vnder* (UK), *hinder, under, vierde* (L), *vnder, vndertenig, gehald* (FR). Daneben stehen jedoch häufig Formen mit <*t*>. Diese Erweichung wird gestützt durch die Konsonantenschwächung, die auch bei <*t*> eintritt. Ferner ist zu bedenken, dass germ. */d/* nach <*l*> und <*n*> im Mitteldeutschen meist nicht verschoben worden ist.

Eine andere Entwicklung ist zu einem Merkmal der Schriftsprache geworden:

mhd. *tw* (ahd. *dw*) > frnhd. *zw* (besonders im Oberdeutschen) oder *kw* (besonders im Mitteldeutschen), z. B. mhd. *twalm* > frnhd. *qualm*, mhd. *twarc* > frnhd. *quark*, mhd. *twer* > frnhd. *kwer*, mhd. *twerch* > frnhd. *zwerch*, nhd. *quer*.

Diese Entwicklung beginnt im Oberdeutschen schon spätmittelhochdeutsch, im Mitteldeutschen erst im 14. Jh. Der Übergang zu *zw/kw* wird in der Schrift nicht immer bezeichnet: *betwingen, twalmig, twenglich* (Joh. v. Saaz).

Eine weitere Besonderheit stellt die Epithese des <*t*> dar. Man spricht hier auch vom unhistorischen <*t*>. Es tritt an das Ende eines Wortes, besonders nach unbetonter Silbe. Die Entwicklung beginnt schon in mhd. Zeit (vgl. PAUL 1998, 160 f.) und ist in Dialekten und Umgangssprachen auch heute noch zu beobachten, z. B. [*ebənt*]:

mhd. *mâne* > frnhd. *mond*, mhd. *ieman* > frnhd. *iemant*, mhd. *nirgen* > frnhd. *nirgent(s)*, mhd. *vollen* > frnhd. *vollent(s)*.

Im Frnhd. stehen oft beide Formen nebeneinander, z. B. *huf* und *huft* 'Hüfte'. Bei manchen Wörtern überwiegt sogar noch die Form ohne <*t*>, z. B. *akse* 'Axt', *obes* 'Obst'. Die Epithese ist auch im mittelbaren Auslaut, beim ersten Teil von Komposita festzustellen: mhd. *anderhalben* > frnhd. *anderthalben*, mhd. *allen halben* > frnhd. *allenthalben*.

Ebenso erscheint <*t*> als Gleitlaut in Ableitungen zwischen auslautendem <*n*> und anlautendem <*l*> des Suffixes, z. B. *eigentlich, ordentlich, namentlich*.

Mhd. k und kch

Die Affrikata */kx/* tritt immer mehr zurück; sie existiert lediglich noch im Hochalemannischen und in Teilen des Südbairischen. In der Schrift wird sie nur noch selten gekennzeichnet. Am Ende des Frnhd. steht durchweg das Graphem <*k*> oder – in seltenen Fällen – <*ch, kch, kh*>. Der Lautwert dieser Zeichen ist nicht immer eindeutig zu bestimmen; <*kh*> kann z. B. auch für das aspirierte /*k*/ stehen. In den übrigen oberdeutschen Gebieten wird die Affrikata wieder zum Verschlusslaut.

Infolge der Konsonantenschwächung von <*k*> und <*g*> wechseln mitunter in der Schreibung diese beiden Buchstaben, vor allem im In- und Auslaut. Relativ häufig ist dies in mitteldeutschen Texten der Fall. Schon seit dem 14. Jh. gibt es Formen wie *grantz, kranger, volg*. Vom 16. Jh. an tritt die <*g*>-Schreibung wieder zurück. In verschiedenen Mundarten und landschaftlichen Umgangssprachen ist die Schwächung noch heute erhalten. In die Schriftsprache Eingang gefunden haben die Schreibungen *Sarg* und *Werg* (frnhd. *sarc, werc*).

4.3.2.2 Entwicklung der *s*-Laute

Im Bereich der *s*-Laute sind mehrere, zum Teil komplizierte Wandlungen festzustellen. Im Mhd. gibt es neben dem palatalen Zischlaut, der mit <*sch, sk, sc*> geschrieben wird, noch zwei [*s*]-Laute:

(1) <*s*> bezeichnet den alten idg. Reibelaut; er besaß im Mhd. einen palatalen Charakter, stand also dem heutigen <*sch*> nahe; je nach der Position wurde er wohl stimmhaft oder stimmlos gesprochen. In den Grammatiken und edierten Texten wird er mitunter auch mit *ṡ* (stl.) bzw. *ż* (sth.) markiert. (Manchmal steht der Punkt auch unter dem Zeichen.)

(2) <*z*> bezeichnet den stl. Reibelaut, entstanden aus germ. /*t*/, der oft auch durch <*zz, ʒʒ*> wiedergegeben wird. Da diese beiden Laute in Schreibung und Aussprache deutlich geschieden sind, werden sie von den Dichtern der mhd. Klassik nicht miteinander gereimt.

Seit dem Ende des 13. Jh. verändert mhd. <*s*> in mehrfacher Hinsicht seinen Lautwert. Im Auslaut, wo es seinen palatalen Charakter aufgibt und zum reinen dentalen stl. /*s*/ wird, fällt es mit mhd. <*z*> zusammen; vgl. mhd. *daz, ez, grôz, ûz*; mhd. *gras, ist, uns*; frnhd. *daz/dz, es, gross/groß, auß*; *gras, ist, vns*. In der Schreibung findet dieser Wandel zunächst keinen deutlichen Niederschlag. In verschiedenen Landschaften bleibt die Unterscheidung noch lange erhalten, nicht aber in der Schriftsprache, wo die Opposition /*s*/ : /*z*/([*ż*]) in diesen Fällen aufgehoben wird. (Zur komplizierten Entwicklung der *s*-Laute vgl. V. Moser 1951, Bd. I,3, 204 ff.; Kienle 1969, 99 ff.; Philipp 1980, 48 f.; Hartweg/Wegera 2005, 145 f.; Paul 1998, 162 ff.; Frnhd. Grammatik 1993, 110 ff.)

Im Anlaut vor Vokalen sowie im Inlaut zwischen sth. Lauten setzt sich allmählich der sth. *s*-Laut (/*z*/) durch. Er entspricht in der Regel mhd. <*s*>: *sagen, leise, lesen, Amsel, Linse*. Dieser Laut wird meist mit <*s*> oder <*ſ*> wiedergegeben. Vereinzelt ist auch mhd. <*z*> zu einem sth. Laut geworden, nach Vokalen (*Ameise, verweisen*) und nach <*m, n*> (*emsig, Binse*).

Im Inlaut nach kurzem Vokal und neben Konsonanten – vor allem in der Verbindung <*st, sp*> – sowie im Auslaut entwickelt sich ein stl. *s*-Laut. Er entspricht mhd. <*s, ss, z, zz*>; vgl. mhd. *gras, küssen, leisten, wespe, daz, wizzen*. Geschrieben wird er als <*z, zz, ʒʒ*>, später vor allem als <*ſ, ſſ, ſs, ß, ſz*>, z. B. *heizzt, sachſzen, wachſſzen, wachßen*. Durch Vereinfachung steht im 16./17. Jh. oft nur *ſ* (*weiſt*) oder *ß* (*roß*).

Im Anlaut vor Konsonanten (*l, m, n, w, p, t*) verstärkt <*s*> seinen palatalen Charakter, es wird zum palato-alveolaren *ʃ* (<*sch*>); dieses <*sch*> fällt mit dem im Mhd. aus ahd. <*sk*> entstandenen Laut zusammen: ahd. *scuoh*, mhd. *schuoch*. Diese Entwicklung, im Alemannischen schon im 13. Jh. einsetzend, gilt für das gesamte hochdeutsche Gebiet. Dadurch verstärkt sich die Opposition zu dem stl. /*s*/, das aus germ. /*t*/ entstanden ist, vgl.:

mhd. *swërt* > frnhd. *schwert*, mhd. *snê* > frnhd. *schnee*, mhd. *smërze* > frnhd. *schmerz*, mhd. *slâf* > frnhd. *schlaf*, mhd. *sprëchen* > frnhd. *sprechen* (/*ʃpreχən*/, mhd. *stein* > frnhd. *stein* (/*ʃtaen*/).

Die Schrift spiegelt diese Veränderung zunächst nicht wider: *snelle*, *swerlich* (Joh. v. Saaz). Erst seit etwa 1500 setzt sich die Schreibung mit <*sch*> stärker durch. Nur vor <*t*> und <*p*> bleibt die Schreibweise erhalten. Gelegentliche Schreibungen wie *schprechen* werden wieder rückgängig gemacht. Der Übergang von inlautendem <*s*> zu <*sch*> bleibt auf das Schwäbisch-Alemannische und einige westmitteldeutsche Randgebiete (Rheinfränkisch) beschränkt, vgl. alem. *faschten*, *ischt*. Im In- und Auslaut wird <*s*> oft nach <*r*> zu <*sch*>. Auch dieser Wandel breitet sich im 14./15. Jh. fast über das gesamte hochdeutsche Gebiet aus, setzt sich aber in der Schreibung zunächst nicht durch, vgl. frnhd. *bars*, *hirs*. Erst im jüngeren Frnhd. kommen <*sch*>-Schreibungen häufiger vor: *bursche*, *herrschen*, *kirsche*. In den Mundarten ist diese Veränderung oft konsequenter erfolgt. So erscheint im Ostmitteldeutschen in der Regel <*s*> nach <*r*> als /*sch*/, vor allem in der Verbindung *-rst*: *dorscht*, *worscht*.

Grundsätzlich wandelt sich also mhd. *s* im Anlaut zu /*ʃ*/ oder zu sth. /*z*/, im In- und Auslaut zu sth. oder stl. Reibelaut, nach <*r*> oft zu /*ʃ*/ (<*sch*>). Mhd. *z* wird selten zum stimmhaften Reibelaut, meist bleibt es stimmlos; mhd. *ss* und *zz* ergeben immer einen stimmlosen Reibelaut.

Die Schreibung der stl. Fortis im Inlaut nach kurzem Vokal mit <*ss*> und nach langem Vokal mit <*ß*> wird erst im 18. Jh. endgültig durch Gottsched durchgesetzt, vgl. *Masse*, *Maße*.

Sehen wir von einigen Besonderheiten der Aussprache und der Schreibung ab, so ergibt ein Vergleich der Phoneme und Grapheme zwischen dem Mittelhochdeutschen und dem Neuhochdeutschen folgendes Bild (vgl. STOPP 1976, 35 f.):

mhd.		nhd.	
Phoneme	Graphem(varianten)	Phoneme	Graphem(varianten)
/*z*/	<*s*>	/*z*/	<*s*>
/*s*/	<*s, ss, z, zz*>	/*s*/	<*s, ss, ß*>
/*ʃ*/	<*sch, sk/sc*>	/*ʃ*/	<*sch, s*>

Die Übersicht vereinfacht bewusst den Sachverhalt; so wird die umstrittene These ausgeklammert, ob die Doppelkonsonanten eigene Phoneme bildeten (s. 4.2.1.2). Sie macht jedoch in Verbindung mit den vorangehenden Erläuterungen deutlich, dass die Veränderungen vom Mittelhochdeutschen zum Neuhochdeutschen nicht die Zahl der Phoneme betreffen, sondern ihren Lautwert, ihre graphische Wiedergabe sowie insbesondere ihre Distribution und damit ihre Frequenz. Im Frühneuhochdeutschen sind zu allen

Zeiten und in allen Landschaften diese Wandlungen noch im Gange, auch in der graphischen Wiedergabe. Da im Nhd. die Phoneme */s/* und */z/* nur selten eine distinktive Opposition bilden (vgl. */raezən/:/raesən/*), werden sie mitunter als Allophone aufgefasst (vgl. SZULC 1987, 129 ff.). In verschiedenen mitteldeutschen Mundarten ist die Opposition zwischen dem stimmhaften und dem stimmlosen Reibelaut aufgegeben worden.

4.3.2.3 Entwicklung von mhd. *h*

Germ. */h/* ist im Mhd. zwischen Vokalen nur noch Hauchlaut. Im Frnhd. tritt in dieser Stellung – meist im Silbenanlaut – fast immer Schwund ein. In einigen oberdeutschen Mundarten ist vielleicht der Charakter des Reibelautes bzw. Hauchlautes länger erhalten geblieben. Die Schreibung jedoch bewahrt das <*h*>, z. B. mhd. *sehen* > frnhd. *sehen* (*/ze:ən/*), mhd. *nâhe* > frnhd. *nahe* (*/na:ə/*). <*h*> hat hier die Funktion eines Hiattrenners. Einige Wörter sind nach dem Verstummen des <*h*> kontrahiert worden, z. B. nhd. *Gemahl, Stahl, zehn, Zähre*. Erhalten bleibt im Silbenanlaut der Hauchlaut in der Schriftsprache nur bei wenigen Wörtern, vgl. z. B. *Ahorn*. Generell ist dies der Fall im Anlaut von Wörtern: *Hand, Hof, Hund*.

Im Auslaut, wo sich der spirantische Lautwert im Mhd. erhalten hat, tritt aufgrund des Systemzwanges ebenfalls Schwund ein, z. B. mhd. *schuoch* > frnhd. *schu* (nach dem Gen. Sg. oder dem Pl.), mhd. *sach* > frnhd. *sah* (nach dem Pl.). Das gilt auch für <*h*> im gedeckten Auslaut, z. B. mhd. *sehen, siht* > frnhd. *sehen, sieht*. Jedoch wird besonders im älteren Frnhd. noch mehrfach <*ch*> verwendet, vor allem vor <*t*>, z. B. *verzeuch* (Joh. v. Saaz), *beschicht* (Steinhöwel), *vich, einsechen* (ZA).

Bei Luther ist das <*h*> in der Regel schon verstummt; doch deutet die Schreibung mit <*ch*> (*geschechen, zeucht*) ein Schwanken an. Im gedeckten Auslaut kennt er wohl noch den Reibelaut. Dafür zeugen Reime wie *verschmecht – Geschlecht*.

Das verstummte <*h*> wird nun als Längezeichen betrachtet. Man verwendet es auch bald in Wörtern, in die es etymologisch nicht gehört, z. B. mhd. *varn* > frnhd. *fahren*. In einigen Wörtern dient <*h*> zur Kennzeichnung der Zweisilbigkeit und damit gleichzeitig wieder als Hiattrenner, vgl. mhd. *ê* > frnhd. *ehe*, mhd. *gên* > frnhd. *gehen*. Des Öfteren geschieht dies bei Wörtern, bei denen inlautend ein <*j*> oder <*w*> geschwunden ist; vgl. mhd. *kraejen* > nhd. *krähen*, mhd. *müejen* > nhd. *mühen*, mhd. *ruowe* > nhd. *Ruhe*. Auch in anderen Positionen ändert sich der Lautwert des <*h*>: Nach hellen Vokalen entwickelt sich der velare Reibelaut zum palatalen (mhd. *recht, niht*). Dieser Wandel beginnt im Mitteldeutschen bereits in mhd. Zeit.

Vor <*s*> geht der Reibelaut in den Verschlusslaut <*k*(*g*)> über: frnhd. *fuchs* (*/fuks/*), *sechs* (*/zeks/*). Im Frnhd. finden wir oft phonetische Schreibweise: <*fuks, ogs, wagsen*>. Besonders im Bairischen wird dafür auch das fremde Graphem <*x*> eingesetzt, z. B. <*dax, fux*>. Dieser Lautwandel, der vom Südosten ausgeht, erfasst den größten Teil des hochdeutschen Raumes. Im 9. Jh. war vom Norden der Wandel von [*hs*] zu [*ss*] ausgegangen und bis ins Oberdeutsche vorgedrungen, später aber wieder zurückgedrängt worden. Heute kennzeichnet */s/* für schriftsprachlich */ks/* vor allem das Niederdeutsche, z. B. */zes/* 'sechs' (vgl. FRINGS 1957, Karte 38). Teile des Alemannischen und des Ostfränkischen haben Sonderentwicklungen.

Schließlich wird westgerm. <*ch*>, das in den Silbenanlaut getreten ist, in wenigen Wörtern zum Verschlusslaut oder gar zur Affrikata. Der Wandel vollzieht sich meist schon im Mittelhochdeutschen, z. B. mhd. *dech-*, *dekein* > frnhd. *kein*, mhd. *nechein*, *nichein* > frnhd. *kein*, mhd. *varch* 'Schwein', 'Ferkel', dazu *vêrhelin* > frnhd. *ferkel*.

4.3.2.4 Entwicklung von mhd. *w* und *j*

<*w*> und <*j*> fungieren bis ins Mhd. als Halbvokale. Zu Beginn des Frnhd. ist <*w*> (/*v*/) meist schon labiodentaler Reibelaut, der nun in Opposition zum stimmlosen Reibelaut /*f*/ steht. Im Anlaut bleibt /*v*/ in der Regel während der frnhd. Epoche erhalten. Im In- und Auslaut sind dagegen häufig Änderungen eingetreten. Im Inlaut wird /*v*/ nach /*a:*/ > [*u*] vokalisiert; diese Entwicklung wird dann in den Auslaut übertragen:

mhd. *brâwe* > frnhd. *braue*, mhd. *klâwe* > frnhd. *klaue*.

In der Schrift treten auch weiterhin <*aw*> oder <*auw*> und <*ab*> auf. Nach anderen langen Vokalen fällt <*w*> im Inlaut in der Regel aus:

mhd. *bûwen* > frnhd. *bauen*, mhd. *niuwez* > frnhd. *neues*.

Schreibungen mit <*w*> kommen aber noch öfter vor, besonders im älteren Frnhd. In der Schriftsprache erhalten bleibt inlautendes <*w*> in *ewig* und *Löwe*.

Im Inlaut vor Konsonanten und im sekundären Auslaut geht /*v*/ seit dem Spätmhd. zum Verschlusslaut /*b*/ über, ebenso im Inlaut nach Liquiden. Im Niederalemannischen bleibt die Schreibung mit <*w*> bis ins 16., im Hochalemannischen bis ins 17. Jh. erhalten; vgl.:

mhd. *blâw(e)z* > frnhd. *blabs*, mhd. *witiw(e)* > frnhd. *wit(t)ib*, *wittbe*, mhd. *swalwe* > frnhd. *schwalb(e)*, mhd. *varwe* > frnhd. *farb(e)*.

Nach <*l*> und <*r*> ist das <*b*> in die Schriftsprache eingegangen; in anderen Fällen ist dies nur selten geschehen, z. B. bei *hieb* (Prät.). Vereinzelt erscheint <*b*> auch im Inlaut zwischen Vokalen: frnhd. *abenteur*, *eibe*. Formen wie nhd. *fahl(es)* und *Mehl(es)* sind durch Ausgleich im Paradigma entstanden, vgl. schon mhd. *mel* (Nom.), *melwes* (Gen.).

Mhd. <*j*>, ursprünglich ebenfalls Halbvokal, ist wohl schon mhd. zum stimmhaften palatalen Reibelaut geworden. Es steht seitdem mit dem stimmlosen Reibelaut /*x*/ und dem Allophon [*χ*] in Opposition. In frnhd. Zeit bleibt es im Anlaut fast unverändert erhalten. Der Wechsel von <*j*> und <*g*> in der Schrift ist durch den Reibelautcharakter des <*g*> in verschiedenen Mundarten bedingt; mitunter wechseln beide Schreibweisen, vgl. z. B. *jar* und gar, *ghanz* und *janz* (s. auch Abschnitt 4.3.2.1).

Inlautend zwischen Vokalen fällt <*j*> in der Regel aus und wird oft durch <*h*> ersetzt (s. 4.3.2.3):

mhd. *næjen* > frnhd. *näen*, *nähen*; mhd. *blüejen* > frnhd. *blühen*; mhd. *glüejen* > frnhd. *glüen*.

In dieser Position kommt es nur noch bei Wörtern niederdeutscher Herkunft vor, vgl. *Boje*, *Koje*.

Vor Konsonanten ist der Wandel zu <*g*> oder <*ch*> weit verbreitet: *bruͤgt* 'brüht', *negt* 'näht'. Besonders nach <*r*> setzt er sich zum Teil in der Schriftsprache durch:

mhd. *vęrje* > frnhd. *ferge*, mhd. *schęrje* > frnhd. *scherge*, mhd. *mętzjer* > frnhd. *metzger*, mhd. *lilje* > frnhd. *lilge*.

4.3.2.5 Entwicklung der Nasale und Liquide

Die Sonore haben sich seit idg. Zeit am wenigsten verändert. Das gilt auch für die Entwicklung vom Mittelhochdeutschen zum Frühneuhochdeutschen. Die geringen Wandlungen haben, abgesehen von einigen Erscheinungen der Assimilation, kaum Niederschlag in der Schreibung gefunden.

Seit dem 15. Jh. verstärkt sich der differenzierte Einsatz von Doppelkonsonanz nach kurzem Vokal und von einfachem Konsonanten nach langem Vokal bzw. Diphthong: z. B. *lamm* – *lahm*. Diese Verteilung hat sich jedoch bis heute nicht konsequent durchgesetzt. Noch deutlicher wird diese Inkonsequenz bei anderen Konsonanten, z. B. bei *l, ll*.

/*n*/ wird wohl schon mhd. vor den velaren Explosivlauten /*g, k*/ zum velaren Nasal, gilt aber zunächst als Allophon zu /*n*/. In frnhd. Zeit wird dieser Laut zum Phonem, indem der folgende Verschlusslaut assimiliert wird; <*ng*> steht nun also für ein Phonem (*ŋ*). (Vgl. Szulc 1987, 161; zu weiteren Assimilationen von /*n, m*/ s. 4.3.2.6.)

Zum alveolaren /*r*/ des Mhd., dem Zungenspitzen-*r*, kommt in frnhd. Zeit ein fakultatives Allophon hinzu, das uvulare *r*. Die Aussprache ist zunächst landschaftlich bedingt; in nhd. Zeit dringt das [*R*] allmählich weiter vor. (S. auch die Übersicht über die konsonantischen Phoneme; vgl. zu den Nasalen und Liquiden ausführlicher Frnhd. Grammatik 1993, 134 ff.)

4.3.2.6 Assimilation und Dissimilation

Beim Übergang vom Mittelhochdeutschen zum Frühneuhochdeutschen, besonders aber während der frnhd. Periode selbst treten häufig A s s i m i l a t i o n e n von Konsonanten auf. Viele von ihnen sind in die Schriftsprache eingegangen.

<*mb*> > <*mm*>: mhd. *kumber* > frnhd. *kummer*, mhd. *lember* > frnhd. *lemmer*, mhd. *zimber* > frnhd. *zimmer*. Im älteren Frnhd. geschieht diese Assimilation vor allem im Inlaut, später dringen die assimilierten Formen durch Systemzwang auch in den Auslaut (*lamp* > *lamm*). Der Wandel beginnt schon in mhd. Zeit, besonders im mitteldeutschen Raum. Bei Luther stehen oft noch beide Formen nebeneinander (*lemblin* und *lemlin*). Zum Teil erscheint <*b, p*> sogar in Wörtern, in die es etymologisch nicht gehört. Aber gerade das zeugt für das Verstummen des <*b*>. Die Schreibung <*mb, mp*> ist also mitunter schon als historische Schreibweise aufzufassen. Sie kommt aber noch im 17. Jh. vor, z. B. *Ampt, allesampt, kömpt, nimpt* (OP), spiegelt dann allerdings manchmal eine mundartlich bedingte Aussprache wider.

Mitunter gleicht sich <*b*> nach Synkope eines <*e*> dem folgenden stl. /*t*/ bzw. /*s*/ an: mhd. *houbit* > frnhd. *haupt, heupt*, mhd. *obez* frnhd. *ops*, mhd. *hübesch* > frnhd. *hüpsch*. Diese Entwicklung gilt besonders für das Oberdeutsche. Im Bereich der Flexionsendungen kommt sie fast nur im Alemannischen vor, vgl. alem. *gipt*.

Weitere Assimilationen betreffen <*m*> und <*n*>.

<*m*> > <*n*>, besonders vor <*f*>: Diese Veränderung beginnt schon im Mhd., doch stehen im Frnhd. noch häufig ältere und jüngere Formen nebeneinander: *fumff* und *fünf, vernumfft* und *vernunfft*.

<*n*> > <*m*>, vor allem vor Labialen: Auch hier gibt es im Frnhd. oft Doppelformen: *anboß* und *amboß, enber* und *empor, enpfinden* und *empfinden*. Diese Assimilation führt auch zu Varianzen in der Schreibung von Namen. So schreibt Luther *Wittenberg* bald mit <*m*>, bald mit <*n*>. Oft erfolgt eine Angleichung ähnlicher Laute, wenn sie durch Wortbildungsvorgänge aneinander-

stoßen: mhd. *grüen mât* > frnhd. *grumat* 'Grummet, Grasschnitt', mhd. *nôtdurft* > frnhd. *notturft*, mhd. *inbîz* > frnhd. *imbis*, *immis*, nhd. *Imbiss*.

Die Dissimilation kommt nicht so oft wie die Assimilation vor:

mhd. *dörpære, dörper* > frnhd. *törpel, dörpel*, mhd. *murmeln* > frnhd. *murbeln*, mhd. *bibel* > frnhd. *fibel*, mhd. *samenen* > nhd. *sammeln*. (Vgl. u. a. KIENLE 1969, § 139f.)

Ob man Assimilation und Dissimilation in der Regel als „sozialsituativ begründete sprechsprachliche Varianz" bewerten kann (Frnhd. Grammatik 1993, 156), ist wohl schwer nachzuweisen.

4.3.2.7 Ausgleichserscheinungen

Von besonderer Bedeutung sind die Ausgleichserscheinungen innerhalb der Konjugation. Seit frnhd. Zeit wird der grammatische Wechsel nicht mehr als Mittel zur Unterscheidung verschiedener Verbformen empfunden und daher weitgehend beseitigt. Schon im Mhd. sind die Unterschiede z. T. eingeebnet worden. Doch gibt es im Frnhd. noch häufig alte Formen; oft stehen diese neben neuen, mitunter sogar beim gleichen Schreiber. Das Oberdeutsche bewahrt im Allgemeinen länger als das Mitteldeutsche den mhd. Stand. Beispiele für den Stand der Entwicklung, die nur bedingt zu verallgemeinern sind:

		Inf./Präs.	Sgl. Prät.	Pl. Prät.	Part. Prät.
5. Klasse	mhd.	*wësen*	*was*	*wâren*	*gewësen*
	frnhd.(K)		*was*	*waren*	
	frnhd.(UK)		*waz*	*waren*	*gewesen*
	frnhd.(L)		*war*	*waren*	*gewest*
6. Klasse	mhd.	*slahen*	*sluoc*	*sluogen*	*geslagen*
	frnhd.(K)	*slehst, schlecht*		*sluegen*	*geslagen*
	frnhd.(UK)	*slahen/slagen*			*geslagen*
	frnhd.(L)	*schlahen/schlagen*			

Der Ausgleich erfolgt sowohl nach dem Präs. und Sg. Prät. als auch nach dem Pl. Prät. und Part. Prät. Nur in wenigen Verben bleibt ein Unterschied zwischen Präs. und Prät. erhalten, z. B. *schneiden – schnitten*; *ziehen – zogen*. Innerhalb des Prät. gibt es heute den grammatischen Wechsel gar nicht mehr.

Die Auslautverhärtung wird meist schon im älteren Frnhd. nicht mehr gekennzeichnet, doch gibt es auch hier Ausnahmen: *gedult, vnderſchiet, wart* (FR 1532). Im Allgemeinen zeigt sich auch hier das Bestreben, das gleiche Morphem einheitlich zu schreiben.

Oberdeutsche Texte zeigen die Auslautverhärtung allerdings noch recht oft. Ostmitteldeutsche Schriften des 14. Jh. (z. B. BE) haben noch häufig die Verhärtung des Dentals (<*kint, bant*>), schwanken aber bei der Wiedergabe des Gutturals (<*berk, tag, weg,* wec>), während beim Labial schon das <*b*> überwiegt (<*wip, wib, lob, gab*>) (siehe 3.3.3.4).

Übersicht über die konsonantischen Phoneme

Am Ende des Frnhd. gibt es folgende Konsonantenphoneme:

	Artikulationsstelle					
Artikulationsart	labial	dental	palatal	Velar	uvular	glottal
Explosive (Tenues, Mediae)						
Fortes (stl.)	*/p/*	*/t/*		*/k/*		
Lenes (z. T. sth.)[1]	*/b/*	*/d/*		*/g/*		
Frikative						
Fortes (stl.)	*/f/*	*/s/ /ʃ/*	*[χ]*	*/x/*		
Lenes (sth.)	*/v/*	*/z/*	*/j/*			
Affrikaten[2]	*/pf/*	*/ts/*		*/kx/*		
Nasale	*/m/*	*/n/*		*/ŋ/*		
Liquide		*/r/ /l/*			*[R]*	
Hauchlaut						*/h/*[3]

Anmerkungen:

1 Siehe die folgenden Erläuterungen zu den Explosiven sowie Abschnitt 4.3.2.1.

2 Affrikaten können auch als Phonemverbindung (biphonematisch) aufgefasst werden.

3 Artikulationsstelle und Artikulationsart des */h/* werden unterschiedlich charakterisiert. Die prinzipielle Zuordnung zu den Frikativen (vgl. PHILIPP 1980, 44; HARTWEG/WEGERA 2005, 144; Frnhd. Grammatik 1993, 151) ist jedoch unangemessen.

Diese Übersicht abstrahiert wie der Überblick über die vokalischen Phoneme von den meisten landschaftlichen und zeitlichen Besonderheiten. Daher entspricht der Phonembestand weitgehend dem der nhd. Schriftsprache.

Auf einige Unterschiede gegenüber dem Phoneminventar des Neuhochdeutschen sowie gegenüber den Systemen einzelner Landschaften sei kurz hingewiesen. Die Differenzierung zwischen den Allophonen [*χ*] und [*x*] gilt auch im 17. Jh. noch nicht für alle Sprachräume; vgl. die Aussprache dieses Lautes in der alemannischen Mundart der Gegenwart. Wieweit sich dieser Prozess am Ende des Frnhd. durchgesetzt hat, ist nicht genau zu beurteilen.

Das Phonem */r/* ist je nach seiner Stellung auch schon im Frnhd. verschieden realisiert worden, jedoch ist der Stand der Gegenwart noch nicht erreicht, wo vier Allophone unterschieden werden: das Zungenspitzen-*r*, das Zäpfchen-*r*, das Reibe-*r* und das vokalisierte *r* (vgl. MEINHOLD/STOCK 1982, 131 f.).

Erhebliche territoriale Unterschiede zeigen sich bei den Explosivlauten. Das hat zwei Ursachen. Einmal spiegeln die schriftsprachlichen Varianten des Frnhd. oft noch Unterschiede in der Durchführung der 2. Lautverschiebung wider. Allerdings ist manche dieser Besonderheiten wie die Affrikata */kx/* am Ende des Frnhd. nur noch bedingt zum Phoneminventar dieser Zeit zu rechnen; sie kommt auch im Oberdeutschen nur noch selten vor. Die Schreibung lässt allerdings mitunter kein eindeutiges Urteil zu. Zum anderen sind infolge der binnendeutschen Konsonantenschwächung und des Stimmtonverlustes von */b, d, g/* in verschiedenen hochdeutschen Mundarten die Oppositionen */p/* : */b/*, */t/* : */d/*, */k/* : */g/* aufgehoben worden (s. Abschnitt 4.3.2.1).

Ein Vergleich mit dem Bestand der konsonantischen Phoneme des Althochdeutschen (s. 2.3.1.2) und des Mittelhochdeutschen (s. 3.3.1.2) zeigt keine wesentlichen Unterschiede. Das ist dadurch bedingt, dass sich das hochdeutsche Konsonantensystem vor allem durch die 2. Lautverschiebung herausgebildet und seitdem keine einschneidenden Wandlungen erfahren hat und dass die zahlreichen Besonderheiten einzelner Sprachlandschaften keinen Eingang in das System der Schriftsprache gefunden haben (s. Tafel 2). Die für die nhd. Schriftsprache relevanten Veränderungen während der frnhd. Periode betreffen durchweg nur Phoneme in bestimmten Positionen, und zwar ihre Distribution, ihren Lautwert sowie – damit zusammenhängend – die Zahl der Allophone. Dies gilt besonders für die Frikative, ferner für das /r/ und für das /h/. (S. die entsprechenden Abschnitte.)

Abschließend sei an Hand einiger Zeilen (Bl. b ij) aus der „Zueignung“ der „Teutschen HaubtSprache“ von Schottelius (s. auch Abb. 13) ein Einblick in den Stand der Entwicklung von Schreibung und Lautung am Ende der frnhd. Periode gegeben. Selbst dieser kurze Text demonstriert sowohl den Prozess der Vereinheitlichung in beiden Bereichen wie auch noch zahlreiche Besonderheiten jener Zeit gegenüber dem Neuhochdeutschen:

Nach langer Zeit hat sich diese alte Teutsche Sprache gesonderet in zwo Haubtmundarten oder Dialectos praecipuas, in das alt Fraͤnkische und in das alt Saͤchsische; das alt Saͤchsische oder Nider Teutsche hat hinwieder unterschiedliche Mundarten / wie auch das alt Fraͤnkische / [...]Das Fraͤnkische hat mit der Zeit und sonderlich in denen nach Caroli M. erfolgeten Jahrhunderten oder Seculis sich sonderlich beginnen hervorzuthun / und zwar jmmer mehr und mehr nach der Mundart und eigenschaft / so man genennet Hochteutsch / darin man auch hernach begunnen die publica imperii acta aufzuzeichnen / die auch / nicht ohn vielfaͤltige enderung / in Kaiserl. Chur und Fuͤrstlichen auch anderen Cantzeleien mit der Zeit angenommen / ausgeuͤbt und bishero behalten worden / also daß in Teutschland die gangbare / allgemeine und jedwederem in seinem stande dienliche Sprache nunmehr ist und wird gehalten die also genante HochTeutsche Sprache: Worin unter Haͤubteren und Potentaten / auch unter Gelahrten [...] und sonsten durchgehends / was vorkommen sol und kan / abgehandelt wird / die auch nicht ohn großen Nutz also in Kirch= und Schulwesen eingefuͤhret worden [...].

4.4 Formenlehre

4.4.1 Das Verb

Die Einteilung der frnhd. Verben wird hier grundsätzlich entsprechend der der mhd. Verben vorgenommen (siehe 3.4.1), auch wenn etliche Ausgleichsprozesse eine Umgestaltung des Flexionssystems bewirken. Die Tempuskategorie tritt deutlich hervor, dafür nehmen Numeruskategorie und Personalflexive ab, besonders bei den starken Verben (siehe 4.4.1.1). Der Bestand an synthetisch und analytisch gebildeten Verbalformen erweitert sich. Daneben gibt es noch Umschreibungen mit verschiedenen Funktionen, die im Nhd. nicht mehr vorkommen (vgl. auch 4.5.2.3).

4.4.1.1 Starke Verben

4.4.1.1.1 Konjugation:

	Präsens	Indikativ	Konjunktiv	Imperativ
Sg.	1. P.	*sing(e), singen*	*sing(e)*	
	2. P.	*sing(e)st,-ist, singes*	*sing(e)st,-ist, singes*	*sing(e)*
	3. P.	*sing(e)t,-it*	*sing(e)*	
Pl.	1. P.	*singen,-in,-ent*	*singen,-in, -ent*	
	2. P.	*sing(e)t,-it,-ent,-en*	*sing(e)t,-it, -ent*	*sing(e)t, -it*
	3. P.	*singen,-in,-int,-ent*	*singen,-in, -ent*	

Part. Präs. *singend(e), singind(e), singunde , singen, -und, -(en)ing*

Inf. *singe(n), -in*

	Präteritum	Indikativ	Konjunktiv
Sg.	1. P.	*sang(e)*	*süng(e)*
	2. P.	*sang(e)st,-ist, sungest*	*süngest,-ist*
	3. P.	*sang(e)*	*süng(e)*
Pl.	1. P.	*sungen,-in, sangen*	*süngen,-in*
	2. P.	*sung(e)t,-it, sang(e)t*	*süng(e)t,-it*
	3. P.	*sungen,-in, -ent, sangen*	*süngen,-in*
Part. Prät.		*(ge)sungen, -in, gsungen*	

Apokopierte und synkopierte Formen stehen häufig neben vollen Formen: *ich singe/ich sing, er hilfet/er hilft.* Im Konj. Präs. und Prät. überwiegen die Formen mit erhaltenem *e*. Endungen mit *i* anstelle des unbetonten *e* erscheinen im Omd. des 16. Jh. nicht mehr häufig (siehe 4.3.1.11).

Flexion und Funktionen des Präsens
Präsens Indikativ

1. Sg. Präs. Ind.: Besonders im Omd., aber auch im Obd. ist der Stammvokal der 1. Sg. Präs. Ind. der Ablautreihen 3b, 4 und 5 häufig dem Plural angeglichen, z. B. *gebe, nemm/nemme* (F), *sehe.* Das Obd. bewahrt daneben bis ins 17. Jh. die alte durch Alternanz veränderte Form (siehe 3.4.2.2), meist noch mit Apokope des *e*, z. B. *befihle, gib* (AS), *ich nimm* (F). Aus der schwachen Konjugation ist die Endung *-en* (siehe 4.4.1.2) auch in die starke eingedrungen: *befilchen ich* (DS), zumeist im Wmd., teilweise im Ostfränk., in Köln erscheint sie bis 1550. (Vgl. u. a. LENZ-KEMPER 2008, 115 f.)

2. Sg. Präs. Ind.: Auch der Stammvokal der 2., 3. Sg. erscheint in der 3. (b), 4. und 5. Ablautreihe gelegentlich gesenkt als *e*: *gebist*, *sprechit* (BE). Formen mit *-s* weist das Md. noch im 15. Jh. auf: *dů snides* (SB), *du sprichis* (BE).

3. Sg. Präs. Ind.: In der UW treten zuweilen die Formen *-i̊t* und *-ut* auf.

Pl. Präs. Ind.: Im Hochalem., Els. und Schwäb. ist häufig ein Einheitsplural auf *-ent* oder *-en* zu finden, d. h., die Endungen *-ent* oder *-en* treten in der 1., 2. und 3. Pl. Präs. Ind. auf. Im Mnd. sind die Pluralendungen der 1., 2. und 3. ebenfalls vereinheitlicht, und zwar zu *-et* oder *-en*: *gevet* oder *geven* (Lasch 1914/1974, § 416; vgl. zu den Maa. der Gegenwart König 2015, 158 [Karte]).

1. Pl. Präs. Ind.: Die Endung *-ent* der 3. Pl. Präs. Ind. ist im Alem. auch in die 1. Pl. Präs. Ind. eingedrungen: *wir helfent*, im Els. dagegen *-en* der 1. Pl. Präs. Ind. auch in die 2. und 3. Pl. Jedoch ist diese Regelung nicht konsequent durchgeführt. Vor Pronomen schwindet *-(e)n* vielfach: *spreche wir* (SB), *geb wir* (Eger).

2. Pl. Präs. Ind.: Neben der regelmäßigen Endung *-et* findet sich besonders im Wmd. und Alem. die Pluralendung der 3. Pl. *-ent* oder der 1. Pl. *-en*: *ir eſſsent* (G), *ir werden* (HG). In omd. Texten tritt diese Endung selten auf.

3. Pl. Präs. Ind.: Die Endung *-en* der 1. Pl. Präs. Ind. beginnt schon im Md. im 12. Jh. in die 3. Pl. Präs. Ind. überzutreten, ohne allerdings die Endung *-ent* gänzlich zu verdrängen. Im 14. Jh. ist *-ent* im Rückgang begriffen. Bei Luther finden sich bis 1523 noch Formen mit *-ent*. In obd. und wmd. Drucken ist *-ent* häufiger vertreten als im Omd. Einen letzten Rest stellt nhd. *sind* dar.

Die Funktionen des Präs. entsprechen im Wesentlichen denen des Mhd. (siehe 3.5.1.9).

Präsens Konjunktiv

Der Stammvokal des Konj. Präs. stimmt mit dem des Inf. bzw. des Pl. Präs. Ind. überein: Inf. *nemen* – 3. Sg. Präs. Konj. *neme*.

Die Endung *-e* der 1., 3. Sg. Präs. Konj. wird nicht so häufig beseitigt wie im Ind. – Vom 14. Jh. an erscheint zuweilen die Endung *-ent* der 3. Pl. Präs. Ind. – vor allem im Alem. – im gesamten Pl. Präs. Konj. Die Endung *-en* tritt im Wmd. und auch im Alem. in der 2. Pl. Präs. Konj. auf. Die 2. Sg. Präs. Konj. endet selten auf *-es*.

Konj. Präs. wie auch Konj. Prät. haben oft keine eindeutig temporale Funktion, sie dienen vorrangig nur der modalen Differenzierung und stimmen darin im Allgemeinen mit den entsprechenden nhd. Formen überein.

Imperativ

In Analogie zu sw. Verben wird ein *-e* beim Imp. Sg. angefügt: *sihe* neben *sich*. Im Obd. ist diese Analogie nicht so häufig wie im Md. Außerdem wird vielfach die durch Alternanz bedingte Veränderung – das *i* der Wurzel – in den Ablautreihen 3b, 4 und 5 in Analogie zum Pl. Präs. beseitigt: statt *gib*, *hilf*, *nimm*, *schilt* – *gebe*, *schelte* oder sogar *geb*, *helf*, *nem*, *schelt*. In der 2. Ablautreihe tritt noch im Frnhd. der aus mhd. *iu* entstandene Diphthong *eu* auf: *fleuch*, *zeuch*. Im Nhd. erscheint im Imp. Sg. das *ie* des Pl. Präs.: *flieh*, *zieh*.

Besonders im Alem. wird die 2. Pl. Imp. zuweilen mit der Endung *-en* oder *-ent* gebildet: *fliehend* (ZB), *sehen* (Eulenspiegel).

Nicht nur der Imp. dient zur „Bezeichnung eines Geschehens (Seins), dessen Realisierung der Sprecher wünscht“ (Erben 1954, 60), sondern diese Funktion haben auch

Umschreibungen mit *sollen* und *lassen*, ferner die Verwendung der 1. Pl. Präs., z. B. *sehen wir zu* (L), des Konj. Präs. in seiner Heischefunktion, z. B. *Got helff vns* (L), und einige andere Möglichkeiten.

Infinitiv

Neben der gebräuchlichen Endung *-en* des Inf. finden sich die Endungen *-in*, *-un* und *-ene* (letztere besonders im Hess. und Thür.). Formen ohne *-n* im Inf., z. B. *spreche*, *werde* (BE), auch mit zusätzlicher Apokope des *-e*: *mach* (Erfurt), erscheinen im 14. Jh. besonders häufig im Thür., wo sie bis ins 20. Jh. in der Mundart fortleben. Seit dem 15. Jh. werden diese Formen in der geschriebenen Sprache seltener. In Verbindung mit Modalverben wird der Inf. des Vollverbs mit *ge-* gebildet: *geschicken möchtent* (KW), *sullen geantwurthen* (Mähren).

Der Gen. des Inf. endet auf *-s*: *sẙnis swerns* (BE); der Dat. des Inf. hat neben der alten Endung *-enne*, *-ine*, z. B. *ze helffenne* (TS), die Endung *-ende*, *-inde*, z. B. *mit jaginde, zu weynende* (BE), die „wohl auf einer Vermischung mit dem Part. Präs. beruht" (FEUDEL 1961, § 71). Zu *-enne* und *-ende* tritt schon im 14. Jh. die einfache Infinitivendung *-en*, die sich in der Entwicklung zum Nhd. durchsetzt: *czu sprechen* (BE).

Anm.: Genitiv oder Dativ des Infinitivs – d. i. Genitiv oder Dativ des Gerundiums; das Gerundium ist ein flektierter Infinitiv.

Im 16. Jh. wird der Inf. noch des Öfteren ohne *zu* gebraucht: *es deuchte gut,* [...] *Menner erwehlen* (L); *so du anfohest gott dienen* (G). Es überwiegt jedoch schon der Inf. mit *zu*, z. B. *uns gebürt zu reden* (L).

Partizip Präsens

Die Form *-unde* anstelle von *-ende* findet sich bis ins 17. Jh. zumeist in bair. und alem. Texten: *varunde* (BT); sonst ist sie selten. Der besonders md. Verlust des *-d* der Partizipialendung, „der mit der Vermischung zwischen Gerundium und Partizip zusammenhängt" (FEUDEL 1961, § 72), ist schon im 14. Jh. da, z. B. *sprechene*. Die im Md. häufige Endung *-(en)ing* für das Part. Präs. begegnet u. a. im BE: *stinckeninge*, *syngene*, *borning* (SUCHSLAND 1968, 200 f.; BENTZINGER 1973, 145 f.).

„Zweifellos aus einer Verwendung des Infinitivs hervorgegangen ist das sogenannte G e r u n d i v des Deutschen" (BEHAGHEL 1924, Bd. 2, § 770), das, unter lateinischem Einfluss entstanden, im 17. Jh. seltener vorkommt und im 18. Jh. des Öfteren in der Sprache der schönen Literatur erscheint (DAL/EROMS 2014, 120): *der von gott* ***zu bescherender*** *mast* 'Eichelmast, die von Gott (noch) zu bescheren ist' (Weistümer 1603).

Flexion und Funktionen des Präteritums

Präteritum Indikativ

1., 3. Sg. Prät. Ind.: Zur Vereinheitlichung der Präteritalendungen der st. und sw. Verben wird das *-e* der Endung der 1., 3. Sg. Prät. Ind. der sw. Verben auch auf die 1., 3. Sg. Prät. Ind. der st. Verben übertragen. Diese Übertragung beginnt schon im Spätmhd., wird im 15./16. Jh., besonders im Md., verstärkt fortgesetzt, z. B. *sahe* (L), *sy warde* (TH), und erlischt erst im 18./19. Jh. Die nhd. Form *ich/er wurde* ist ein letzter Rest.

2. Sg. Prät. Ind.: Noch im 14./15. Jh. erscheint bei st. Verben die mhd. Form der 2. Sg. Prät. Ind. *du hülfe* mit Umlaut des Pluralvokals und Endung *-e*: *du wurde, wůrde* (KW), auch mit Apokope des *-e*: *du wurd* (W). Jedoch setzt schon im Mhd. die Beseitigung dieser Anomalie im Verhältnis zu anderen 2. Personen aus Systematisierungs-

und Vereinfachungsgründen zuerst im Obd. ein, und es tritt die Endung *-es/-est* auch in der 2. Sg. Prät. Ind. auf. Im 13./14. Jh. verstärkt sich diese Tendenz, zunächst unter Bewahrung des Umlauts: *du gebist, gebis* (BE). Die Bildungsweise *-est/-es* und Stammvokal ohne Umlaut, z. B. *du warist* (BE), setzt sich im 16. Jh. endgültig durch, wobei das *-e-* der Endung meist synkopiert wird. Im Obd. des 14. Jh. dringt eine Endung *-t* in die 2. Sg. Prät. Ind. ein, z. B. *du versprắcht* (C), schwindet jedoch im Bair. vor 1500 wieder.

Im Mittelniederdeutschen wird die 2. Sg. Prät. Ind. mit umgelautetem Pluralvokal und der Endung *-est* gebildet (*du gêvest- ik gaf*) und entspricht damit dem frnhd. Ausgleichsprozess.

Wie im Mhd., so wird auch häufig noch im Frnhd. die 2. Sg. Prät. Ind. mit dem Stammvokal des Pl. Prät. Ind. gebildet, allerdings ohne Umlaut: 2. Sg. Prät. Ind. *sungest*, 1. Pl. Prät. Ind. *sungen*. Im gesamten Pl. Prät. Ind. treten besonders im 14./15. Jh. präsentische Endungen auf, z. B. *frassent* (W), im Alem. noch im 16. Jh.: *die lieffend* (ZB).

Das Prät. bezeichnet wie im Mhd. das vom Standpunkt des Sprechers aus vergangene Geschehen. Eine klare Abgrenzung von den Funktionen des Plusqu. gibt es noch nicht, sodass das Prät. auch den Abschluss in der Vergangenheit ausdrücken kann: *Nachdem sich die Wolcke auffhub* [...], *so zogen die kinder* (L).

Präteritum Konjunktiv

Der Konj. Prät. wird häufig mit dem Stammvokal des Pl. Prät. Ind. gebildet. Ist dieser Stammvokal umlautfähig, so wird er umgelautet: Prät. Ind. *schwamm/schwummen* – Prät. Konj. *schwümme* (SL). Da aber im Frnhd. der Ausgleich der Stammvokale im Ind. Prät. noch nicht abgeschlossen ist und verschiedene Stammvokale im Pl. Prät. Ind. ein und desselben st. Verbs auftreten können, erscheinen auch im Konj. Prät. verschiedene Stammvokale nebeneinander: *hőlfe, hůlfe* (Stieler), *verlör, verlür* (L). Das Auftreten unterschiedlicher Vokale im Konj. Prät. ist teilweise noch im Nhd. möglich: *hälfe, hülfe*, hier allerdings, weil die Form *hülfe* deutlicher vom Konj. Präs. *helfe* unterschieden ist als *hälfe*. Der Umlaut des Stammvokals ist nicht immer bezeichnet; bei Luther fehlt er bis 1526 meistens: *hulff*.

Bei der 1., 3. Sg. Prät. Konj. wird im Obd. oft die Endung *-e* apokopiert: *fånd, fůnd, hůlff* (F); jedoch findet sich diese Erscheinung auch im Md. Zuweilen sind Präsensendungen aus Systemzwang in den Konj. Prät. eingedrungen. Im Hochalem. erscheinen noch im 17. Jh. konjunktivische *-ind*-Endungen gegenüber indikativischen *-end*-Formen, z. B. *Wőlte Gott jr hieltind* [...] *zů gůtem; doch jr haltend mirs zů gůtē* (ZB).

Die modalen Funktionen des Konj. Prät. – Potentialis und Irrealis – gleichen im Wesentlichen den nhd. Im Mhd. kann der Konj. im Gliedsatz auch rein formal gebraucht werden; es herrscht also die Consecutio temporum. Im 15. Jh. geht diese Zeitenfolge deutlich zurück; doch noch im 17. Jh. sind mitunter Tempus und Modus der indirekten Rede von der Form des redeeinführenden Verbs abhängig.

Anm.: 'Consecutio temporum': Dieser Terminus der lateinischen Grammatik bezeichnet die Tatsache, dass einem präteritalen Hauptsatz ein Nebensatz mit einem Konj. Prät., einem präsentischen Hauptsatz ein Gliedsatz mit dem Konj. Präs. folgt.

Die Umschreibung mit *würde* ersetzt den Konj. Prät., der bei den sw. Verben nicht vom Ind. zu unterscheiden ist. Die Umschreibung mit *würde* ist im Mhd. noch selten, sie steht im 14./15. Jh. neben solchen mit *wollte* und *sollte*, z. B. *ob jm die sunne auff die glatzen scheinen würde* (E). Im 16. Jh. setzt sich *würde* durch und wird wohl erst im 17. Jh. fester Bestandteil des Verbalsystems. Die Bedeutung dieser Umschreibung steht der des Konj. Prät. nahe.

Partizip Präteritum

Wie im Mhd., so wird auch im Frnhd. das Part. Prät. solcher Verben, deren Bedeutung eindeutig perfektiv ist, sehr oft ohne das Präfix *ge-* gebildet. Obwohl Luther nach 1524 häufiger als vorher das Part. Prät. mit *ge-* verwendet, werden die Part. *bracht, funden, gangen, geben, komen, troffen, worden* auch nach 1524 ohne *ge-* gebraucht. Entgegen dem Mhd. können im Frnhd. aber auch Verben, die keine perfektive Bedeutung haben, das Part. Prät. ohne *ge-* bilden: *aufczogen, hoffen* (Eger). Noch im 17. Jh. erscheinen – besonders im Obd. – nichtpräfigierte Formen des Part. Prät.

Zur Entwicklung der Flexionsformen in den verschiedenen Sprachlandschaften vgl. Grammatik des Frühneuhochdeutschen 1988, IV, 67 ff., 169 ff., 206 ff.; Frnhd. Grammatik 1993, 233 ff.

4.4.1.1.2 **Ablautreihen:** Im Ahd. und Mhd. dienen die ablautenden Stammvokale (siehe 2.3.2.1) zusammen mit anderen Mitteln nicht nur zur Bezeichnung der Tempora, sondern zum Teil auch der Numeri. In der frnhd. Epoche wird der Funktionsbereich des Ablauts bei den st. Verben allmählich auf die Kennzeichnung der Tempora beschränkt:

mhd.	*hëlfen*	*hilfe*	*half*	*hulfen*	*geholfen*
nhd.	*helfen*	*helfe*	*half*	*halfen*	*geholfen*

Der durch Hebung *e* > *i* (siehe 2.3.2.2) im Sg. Präs. der Ablautreihen 3b, 4 und 5 hervorgerufene Numerusunterschied wird teilweise beseitigt, indem die Hebung der 1. Sg. Präs. entfällt.

1. Sg. Präs. Ind.	mhd.	*hilfe*	nhd.	*helfe*
2. Sg. Präs. Ind.		*hilfest*		*hilfst*
3. Sg. Präs. Ind.		*hilfet*		*hilft*
3. Pl. Präs. Ind.		*hëlfent*		*helfen*

Der ebenfalls durch kombinatorischen Lautwandel hervorgerufene Vokalwechsel in der Ablautreihe 2 wird im Frnhd. teilweise, im Nhd. sogar ganz beseitigt:

	mhd.	frnhd.	nhd.
1. Sg. Präs. Ind.	*vliuhe*	*fliehe*(md.)/*fleüche*(obd.)	*fliehe*
2. Sg. Präs. Ind.	*vliuhest*	*fleuchst*	*fliehst*
3. Sg. Präs. Ind.	*vliuhet*	*fleucht*	*flieht*
3. Pl. Präs. Ind.	*vliehent*	*fliehen*	*fliehen*

Der im Md. beginnende Ausgleich in der 1. Sg. Präs. Ind. mit dem Pl.-Vokal *e* der Reihen 3b, 4 und 5 (siehe 4.3.1.10) sowie der Reihe 2 von *iu* zu *i*(*e*) ist wohl damit zu erklären, dass in der 6. und 7. Reihe Vokalwechsel, und zwar Umlaut, schon immer in der 2., 3. Sg. Präs. Ind., z. B. mhd. *du grẹbest, er grẹbet*, eingetreten ist, nicht aber in der 1. Sg. Präs. Ind., z. B. mhd. *ich grabe*. Es handelt sich also um eine Ausgleichsbewegung innerhalb der 1., 2. und 3. Sg. Präs. Ind. der meisten Ablautreihen (vgl. H. BACH 1934, 88; Frnhd. Grammatik 1993, 253 ff.).

D e r P r ä t e r i t a l a u s g l e i c h setzt im 14. Jh. ein und nimmt erst „in der 2. hälfte des 16. jh. immer mehr zu; gegen das ende des jahrhunderts und in der 1. hälfte des 17. jh. neigen sich die Verhältnisse entschieden dem neuen ausgleich zu, ohne dass dieser jedoch durchaus zum abschluss käme" (V. MOSER 1909, 53). Meist breitet er sich vom Ostfränk. ins Schwäb., dann ins Bair. und Rheinfränk. und schließlich über das gesamte Hd. aus. Im Schwäb., das in diesem Prozess eine wichtige Rolle spielt, sind bereits um 1525 nhd. Ablautverhältnisse hergestellt. (Vgl. CHIRITA 1988, 337 ff.; STRÖMBERG 1907, 140; Grammatik des Frühneuhochdeutschen 1988, IV , 534 ff.)

Das Schwanken endet zum Teil erst im 18. Jh.: *sprang, sprung* (Pyra). Für die frnhd. Ablautverhältnisse ist das Nebeneinander verschiedener Vokale in ein und derselben Ablautstufe charakteristisch. So können z. B. in ein und demselben Werk folgende Formen nebeneinander stehen: *schmalz, schmolzest, schmulzest* (SL). Das führte zu großer Vielfalt innerhalb einzelner Ablautreihen. Die Bewegungen im Präs. und im Prät. sind nach KOENRAADS (1953, 70 f.) zumeist auf Systematisierungs- und Vereinfachungsbestrebungen zurückzuführen. Frnhd. Lautentwicklung, Analogie, Deutlichkeitsbedürfnis, Homonymenflucht und phonetische Sonderentwicklungen – oft aus den Mundarten übernommen – spielen dabei eine Rolle. Als Ergebnis dieser unterschiedlichen Wirkungskräfte spalten sich die 7 mhd. Ablautreihen mit ihren Untergruppen auf; einzelne Wissenschaftler kommen auf 29 oder 30 nhd. Reihen, ja sogar auf 41 Reihen (KERN/ZUTT 1977, 19).

Man kann auch die neuhochdeutschen starken Verben mit einem vereinfachten Verfahren in drei Gruppen einteilen. [Vgl. W. SCHMIDT 1977, 206.]

So entstehen aus der mhd. Reihe 3b drei nhd. Reihen:

1. *helfen*	*half*	*geholfen*
2. *melken*	*molk*	*gemolken*
3. *schallen*	*scholl*	*geschollen*

„Die Absicht (bewusst oder unbewusst) war also sprachliche Vereinfachung, das Resultat jedoch Komplikation." (KOENRAADS 1953, 72.)

1. Ablautreihe

mhd.	Reihe 1a:	*rîten*	*rîte*	*reit*	*riten*	*geriten*
	Reihe 1b:	*dîhen*	*dîhe*	*dêch*	*digen*	*gedigen*
frnhd.*		/ae/	/ae/	/i/	/i/	/i/
		/iː/	/iː/	/iː/	/iː/	/iː/
				/ae/	/ae/	/ae/
				/uː/	/uː/	
				/eː/	/eː/	/uː/
		reiten	*reite*	*ritt*	*ritten*	*geritten*
		blieben	*blibe*	*blieb*	*blieben*	*(ge)blieben*
				bleib	*bleiben*	*bleiben*
				schru	*schrůwen*	
				lech	*lehen*	*geluhen*

* Da im Frnhd. die Grapheme den Charakter der Phoneme nicht immer klar erkennen lassen, werden bei den frnhd. Ablautreihen sowohl die Phoneme als auch deren schriftliche Realisierung in Form von Beispielen aufgeführt. [Vgl. BOCK/LANGNER 1984, 287 ff.]

Präs. und Sg. Prät. der 1. Reihe sind sich im Frnhd. infolge Diphthongierung des *î* im Präs. zunächst gleich: Präs. *ich reite,* Prät. *ich reit.* In frühen Texten kommen im Präs. auch noch nichtdiphthongierte Formen vor: *b(e)liben* (KW), *gryfen* (BM). Kurzes *i* bzw. gedehntes *i* dringen aus Verdeutlichungsgründen im Omd. des 16. Jh. aus dem Pl. Prät. in den Sg. Prät. ein; Luther gebraucht jedoch meistens die alte *ei*-Form: *er bleib* statt *er blieb.*

Das *ei* des Sg. Prät. kann auch in den Pl. Prät. und in das Part. Prät. eindringen: *bleiben* (Alberus), *geschreiben* (L). Das *ê* im Sg. Prät. der mhd. Reihe 1b tritt im 16. Jh. zurück: *lech* (TS). Im Pl. Prät. und im Part. Prät. ist Senkung des *i* zu *e* möglich: *reten, gereten* (Erfurt).

2. Ablautreihe

mhd.	Reihe 2a:	*biegen*	*biuge*	*bouc*	*bugen*	*gebogen*
	Reihe 2b:	*bieten*	*biute*	*bôt*	*buten*	*geboten*
frnhd.		/i:/	/i:/	/o:/	/o:/	/o:/
				/u:/	/u:/	/u:/
		/oi/	/oi/	/o/	/o/	/o/
			/ü:/	/u/	/u/	/u/
		/ao/	/ao/			
				/ou/	/ou/	
		bieten	*biete*	*bot*	*boten*	*geboten*
				but	*buten*	*gebuten*
		zeühen	*geusse*	*goss*	*gossen*	*gegossen*
			guzet	*guss*	*gussen*	*gegussen*
		sauffen	*sauffe*			
				flouch	*flouhen*	

Schon früh ist im Md. mhd. *iu* in der 1. Sg. Präs. Ind. zum Pl. Präs. bzw. zum Inf. ausgeglichen worden: mhd. *gebiute* – frnhd. *gebite* (R). Das Obd. dagegen bewahrt den Diphthong *eu* (mhd. *iu*) in der 1. Sg. Präs. Ind.: *fleüche* (SW), *geusse* (OE), *neuß* (S); erst in der zweiten Hälfte des 16. Jh. treten hier vereinzelt *ie*-Formen in der 1. Sg. Präs. Ind. auf (NORDSTRÖM 1911, 103). In der 2., 3. Sg. Präs. Ind. und im Imp. Sg. hält sich der Diphthong *eu* im Omd. bis weit ins 17. Jh. hinein, z. B. *fleugest, fleuget* (L), weicht aber dann allmählich dem *ie* des Pl. Präs. bzw. des Inf., z. B. *fliehest, fliehet* (SL). Doch begegnet die *eu*-Form noch im 18./19. Jh.: *Was da kreucht und fleugt* (Schiller).

Schon innerhalb des Frnhd. breitet sich zuweilen das *ie* – besonders im Obd. – im gesamten Sg. Präs. Ind. aus: *er* [...] *schiesst, ziecht* (F).

Besonders in frühen Texten bewahrt das Frnhd. die nichtdiphthongierten Präsensvokale: *sy fliuhe* (C), *fluet her, guzet* (BE). Im Obd. kann sich *eu* auch im gesamten Präs. ausbreiten: Inf. *zeühen,* 3. Pl. Präs. Ind. *zeühen.*

Die mhd. Präteritalvokale *ô, u* sowie der Stammvokal des Part. Prät. *o* können in allen Stammformen des frnhd. Prät. und im Part. Prät. auftreten: *er erpot* (K), *er but* (S), *klob* (TH), *kor, kos* (UK), *koren* (R), *er schub* (S), *die schuben* (A), *vorgossen, vorgussen* (BM), *zoch* (R), *zog* (L), *er zug* (S). Der mhd. Diphthong *ou* im Prät. hält sich vereinzelt bis ins 16. Jh.: *boug* (Alberus), in Analogie dazu Sg. Prät. *flouch* (SW) und Pl. Prät. *flouhen* (SW). Gelegentlich tritt im Prät. *a* auf: *genaß* (LO).

3. Ablautreihe

mhd.	Reihe 3a:	*binden*	*binde*	*bant*	*bunden*	*gebunden*
frnhd.		/i/	/i/	/a/	/a/	
				/u/	/u/	/u/
				/o/	/o/	/o/
		binden	*binde*	*band*	*banden*	
				bund	*bunden*	*gebunden*
				schwom	*schwommen*	*geschwommen*

Im 16./17. Jh. ist der Ausgleich im Prät. noch nicht beendet: *schwam* (F), *schwom* (S), *schwum* (F), *schwammen* (A), *schwommen* (D), *schwummen* (DS), *zwunge* (FL). Vor Doppelnasalen tritt im Pl. Prät. und Part. Prät. häufig *o* statt *u* auf: *wir gewonnen*, *gewonnen* (L).

mhd.	Reihe 3b:	*hëlfen*	*hilfe*	*half*	*hulfen*	*geholfen*
frnhd.		/e/	/e/	/a/	/a/	/a/
			/i/	/o/	/o/	/o/
				/u/	/u/	/u/
		helfen	*helfe*	*half*	*halfen*	*warden*
			hilfe	*holf*	*holfen*	*geholfen*
				hulf	*hulfen*	*gehulfen*

Der Pluralvokal *e* des Präs. der Reihen 3b, 4 und 5 ist in der 1. Sg. Präs. Ind. schon im BE festzustellen: *ich werde* für mhd. *ich wirde* (siehe oben). Seit dem 14. Jh. tritt im Omd. der Pluralvokal *e* gelegentlich auch in der 3. Sg. Präs. Ind. auf; statt *sie wird* oder *wirdet* kommt auch *(sie) werdt* vor. Im Bair. findet sich gelegentlich das Part. Prät. *warden*.

Im Prät. herrschen ähnliche Verhältnisse wie in der Reihe 3a: *er halff* (A), *er hulff* (S), *wir halffen* (AG), *sie holffen* (L), *die hulffen* (G), *gewůrfen* (SB). Durch Senkung des *u* zu *o* vor *r* + Konsonant sowie vor *l* + Konsonant (siehe 4.3.1.6) treten Formen mit *o* auch im Pl. Prät. auf, z. B. *storben* (L).

Am längsten währt das Schwanken im Prät. von *werden*; noch Adelung konjugiert: „*Ich ward*, (*wurde.*) (*Du wardst*,) *wurdest. Er ward*, (*wurde.*)" (ADELUNG 1795, § 479).

4. Ablautreihe

mhd.	*nëmen*	*nime*	*nam*	*nâmen*	*genomen*
frnhd.	/e:/	/e:/ /i:/	/a:/	/a:/	
			/o/	/o/	/o/
			/u/	/u/	/u/
	/e/	/e/ /i/	/o:/	/u:/ /o:/	/o:/
	nemen	*neme, nime*	*nam*	*namen*	
			nom	*nomen*	*genomen*
			num	*numen*	*genumen*
	sprechen	*spreche, spriche*	*schor*	*stolen, stulen*	*gestolen*

Der Langvokal *â* verdrängt im Sg. Prät. den Kurzvokal *a*. Die Ursachen dafür dürften in der Dehnung in offener Tonsilbe (*na-me*) und in der Analogie zum Pl. Prät. zu suchen sein. Im Pl. Prät. und im Sg. Prät. kommen besonders im Md. Formen mit dem Stammvokal des Part. Prät. vor: *sie sprochen, die stolen* (L).

Große Vielfalt zeigen die frnhd. Formen von *kommen*: *kommen/kummen* — *kam/quam/kom/kum* — *kamen/quamen* — *komen/kumen*. In der 2., 3. Sg. Präs. Ind. tritt zuweilen Umlaut auf: *kompt/ kumpt* — *kömpt/kümpt*, Adelung verwendet auch noch *kömmst/kömmt*. Senkung von *i* zu *e* liegt vor bei *brechit* statt *brichit*.

5. Ablautreihe

mhd.	*gëben*	*gibe*	*gap*	*gâben*	*gegëben*
frnhd.	/e:/	/e:/ /i:/	/a:/	/a:/	/e:/
	/e/	/e/ /i/			/e/
	geben	*gebe, gibe*	*gab*	*gaben*	*(ge)geben*
	essen	*esse, isse*	*ass*	*assen*	*gessen*

Im gesamten Prät. setzt sich der lange Pluralvokal /a:/ durch.

Einige Verben nähern sich anderen Ablautreihen: *pflegen* mit dem Part. Prät. *gepflogen* der 4. Reihe, *wegen* mit dem Prät. *wug, wugen* und Part. Prät. *erwagen* (F) der 6. Reihe bzw. mit dem Inf. *wiegen*, dem Prät. *wog, wogen* und dem Part. Prät. *gewogen* der 2. Reihe. Bei *wegen/wiegen* breitet sich entgegen sonstiger Tendenz das *i* der 1., 2. und 3. Sg. Präs. Ind. als Wurzelsilbenvokal über das gesamte Präs. aus: *wir wigen, sie wigen*. Senkung von *i* zu *e* liegt vor bei *gebit* (Erfurt).

Das Part. Prät. von *essen* kann *gessen, geessen* oder mit Übercharakterisierung *gegessen* lauten.

Zur 5. Ablautreihe gehören noch drei sog. *j*-Präsentien, und zwar *bitten, ligen, sitzen* (siehe 2.4.1.1). Der gramm. Wechsel in *was – waren*, der bei Luther anfangs noch vorhanden ist, wird aufgegeben: *war – waren*. Ähnliche Ausgleichstendenzen beim gramm. Wechsel sind bei Verben anderer Klassen festzustellen (siehe 4.3.2.7).

6. Ablautreihe

mhd.	*graben*	*grabe*	*gruop*	*gruoben*	*gegraben*
frnhd.	/a:/	/a:/	/u:/	/u:/	/a:/
	/a/	/a/			/a/
	graben	*grabe*	*grub*	*gruben*	*gegraben*
	backen	*backe*			*gebacken*

Im Obd. wird der Stammvokal der 2., 3. Sg. Präs. Ind. häufig nicht umgelautet; sonst fehlt der Umlaut seltener: *du fahrst/fehrst, er fahrt/fehrt* (F), *durchgrabet* (B), *grebet* (SB).

laden kann gelegentlich ein Prät. nach der 7. Reihe bilden: *er lied* statt *er lud*.

Die *j*-Präsentien der Reihe 6 (siehe 2.4.1.1) bilden ein abweichendes Prät. und Part. Prät., zum Teil sogar mit sw. Nebenformen:

heben	*hob/hub*	*gehaben/gehebit/gehoben*
schaffen	*gescof/schuf*	*geschaffen/geschaff(e)t* *gescheffen/gescheffet*
schweren	*schwor/schwur*	*geschworen/gesweret*

Das Prät. von *stehen*, das nach der 6. Reihe flektiert, hat Normalformen der 6. Reihe, z. B. *stund – stunden*, Analogformen zur Reihe 3a, z. B. *stand – stunden*, und Formen mit Ausgleich zum analogen Sg. Prät., z. B. *stand – standen*.

7. Reihe (ehemals reduplizierende Verben)

mhd.	*fallen**	*falle*	*fiel*	*fielen*	*gefallen*
frnhd.	/a/ /a:/	/a/ /a:/	/i:/	/i:/	/a/ /a:/
	/ao/ /ae/	/ao/ /ae/	/i/	/i/	/ao/ /ae/
	/o:/ /u:/	/o:/ /u:/	/u:/	/u:/	/o:/ /u:/
	fallen	*falle*	*fiel*	*fielen*	*gefallen*
			fing	*fingen*	
			ful	*fulen*	

* Andere mhd. Vokale der Reihe 7 siehe 3.5.1.1.

Bei den ehemals reduplizierenden Verben (siehe 3.4.1.1) können 6 verschiedene Laute den Stammvokal des Präs. und des Part. Prät. bilden: *fallen, heissen, laufen, rufen, schlafen, stossen*. In der 2., 3. Sg. Präs. Ind. treten neben umgelauteten Formen, z. B. *fellet, lesset, rüffest* (L), (besonders im Obd.) auch umlautlose auf, z. B. *fallt* (F), *haltet* (G), *laßt* (F), *rufet* (F). Im Prät. tritt schon früh außer *ie* ein kurzes *i* auf, z. B. *sy viengen* (K), *wir empfingen* (K). (Siehe auch 4.3.1.2.) Andere mhd. Vokale der Reihe 7 s. 3.4.1.1.

Im Els. geht das Prät. der Reihe 7 zuweilen in die Reihe 6 über: *ful* (F), *fuele* (OE), *fung* (F). Vermischung mit der Reihe 1 zeigt sich bei *scheiden*: Sg. Prät. *scheid* neben *schied* und Part. Prät. *geschiden* neben *gescheiden*. Von *lauffen* wird bis ins 18. Jh. in Analogie zu *saufen* (2. Reihe) ein Prät. *loff/loffen* und ein Part. Prät. *geloffen* gebildet, analog zur Reihe 1 im 16. Jh. zuweilen auch *liff, liffen* und *geliffen*.

Gramm. Wechsel erscheint noch bei *fangen*, z. B. *emphahen, emphehet* zu *emphi(e)ng* (KW), *gefangen* (L). [Zu den Vorgängen in den Ablautreihen vgl. SCHMID 2017, 119 ff.]

4.4.1.1.3 **Übergang starker Verben zur schwachen Flexion:** Neben der fortschreitenden Differenzierung der Ablautreihen ist der zunehmende Übergang st. Verben in die sw. Flexion festzustellen. Von 377 st. Verben im Mhd. sind etwa 177 im Nhd. übriggeblieben (Grammatik des Frühneuhochdeutschen 1988, IV, 271). Dieser Übergang ist auch am Ende des Frnhd. noch nicht abgeschlossen, vgl. Pl. Prät. *hinketen* (L)/*huncken* (S), Part. Prät. *gehinkt/gehuncken* (OE). Der Prozess lässt sich zum Nhd. in drei Richtungen verfolgen:

1. Mhd. st. Verben, die im Nhd. zum großen Teil schwach flektieren, aber im Frnhd. st. und sw. Formen besitzen, sind u. a. *bannen, bauen, bellen, dingen, hauen, hinken, rächen, salzen, schneien, winken*.
2. Mhd. st. Verben, die auch im Nhd. stark flektieren, haben zuweilen im Frnhd. st. und sw. Formen: *biegen, dreschen, heben, quellen, rufen, scheinen, schmelzen, sehen, sinken* u. a., z. B. *ruffeten* (L), *gerufft* (Prag) neben *rief*.
3. Mhd. st. Verben, die frnhd. stark oder schwach flektieren, weisen im Nhd. bedeutungsdifferenzierende st. und sw. Formen auf: *bewegen* (*bewegte/bewog*), *pflegen* (*gepflegt/gepflogen*).

Bei einigen Verben gibt es schon im Mhd. st. und sw. Formen: *beginnen* (mhd. Prät. *began/begunde* – frnhd. Prät. *began/begonst/begunte*), *dingen, kriegen* u. a.

Ursachen für den Übertritt st. Verben in die sw. Flexion können sein:

1. nicht mit den Ablautreihen übereinstimmende Form;
2. Einwirkung durch Substantive der gleichen Wortfamilie, sodass das Verb als sw. Denominativ angesehen werden kann;
3. Deutlichkeitsbedürfnis und Homonymenflucht.

(Zu Flexionsschwankungen von Verben vgl. THEOBALD 1992; HARTWEG/WEGERA 2005, 160 f.)

4.4.1.2 Schwache Verben

Durch Ausgleichsprozesse verschiedener Art, die sowohl den Wortstamm als auch die Endungen betreffen, entwickelt sich die schwache Konjugation zur Hauptflexion der Verben.

Grammatiken des Nhd. bezeichnen sie daher mitunter als die regelmäßigen Verben. (Vgl. HELBIG 2001, 225 f.) Schon Schottelius weist auf das wesentliche Merkmal ihrer Formenbildung hin, wenn er sie „gleichfließende Zeitworter" nennt. (Vgl. PHILIPP 1980, 55 ff.; HARTWEG/WEGERA 2005, 160 f.)

4.4.1.2.1 Konjugation der schwachen Verben:

Konjugation der schwachen Verben:

	Präsens	Indikativ	Konjunktiv	Imperativ
Sg.	1. P.	*sag(e), -en*	*sag(e)*	
	2. P.	*sag(e)st, -ist, -is, -es*	*sag(e)st, -is*	*sag(e)*
	3. P.	*sag(e)t, -it*	*sag(e)*	
Pl.	1. P.	*sagen, -in, -.ent*	*sagen, -in*	
	2. P.	*sag(e)t, -it, -ent, -en*	*sag(e)t, -it*	*sag(e)t,-it*
	3. P.	*sagen,-in,-ent,-int*	*sagen, -in*	
Part. Präs.	*sagend(e), sagen, -und, -(en)ing*			
Inf.	*sage(n), -in*			

	Präteritum	Indikativ	Konjunktiv
Sg.	1. P.	*sag(e)t(e)*	*sag(e)t(e)*
	2. P.	*sag(e)t(e)st, -tist*	*sag(e)t(e)st, -tist*
	3. P.	*sag(e)t(e)*	*sag(e)t(e)*
Pl.	1. P.	*sag(e)ten, -tin*	*sag(e)ten, -tin*
	2. P.	*sag(e)t(e)t, -tit*	*sag(e)t(e)t, -tit*
	3. P.	*sag(e)ten, -tin*	*sag(e)ten, -tin*
Part. Prät.		*(ge)sag(e)t, -it, -ut, gsagt*	

(Vgl. das Paradigma von *hören*, das PENZL (1984, 110) nach Schottelius anführt.)

Flexion des Präsens

Für die Endungen des sw. Verbs im Präs. Ind. und Präs. Konj. gilt das zur Präsensflexion des st. Verbs Gesagte.

Die 1. Sg. Präs. geht im Wmd. und im Alem. zuweilen auf *-en*, z. B. *ich gesegnen* (B), aus, das auf ahd. *-êm/-ôm*, z. B. *habêm, salbôm*, zurückzuführen ist.

Die Endung *-e* der 2. Sg. Imp. wird im Obd. oft apokopiert, während im Md. das *-e* häufiger bewahrt wird: *hőr* (SL).

Flexion des Präteritums

Apokope und Synkope des unbetonten Endsilben-*e* sind nicht einheitlich geregelt (siehe 4.3.1.11). Der Endvokalschwund führt zuweilen dazu, dass der formale Unterschied zwischen Präs. und Prät. beseitigt wird; dabei ist es durchaus üblich, Formen mit Synkope bzw. Apokope und solche ohne Synkope und Apokope zu gebrauchen: 3. Sg. Prät. *lebte* neben *lebete, lebet* neben *lebt.*

Neben der gebräuchlichen Endung *-ete/-eten* treten auch Formen mit Einschub eines *-n-* auf. Im Omd. ist wohl mit Analogie zu Verben auf *-enen* oder mit Verbalflexion des Inf. zu rechnen: *sy fregenten, sy lobenten, (her) nehente* (BE) (FEUDEL 1961, § 69).

Sofern nicht Verben mit „Rückumlaut“ (siehe 2.3.2.3) vorliegen, fehlt im Frnhd. der formale Unterschied zwischen Ind. Prät. und Konj. Prät.: Ind./Konj. Prät. *sag(e)te.* Die Verben mit „Rückumlaut“ und *denken* können besonders im Md. im Konj. Prät. Umlaut des Stammvokals haben: Ind. Prät. *dachte, dauchte, kante, satzte;* Konj. Prät. *dechte, deuchte, kente, setzte.*

Einige sw. Verben der Gruppe 1 (Verben mit gleichbleibendem Stammvokal) bilden im Md. in mhd. Zeit analog zur Gruppe 2 (Verben mit „Rückumlaut“) den Konj. Prät. mit Umlaut. Als Rest erscheint bei Luther der Konj. Prät. von *machen: er mechte, man mecht.*

Besonders im Obd., aber auch in anderen Dialekten, weisen die Part. Prät. von sw. Verben mit Dentalstämmen oft Synkope des *e*-Themas auf: *eingebildt, geantwort* (AS), *gemelt* statt *eingebildet, geantwortet, gemeldet.* Diese Erscheinung reicht bis ins 18. Jh., z. B. *gestift* (Herder).

4.4.1.2.2 **Gruppen der schwachen Verben:** Die beiden Gruppen der mhd. sw. Verben (siehe 3.4.1.2) sind im Nhd. weitgehend zu einer Gruppe zusammengefallen. Da sich aber dieser Zusammenfall im Frnhd. erst allmählich vollzieht, sind die sw. Verben in der frnhd. Epoche noch in diese zwei Gruppen einzuteilen.

Der „Rückumlaut“ geht „als überflüssiges grammatisches Kennzeichen“ ständig zurück, da das Präteritum „schon durch das Dentalsuffix deutlich bezeichnet“ ist „(Übercharakterisierung)“ (SCHIRMUNSKI 2010, 567). Bereits vor 1300 dringt im Md. der umgelautete Vokal des Präs. ins Prät. der rückumlautenden Verben ein, und seit dem 14. Jh. nimmt der Ausgleich bei den im Mhd. noch über 200 rückumlautenden Verben vor allem im Els., Bair. und Nürnbergischen mehr und mehr zu: z. B. *brennen – brennte* statt *brannte* (vgl. Frnhd. Grammatik 1993, 250 ff.; Grammatik des Frühneuhochdeutschen 1988, IV, 492 ff.).

Allerdings wird im Md. der Rückumlaut bei den Verben *brennen, kennen, nennen, rennen, senden, wenden* nie ganz verdrängt; sie entziehen sich im 18. Jh. endgültig dem Ausgleich und bewahren auch in der Schriftsprache das rückumlautende Prät.: z. B. *brennen – brannte.* Die Beseitigung des Rückumlautes bei den meisten der mhd. rückumlautenden Verben verdankt unsere Schriftsprache vor allem dem Obd. Im 17. Jh. hat sich das umgelautete Prät. im Wesentlichen durchgesetzt. Bereits Schottelius betrachtete die durch Beseitigung des Rückumlautes gebildete Form des sw. Prät. als „die richtigste und gebråuchlichste“ (SCHOTTELIUS 1663, 575; vgl. auch STARCK 1912, 3, 312, 314).

Verben ohne Wechsel des Stammvokals (Gruppe 1)

	Inf.	Prät. Ind.	Prät. Konj.	Part. Prät.
mhd.	*machen*	*mach(e)te*	*mach(e)te*	*gemach(e)t*
frnhd.	*machen*	*mach(e)t(e)*	*mach(e)t(e)* *mechte*	*gemach(e)t*

Verben mit Wechsel des Stammvokals (Gruppe 2)

mhd.	*brennen*	*brante*	*brante, brente*	*gebrant,* *gebrennet*
frnhd.	*brennen*	*brannte* *brenn(e)te*	*brenn(e)te*	*gebrann(e)t,* *gebrenn(e)t*

Die Zahl der Verben mit „Rückumlaut" im Prät. ist im Frnhd. größer als im Nhd.: *bedackit* (BM), *blanden* (SB), *dakkte* (SL), *furchte/forchte* (L), *gehor(e)t* (L), *satzen* (SB), *stackte* (OP). Neben den Formen mit „Rückumlaut" existieren gleichberechtigt solche mit Umlaut, der aus dem Präs. ins Prät. eingedrungen ist: *dekkete/dakkte* (SL), *merckte/ marckte* (L), *rennete/rante* (SL), *schmekkete/schmakkte* (SL). Im Part. Prät. gab es schon immer Doppelformen (siehe 3.5.1.2): *gestellet/gestallt* (SL), jetzt aber auch mit Thema-*e* bei der Form mit „Rückumlaut": *geseczet/gesaczet* (KW). Die Formen mit Umlaut im Prät. weisen sehr häufig Themavokal auf, aber nicht immer: *erkenneten*, aber: *merckte* (L). Selten dringt der Rückumlaut ins Präs. ein. *lenden* > *landen* analog dem Prät. *landte*; meist geschieht dies nur vorübergehend, vgl. z. B. *horen, horet* (L 1530 – Hs.), *hören, höret* (L 1532 – Druck).

In Analogie zu rückumlautenden sw. Verben treten im Frnhd. bis ins 17. Jh. einige Formen des Prät. und Part. Prät. mit „Rückumlaut" auf, denen dieser ursprünglich nicht zukam („unorganischer" Rückumlaut). Diese Bildung ist charakteristisch für das Md.:

keren – karte/inkertin – gekart/gekerit (BE)
leren – larte/lerte – gelart/geleret (BE)

Zur frnhd. Gruppe 2 der sw. Verben werden auch solche gerechnet, deren Prät. schon urgerm. ohne Themavokal gebildet wurde.

denken	*dachte*	*dechte*	*gedacht, gedenkt*
dünken	*dauchte, deuchte*	*deuchte*	*gedaucht, gedeucht*
deuchten	*dunkte, dünkte*		*gedunkt, gedünkt*
wirken	*wirkte, worchte,* *wurckte*		*gewirkt, geworcht*

Mischung st. und sw. Flexion liegt bei *bringen* vor:

bringen, brengen	*brachte, brachten*	*brechte*	*(ge)bracht*

4.4.1.2.3 **Übergang schwacher Verben zur starken Flexion:** Nur selten – und dann auf Grund lautlicher Übereinstimmung mit den st. Verben – treten mhd. sw. Verben in die frnhd. st. Flexion über, z. B. *laden – lud, geladen* (SL), *preisen – pries* (SL); jedoch nicht alle halten sich als st. Verben, z. B. *beschenken – beschunken* (SL), *jagen – jug* (SL), *wünschen – gewunschen* (AS), laden hat schon im Mhd. neben den sw. auch st. Formen. (Vgl. THEOBALD 1992; Grammatik des Frühneuhochdeutschen 1988, IV, 306 f., 423 f.)

4.4.1.3 Präterito-Präsentien

Die Zahl der Prät.-Präs. (siehe 3.4.1.4) nimmt im Frnhd. ab: *türren* geht unter, *gunnen* und *taugen* wechseln in die Gruppe der sw. Verben über.

Die Endung *-st* der 2. Sg. Präs. Ind. der st. und sw. Verben tritt endgültig an die Stelle der alten Endung *-t* der Prät.-Präs.: statt *solt* (L) nun *sollest* (SL), *sollst.*

Noch im Mhd. haben die Prät.-Präs. selten ein Part. Prät.; im Frnhd. tritt es häufiger auf, und zwar mit und ohne Präfix *ge-*: *gewust* (SL), *wist* (L). Neben dieser sw. Bildung gibt es ein st. Part. Prät.: *gegunnen* (TS) (Franke II, § 146).

Die analytischen Zeitformen in Verbindung mit Prät.-Präs. können aus temporalem Hilfsverb + Part. Prät. der Prät.-Präs. + Inf. des Vollverbs gebildet werden: *wenn hat einer* ***gedorfft*** *klagen* (HU). Seit dem 13. Jh. wird auch wie im Nhd. der Inf. der Prät.-Präs. benutzt: *drumb haben sie mussen fallen* (L), also temporales Hilfsverb + Inf. des Prät.-Präs. + Inf. des Vollverbs. „Aus dem Nebeneinander des Inf. und des Part. Prät. bei den Hilfszeitwörtern ergeben sich dann zwei Mischungen: einerseits Infin. mit *ge-* [...], anderseits Partizipia ohne *ge-*“ (Behaghel 1924, Bd. 2, 370): *niemant hat es* ***gedorffen*** *sagen* (HU); *nu hat der Romisch geytz nit* ***mocht*** *der zeit erwarten* (L).

Paradigmata (nach Ablautreihenfolge geordnet)

Inf./Pl. Präs. Ind.	Sg. Präs. Ind.	Prät. Ind.	Prät. Konj.	Part. Prät.
1. *wissen*	*weiß,* *weißt*	*wesse/weste,* *wisse/wiste, woste, wuste*	*weste, wiste,* *wüste*	*(ge)wist,* *gewost, gewust*
2. *taugen,* *tugen,* *tügen*	*taug,* *tauget*	*taugte, tochte,* *tuchte, tüchte*	*töchte,* *tüchte*	*(ge)tocht* *(ge)tugt*
3. *gonnen,* *gönnen,* *gunnen,* *günnen*	*gan,* *gönnt*	*gonnet, gönnete,* *gunnte,* *guͤnnete*	*gönte*	*(ge)gonnet* *(ge)gun(s)t* *geguͤn(s)t*
3. *können,* *kunnen,* *künnen*	*kan*	*konde, konte,* *kunde, kunte*	*könde,* *künde*	*gekont* *(ge)koͤnt* *(ge)kund*
3. *darfen,* *dörfen,* *dürfen*	*darf*	*dorfte, durfte*	*dörfte,* *dürfte*	*(ge)dorft* *(ge)durft,* *(ge)dürft*
3. *törren,* *türren*	*tar,* *tahrt*	*torste, thurste*	*törste,* *thürste*	*getörren* *(ge)tuhrst*
4. *sollen,* *sull(e)n*	*sal/schal* *sol/schol*	*solde/scholde,* *sulde*	*solde,* *sölde*	*(ge)solt*
5. *mogen,* *mögen,* *mugen,* *mügen*	*mag*	*mochte, moͤchte,* *muchte, muͤchte*	*möchte,* *müchte*	*(ge)mocht* *(ge)muͤcht*
6. *müssen*	*muß*	*moste, must(e)*	*müste*	*(ge)must,* *(ge)müst*

Zu 1.
Das Prät. *wesse/wisse* existiert noch im Obd. des 14. Jh.; bis ins 17. Jh. erscheinen hier *weste/wiste*. Im Omd. gilt vom 14. Jh. an vor allem *wuste* neben seltenerem *woste*.

Zu 2.
Schottelius verwendet das Präs. *ich tauge, du taugest, er tauget.*

Zu 3.
Der Sg. Präs. Ind. *gan, ganst, gan* (nhd. *gönnen*) ist im 17. Jh. nicht mehr lebendig; schon im 15. Jh. beginnen sich im gesamten Präs. *o/ö* bzw. *u/ü* durchzusetzen. Das Part. Prät. hat neben den sw. Formen mit und ohne Umlaut die st. Form *gegunnen.*

Der Pl. Präs. Ind. von *dürfen* 'nötig haben' kann bis ins 17. Jh. ohne Umlaut(bezeichnung) gebildet werden: *sie dorffen* (L). In der Bedeutung 'nötig haben' geht *dürfen* in das seit dem Mhd. belegte *bedürfen* ein.

Das Verb *türren* 'wagen' geht im 17. Jh. unter.

Zu 4.
Die Präsensform *sol* tritt seit der Mitte des 14. Jh. im Omd. zurück und macht der Form *sal* Platz; erst im 15. Jh. erscheint *sol* wieder. *sol* herrscht von Anfang an im Obd. vor und ist schließlich im 17. Jh. die im Wesentlichen allgemein gebräuchliche Form. Formen mit *sch/sc* sind im Bair., Thür. und Schles. – besonders im 14. Jh. – geläufig: *schal, scullen, scholde.* Das Obd. weist ein Präs. mit Umlaut auf: *er sol̊* (AG), zuweilen auch das Md.

Zu 5.
Noch im 17. Jh. drückt *mögen* neben der Möglichkeit das Vermögen, Macht-Haben aus. (Vgl. Frnhd. Grammatik 1993, 295 ff.; PEILICKE 1992, 347 ff.)

4.4.1.4 Verben mit Sonderformen

4.4.1.4.1 *wollen/wellen*

Neben den *o*-Formen dieses Verbs (siehe 2.4.1.5) tritt *wellen* bis ins 16. Jh. auf: *wollen/wellen* (KW), z. T. mit Umlaut des *o*, vgl. *wir wo̊llen* (AS). In der 2. Sg. Präs. Ind. wird die Endung *-t*, z. B. *wilt* (SL), im 17. Jh. zugunsten des schon spätmhd. vorkommenden *-st*, z. B. *wilst* (SL), aufgegeben. Formen auf *-nt* (*wellent*) werden im Alem. wie die Prät.-Präs. auch kontrahiert (*went*). Zum modalen Funktionswechsel siehe 3.4.1.5.

Inf.	1. Sg. Präs. Ind.	Prät. Ind.	Prät. Konj.	Part. Prät.
wellen/wöllen	*wil, wel*	*wolde, wulde,*	*welde, wolde,*	*(ge)wolt*
wollen/wullen		*wolt(e)*	*wölde*	*gewo̊lt*

4.4.1.4.2 Verben mit athematischer Form

Die Flexion dieser Verben, die auf die der idg. *mi*-Verben zurückgeht (gr. *didōmi* 'ich gebe' gegenüber *paideuō* 'ich erziehe'), bildet die 1. Sg. Präs. Ind. athematisch, d.h. ohne Bindelaut zwischen Wurzel und Endung auf *-n.* Diese Bildung hat sich nur in der Form *bin* bis heute erhalten. Sonst verlieren diese Verben während des Frnhd. vollständig oder teilweise ihre ursprüngliche Einsilbigkeit (statt mhd. *gên, stên* heißt es nhd. *gehen, stehen* in Analogie zu *sehen*) und gehen zur thematischen Flexion auf *-e* über.

Vier Verben sind betroffen, bei denen die 1. Sg. Präs. Ind. im Frnhd. noch athematisch gebildet werden kann:

	Inf.	1. Sg. Präs. Ind.	Prät. Ind.	Part. Prät.
1.	*sin, sein, wesen, si*	*bin*	*war/was – waren, woren/wasen*	*gesin, gesein gewest, gewesen*
2.	*tuen, tun*	*tue/tun*	*tat(e)/tet(e) – thaten/theten/tauten*	*(ge)than*
3.	*gahen/gan*	*gahe/gan*	*gie/gieng – giengen*	*gegan*
	gehen/gen	*gehe/gen/ge*	*ging – gingen, gung – gungen*	*(ge)gangen, gegen*
4.	*stahen/stan, stehen/sten*	*sta/stahe/stan, ste/stehe*	*stand/stund – standen/stunden*	*gestan gestanden*

Zu 1.

		Präs. Ind.			Präs. Konj.
Sg.	1. P.	*bin, ben, seyn*	Sg.	1. P.	*sey, seye*
	2. P.	*bis, bist*		2. P.	*seiest, seyst, sist*
	3. P.	*is, ist*		3. P.	*sey, seye, si, sye*
Pl.	1. P.	*sein, seint, sin, sint, sind*	Pl.	1. P.	*seien, seygind, seyn*
	2. P.	*seint, seit, sint, sit*		2. P.	*seied, seyd, seygind*
	3. P.	*sein, seint, sin, sint, sind*		3. P.	*seint, seyen, seyn, sygind*

2. Sg. Imp.	*biß, sey, wis, wes(e)*
Part. Präs.	*seynd, wesende*

Bis ins 17. Jh. stehen in der 1., 3. Pl. Präs. Ind. *sein*, das eigentlich eine konjunktivische Form ist, und *sint*, ursprünglich nur 3. Pl. Präs. Ind., nebeneinander: *sie sind* oder *seyn* (SL). Bei *seind*, z. B. bei OP, handelt es sich um eine Mischform. Der Imp. *bis* schwindet im 17. Jh. in der Schriftsprache, nicht aber in omd. Mundarten; *sei* kommt im 15. Jh. auf. Das sw. Part. Prät. *gewest*, seit dem 13. Jh. im Md. und Ostfränk. verwendet, wird seit dem 16. Jh. mehr und mehr durch *gewesen* verdrängt, hat sich aber in verschiedenen Maa. bis in die Gegenwart gehalten. (Zu den Formen von *sein* bei Grammatikern des Frnhd. vgl. PENZL 1984, 114 f.)

Zu 2.
Neben der *n*-losen Form der 1. Sg. Präs. Ind. erscheint noch im 16. Jh. das alte *-n*: *tu, tun ich* (BE). Der Ausgleich der Stammvokale *a* und *e/ä* im Prät. setzt im 14. Jh. ein; im 17. Jh. herrschen die *a*-Formen vor; *e/ä* erscheint vereinzelt noch im 18. Jh. (ALM 1936, 439 ff.): *tat/tät – taten/täten* (FL). Das Part. *geton* weist ins Obd.

Zu3.
Die Formen mit dem Stammvokal *a* sind vor allem wmd., alem. und nd., die Formen mit *e* vorwiegend bair. und omd. (FRINGS 1957, Karte 36). Die *a*-Variante tritt noch im 17. Jh. in der Schriftsprache auf, heute nur in einigen Mundarten. Präsensformen mit dem Stamm *gang* sind im Alem. geläufig. Luther verwendet noch einen Imp. *ganck*.

Zu 4.
stan/sten nimmt dieselbe Entwicklung wie *gan/gen*.
Ein Präsensstamm *stand* wird im Alem. des 16. Jh. benutzt; bei Luther kommt zuweilen der Imp. *stand* vor. Zum Prät. *stund – stunden* tritt im 17. Jh. *stand*; jedoch ist noch

im 18. Jh. *stund* nicht völlig zurückgedrängt (siehe 4.4.1.1.2, 6. Ablautreihe; vgl. Frnhd. Grammatik 1993, 305 ff.).

4.4.1.4.3 Verben mit Kontraktion (*han, lan*)

Inf.	1. Sg. Präs. Ind.	Prät. Ind.	Prät. Konj.	Part. Prät.
haben, han, hon	*habe, han*	*hatt(e), hett(e)*	*hette, hiete*	*gehaben, gehabet gehan, gehat*

Kontrahiertes *han* schwindet im 16./17. Jh.; die Formen *hast/hat* verdrängen im 15. Jh. die unkontrahierten. Die Formen *hatte/hette* stehen noch im 17. Jh. als Prät. Ind. nebeneinander. Das Part. Prät. *gehat* ist md., *gehaben* und *gehan* sind alem.

Kontrahierte Formen von *lassen*, z. B. *lan*, gehen im 17. Jh. unter. *lon* ist alem.: [...] *er* [...] *het dienen lon* (F). Kontrahierte Formen sind bis heute in vielen Mundarten lebendig.

4.4.1.5 Zusammengesetzte Zeitformen

Perfekt

Er hat gesessen – er ist gesessen

Das Perf. als häufigste zusammengesetzte Tempusform wird mit dem Präs. von *haben/sein* + Part. Prät. des Vollverbs gebildet. Das Obd. bevorzugt *sein*, das Md. schwankt in der Verwendung von *sein* oder *haben*. So bevorzugt Luther bei Verben räumlicher Ruhe nach obd. Gebrauch *sein*: *bin gesessen, gestanden sey*. Wittenberger Einfluss sieht FRANKE (III, § 115) in einigen Umschreibungen mit *haben*: *gewandelt haben, hett … gewest* (L).

„Zur Erzielung besonderer Deutlichkeit“ (BEHAGHEL 1924, Bd. 2, 271) werden beim Perf. und Plusqu. Doppelumschreibungen durch die Part. Prät. *gehabt* und *gewesen* benutzt: „Es wird zuweilen das Hůlfwort bey seinem Haubtworte doppelter Weise gebrauchet als: Ich habe geschrieben gehabt: ich hette gelesen gehabt: nach dem er gestorben gewesen war“ (SCHOTTELIUS 1663, 556). Diese Formen haben sich im Nhd. ausgebreitet und kommen auch in schriftsprachlichen Texten vor.

Die frnhd. Funktionen des Perf. stimmen mehr und mehr mit den nhd. überein. Bis zum 14. Jh. überwiegen die resultatsbezogenen Verwendungen, während dann zunehmend der generelle Vergangenheitsbezug in den Vordergrund tritt. So wird das frnhd. Prät. durch das „erzählende Perfekt“ ersetzt. Dieser Ersatz erfolgte vor allem im Obd. und hat seinen Höhepunkt im 16. Jh. und in der 1. Hälfte des 17. Jh. (Vgl. GUCHMANN/SEMENJUK 1981, 22 ff.; GILLMANN 2016, 156 ff.)

Plusquamperfekt

er hatte/hette gesessen – er war gesessen

Das Prät. von *haben/sein* + Part. Prät. des Vollverbs bilden das Plusqu.

Das Plusqu. drückt den Abschluss in der Vergangenheit aus, kann aber auch das Prät. vertreten.

Das Präfix *ge-* dient bis ins 16. Jh. hinein der Perfektivierung; zusammen mit der Präteritalform kann es die gleiche Funktion wie das Plusqu. haben: *Vnd als wir einander gesegneten, tratten wir ins schiff* (L).

Futur I

er sol/wil/wird sitzen

Die Umschreibung mit *werden* + Inf., zuerst den Anfang eines Vorgangs, dann Zukünftiges bezeichnend, entsteht im Mhd., breitet sich im 15. Jh. aus und setzt sich als Norm im

16. Jh. durch. Die Umschreibungen mit *wollen* oder *sollen* + Inf. reichen bis ins 16. Jh.: *das Königreich wil noch sein werden* (L), *darumb ich hoffe, ir miteinander ein frölich Leben füren sült* (SW). (Vgl. BOGNER 1989, 56 ff.; NÜBLING u. a. 2017, 318 ff.) Modale Funktionen (Ausdruck einer Vermutung, Allgemeingültigkeit oder Aufforderung) sind seit dem 16. Jh. deutlich: *da dachten sie bey sich* [...] *das wirts seyn* (L); *Welcher sich zwayen herren wil verpflichten, der würt von beiden undanck erlangen* (Steinhöwel); *Das ffunfte gebote gotes* [...] *du wirst nicht toten* (M. v. Amberg) (vgl. Frnhd. Grammatik 1993, 392).

Futur II
er wird gesessen haben/wird gerannt sein
Das Fut. II, das vom Mhd. an aus *werden* + Part. Prät. + Inf. *haben/sein* gebildet wird, kann ebenfalls wie im Nhd. die Wahrscheinlichkeit eines Geschehens ausdrücken. Es ist frnhd. zwar nicht sehr häufig, wird aber von 1500 bis 1700 als Teil des Verbalsystems ausgebaut.

4.4.1.6 Bildungsweise des Passivs

Das Pass. wird mit *werden* oder teilweise mit *sein* + Part. Prät. gebildet:

Präs./Prät.	*er wird/ward geschlagen*
Perf./Plusqu.	*er ist/was geschlagen* ((*ge*)*worden*)
Fut. I	*er wird geschlagen werden*

Seit dem 13. Jh., besonders vom 15. Jh. an, wird das Perf./Plusqu. Pass. mit dem Part. Prät. *worden* gebildet: *er ist funden worden* (L). Doch noch im 16. Jh. kann *worden* fehlen: *er ist widder funden* (L). Im 16. Jh. erscheint vereinzelt *geworden*: *Er sey citiert geworden* (SN). Ein Fut. II Pass. lässt sich im Frnhd. noch nicht nachweisen. Schottelius verzeichnet nur Fut. I Pass.; die beiden *würde*-Umschreibungen im Pass. hingegen hat er aufgeführt, und zwar Konditional I Pass.: *Ich wůrde gehoret werden.* Konditional II Pass.: *Ich wůrde gehoret worden seyn.*

4.4.1.7 Umschreibungen zum Ausdruck der Aktionsarten

1. *werden* + Part. Präs.: Die Umschreibung drückt das Eintreten eines Geschehens aus und erscheint noch im 16. Jh.: (*in welichen landen die Juden siezen*) oder [...] *siezend oder wonend werden* (KW), *da ward das gantze Heer laufend* (L).
2. *werden* + Inf.: Auch diese analytische Form kann den Beginn eines Geschehens ausdrücken; sie wird noch im 16. Jh. benutzt: *Er ward zittern* (L), und zwar im Präs. und Prät.
3. *sein* + Part. Präs.: Als sprachliches Mittel zur Bezeichnung der durativen Aktionsart dient die Gruppe *sein* + Part. Präs.: *die uns yeczund anligend sein* (KW). Die schon ahd. Bildung ist im 18. Jh. auf einige besondere Fälle beschränkt, *ich bin sehr erwartend* (Schiller), fehlt aber in der Gegenwartssprache (PAUL 1920, Bd. IV, § 320).
4. *sein* + Inf.: Diese Konstruktion hat wie *sein* + Part. Präs. die Funktion, die Dauer einer Handlung zu bezeichnen; sie wird vom 14. bis zum 16. Jh. häufig gebraucht, z. B. *wer aber mislich wandeln ist* (BR), ja reicht bis ins Nhd.: *Was sind sie mir anmuthen* (Gottschedin). (Vgl. OUBOUZAR 1974, 5 ff.; BEHAGHEL 1924, Bd. 2, 111 ff.)

4.4.1.8 Zusammenfassende Darstellung der Neuerungen

1. Während des Frnhd. zeigt sich eine fortschreitende Vereinheitlichung der Personalendungen in allen Tempora und Modi. So setzt sich die Endung *-st* der 2. Sg. Präs. Ind. auch in der 2. Sg. Prät. Ind. durch:

   mhd. Präs. *du hilfest*, nhd. *du hilfst*

   mhd. Prät. *du hülfe,* nhd. *du halfst*

   Die Endung *-ent* der 3. Pl. Präs. Ind. macht der Endung *-en* der 1. Pl. Präs. Ind. Platz, die mit der 3. Pl. des Präs. Konj., des Prät. Ind. und des Prät. Konj. übereinstimmt:

   mhd. *wir hëlfen*, nhd. *wir helf en*

   mhd. *sie hëlfent,* nhd. *sie helfen*

2. Im Frnhd. erfolgt eine stärkere Profilierung der Tempora der st. Verben bei vollständigem oder teilweisem Ausgleich der Numerusunterschiede. Dadurch wird das vierstufige Ablautsystem auf ein dreistufiges – wie in den meisten germ. Sprachen – reduziert :

   mhd. *hëlfen hilfe half hulfen geholfen*

   nhd. *helfen helfe half halfen geholfen*

   Im Präs. Ind. tritt der Stammvokal des Pl. a) im gesamten Sg. (2. Ablautreihe) oder b) in der 1. Sg. (Reihe 3b, 4, 5) auf:

   a) mhd. *ich biuge – du biugest – er biuget – wir biegen*

   nhd. *ich biege – du biegst – er biegt – wir biegen*

   b) mhd. *ich hilfe – wir hëlfen*, nhd. *ich helfe – wir helfen*

   Selten erscheint der Stammvokal des Sg. im Pl. Präs.:

   mhd. *ich wige – wir wëgen*, nhd. *ich wiege – wir wiegen*

   Im Prät. setzt sich entweder der Pluralvokal auch im Sg. durch:

   mhd. *ich reit – wir riten*, nhd. *ich ritt – wir ritten*

   oder der Singularvokal im Pl.:

   mhd. *ich half – wir hulfen*, nhd. *ich half – wir halfen*

   Die 2. Sg. Prät. Ind. gibt ihre Anomalie auf:
   mhd. *du wære*, nhd. *du warst*

3. Die meisten mhd. Verben mit „Rückumlaut" geben diesen im Nhd. auf, abgesehen von 6 Verben (z. B. *senden*).

   Sehr oft breitet sich der umgelautete Präsensvokal aus:

   mhd. *hœren – hôrte – gehôrt*, nhd. *hören – hörte – gehört*

   So wird die sw. Verbflexion stärker vereinheitlicht.

4. Der Themavokal der sw. Verben wird im Nhd. meist synkopiert:

   mhd. *sagete – gesaget*, nhd. *sagte – gesagt*

5. Eine Reihe st. Verben tritt in die sw. Flexion über:

   mhd. *rëchen – riche – rach – râchen – gerochen*

   nhd. *rächen – rächte – gerächt*

   Seltener ist der Übergang sw. Verben zu den st. Verben:

   mhd. *prîsen – prîsete – geprîset*

   nhd. *preisen – pries – gepriesen* (analog der st. Reihe 1), im Frnhd. st. und sw. flektiert.

6. Die Flexion der Prät.-Präs. gleicht sich der schwachen an, entweder durch gänzlichen Übergang von den Prät.-Präs. zu den sw. Verben (mhd. *tugen, gunnen* – nhd. *taugen, gönnen*) oder durch Ausgleich der Flexionsendungen (2. Sg. Präs. Ind. *-st* statt *-t*; Entwicklung eines sw. Part. Prät.).

7. Die Verben mit athematischer Form nähern sich der thematischen Flexion: mhd. ich *gân/gên* – nhd. *ich gehe*

(Vgl. Grammatik des Frühneuhochdeutschen 1988, IV, 67 ff., 169 ff., 230 ff., 443 ff., 469 ff., 492 ff.; Frnhd. Grammatik 1993, 230 f.; Penzl 1984, 107 ff.; Hartweg/Wegera 2005, 159 ff.; Wegera/Solms 2000, 1545 ff.; Nübling u. a. 2017, 278 ff.)

4.4.2 Das Substantiv

Bei der Deklination führen mehrere ineinandergreifende Entwicklungsprozesse zu einem Strukturwandel, der die Einteilung der Deklination nach vokalischen und konsonantischen Stämmen kaum noch als gerechtfertigt erscheinen lässt. Schon im Mittelhochdeutschen sind eine diachrone und eine synchrone Betrachtungsweise angebracht (siehe 3.4.2). Aber auch hier wird die diachrone im Mittelpunkt stehen, da das Frnhd. als wichtige Entwicklungsperiode anzusehen ist, deren Vielfalt und ständige Bewegung von den Sprachträgern erlebt, zum Teil sogar gesteuert wurde.

Zwei Grundtendenzen zeichnen sich ab: Einmal tritt die Kasuskennzeichnung noch weiter zurück als im Ahd. und im Mhd. (Kasusnivellierung), zum anderen zeigt sich – im Gegensatz zur Verbflexion – eine schärfere Profilierung der Numeruskategorie.

Die erste Tendenz (Rückgang der Kasuskennzeichnung) ist hauptsächlich durch die Festlegung des Akzents auf die erste Wortsilbe im Germ. (siehe 1.1.2.2.2) bedingt. Dadurch werden Flexionsmorpheme (= Flexive) abgeschwächt (Dat. Pl. ahd. *gëbôm* > mhd. *gëben*), reduziert (die Mehrsilbigkeit von Flexiven entfällt: Gen. Pl. ahd. *gëbôno* > mhd. *gëben*) oder fallen durch Synkope oder Apokope weg (mhd. *lambes* > nhd. *Lamms*, mhd. *bilde* > nhd. *Bild*). Statt 16 Flexiven im Mhd. (*tac-ø, tag-e, stil-s, tag-es, lemb-er, lemb-ern, nadel-n, künegin-ne, künegin-nen, man-nes, tag-en, lemb-ere, lemb-eren, se-we, se-wes, se-wen*), von denen 7 mit Umlaut des Wurzelvokals auftreten können, existieren im Nhd. nur noch 9 (*Tag- ø, Tag-e, Tag-en, Krater-n, Geist-er, Geist-ern, Tag-s, Dienst-es, Herz-ens*), von denen 6 mit Umlaut des Wurzelvokals kombiniert sind. Auch das Zahlenverhältnis der Flexive untereinander wandelt sich: Während z. B. *-e*, *-es* seltener werden, breitet sich das ø-Morphem aus. Der Dat. Sg. wird meist endungslos: mhd. *tage* > nhd. *Tag*, und auch im Nom. Akk. Sg. setzt es sich durch: mhd. *bilde* > nhd. *Bild*.

Diese Prozesse haben eine wachsende Mehrdeutigkeit der Flexive zur Folge: *-e* kann schon im Mhd. bei st. und sw. Substantiven in verschiedenen Kasus und Numeri stehen. Das im Frnhd. häufiger verwendete ø-Morphem steht im gesamten Sg. st. Substantive außer dem Gen. Sg. der Maskulina und Neutra (für stark und schwach werden hier auch die historisch eher zutreffenden Termini vokalisch und konsonantisch verwendet).

Die Eindeutigkeit in der Kommunikation, die durch diese Prozesse gefährdet ist, wird durch einen tiefgreifenden Umbau des Deklinationssystems wiederhergestellt: Substantive treten immer häufiger von einer Klasse in eine andere über. Diese Entwicklung begann zwar schon lange vor der frnhd. Zeit, setzt sich aber jetzt verstärkt fort.

Viele sw. Substantive verlieren im Nom. Sg. das Morphem *-e* und gleichen daher den st. Substantiven. Das ist ein Grund dafür, dass viele von ihnen in die st. Deklination übergehen:

mhd. *der herzoge, des herzogen* – nhd. *der Herzog, des Herzogs*;
mhd. *daz ôre, des ôren* – nhd. *das Ohr, des Ohres*.
Durch Übergang in die gemischte Deklination entsteht das Flexiv *-ens*.
mhd. *daz herze, des herzen* – nhd. *das Herz, des Herzens*.

Die entgegengesetzte Entwicklung – von der vokalischen zur konsonantischen Flexion – tritt bei einigen Maskulina auf, die im Nom. Sg. ihr auslautendes *-n* abstoßen: mhd. *heiden, kristen, raben* – nhd. *Heide, Christ* (frnhd. *Christe*), *Rabe*. Diese Substantive gleichen sich den Bezeichnungen für Lebewesen an, die von Haus aus schwach flektiert werden: mhd. *hërre* (Gen., Dat., Akk. Sg. und Nom., Gen., Dat. Akk. Pl. *hërren*).

Auch die meisten mhd. *ja*-Stämme verlieren das auslautende *-e*:

mhd. *dër vischære* – nhd. *der Fischer*, mhd. *daz kriuze* – nhd. *das Kreuz*.

Diese Substantive wechseln in die *a*-Deklination über. Auch die mask. mhd. *ja*-Stämme, bei denen das *-e* erhalten bleibt (mhd. *der hirte* – nhd. *der Hirte*) oder bei denen ein *-n* angefügt wird (mhd. *der rücke* – nhd. *der Rücken*), verändern oft ihre Deklination (siehe 4.4.2.1.1).

Bei mehreren Substantiven setzt sich e i n Genus durch, und zwar vorwiegend nach dem md. Gebrauch:

mhd. *der/diu luft* – nhd. *die Luft*; mhd. *diu/daz zit* – nhd. *die Zeit*.

Bei den Feminina fallen die *ô*- und die *n*-Deklination zusammen, indem sich bei der *ô*-Deklination das *-n* des Gen., Dat. Pl. auf den Nom. Akk. Pl. ausbreitet und die *n*-Deklination das *-n* im Gen., Dat., Akk. Sg. verliert (siehe 4.4.2.1.3 und 4.4.2.2.2). So kommt ein Einheitssingular bzw. ein Einheitsplural zustande. Von dieser Entwicklung sind auch die fem. *i*-Stämme erfasst. Auch hier setzt sich durch Wegfall des Umlautes und Apokope der Einheitssingular durch. Das beginnt schon in mhd. Zeit:

mhd. *kraft, krefte, krefte, kraft* neben seltenerem *kraft, kraft, kraft, kraft* –
nhd. *Kraft, Kraft, Kraft, Kraft*.

Reste der umgelauteten Gen.-Sg.-Formen finden sich noch in nhd. *Bräutigam* und *Gänsebraten*.

Der Plural nimmt ebenfalls das Morphem *-n* an, sofern das lexikalische Morphem nicht umlautfähig ist:

> Pl. (Nom. Gen. Akk.) mhd. *geschichte* – nhd. *Geschichten*;
> aber mhd. *krefte* – nhd. *Kräfte*.

Zum fortschreitenden Kasusschwund kommt die zweite Grundtendenz hinzu: der Ausbau der Numerusopposition. Im Mhd. ist oft der Numerus am Substantiv selbst nicht erkennbar: Nom., Akk. Sg. – Nom., Akk. Pl. *wort* – *wort*, *bette* – *bette*, *hirte* – *hirte*. In der Entwicklung zum Nhd. wird die Numerusunterscheidung zunehmend durch Morpheme kenntlich gemacht. Die Zahl der Pluralflexive steigt deshalb von vier (ø, *-e*, *-(e)n*, *-er*) auf fünf: Zu den mhd. Pluralkennzeichen tritt im Frnhd. *s* hinzu: nhd. *Schal* – *Schal-s*. Dieses Morphem, durch nd./ndl., auch frz. und engl. Einfluss ins Hochdeutsche gelangt, ist im Frnhd. noch sehr selten, z. B. *mädigens* 'Mädchen' (Olearius).

Der Umlaut gewinnt an Bedeutung, vor allem breitet sich das Morphem *-er* aus, weil es keine Kasusbedeutung hat. Bei umlautfähigem Vokal tritt *-er* zusammen mit dem Umlaut auf. Dagegen wird das polyseme ø-Morphem als Pluralsuffix weitgehend reduziert:

> mhd. *daz klôster* – *diu klôster*, nhd. *das Kloster* – *die Klöster*;
> mhd. *daz lant* – *diu lant*, nhd. *das Land* – *die Länder*.

Die Morpheme *-e* und *-(e)n*, z. T. auch mit dem Umlaut gekoppelt, nehmen aber nicht ganz so stark zu:

> mhd. *daz dinc* – *diu dinc*, nhd. *das Ding* – *die Dinge*;
> mhd. *diu arebeit* – *die arebeite*, nhd. *die Arbeit* – *die Arbeiten*.

-en dient aber auch bei den fem. *ô*-Stämmen nicht mehr der Kasus-, sondern ausschließlich der Numeruskennzeichnung:

	mhd.	nhd.
Nom. Gen. Dat. Akk. Sg.	*gëbe**	Gabe
Nom. Gen. Dat. Akk. Pl.	*gëbe, gëben* *gëben, gëbe*	Gaben

*Im Frnhd. werden Nomen zunehmen großgeschrieben, sodass Groß- und Kleinschreibung bei gleichen Lexemen zu finden sind. In den Übersichten wird durchgehend die Kleinschreibung verwendet.

-(e)n als Pluralmorphem wird zunehmend bei Substantiven verwendet, die im Nom. Sg. auf *-e* enden:

mhd.		nhd.	
Sg.	Pl.	Sg.	Pl.
hirte	*hirte*	*hirte*	*hirten*
bote	*boten*	*bote*	*boten*
zunge	*zungen*	*zunge*	*zungen*

Dagegen folgen Substantive, die ihr *-e* im Nom. Sg. verloren haben, oft solchen, die schon immer auf Konsonant endeten: mhd. *hane* – *hanen*, nhd. *Hahn* – *Hähne* (entsprechend *gast* – *geste*). Das Flexiv *-e* kann sogar schwinden, dann übernimmt der Umlaut die Funktion der Pluralbezeichnung: mhd. *vogel* – *vogele*, nhd. *Vogel* – *Vögel*. Der *e*-Schwund ist im Pl. aber – im Gegensatz zum Sg. – selten.

Während sich im Sg. ein schärferer Gegensatz zwischen der Deklination des Maskulinums und Neutrums einerseits und des Femininums andererseits herausbildet, werden die Genusunterschiede im Pl. geringer: *-er*, ein ursprünglich seltenes Pluralmorphem des Neutrums, breitet sich auch auf das Maskulinum aus (mhd. *geist-e* – nhd. *Geist-er*). Das Flexiv *-e*, noch im Mhd. auf Mask. und Fem. beschränkt, ergreift nun auch das Neutrum (mhd. *wort* – nhd. *Wort-e*). Das Flexiv *-(e)n* dient der Pluralkennzeichnung bei Maskulina und Feminina, die im Mhd. noch stark waren (mhd. *gedanc* – *gedank-e*, *nâdel* – *nâdel*, nhd. *Gedanke* – *Gedank-en*, *Nadel* – *Nadel-n*).

Diese Entwicklungen verlaufen in regionaler und sozialer Hinsicht differenziert: Im Obd. wirkt die Apokope besonders stark, daher drohen hier die Numerusunterschiede unterzugehen. Um sie zu bewahren, setzen sich der Analogieumlaut und das Flexiv *-er* häufig durch: *Täg, Ärm, Hähn, Höbel*; *Kinder, Wörter, Better, Hemder*. Im Md. blieb das *-e* besser erhalten und konnte leichter als Pluralflexiv verwendet werden, daher ist der Analogieumlaut seltener, und *-er* ist erst seit dem 16./17. Jh. stärker produktiv. Im mittelrheinischen und ndfränk. Gebiet ist die Entwicklung zum *-n*-Plural und überhaupt zur schwachen Flexion ausgeprägt. Das nhd. Flexionssystem fasst im 17./18. Jh. die einzellandschaftlichen Entwicklungen zusammen, von denen die omd. und die ostobd. an der Spitze stehen. Landschaftliche Unterschiede sind ein Grund für heutige Morphem-Dubletten, bei denen die semantische Differenzierung erst später einsetzte: *Bande* – *Bänder*, *Lande* – *Länder*, *Worte* – *Wörter*.

Auch in den Kommunikationsbereichen lassen sich Unterschiede feststellen: Die Urkundenprosa nähert sich eher dem nhd. Flexionssystem als die Reimdichtung. Trotzdem darf das Frühneuhochdeutsche nicht nur als Übergangsperiode betrachtet werden. Folgende Pluralparadigmen treffen beispielsweise für Texte des 16. Jh. zu, sind aber weder für das Mhd. noch für das Nhd. typisch: *Tag, Gäst* (Nom. Gen. Akk. Pl.), *Tagen, Gästen* (Gen. Pl.); *Dingen, Werken* (Nom.-Akk. Pl.).

All diese morphologischen Prozesse gehen einher mit s y n t a k t i s c h e n E n t - w i c k l u n g e n: Die Kasusbeziehungen werden zunehmend durch vorangestellte Begleiter (Artikel, Pronomen, Präpositionen) gekennzeichnet: Nom., Dat., Akk. Sg. mhd. (*der*) *tac* – (*deme*) *tage* – (*den*) *tac*, nhd. *der Tag* – *dem Tag* – *den Tag*. Auch der Artikel ist vom Kasusausgleich betroffen: mhd. Nom. Sg. *diu vrouwe*, Akk. Sg. *die vrouwen* – nhd. Nom. Akk. Sg. *die Frau*. Deshalb dienen auch Präpositionen der Kasusbezeichnung: mhd. *da mite ich solte miner sühte genesen* – Luther: *ob ich von dieser kranckheit genesen werde*. Diese Entwicklungen gehen in den einzelnen Sprachlandschaften in unterschiedlicher Intensität vor sich: Im Obd. ist der Kasusausgleich zeitiger festzustellen, weil hier die Apokope stärker wirksam ist. Diese bewirkt auch, dass *a*- und *ja*-Stämme im Obd. eher zusammenfallen als im Md. Selbst Sonderentwicklungen wie fehlendes Genitiv-*(e)s* sind im Obd. stärker zu beobachten. Auch der *er*-Plural erscheint hier früher. Da die Umlautbezeichnung im Süden zeitiger erfolgt als im Md., ist hier auch der *er*-Plural mit Umlaut eher festzustellen.

Im Md. festigt sich dagegen das Flexiv *-e* als Pluralmerkmal zeitiger. Ebenso erfolgt durch rascheren *w*- bzw. *b*-Ausfall der Zusammenfall der *wa*-Stämme und der *a*-Stämme hier früher. Der Wechsel von der schwachen zur starken Flexion bei Mask. und Fem. scheint im Md. generell eher zu erfolgen als im Obd., allerdings ist hier auch das Oobd. sehr aktiv. Das gilt ebenso für den Übergang zu flektierten Formen bei den „Resten anderer Klassen“. Auch beim Genuswechsel scheint das Md. grundsätzlich führend zu sein, wenn die Entwicklung insgesamt auch sehr differenziert verläuft.

(Vgl. Grammatik des Frühneuhochdeutschen 1988, III, 55 ff., 69 ff., 210 ff.; Frnhd. Grammatik 1993, 164 f., 172 ff.; HARTWEG/WEGERA 2005, 151 ff.; PENZL. 1984, 97 ff.; STOPP 1974, 324 ff.; SUCHSLAND 1969, 97 ff.; PAUL 2007, 183 ff.; HOTZENKÖCHERLE 1962, 324 ff.; BESCH 1980, 593 ff.; ERBEN 1970, 421 ff.; KERN/ZUTT 1977, 68 ff.; BESCH 1967, 243 ff., 287 ff.; KOENRAADS 1953, 59 ff.; WORONOW 1967, 395 ff.; SKÁLA 1972, 283 ff.; POVEJŠIL 1980, 82 ff.; WEGERA/SOLMS 2000, 1542 ff.; LINDGREN 1953, 192 ff.; BESCH/WOLF 2009, 207 ff.)

4.4.2.1 Vokalische Deklination

4.4.2.1.1 Maskulina:

Die mhd. a-Deklination
Mhd. a-Stämme. Das Paradigma dieser Substantive hat sich seit dem Mhd. kaum verändert.

Sg.	Nom.	*tag*	Pl.	Nom.	*tage* *tag*
	Gen.	*tages* *tagis* *tags*		Gen.	*tage* *tag* *tagen*
	Dat.	*tage* *tag*		Dat.	*tagen* *tagin* *tag*
	Akk.	*tag*		Akk.	*tage* *tag*

Die *e*-Apokope im Dat. Sg. beschleunigt die Einebnung der Kasusunterschiede. Sie tritt besonders im Obd. auf. Schon in der zweiten Hälfte des 14. Jh. überwiegen hier die Formen ohne *e* (*rat, tag*) gegenüber denen mit *e* (*libe, brieue*).

Im Wmd., vor allem aber im Omd., herrscht der Dat. Sg. auf *e* länger vor: *tage, geiste, libe.* Im 16. Jh. nehmen auch hier die apokopierten Formen zu. Bei Luther stehen die Formen ohne *e* etwas häufiger als die mit *e*. Der Prozess setzt sich bis in die Gegenwart fort.

Die *e*-Apokope wirkt sich auch im Nom., Gen. und Akk. Pl. aus. Hier zeigen sich die gleichen Unterschiede zwischen dem Obd. und Md. wie im Sg. Im Obd. überwiegen im Nom., Akk. Pl. *ärtzt, dienst, tag* gegenüber *dienste, wege.* Im Omd. existieren fast ausschließlich *e*-Formen, während bei Luther die apokopierten Formen überwiegen.

Die deutlichere Kennzeichnung des Plurals wird u. a. sichtbar in der Übernahme des Umlauts aus den mask. *i*-Stämmen. Im BE und in der UW finden sich z. B. folgende Formen: *epfile, epphil* (Akk. Pl.), *erczte* (Nom. Pl.), *erczten* (Dat. Pl.), *welden* (Dat. Pl.).

Auch Dürer wird den Umlaut gesprochen haben. Er bezeichnete ihn aber kaum.

Luther verwendet u. a. folgende Pluralformen: *Ertzte, Treume, Frösche.* Mitunter stehen bei ihm umgelautete Formen neben nichtumgelauteten: *boden/böden, korbe/körbe, stuele/stüele, vogel/vögel.*

Der ursprünglich nur im Neutrum auftretende *er*-Plural setzt sich erst allmählich seit dem 14. Jh. durch. Im 15. Jh. ist er noch selten. Im 16. Jh. ist er besonders im Obd. nachweisbar, auch wenn Schriftsteller wie Dürer und Zwingli ihn noch kaum vewenden. Hans Sachs verwendet *gött,* dagegen *bösewichter.* Luther gebraucht *Götter/den Götten, Geister/Geiste, Örter/Orte, Menner,* aber nur *Welde, Leibe, Würme.*

Zu Beginn des 17. Jh. haben sich die Pluralformen *Wälder, Leiber* durchgesetzt; andere Substantive schwanken auch noch im jüngeren Frnhd. So tritt während des ganzen 17. Jh. der Plural *wirm, würm* neben der Form *Würmer* auf.

Eine dritte auffallende Erscheinung ist das Schwanken zwischen starker und schwacher Deklination. Das gilt z. B. für die Substantive *Baum, Gedanke* und *Sinn*. Letzteres wird oft im Sg. als *a*-Stamm, im Plural als *n*-Stamm flektiert.

Das Genitiv-*s* fehlt bisweilen, besonders im Obd.: *des geist, chnecht.*

Mhd. ja-Stämme. Die Flexion dieser Substantive fällt allmählich mit der der mhd. *a*-Stämme zusammen (siehe 3.5.2.1.1). Bereits in der KW ist folgendes Paradigma belegt:

Sg. Nom.	*burger, buͤrger*	Pl.	*burger(e), buͤrger*
Gen.	*burger(e)s, burger*		*burger(e)*
Dat.	*burger(e)*		*burger(e)n*
Akk.	*burger, buͤrger*		*burger(e)*

Ebenfalls im Obd. gehören die Nomina agentis auf *-ære* schon in der zweiten Hälfte des 14. Jh. zur *a*-Deklination. Jedoch ist hier noch – hauptsächlich in den Kanzleisprachen – im 17./18. Jh. die Endung *-ere* möglich: *trompetere, fragere.*

Auch im Omd. finden sich häufig apokopierte Formen, die sich deshalb nicht mehr von der *a*-Deklination unterscheiden: *richter, sunder, troster* neben seltenerem *richtere, sundere, trostere*. Bei Luther kommen Pluralformen auf *-e* nur in einigen Fällen vor: *ketzere, meistere, sundere*; sonst steht regelmäßig *Ketzer, Meister, Sünder.*

Einzelne Substantive dieser Klasse treten in die sw. Flexion über, z. B. *hirte*. Schon im 14. Jh. sind die sw. Formen belegt: *hirten* (Dat., Akk. Sg.), *hirtin, hirten* (Nom., Akk. Pl.).

Die alten *u*-Stämme *fride* und *sun* sowie das Lehnwort *käse* bewahren die Merkmale der *ja*-Stämme am längsten. Im Alem. ist bei *lantfrid* und *kås* die starke Flexion die Regel. *fride* geht allmählich in die gemischte Deklination über. Im Omd. herrscht im 15. Jh. noch im Wesentlichen die starke Flexion, aber Luther benutzt im Gen., Dat. und Akk. bereits Formen der gemischten Deklination (Nom. und Akk. Sg. lauten bei ihm sonst *Friede, Fried*). Bei Zwingli ist dagegen die gemischte Flexion regelmäßig: *fryden, frydens, fryden* neben seltenen Nom., Gen. Sg.-Formen *fryde, fryds.*

Das auslautende *e* im Nom. Sg. des Wortes *Sohn* tritt im 16. Jh. – auch bei Luther – nur noch vereinzelt auf.

Mhd. wa-Stämme. Der bereits im Mhd. einsetzende *w*-Ausfall im Gen. Dat. Sg. setzt sich fort. Meist sind *schate, schaten, schates* belegt. Formen wie *schatwe* (Nom. Sg.) und *schatewin* (Gen., Dat. Sg.) sind Ausnahmen.

Die mhd. i-Deklination

Diese Flexion hat sich beim Übergang vom Mhd. zum Nhd. kaum gewandelt. Allerdings kommen zeitweilig apokopierte und synkopierte Formen vor. Im Nom., Akk. Sg. tritt vorübergehend ein *e* auf.

Sg. Nom.	*rat, rate*	Pl.	*rete, räth*
Gen.	*rat(e)s, rat*		*rete, ret*
Dat.	*rate, rat*		*reten*
Akk.	*rat, rate*		*rete, räth*

Schwanken zwischen vokalischer und konsonantischer Deklination zeigt sich hauptsächlich bei dem Substantiv *Fuchs.*

Genuswechsel zum Femininum tritt ein bei *angel, angst, art, bank, pracht, gewalt, last, list, luft, lust, trene, pine* (*Pein*), *furt, locke, wac* (*Woge*), *taufe* u. a., im Md. eher als im Obd. Luther verwendet meist die fem. Formen: *die gewalt* neben frühem *der gewalt*. Zum Neutrum wechseln *lob, segel, zeug, gemach, floß*.

4.4.2.1.2 **Neutra:**

Die mhd. a-Deklination

Mhd. a-Stämme und ja-Stämme. Um die Unterschiede in der Flexion der mhd. *a*-Stämme in den einzelnen Schreibsprachen zu zeigen, enthält das folgende Paradigma hierzu Belege aus verschiedenen Sprachräumen.

a-Stämme

		Mbair.	St. Gallen (alem.)	R (omd.)	L
Sg.	Nom.	*lannt*	*gelt, gelte*	*kint*	*jar*
	Gen.	*lannds, lannd*	*geltz, geltes*	*kindis*	*jares, jars*
	Dat.	*lannd, lannde*	*iar, iare*	*kinde*	*jare, jar*
	Akk.	*lannt*	*gelt, gelte*	*kint*	*jar, jare*
Pl.	Nom.	*land, lande, länder*	*kint, kinder*	*kint, kinder*	*jar, jare*
	Gen.	*land, lande, länder*	*kint, kinden, kinder*	*kindir*	*jare, jar*
	Dat.	*landen, land, ländern*	*kindern, kinden*	*kindin, kindirn*	*jaren, jarn*
	Akk.	*land, lande, länder*	*kint, kinder*	*kint, kindir*	*jar, jare*

ja-Stämme

Sg.	Nom.	*riche, rich*	Pl.	*riche, rich*
	Gen.	*riches, reichs*		*riche*
	Dat.	*riche, reich*		*reichen*
	Akk.	*riche, reich*		*reiche*

Durch die *e*-Apokope im Nom., Akk. und Dat. Sg. wird einmal wie bei den st. Maskulina der Unterschied zwischen dem Nom. und Dat. Sg. der *a*-Stämme aufgehoben, zum anderen das Nebeneinanderbestehen von *a*- und *ja*-Stämmen beseitigt. Dieser Prozess geht im Obd. seit dem 13. Jh. vor sich, also wieder früher als im Md.

Im Omd. des 14./15. Jh. dagegen gleichen die neutr. *a*-Stämme noch dem mhd. Schema, und auch der *e*-Abfall im Nom., Akk. Sg. der neutr. *ja*-Stämme ist auf bestimmte Wörter beschränkt, z. B. *rich, antlitz*. Bei Luther ist das *e* im Dat. Sg. der neutr. *a*-Stämme meist erhalten, allerdings kaum in einsilbigen Wörtern wie *blut, tuch, Schiff, volck*.

Auch im Dat. Sg. der neutr. *ja*-Stämme fehlt das *e* häufiger, z. B. *end* neben *ende*. Im Nom., Akk. Sg. dagegen erscheint größtenteils noch das auslautende *e*, z. B. *bette, mere*. Die Entwicklung ist noch im 17. Jh. im Fluss. So lauten bei Opitz der Nom., Akk. Sg. sowohl *Glücke* als auch *Glück*, bei Zesen stehen im Akk. Sg. *Gehöre* und *Gehör* nebeneinander. Die heutigen Formen setzen sich im Wesentlichen erst im 18. Jh. durch.

Die *e*-Apokope ist auch im Nom., Akk. Pl. der neutr. *ja*-Stämme möglich, besonders im Obd. Auch bei Luther fehlt im Nom., Akk. Pl. häufig das *e*: *Gesetz* tritt öfter auf als *Gesetze*. Die *e*-Formen setzen sich im Obd. durch schriftsprachlichen Einfluss endgültig im 18. Jh. durch.

Die Synkope begegnet ebenfalls im Obd. häufiger als im Md. Besonders die einsilbigen Wörter auf *l* und *r* stoßen dort das *e* aus. Im Omd. herrschen dagegen die vollen Nebensilben vor, wobei vor allem im Thür. oft *e*>*i* gehoben werden kann. Das Genitiv-*s* fehlt besonders im Obd. des 14./15. Jh. des Öfteren: *des leben, elendt*.

Die Tendenz zur deutlicheren Kennzeichnung des Plurals zeigt sich auch bei den Substantiven dieser Klasse. Der Umlaut im Pl. tritt - wahrscheinlich unter Einfluss der mask. *i*-Stämme - häufiger auf als im Nhd. Da besonders in omd. Texten der Umlaut nur selten bezeichnet wird, ist seine zeitliche Ausbreitung schwierig zu bestimmen. Im 15./16. Jh. sind u. a. folgende Formen belegt: *die thör* (bair.), *spitälen* (alem.), *bende* (omd.). Luther verwendet im Dat. Pl. *empten* neben *ampten*. Der Pl. *ampte, empte* existiert neben *empter*.

Die Ausbreitung des neutralen *er*-Plurals geht seit ahd. Zeit vor sich. Im 16. Jh. setzt er sich besonders im Obd. durch. In der UK ist er bei *dorf, haus/hus, kint, kleid* anzutreffen, dagegen nicht bei *lant* und *gut*; in der KW ist u. a. *gut* zum *er*-Plural übergegangen. Dürer verwendet die *er*-Formen noch selten: *dy kind, bilden, in diesen püchen*; dagegen *der pücher halben*. Auch im Omd. des 14./15. Jh. ist der *er*-Plural nicht so häufig: *bucher* (Nom. Pl.), *hornir* (Akk. Pl.) neben *hornin* (Dat. Pl.), *kinder, kindir* (Nom. Pl.) neben *kint* (Nom. Pl.). Luther verwendet den *er*-Plural u. a. bei *bucher, Grabtücher, gutter* 'Güter', *volcker/völcker* neben den ursprünglichen Formen *ding, dorf, kind, kleyd, land, lied*.

Bei den Neutra auf *-tum* setzt sich der *er*-Plural erst später durch. Bis ins 16. Jh. lautet der Dat. Pl. *fürstentum(en)*, seit dem 17. Jh. meist *fürstenthümern*.

Der *e*-Plural der neutr. *a*-Stämme, der im Md. z. T. schon im 12. Jh. erscheint, hat sich zu Beginn des 17. Jh. durchgesetzt. Luther schreibt noch im Nom., Akk. Pl. *brot, ding, jar*. Später treten endungslose Formen nur noch in Verbindung mit bestimmten oder unbestimmten Zahlwörtern auf.

Zur konsonantischen Deklination im Plural gehen u. a. die *ja*-Stämme mhd. *bẹtte, ẹnde, hẹmde, kleinœte* über. Im Obd. des 15. bis 17. Jh. lautet der Nom. Pl. *bett, bette* neben *betten*; *ende, end* (im Gen. Pl. *enden*); *hemmedter, hemmendter*; *kleinode, kleinoder*; im Omd. *bette*; *ende, end*; *hemde, Hemden*. Luther verwendet ausschließlich den *n*-Plural *betten*, dagegen finden sich bei ihm *ende, end, hemde*.

Ein Schwanken im Genus zeigen die Substantive auf *-nis*. Sie sind im Mhd. neutr. (*ja*-Stamm) oder fem. (*ô*-Stamm). Die heutige Verwendung setzt sich erst im Nhd. durch. So erscheinen im Bair. des 15. bis 17. Jh. u. a. *bildniss/bildnuss, erkantnuss, geheimnuss* als Fem. und Neutr.; im Alem. der gleichen Zeit sind z. B. *bildnuss* und *gedechtnüss/gedachtnus* Fem.; *gefencknüss/gefäncknuss* ist als Fem. und als Neutr. belegt. Im Omd. erscheint bei Rothe *gefengknisse* als Fem. und Neutr.; bei Opitz ist *kümmernuss* Fem. Bei Zesen treten *bekäntnüs, begräbnüs, gedächtniss* als Fem. auf; *gefängnüs* und *verhängnüs* als Neutr. und Fem.

Mhd. wa-Stämme. Das *w* der obliquen Kasus ist im Allgemeinen verloren gegangen. Im omd. BE bilden nur *heu* und *tou* die obliquen Kasus mit den *w*-Formen, z. B. *heuwis, touwes* (Gen. Sg.). Mhd. *strô* erscheint in den alten Formen noch selten, u. a. bei dem Schwaben Steinhöwel, z. B. *strow* (Akk. Sg.). Mhd. *knie* hat besonders im Alem. das inlautende *w* bewahrt. Am längsten hält sich das *w* in mhd. *mel*, wo es, da *l* vorausgeht, zu *b* wird. Deshalb gilt für das ältere Frnhd. das Paradigma: *mel* – *melb(e)s* – *melb(e)* – *mel*. Im Md. setzen sich die *w*- bzw. *b*-losen Formen unter Einfluss des Nom., Akk. Sg. schon zeitig durch. Bei Rothe tritt schon der Dat. Sg. *mele* auf. Das Obd. bewahrt dagegen die mhd. Formen länger. In Steinhöwels Äsop (1470) und in der 4. Nürnberger Chronik (1450) heißt der Gen. Sg. *melbs*. Der Münchener Schaidenreisser (1537) kennt wohl als letzter die Form *melb*, verwendet sie aber neben *mel*.

4.4.2.1.3 Feminina:

Die mhd. ô-Deklination

Diese Flexion, die schon in mhd. Zeit nicht einheitlich ist, bietet ein buntes Bild.

Sg.	Nom.	*sache, sach*	Pl.	Nom.	*sache, sach, sachen*
	Gen.	*sache, sach, sachen*		Gen.	*sache, sach, sachen*
	Dat.	*sache, sach, sachen*		Dat.	*sachen*
	Akk.	*sache, sach, sachen*		Akk.	*sache, sach, sachen*

Die wesentlichste Veränderung beim Übergang zum Nhd. ist die Durchsetzung der *-en*-Formen im gesamten Plural. Doch setzt sich diese einheitliche Form im Plural nur allmählich durch. Im Thür. ist sie im 14./15. Jh. verschiedentlich belegt: *eren* (Nom. Pl.), *gabin* (Akk. Pl.). Bei Luther kann zwar schon der *(e)n*-Plural existieren, doch bedeutet das kein Abheben vom Sg., weil auch hier sw. Formen möglich sind: *erndten, gnaden, schulen*. Der Gen. Pl. ohne *-n* des Mhd. ist noch im Frnhd. belegt, u. a. bei Luther: *stimme, sunde*.

Die *e*-Apokope ist in allen Kasus außer dem Dat. Pl., der auf *-en* endet, möglich. Bei Dürer finden wir sie im Sg. regelmäßig, im Pl. ist sie oft nachweisbar. In der UK stehen in allen vier Kasus des Sg. die apokopierten Formen fast gleichberechtigt neben den *e*-Formen. Im Omd. ist die Apokope weitaus seltener. Im BE steht in allen vier Kasus des Singulars regelmäßig das *e*, nur in adverbialen Wendungen treten apokopierte Formen auf: *an der selben stunt, uf eine stunt*. In der UW ist ebenfalls die Apokope im Sg. selten; im Nom. Sg. tritt sie nur in den Wörtern auf *-unge* und *-nisse* auf.

Bei Luther sind die apokopierten Formen im Sg. und auch im Pl. anfangs häufiger, weil er stärker vom nördlichen Omd. als vom Südmeißnischen beeinflusst ist. Dann dringen die *e*-Formen vor, nur die Abstrakta auf *-unge* verlieren mehr und mehr das auslautende *e*. Im Nom. Sg. stehen mit *e* u. a. *dancksagunge, dienerynne, ehe, eselinne, unehre, warnunge*; ohne *e*: *bitt, ehr, frag, kron, red, sach*. Erst ohne, später mit *e* erscheinen die Substantive *erndt – erndte, stym – stymme, stund – stunde, unterweisung – unterweisunge*.

In der gesamten frnhd. Zeit ist das Schwanken zwischen vokalischer und konsonantischer Deklination stärker geworden: *in der kuchen* neben *khuche* (Akk. Sg.) (Prag, 16. Jh.), s. auch 4.4.2.2.2. Erst im 18. Jh. schwand das *-n* im Sg., sodass die Numerus-Opposition erst spät deutlich wurde.

Die mhd. i-Deklination

Sg.	Nom.	*krafft*	Pl.	Nom.	*krefft, krefften, krefften*
	Gen.	*krafft, kraffte, krefft(e)*		Gen.	*krefft, kreffte, krefften*
	Dat.	*krafft, kraffte, krefft(e)*		Dat.	*krefften*
	Akk.	*krafft, kraffte*		Akk.	*krefft, kreffte, krefften*

Während der frnhd. Epoche ist der Kasusausgleich im Sg. in vollem Gange, wenn auch nicht immer eindeutig verfolgbar. Er wird durch die Beseitigung des Umlauts und durch *e*-Apokope im Gen. und Dat. Sg. bewirkt. Im Obd. ist dieser Ausgleich bis ins 16. Jh. weitgehend erfolgt.

In der UK und im Omd. ist der Gen. Sg. ebenfalls meist endungslos und nicht mehr umgelautet. Im Dat. Sg. halten sich die alten Formen länger. Bei mhd. *werlt* werden die nichtapokopierten Formen am längsten bewahrt. Im BE sind die Formen *der craft* (Gen. Sg.), *der stat* (Dat. Sg.) die Regel, vereinzelt stehen daneben Formen wie *heilig-*

keite (Gen. Sg.), *uncrefte* (Dat. Sg.). Der Gen. Dat. Sg. *werlde* ist noch regelmäßig, *werlt* ist selten.

Bei Luther ist der Umlaut im Gen. Dat. Sg. meist völlig geschwunden, er kann aber auch im gesamten Sg. auftreten, z. B. in *stett*. Formen mit *e* begegnen nur vereinzelt: *bedeutnisse*.

Die Numerusdifferenzierung geschieht wie bei den *ô*-Stämmen in einigen Fällen durch die Einführung des sw. Plurals, meist aber dadurch, dass die umgelauteten Formen im Gegensatz zum Gen., Dat. Sg. stehenbleiben. Weil der Umlaut unregelmäßig bezeichnet wird, ist diese Differenzierung schwer verfolgbar. Im Berner Schrifttum ist nur das Wort *stett* dafür belegt. Auch bei Luther ist der Umlaut im Pl. noch nicht restlos durchgedrungen.

Die sw. Pluralflexion ist seltener. Konsequent setzt sie sich bei den Substantiven mit den Suffixen *-heit* und *-schaft* durch.

Der alte *u*-Stamm *hand* wird im Frnhd. im Pl. oft nach der *i*-Deklination flektiert. In der UK heißt der Dat. Pl. *henden*, in der KW hin und wieder *handen*. In der St. Gallener Urkundensprache des 14. Jh. sind die Formen *inhende* 'zu Hand', mit *vfgehabener hande, mit min selbs hande* belegt. Im BE kommen nicht selten im Pl. die nichtumgelauteten Formen vor: *manchir hande, von mynes vatir handen, mit handen, zuhanden*. Der Nom. Pl. *hande* steht neben dem Akk. Pl. *hende*. Bei Luther gibt es nur noch die umgelauteten Formen *hende, hend*.

4.4.2.2 Konsonantische Deklination

4.4.2.2.1 Maskulina:

Sg.	Nom.	herre, herr	Pl.	Nom.	herren, herrn
	Gen.	herren, herrn		Gen.	herren, her(r)n
	Dat.	herren, herrn		Dat.	herren, hern
	Akk.	herren, herrn		Akk.	herren

Deklinationsschwankung. Durch die *e*-Apokope unterscheiden sich die schwachen Mask. im Nom. Sg. nicht mehr von den starken (s. auch 4.4.2.1.1). Dadurch wird der Übertritt in die vokalische Deklination begünstigt. Die Apokope ist im Obd. meist durchgeführt, tritt aber in omd. Texten erst ab 16. Jh. etwas häufiger auf. Luther verwendet häufig beide Formen: *Fürst* und *Fürste*, *hane* und *han*, *Herre* und *Herr*, *mensche* und *mensch*.

Das Überwechseln zur vokalischen Deklination zeigt sich in der Übernahme des Suffixes *-s* und im Aufkommen des Flexivs *-ens* im Gen. Sg. Die Mask., die zur st. Flexion übergehen, lassen sich in folgende Gruppen gliedern:

1. die Singulariatantum, z. B. mhd. *aberëlle* > nhd. *April* (bei Ayrer steht noch der Gen. Sg. *aprilen*, bei Agricola und Mathesius aber der Dat. Sg. *april*); *Groll* (bei Geiler noch schwach); mhd. *lẹnze* > *Lenz* (selbst bei Wieland existiert noch der Dat. Sg. *Lenzen*); mhd. *meie* > nhd. *Mai* (sw. Formen sind bis ins 18. Jh. erhalten); mhd. *mẹrze* > nhd. *März* (Dat. Sg. *Märzen* noch bei Wieland und Grillparzer belegt, st. Formen bestehen schon bei Opitz);
2. Mask. auf *-ere. -er*, z. B. mhd. *adelar, adler* > nhd. *Adler* (stark bereits bei Folz), *Geier* (stark bei Waldis), mhd. *juncherre* > nhd. *Junker* (stark bei Pauli), mhd. *schiver, schivere* > nhd. *Schiefer* (schwach noch vereinzelt bei Mathesius);

3. Mask., die allmählich im Frnhd. das auslautende *n* im Nom. Sg. annehmen, z. B. mhd. *balke, boge, brunne, hake*. Der Prozess ist bis heute noch nicht abgeschlossen, vgl. *Glaube* und *Glauben, Wille* und *Willen. Buchstabe* und *Name* haben als einzige das *n* noch nicht angenommen. Im Dat., Akk. Sg. unterscheiden sie sich nicht von den anderen schwachen Mask.;
4. Mask., die im Pl. den Umlaut annehmen, z. B. mhd. *han, hane* > nhd. *Hahn* (stark bei Pauli); mhd. *hẹrzoge* > nhd. *Herzog* (stark schon in Urkunden von 1410); mhd. *kûze, kûz* > nhd. *Kauz* (schwach teilweise noch bei Goethe); mhd. *swan, swane* > nhd. *Schwan* (bei Boner schon stark, aber die sw. Formen halten sich bis ins 17. Jh.); mhd. *storch, storche* > nhd. *Storch* (stark seit dem 16. Jh.);
5. die Substantive mhd. *licham, lichame* > nhd. *Leichnam* und mhd. *sterne* > nhd. *Stern*.

Einige Substantive werden zeitweise von der *a*-Deklination beeinflusst, z. B. mhd. *vürste* > nhd. *Fürst*, mhd. *grâve* > nhd. *Graf* und mhd. *hërre* > nhd. *Herr*. Umgekehrt findet sich *-ens* im Gen. Sg. im Frnhd. (bis ins 18. Jh.) bei Substantiven, die das heute nicht mehr haben: *Loͤwens, mynschens*.

4.4.2.2.2 **Feminina:** Das folgende Paradigma zeigt, dass diese Substantive während des Frnhd. mit den *ô*-Stämmen zusammenfallen. Doch geht die Entwicklung langsam vor sich.

Sg.	Nom.	*kirche, kirch, kirchen*	Pl.	Nom.	*kirchen*
	Gen.	*kirchen, kirche, kirch*		Gen.	*kirchen*
	Dat.	*kirchen, kirche, kirch*		Dat.	*kirchen*
	Akk.	*kirchen, kirche, kirch*		Akk.	*kirchen*

Im Obd. herrschen noch im 16. Jh. die sw. Singularformen vor (*der seiten, kyrchen, frawen*), erst im 17. Jh. setzen sich allmählich im Akk. Sg., dann im Gen., Dat. Sg. die Formen ohne *n* durch; noch 1775 heißt es aber: *der thüren, die wochen*, dagegen *die kirche* (Akk. Sg.). In der UW enden Gen., Dat., Akk. Sg. auf *-en* oder *-in*, dagegen wird im Omd. hin und wieder im Akk. Sg., seltener im Dat. Sg., das *n* abgeworfen, z. B. Akk. Sg. *czunge, erde, husvrowe, kirche*. Luther gebraucht beide Singularformen nebeneinander, bei Müntzer herrscht noch schwache Flexion; sw. Formen gibt es noch bei den Fem., die im Mhd. stark und schwach flektiert werden: *erden, gruben, straßen*. Bisweilen erscheint *n* auch im Nom. Sg.: *erden, hütten, zungen*.

4.4.2.2.3 *Neutra*: Die Flexion der vier mhd. sw. Neutra *hërze, ouge, ôre* und *wange* entwickelt sich so unterschiedlich, dass kein Paradigma für alle gegeben werden kann. Die folgende Übersicht soll die Entwicklung von mhd. *hërze* charakterisieren.

Sg.	Nom.	*hertz, hertze*	Pl.	Nom.	*hertzen, herze, herz*
	Gen.	*hertzen, hertzens, hertzes*		Gen.	*hertzen*
	Dat.	*herczen, hertz*		Dat.	*hertzen*
	Akk.	*herze, hertz*		Akk.	*hertzen, hertz, hercze*

Die *e*-Apokope im Nom., Akk. Sg. setzt sich endgültig erst im 18. Jh. durch. Bei Opitz, Zesen und Weise stehen noch *hertze, herze* und *hertz, herz* nebeneinander. Das Flexiv *-ens* im Gen. Sg. tritt schon bei Sachs auf. Er verwendet daneben die alte Genitivform *herzen*. Opitz kennt nur den Gen. Sg. *herzens*. Die sw. Form *herzen* tritt danach nur noch vereinzelt auf, z. B. bei Weise. Starke Formen kommen wie im Mhd. auch im Nom., Akk. Pl. vor, z. B. im BE; im Dat. Sg. sind sie ganz selten.

Die *e*-Apokope bei mhd. *ôre* im Nom. Akk. Sg. setzt sich schon frühzeitig durch. Der Nom. Sg. *Ohre* kommt noch bei Michel v. Beheim, sehr selten bei Luther, Julius v. Braunschweig und bei Zesen vor. Die starken Singularformen begegnen ebenfalls schon im 15. Jh., sie stehen in dieser Zeit noch neben den schwachen. Der Dat. Sg. *oren* erscheint u. a. noch im Decameron (1460) und bei Folz; Luther kennt im Sg. nur st. Formen.

Mhd. *ouge* wechselt allmählich im Sg. zur st. Flexion. Im Schwäb. noch im 15. Jh. stehen *auges* und *augen* im Gen. Sg. nebeneinander. Diese Entwicklung begünstigt die Numerus-Opposition, allerdings halten sich u. a. noch im Omd. *-n*-lose Formen im Pl.: *ouge*, aber auch hier setzen sich im 15. Jh. deutlich die *-n*-Formen durch: *ougen*.

Mhd. *wange* ist noch im BE, bei Michel v. Beheim und Rothe Neutr., bei Luther schon Fem. Der Übertritt zum Fem. beginnt allmählich im 13. Jh.

Beispiele für die noch schwache Flexion einiger Substantive bringt das dritte Kapitel aus dem „Ackermann aus Böhmen" des Johannes von Tepl (um 1400), dessen älteste (erhaltene gebliebene) Handschrift (1449) meist mitteldeutsche, aber auch einige oberdeutsche Merkmale enthält:

Der Ackerman

Ich bins genant ein ackerman, von vogelwat ist mein pflug, vnd wone in Behemer lande. Gehessig, widerwertig vnd widerstrebend sol ich euch immer wesen: wann ir habt mir den zwelften buchstaben, meiner freuden hort, aus dem alphabet gar freissamlichen enzucket; ir habt meiner wunnen lichte sumerblumen mir aus meines herzen anger jemerlich ausgereutet; ir habt mir meiner selden haft, mein auserwelte turteltauben arglistiglichen entfremdet: ir habt vnwiderbringlichen raub an mir getan! […]

4.4.2.3 Besondere Formen der Deklination

4.4.2.3.1 Verwandtschaftsbezeichnungen auf *-er* (*r*-Stämme):

Sg.	Nom.	*bruder*	Pl.	Nom.	*bruder, brudere, brüder, brüdere*
	Gen.	*bruder, bruders, brudern*		Gen.	*brudere, bruder*
	Dat.	*bruder, brudere, brudern*		Dat.	*bruderen, brudern, brüdern*
	Akk.	*bruder, brudern*		Akk.	*brudere, bruder, brüder, brüdere*

Der unflektierte Sg. schwindet mehr und mehr. Dürer hat die Genitivformen *vaters* und *bruders*. In manchen Texten stehen noch unflektierte Formen neben flektierten, z. B. bei Michel v. Beheim *vater – vateres* (Gen. Sg.). Im Omd. des 14./15. Jh. überwiegen die unflektierten Formen; Folz, Eyb (15. Jh.) und Pauli (16. Jh.) deklinieren *vater* und *bruder* nach der *i*-Deklination.

Im Mhd. treten sw. Flexionsformen zuerst im Akk. Sg., später im Gen. und Dat. Sg. auf. Sie sind im Frnhd. keine Seltenheit. Schwache Singularformen von *vater* sind u. a. bei Füeterer im 15. Jh., aber auch bei Opitz, Fleming, Gryphius, Dach, Hofmannswaldau im 17. Jh. belegt. Mathesius, Julius v. Braunschweig, Opitz, Fleming, Gryphius, Günter u. a. verwenden auch sw. Singularformen von *bruder*. Plural-*e* tritt vor allem im Md. auf: *vetere, brudere*. Vereinzelt begegnet die Pl.-Form *vaters*, u. a. bei Müntzer.

4.4.2.3.2 **Partizipialstämme auf *-nt*:** Schon im Ahd. stirbt diese Deklinationsklasse weitgehend aus. Folglich herrschen im Frnhd. die flektierten Formen vor. Im Omd. des 14./15. Jh. und im Deutsch Böhmens gehören *vint* (*veint*) und *frunt* (*freunt*) meist schon zur *a*-Deklination, nur bei *frunt* überwiegen im Nom., Akk. Pl. die endungslosen Formen, da bei diesem Wort die Entwicklung langsamer vor sich geht. Luther verwendet bei beiden Wörtern die endungslosen Formen: Dat. Sg., Nom., Gen., Akk. Pl. *feynd*, Gen. Pl. *freund*.

4.4.2.3.3 **Ehemals athematische Substantive Mann und Nacht:** Mhd. man kann in allen Kasus endungslos sein; daneben gibt es Formen der *a*-Deklination. Im Frnhd. setzen sich die flektierten Formen immer mehr durch, außerdem breitet sich der -er-Plural aus.

In der KW existieren neben der endungslosen Form *man* im Nom., Dat., Akk. Sg. Analogiebildungen zur *a*- und zur *n*-Deklination: Dat., Akk. Sg. und Nom., Akk. Pl. können *manne* lauten, außerdem besteht der Nom. Pl. *mannen*. Bei Dürer gleicht die Flexion dem Mhd., der Gen. Sg. lautet *mans*, der Dat. Pl. *manen*. Zwingli flektiert *man* im Sg. stark, verwendet im Akk. Pl. die Formen *man*, *mannen*, *menner*. Im Omd. des 14./15. Jh. sind die flektierten Formen bis auf den Nom., Akk. Pl. regelmäßig. Die alte Form *man* besteht, besonders nach Zahlenangaben, weiter (*zehn Mann*). Der *er*-Plural ist schon im Speyrer Urkundenbuch 1340 belegt: *sine kint und tochtermenre*. Luther flektiert *man*, *mans*, *man/Manne*, *man*; *menner*, *menner*, *mennern*, *menner*. Bei mhd. *naht* tritt die konsonantische Flexion im Mhd. nur noch in Resten auf. Infolgedessen begegnet sie auch im Frnhd. nur selten. Im Omd. des 14./15. Jh. ist der Sg. meist endungslos, auch der Pl. lautet meist *nacht*: *dri nacht*, *virczig nacht*. Dativformen wie *virzehen nachten* sind noch selten.

4.4.2.4 Deklination der Fremdwörter und der fremden Eigennamen

Die Fremdwörter und die fremden Eigennamen werden im Frnhd. noch oft wie in der Herkunftssprache dekliniert. Der Übergang zur deutschen Deklination geht nur zögernd vor sich. In der Egerer Kanzleisprache und auch bei Luther werden die Fremdwörter meist wie in der betreffenden Fremdsprache dekliniert: *des cantoris*, *herrn syndico* (Eger). Luther gebraucht den Nom. Sg. und zuweilen auch den Gen. Sg. der Fremdwörter endungslos, z. B. *des newen testament*; *Psalm* dekliniert er stark, *Apostel* stark und schwach. Auch die fremden Eigennamen haben bei ihm meist lat. oder griech. Endungen; allerdings verwendet er in den obliquen Kasus oft die Nominativendungen: *Christus*, *Moses*, *Paulus* (Gen. Sg.), *Johannes* (Akk. Sg.). Manchmal werden auch von ihm Fremdwörter wie dt. Wörter dekliniert: *evangelions* (Gen. Sg.), *evangelien* (Nom., Gen. Dat., Akk. Pl.) neben *evangeliis* (Dat. Pl.).

Zusammenfassung der wichtigsten Entwicklungen. Zum synchronen Aspekt
Das Deklinationssystem der Substantive ist schon in ahd. und mhd. Zeit im Umbau begriffen. Im Frnhd. geht dieser Umbruch weiter. Lautgesetzliche Veränderungen, Wirkungen der Analogie und des Ausgleichs sowie die Tendenz zur schärferen Numerusunterscheidung führen mehr und mehr zu einem neuen, dem nhd. Deklinationssystem. An seiner Gestaltung haben auch Regelungen der Grammatiker mitgewirkt.

Drei Klassen der starken Deklination wie im Mhd. (siehe 3.4.2.4) sind im Frnhd. nicht mehr unterscheidbar, da die Pluralbildung mit Suffix und auch mit Umlaut bei den Mask. und Neutr. auffällig zunimmt und die Feminina der Klasse 1 schon oft den Einheitsplural auf -(*e*)*n* anwenden. Zwischen den folgenden Flexionstypen existieren zahlreiche Übergänge (vgl. auch die Tafel 4 im Anhang zur Substantivdeklination):

Starke Deklination		Maskulina	Neutra	Feminina
Sg.	Nom.	-ø		-ø, -(*e*)
	Gen.	-(*e*)*s*, ø		-ø, -(*e*)
	Dat.	-(*e*)		-ø, -(*e*)
	Akk.	-ø		-ø, -(*e*)
Pl.	Nom.	-(*e*)(*),	-(*er*)(*)	-(*e*), -(*en*)(*)
	Gen.	-(*e*)(*),	-(*er*)(*)	-(*e*), -(*en*)(*)
	Dat.	-(*en*)(*),	-(*ern*)(*)	-(*en*)(*)
	Akk.	-(*e*)(*),	-(*er*)(*)	-(*e*), -(*en*)(*)

Schwache Deklination		Maskulina	Feminina	Neutra
Sg.	Nom.	-(*e*)	-(*e*), -(*en*)	-(*e*)
	Gen.	-(*e*)*n*	-(*en*), -(*e*)	-(*en*), -(*ens*), -(*es*)
	Dat.	-(*e*)*n*	-(*en*), -(*e*)	-(*e*), -(*en*)
	Akk.	-(*e*)*n*	-(*en*), -(*e*)	-(*e*)
Pl.	Nom.	-(*e*)*n*	-*en*	-(*en*), -(*e*)
	Gen.	-(*e*)*n*	-*en*	-*en*
	Dat.	-(*e*)*n*	-*en*	-*en*
	Akk.	-(*e*)*n*	-*en*	-(*en*), -(*e*)

(Die Markierung * verweist wie im Kap. 3.5.2.4 auf Umlaut bei umlautfähigem Stammvokal.)

In der Gegenwart wird oft nur der Sg. für die Einteilung in Deklinationstypen berücksichtigt. Danach unterscheiden wir drei Haupttypen: die starke Flexion (bei den Mask. und Neutr.: *Tag, Kind*), die schwache Flexion (bei den Mask.: *Bote*) und die unveränderliche Flexion (bei den Fem.: *Frau, Gabe*).

Bei der Pluralbildung unterscheiden wir folgende Typen:

Kennzeichen des Nom. Pl.	Maskulina	Neutra	Feminina
1. -*e*	*Tage*	*Dinge*	
2. -*e* mit Umlaut	*Höfe*		*Kräfte*
3. -*er*	*Leiber*	*Kinder*	
4. -*er* mit Umlaut	*Wälder*	*Lämmer*	
5. -*n*	*Boten*	*Augen*	*Gaben, Zeilen*
6. -*en*	*Menschen*	*Betten*	*Frauen*
7. -*n* mit Umlaut	*Schäden*		
8. Umlaut	*Nägel*		*Mütter*
9. -*s*	*Vatis*	*Hotels*	*Muttis*
10. ohne Kennzeichen	*Reiter*	*Fenster*	

Am Ende der frnhd. Epoche ist dieses nhd. Deklinationssystem im Wesentlichen zwar schon vorhanden, aber es ist noch nicht kodifiziert wie in unserer Zeit. Das gilt sogar noch bis weit ins 18. Jh. hinein. Erst um 1800 hat sich in der Substantivflexion die schriftsprachliche Norm einigermaßen gefestigt. Varianten treten zwar noch auf, z. B. bei Goethe (*seiner Frauen*, Gen. Sg.), sie spielen aber nur noch eine untergeordnete Rolle. Das gilt auch für den gegenwärtigen Sprachzustand. (Vgl. Frnhd. Gramm. 1993, 164 ff.; Grammatik des Frühneuhochdeutschen 1988, III, 55 f.; Hartweg/Wegera 2005, 151 ff.; Molz 1902, 209 ff.; 1906, 277 f.; Wilmanns 1909, 375 ff.; Schmid 2017, 149 ff.; Gürtler 1912, 492 ff.; 1913, 67 ff. Werner 1969, 92 ff.; Nübling u. a. 2017, 64 ff.; Woronow 1962, 173 ff.; 1967, 395 ff.; Schmid 1953, 131 ff.; Ochs 1921; Hartmann 1922, 60 ff.; Bindewald 1985, 80 ff.; Schmitt 1936, 63 ff.; Skála 1967, 52 ff., 156 ff.;

H. BACH 1943, 113 ff.; FEUDEL 1961, 140 ff.; GLEIẞNER 1935, 97 ff.; GROẞE 1964, 84 ff.; AHLSSON 1965; SUCHSLAND 1968, 142 ff.; BENTZINGER 1973, 105 ff.; FLEISCHER 1970, 355 ff.; FRANKE 1914, 82 ff., 196 ff.; H. BACH 1934, 69 ff.)

4.4.3 Das Adjektiv

Auch im Bereich des Adjektivs treten in frnhd. Zeit zahlreiche Veränderungen ein. Sie betreffen vor allem die Deklination, zeigen sich aber auch im Bereich der Wortbildung und Wortbedeutung.

Die mhd. *ja/jô-* und *wa/wô*-Stämme gehen – auf Grund der Apokope oder des Anhängens von Suffixen – allmählich in die *a/ô*-Stämme ein, sodass es keine Flexionsklassen mehr gibt. Von etwa 125 mhd. *ja/jô*-Stämmen existieren im Nhd. noch 45 im gleichen oder ähnlichen Lautkomplex weiter, wobei lediglich der normale Lautwandel (Diphthongierung, Apokope usw.) auftritt, z. B. *milte* > *mild, riche* > *reich,* andere sind untergegangen, z. B. *mære.*

Im Bereich der Wortbildung treten einige Suffixe seit frnhd. Zeit besonders häufig auf, z. B. *-bar* (mhd. *brûche* – nhd. *brauchbar*), *-haft* (mhd. *lüge* – nhd. *lügenhaft*), *-ig* (mhd. *einöuge* – nhd. *einäugig*), *-lich* (mhd. *smæhe* – nhd. *schmählich*), *-sam* (mhd. *gebouge* – nhd. *biegsam*). Einige Adjektive werden durch das Part. Präs. ersetzt (mhd. *widerstrëbe* – nhd. *widerstrebend*). Diese Veränderungen haben auch Auswirkungen auf die Zugehörigkeit der Adjektive zu verschiedenen Deklinationsklassen.

Dabei übernehmen die Suffixe mehr und mehr die Funktion der Bedeutungsdifferenzierung. So soll z. B. größere Eindeutigkeit durch Verschiebung innerhalb des Adjektivtyps auf *-bar* erreicht werden. Im Mhd. hat *-bar* sehr unterschiedliche Bedeutungen: *klagebære* 'Klage von sich gebend, beklagenswert'; *gruozbære* 'einen Gruß bringend, zu grüßen verpflichtet'; *ẹselbære* 'sich wie ein Esel benehmend'. Im Mhd. festigt und erweitert sich vor allem die passivisch-potentielle Bedeutung. Daher wird *-bar,* wenn es eine andere Bedeutung hat, durch andere Suffixe ersetzt: mhd. *giftbare* – nhd. *giftig,* mhd. *schadebære* – nhd. *schädlich,* mhd. *wahtbære* – nhd. *wachsam.* Das Suffix *-bar* tritt deshalb auch für andere Suffixe ein, wenn Passivisch-Potentielles bezeichnet werden soll: mhd. *brûche* – nhd. *brauchbar,* mhd. *spaltec* – nhd. *spaltbar,* mhd. *erkẹnnelîch* – nhd. *erkennbar,* mhd. *zalehaft* – nhd. *zählbar,* mhd. *unteilsam* – nhd. *unteilbar.*

-lich wird während des Frnhd. allmählich durch andere Suffixe ersetzt, *fleislich* durch *fleißig, mühelich* durch *mühsam, ketzerlich* durch *ketzerisch.* Bedeutungsdifferenzierung tritt meist erst später ein: *wunderlich – wunderbar – wundersam, köstlich – kostbar.* Schon bei Dürer stehen *glawblich* und *glawbhafftig* nebeneinander (vgl. HOTZENKÖCHERLE 1962, 324 ff.; BENTZINGER 1987, 168 ff.; BENTZINGER 1992, 119 ff.; THOMAS 2002, 225 f., 358 f.; KEMPF 2016, 125 ff.).

4.4.3.1 Deklination

Es werden starke (determinierende), schwache (indeterminierende) und flexionslose Formen verwendet. Nach einem Wort mit starker Flexionsendung kann auch die st. Form stehen: *der genantir lerer* (R), *ze ainer gantzzer warheit* (St. Gallen), *der vordampter, hochmutiger, schalckhafftiger heide* (L). Auch die schwache Flexion ist nach st. flektiertem Wort (bestimmter Artikel, unbestimmter Artikel im Gen., Dat. Sg.) gebräuchlich: der *Judischen Brief* (Prag), *eynes edeln fursten* (Erfurt). Nach *ein* (Nom. Sg.) können noch im 15. Jh. starke und schwache Formen verwendet werden, die starken vorwiegend im Omd. und Ostobd. – die also den nhd. Stand eher erreicht haben –, die schwachen vor allem im Wmd. und Westobd. Die flexionslose Form ist, vor allem im Nom. Sg. – besonders im Neutrum –, auch im attributiven Gebrauch möglich: *neüw rathsbuch* (St. Gallen), *ein gut werck*, Akk. Sg. *groß krieg und hadder* (L), Nom. Pl. *di swanger frauwen.* (Vgl. Hartweg/Wegera 2005, 167 ff.; Frnhd. Gramm. 1993, 187 ff.; Penzl 1984, 100 f.; Philipp 1980, 83 ff.; Besch 1967, 291; Grammatik des Frühneuhochdeutschen 1991, VI, 54 ff.; Wegera/Solms 2000, 1549 ff.)

4.4.3.1.1 Starke Deklination:

		Maskulinum		Neutrum	Femininum
Sg.	Nom.	*gut, guter*		*gut, gutes, guts*	*gut, gute, gutiu*
	Gen.		*gutes, guts, guten*		*guter, gutere*
	Dat.		*gutem, guteme*		*guter, gutere*
	Akk.	*guten*		*gut, gutes, guts*	*gut, gute, gutiu, guten*
Pl.	Nom.			*gute, gut, gůti(u)*	
	Gen.			*guter*	
	Dat.			*guten*	
	Akk.			*gute, gut, gůti(u)*	

Die *e*-Apokope setzt sich hauptsächlich in der Grundform der *ja/jô*-Adjektive infolge Angleichs an die *a/ô*-Stämme durch. Bei Dürer ist sie vollständig durchgeführt, bei Luther kommt sie allmählich.

Im Nom., Akk. Pl. und Nom., Sg. Fem. ist die Apokope seltener. Im Omd. tritt sie gelegentlich auf, im Obd. ist sie seit dem 16. Jh. die Regel: 1595 *genugsam bürgen*, um 1600 *durch erliche fridliebendt personen.* Bei Luther überwiegen die vollen Formen.

Im Nom., Sg. Fem., besonders im Nom., Akk. Pl. Neutr. setzt sich die Apokope kaum durch. Das liegt daran, dass die Endung *-iu*, die ursprünglich für diese Kasus galt, später als andere Endungen abgeschwächt wurde. Vor allem im Obd. hielt sich *-iu* bis in die zweite Hälfte des 15. Jh. Die volle Endung im Dat., Sg. Mask. und Neutr., die schon beim Übergang vom Ahd. zum Mhd. verkürzt wurde, hat sich im Md. bis ins 15. Jh. erhalten: *grozime, edeleme* (BE), erscheint aber nicht mehr bei Luther (*eygenem*). Dafür wird *e* häufig synkopiert: *schome, rechtme* (BE), *silberm* (L). *e* in Nebensilben erscheint in md. Denkmälern öfter zu *i* gehoben (siehe 4.3.1.11). Der Gen. Sg. Mask. und Neutr. auf *-es* ist bis zum 17. Jh. weitestgehend durch *-en* ersetzt.

4.4.3.1.2 Schwache Deklination:

		Maskulinum	Neutrum	Femininum
Sg.	Nom.	*gute, gut*	*gute, gut*	*gute, gut*
	Gen.	*guten*	*guten*	*guten*
	Dat.	*guten*	*guten*	*guten*
	Akk.	*guten*	*gute, gut*	*gute, guten, gut*

Der Pl. lautet in allen Kasus meist *guten*, im Nom., Akk. Pl. sind die Formen *gut, gute* möglich, der Gen. kann *guter* heißen.

Die Flexion gleicht – wie im Mhd. – der konsonantischen Deklination des Substantivs bis auf den Akk. Sg. Fem., dessen Endung *-en* bis ins 16. Jh. noch vorkommt. In der UW sind die *en*-Formen noch die häufigeren (*di vorgenanten stat*), im Omd. überwiegen schon die *e*-Formen (*di gute stat* neben *dy ewigen pine*), in Bern sind die *en*-Formen zu Beginn des 16. Jh. fast völlig verdrängt. Luther verwendet bis gegen 1540 die mhd. Form noch häufiger (*die heyligen schrift*), Opitz gebraucht sie im „Buch von der deutschen Poeterey“ nicht mehr.

Endungslose Formen im Nom., Akk. Sg. Fem./Neutr. und im Nom. Sg. Mask. treten im Obd. im Wesentlichen bis zur 2. Hälfte des 17. Jh. auf (*die alt buß* neben *die alte buß, das nützlich und erspriesliche seidengewerb, der allmechtig Gott* neben *der allmechtige Gott*). Diese endungslosen Formen sind auch in anderen Kasus belegt, z. B. zeigen sie sich im BE im Nom. Sg. aller Geschlechter, beim Neutr. auch im Akk. (*eyn gerecht richter, eyn war licht, eyn groz schar*), bei Luther im Nom., Akk. Sg. Neutr. (*kein lebendig Auge*) und im Nom. Sg. Mask. (*ein gros man*).

Die Numerusdifferenzierung tritt also – im Gegensatz zur Substantivflexion – wenig in Erscheinung.

4.4.3.2 Komparation

Der Komparativ endet auf *-er, -ir* (nach *r* treten häufig Synkope und Apokope auf, sodass die Formen dem Positiv gleichen: *dester sicher*), der Superlativ auf *-est, -ist, -st*, im Alem. besonders im gehobenen Stil auf *-ost* (*gnädigost*). Bei einigen – meist einsilbigen – Adjektiven ist Umlaut möglich.

Folgende Suppletivbildungen sind noch gebräuchlich:

gut	*besser*	*best, beste*
gross, michel	*mer, merer*	*meist*
lützel	*min(n)er, minder*	*min(n)est(e), mindest(e)*
übel	*wirser*	*wirst, wirsest*

Seit dem 15. Jh. setzen sich die Komparativformen von *gross* und *klein* durch, *weniger* verdrängt seit dem 16. Jh. *minner*; *wirst, wirsest* hält sich bis ins 16. Jh.

4.4.3.3 Adjektivadverbien

Die Bildung geschieht zunächst – wie im Mhd. – durch Anhängen eines *-e*: *weyte, lange* (KW), das häufig im Obd., ab 14. Jh. auch im Md. apokopiert wird, z. B. *starck* (Dürer), *snelle – snel* (BE).

Adverbien auf *-lich, -liche, -lichen* treten noch häufig, aber seltener als im Mhd. auf: *gemeinlichen* (KW), *snelliche* (BE), *vngeuherlich* (Eger). Öfter ist *-lich* mit einem anderen Suffix verbunden: *williglich, gehorsamlich*. *-liche* geht aufgrund der Apokope im 13./14. Jh. zurück, im 15./16. Jh. verdrängt *-lich* den Konkurrenten *-lichen*. Spätere *-lichen*-Bildungen sind meist bewusst eingesetzte Archaismen wie *herzlichen* bei Goethe. Im beginnenden 19. Jh. geht auch *-lich* als Suffix, das ausschließlich das Adverb bezeichnet, unter (noch bei Uhland belegt: *sänftlich*). Die Endung *-en*, besonders in den östlichen Mundarten gebräuchlich (*daselbsten*, Eger), tritt mit der Ausbreitung der Apokope zurück. Schon im 13. Jh. steht die Nominalform des Adjektivs in adverbialer Funktion, und in der zweiten Hälfte des Frnhd. sind keine besonderen Adverbformen belegt.

fast und *schon* fungieren bis ins frühe 16. Jh. als Adverbien zu den Adjektiven *fest* und *schön*, treten aber ab späterem 16. Jh. nur noch in neuer Bedeutung, die sich seit dem 12./13. Jh. anbahnt, auf.

Auch bei Adverbien, die im Alem. vom Komparativ gebildet werden, unterbleibt meist der Umlaut (*hoher*). Hier finden sich sogar Reste der ahd. Komparativbildung auf *-ôr*, bei denen jedoch *r* apokopiert wurde (*furo*, spr. *füro* 'fernerhin').

Das Adverb zu *gut* lautet noch *wol*, bis dieses im 16. Jh. mehr und mehr die Funktion eines Modalwortes übernimmt. Der adverbiale Komparativ heißt *baz*, *bas*, der im 15./16. Jh. durch *besser* ersetzt wird.

dicke 'oft' ist im 15./16. Jh. noch häufig belegt, geht im 17. Jh. stark zurück. Noch im 18. Jh. tritt es vereinzelt auf: *oft und dicke* (Wieland).

(Vgl. PAUL V, 1920, 105 f.; PARASCHKEWOFF 1967; PENZL 1984, 101, 121; ERNI 1949, 30 f.; WILMANNS 1909, 733 ff.; SCHMID 1953, 138 ff.; HARTMANN 1922, 64 f.; BINDEWALD 1928, 86 ff.; SCHMITT 1936, 65; SKÁLA 1967, 200 ff.; GROßE 1964, 87 ff.; H. BACH 1943, 132 ff.; FEUDEL 1961, 151 ff.; GLEIßNER 1935, 101 f.; SUCHSLAND 1968, 164 ff.; BENTZINGER 1973, 121 ff.; FLEISCHER 1970, 381 ff.; H. BACH 1934, 76 ff.; FRANKE 1914, 262 ff.; HARTWEG/WEGERA 2005, 167 ff.)

Besonderheiten der frnhd. Adjektivflexion und der Bildung von Adjektivadverbien illustriert das zweite Kapitel aus dem „Ackermann aus Böhmen" des Johannes von Tepl:

Der Tot

Horet, horet, horet newe wunder! Grausam vnd vngehorte teidinge fechten vns an. Von wem die kumen, das ist vns zumale fremde. Doch drowens, fluchens, zetergeschreies, hendewindens vnd allerlei angeratung sein wir allen enden vnz her wol genesen. Dannoch, sun, wer du bist, melde dich vnd lautmere, was dir leides von vns widerfaren sei, darvmb du vns so vnzimlich handelst, des wir vormals vngewonet sein, allein wir doch manigen kunstenreichen, edeln, schonen, mechtigen vnd heftigen leuten sere vber den rein haben gegraset, davon witwen vnd weisen, landen vnd leuten leides genugelich ist geschehen. Du tust dem geleich, als dir ernst sei vnd dich not swerlich betwinge. Dein klage ist one done vnd reime; davon wir prufen, du wellest durch donens vnd reimens willen deinem sinn nicht entweichen. Bistu aber tobend, wutend, twalmig oder anderswo one sinne, so verzeuch vnd enthalt vnd bis nicht zu snelle so swerlich zu fluchen den worten, das du nicht bekummert werdest mit afterrewe. Wene nicht, das du vnser herliche vnd gewaltige macht immer mugest geswechen. Dannoch nenne dich vnd versweig nicht, welcherlei sachen dir sei von vns so twenglicher gewalt begegent. Rechtfertig wellen wir werden, rechtfertig ist vnser geferte. Wir wissen nicht, wes du vns so frevelich zeihest.

4.4.4 Das Pronomen

Wie im Mhd. können noch mehrere Flexionstypen unterschieden werden:

- von der substantivischen und der adjektivischen Deklination völlig abweichende ungeschlechtige Pronomen;
- geschlechtige Pronomen, deren Flexion mit der substantivischen zwar verwandt ist, sich aber durch eine meist volle Endung unterscheidet;
- ursprüngliche Adjektive und Substantive, die ihre Flexion der pronominalen angenähert haben, Pronominaladjektive und -substantive.

Im Frnhd. gleichen sich diese Flexionstypen mehr und mehr an.

4.4.4.1 Personalpronomen

4.4.4.1.1 Ungeschlechtige Pronomen:

		1. Person	2. Person
Sg.	Nom.	*ich*	*du*
	Gen.	*min/mein, miner/meiner, minen/meinen*	*din/dein, diner/deiner, dinen/deinen*
	Dat.	*mir, mi*	*dir, di*
	Akk.	*mich*	*dich*
Pl.	Nom.	*wir, wi*	*ir*
	Gen.	*uns, unser, unsrer, unserer*	*üwer/ewer, ewerer*
	Dat.	*uns*	*eu, üch/euch*
	Akk.	*uns*	*üch/euch, eu*

Der Gen. Sg. lautet bei Luther meist *mein, dein* (*erbarm dich mein*), selten *deiner* (*erbarme sich deiner*). *miner*, zuerst im Md. belegt, tritt ab 14./15. Jh. öfter auf, auch wenn während des Frnhd. die Kurzformen *mein, dein* die häufigeren sind. Schottelius lässt *meiner, deiner – sein, mein* gelten. Die Formen *meiner, deiner* sind sicher nach dem Muster *unser, ewer* gebildet. *minen/meinen, dinen/deinen* sind hauptsächlich im Alem. belegt.

r-lose Formen *mi, di, wi* gibt es öfter, v. a. im Westthüringischen, *di* auch im Wmd.

Der Formenausgleich Dat.-Akk. in der 1. Pl. vollzieht sich im Frmhd., in der 2. Pl. in der 2. Hälfte des 13. Jh.

Dualformen im Bair. und vereinzelt im Schles. gelten für die 2. Pl.: Nom. *ez* und Dat. Akk. *enk* (mit Possessivpronomen *enker*). Von Dürer werden sie nicht verwendet.

4.4.4.1.2 Geschlechtige Pronomen:

		Mask.	Neutr.	Fem.
Sg.	Nom.	*er, he, her*	*es, iz*	*sie, sü*
	Gen.	*sin/sein, siner/seiner, sinen/seinen*	*es. sin/sein, siner/seiner, sinen/seinen*	*ir, irer, iren, ire, irs, iro*
	Dat.	*ime, im*	*ime, im*	*ir, ire, iro, iren*
	Akk.	*in, ine, inen*	*es, iz*	*sie, sü*
Pl.	Nom.		*sie, sü*	
	Gen.		*ir, irer, iren, ire, iro*	
	Dat.		*in, inen*	
	Akk.		*sie, sü*	

er ist ursprünglich obd., *he* nd. und md., die Kreuzungsform *her* md. Der Formenausgleich mhd. *siu* (Nom. Sg. Fem.; Nom., Akk. Pl. Neutr.) und *sie* (Akk. Sg. Fem.; Nom., Akk. Pl. Mask. und Fem.) beginnt bereits während des Ahd., setzt sich im Mhd. fort und ist im Frnhd. abgeschlossen.

Im Omd. stehen im Gen. Sg. *sin* und *siner*, auch *ir* und *irir* (*irer, irre*) nebeneinander.

Die Dativformen *ihme* (< mhd. *im*(*e*)) und als Analogiebildung der Akk. Sg. *ihne* breiten sich im 16. Jh. aus; noch bei J. Rist stehen *ihme* und *ihm*. In obd. Urkunden sind diese Formen bis gegen 1800 belegt. Im Md. lautet der Dat. Sg. häufig *ome, eme*, der Akk. Sg. *on, en*. Im Obd. tritt die Apokope öfter als im Md. ein.

Der Dat. Pl. *inen* für *in* tritt im 12. Jh. vereinzelt auf, breitet sich seit dem 13. Jh. vom Alem. her aus. Er setzt sich im Omd. seit Ende des 15. Jh. durch. Luther und Müntzer verwenden noch beide Formen, später überwiegt bei Luther *inen*.

sin verdrängt *es* im Gen. Sg. Mask. eher als im Gen. Sg. Neutr. Doch geschieht beides während des Mhd. Bis ins 16. und 17. Jh. findet sich neben der neueren Form *sin* das alte Wort *es* im Gen. Sg. Neutr., während der Gen. Sg. Mask. einheitlich *sin, siner, seiner* lautet: *laß dichs jamern* (L). Nom., Akk. Sg. Fem. und Nom., Akk. Pl. *su, sù* (spr. *sü*) tritt hauptsächlich in alem. Werken, gelegentlich im Omd. auf.

4.4.4.2 Reflexivpronomen

		Mask. Neutr.	Fem.	Pl.
Sg.	Gen.	*sin/sein, siner/seiner, sinen/seinen, sines/seines*	*ir, ihrer, ihres*	*ir, ihrer, ihres*
	Dat.	*ime, im; sich*	*ir; sich*	*in, ihnen; sich*
	Akk.	*sich*	*sich*	*sich*

Der Dat. des Reflexivpronomens fehlt meist, er wird dann durch den Dat. des Personalpronomens ersetzt: *Niemandt will hoffart gegen ym ertzeyget haben*; (*sie*) *Nemen yhn die freiheit*. Erst im 16. Jh. dringt *sich* – wie früher im Nd. – vom Akk. in den Dat. ein: Vereinzelt steht bei Luther: *zu sich, mit sich*. Der Dat. des Personalpronomens wird aber bis ins 18. Jh. noch oft verwendet: *das Interim hat den Schalk hinter ihm* (Goethe).

4.4.4.3 Possessivpronomen

Die Flexion entspricht der st. Adjektivdeklination. Im Nom. Sg. Fem. setzt sich schon im älteren Frnhd. das Endungs-*e* durch.

		Mask.	Neutr.	Fem.
Sg.	Nom.	*min/mein, miner/meiner*	*min/mein, mines/meines*	*min/mein, mine/meine*
	Gen.	*mines/meines, meins*	*mines/meines, meins*	*miner/meiner, meinr*
	Dat.	*mim(e)/meime, meim, meinem*	*mime/meime, meim, meinem*	*miner/meiner, meinr*
	Akk.	*minen/meinen, mein*	*min/mein, mines/meines*	*mein*
Pl.	Nom.		*mine/meine, min/mein (minü)*	
	Gen.		*miner/meiner, minen/ meinen (minr, mirn)*	
	Dat.		*minen/meinen, min/mein*	
	Akk.		*mine/meine, min/mein (minü)*	

Neben dem adjektivischen ist auch substantivischer Gebrauch möglich: *das er zů dem sinne lǒffen muͤssti* 'dass er zu dem Seinigen laufen musste' (St. Gallener Urkundensprache des 14. Jh.).

Im Unterschied zu *uwer, ewr*, die nur in den vollen Formen vorkommen, existieren von *unser* im Nd., im Md. und in der KW die Kurzformen *unse* (Nom. Sg. und Nom. Pl. Mask.), *unsem, unsen, unseme, unsme, unsim* (Dat. Sg.), *unsis* (Gen. Sg.), *unse, unsen, unsin* (Akk. Sg.).

Im Md., Ostfränk. und Bair. gibt es die wohl mundartliche Form *unnser* (< *unsre* < *unre*) und die sicherlich daraus entstandene Form *under*.

Für die 3. Sg. Fem. und die 3. Pl., für deren Possessivum im Ahd. und Mhd. die Genitivform des Personalpronomens benutzt wurde (ahd. *ira*, *iro* > mhd. *ir*), bildet sich verstärkt seit dem 14. Jh. das adjektivisch deklinierte Possessivpronomen heraus. In der KW, in der St. Gallener und Berner Kanzleisprache tritt häufig die Form *ir* auf, die jedoch auch durch Synkope entstanden sein kann: *mit ir iaͤrlichen zinsen* (St. Gallen), neben der nur im Alem. noch vorkommenden Form *mit allen iro guͤtern*, daneben *mit allen irn guͤttern*. Luther verwendet diese Kurzform selten: *yhr mund* (Akk. Sg.) neben *yhren vordienten lohn*. Er sagt sogar: *jrer Schutz* (Nom. Sg.).

Im Alem. enden Nom., Akk. Pl. häufig auf *i* bzw. *ù* (spr. *ü*).

Häufig treten Synkope und Apokope auf: Gen. Pl. *sinr nachkommen* (St. Gallen), Nom. Akk. Pl. *unßer oren* (L).

4.4.4.4 Demonstrativpronomen, bestimmter Artikel und Relativpronomen

		Maskulinum		Neutrum	Femininum
Sg.	Nom.	*der, de, di, die*		*daz, das*	*di, die, diu, dew*
	Gen.		*des, dez, desse, desses, dessen*		*der, deren, derer, dero, dere*
	Dat.		*deme, dem*		*der, deren, derer, dero, dere*
	Akk.	*den, denen*		*daz, das*	*di, die, deu*
Pl.	Nom.	*di, die, diu, dew*			
	Gen.	*der, derer, dere, dero, deren*			
	Dat.	*den, dien, dene, denon, denen*			
	Akk.	*di, die, dy, diu, dew*			

Der Ausgleich Nom. Akk. Sg. Fem. *diu* – *die* war im 13. Jh. bereits in allen Mundarten bis auf das Bair. und Alem. vor sich gegangen, die Angleichung von Nom., Akk. Pl. Mask., Fem. und Nom., Akk. Pl. Neutr. hatte sich im Alem., Ostfränk. und Md. vollzogen.

Erweiterungen treten seit der zweiten Hälfte des 15. Jh., hauptsächlich aber im 17. Jh. im Akk. Sg. Mask. und im Gen., Dat. Pl. auf: *dz ich allein denen angreyffe* (L); *aller dero die*; *derer schulden*; *deren*; *von denon die*; *denen armen* (St. Gallen); *dere Seelen*; *in denen Bucher* (L). Wahrscheinlich handelt es sich um Analogiebildungen: *denen* wurde zu der im 12. Jh. aufgekommenen Form *inen* gebildet; nach diesem Muster sind vielleicht *des* zu *dessen* und *der* zu *deren* erweitert. Es wird allerdings auch Einfluss der funktionsverwandten Fügung *des-/derselben* oder von negierten Wendungen (mhd. *dës enwas niht*, *dër enwas niht*) vermutet, *derer* ist wohl eine Analogie zu *aller*. Ein Streben nach Verdeutlichung der Kasusbezeichnungen wird als Ursache angenommen.

dessen (hauptsächlich im substantivischen Gebrauch) kommt im 16. Jh. auf.

Die nichtapokopierte Form *deme* hält sich bis zum Ende des 18. Jh.

Dialektal, besonders im Wmd., steht im Dat. Sg. Mask. und Neutr. *den*.

Eine gewisse Sonderstellung innerhalb der Demonstrativpronomen nimmt *selb* ein. Es wird adverbial und adjektivisch gebraucht. Starke und schwache Adjektivdeklination sind möglich. Die mhd. sw. ursprüngliche Nominativform *selb* ist bei Luther noch erhalten: *seines selb seele*. Die Formen *selber* (Nom. Sg. Mask. und Gen., Dat. Sg. Fem. und Gen. Pl.) und *selbis*, *selbs* (Gen. Sg. Mask./Neutr.) existieren schon im Omd., u. a. in der UW (*da ez selber an trit*), im BE (Akk. Sg. *unz selbis*; Dat. Sg. *ime selbir*) und bei Luther (*der teuffel selbs*; *von jm selber*).

Das Relativpronomen kann fehlen. Bei Luther steht: *den ersten fisch du fehist* 'den ersten Fisch, den du fängst'. Ebenso steht bei ihm noch selten das Relativpronomen *wer, was* anstelle des älteren *der, das*: *alles was der keuschheit furderlich ist.* Bezeichnender für ihn ist der Satz: *erkennet heute, das ewr Kinder nicht wissen.* Als Relativpronomen können auch *der, da, welcher, so* sowie (selten) *und* stehen. (Siehe auch 4.5.3.2.)

Das zusammengesetzte Demonstrativpronomen

		Mask.	Neutr.	Fem.
Sg.	Nom.	*dirre, dir, dise, diser*	*dis, dit, diz, dises*	*dis, dise, disü, diseu*
	Gen.	*dises, dis, ditz*		*dirre, dir(r), diser*
	Dat.	*disem, diseme, disme*		*dirre, dir(r), diser*
	Akk.	*disen*	*dis, dit, diz, dises*	*dise, diß, disü, diseu*
Pl.	Nom.		*dise, dis, disü, diseu*	
	Gen.		*dirre, dir; diser*	
	Dat.		*disen*	
	Akk.		*dise, dis, disü, diseu*	

Nom. Sg. Mask. und Gen., Dat. Sg. Fem. sowie Gen. Pl. lauteten im Mhd. *dirre* und *diser*; *dirre* ging zu Beginn des 16. Jh. unter.

Im Omd. herrschen die Nebenformen *desir, desis, desim, desin* sowie gerundete Formen *dus, dut* usw.

4.4.4.5 Interrogativpronomen

Nom.	*wer, we, wi*		*waz, was*
Gen.		*wes, wessen*	
Dat.		*weme, wem*	
Akk.	*wen*		*waz, was*

Neben *wer, was* tritt im 14. Jh. noch die Zusammensetzung *swer, swaz* auf, für St. Gallen (*swer* 'wer immer' *das mort tůt*) und für die UW sind sie angegeben.

Die Form *wessen* ist vereinzelt im 14. Jh., dann seit dem 16. Jh. zuerst im Alem. belegt.

Die Nom.-Formen *we/wi* halten sich im Md. bis ins 15. Jh. Im Obd. finden sich vereinzelt bis ins 16. Jh. Instrumentalformen: *bey we* (Wien), *mit weu* (Füetrer).
welch, welich und *solch, solich* (< *we-lich, so-lich*) werden seltener verwendet. Sie werden adjektivisch gebraucht.

4.4.4.6 Indefinitpronomen

ein (*ain*), *kein* (*kain*), *al, ander* werden substantivisch und adjektivisch gebraucht. *ein* (*ain*) und *kein* (*kain*) werden nach der st. Adjektivflexion, *ander* und *ein* auch nach der sw. Adjektivflexion dekliniert.

ieman (*iemant, iemand, ymand*), *nieman* (*niemant, niemand, nymand*) und *nicht* werden als Pronominalsubstantive bezeichnet.

ein (*eyn, ain*) kann Zahlwort, Indefinitpron. und unbestimmter Artikel sein. Als sw. dekliniertes Adjektiv hat es die Bedeutung 'allein'. Im Alem. gelten noch die Formen Nom. Sg. Fem. *aini*, Nom. Sg. Neutr. *ainez* im substantivischen Gebrauch, in adjektivischer Verwendung steht *ain* (*ain man, ain frowe*). Auch im Omd. stehen Nom. Sg. Mask. *keiner – kein*, Akk. Sg. Neutr. *keins, keinz* im substantivischen Gebrauch.

kein (*dhein, ichein, idechein, ikein*) hat die Bedeutung 'irgendwer, irgendein' meist aufgegeben. Doppelte Verneinung tritt noch häufig auf: *Es sol och nieman kain vnsûber lied singen* (St. Gallen); *Hier halff kein Adel nicht* (OP), *r*-Abfall und Synkope kommen vor beim Nom. Sg. Mask. *aine*, beim Gen. Sg. Mask./Neutr. *ains* (St. Gallen), beim Dat. Sg. Mask./Neutr. *eym* (L). *al* tritt häufig endungslos in den Formen *al* und *alle* (besonders im Md.) auf im Gen. Pl. *alle irre vordern* (UW), im Akk. Sg. *alle dinge* (L), *alle dem volke* 'dem ganzen Volk' (BE). In der Flexion überwiegen die st. Formen.

Die Flexion von *iemant* und *niemant* (Nom.) lautet im BE: *nymandis, nymans* (Gen. Sg.); *imande, ymande, iemanne*; *nimande, nymande* (Dat. Sg.); *imande, ymandis, nymant, nimande, nymande, nymandis, niemannin* (Akk. Sg.). Bei Luther lauten Gen., Dat. Sg. *jemands, jemand* (selten *jemande*).

Mhd. *niht* wurde durch das bereits im 13. Jh. vorhandene *nihtes* (Gen. Sg.) im 14. Jh. verdrängt. Luther verwendet *nicht* und *nichts*; ersteres kann bei ihm auch 'nichts' bedeuten: *pfertt vnd wagen geben nicht auff den furman.* Meist stehen bei ihm die unflektierten Formen: *mit nicht, zunicht.* Daneben werden seltener flektierte Formen verwendet: *mit nichte, mit nichten.* Der Akk. wird meist adverbial gebraucht: *nicht.*

Mhd. *iht* 'irgend etwas' steht bei Luther noch neben häufigerem *etwas*: *vormag nit auß nicht machen icht* 'vermag nicht, aus nichts irgendetwas zu machen'.

Zusammensetzungen mit *ete-/etes-*: Verwendet werden *etwaz* (*etteswaz, ettzewaz, etwaß, etwas*); *etiswanne, ettiswenne, etwenne* 'zuweilen, manchmal'; *etliche*; *itlich, ittslich* (Dürer).

Zusammensetzungen mit *sum-* tauchen nur noch ganz selten auf: *sumeliche* 'einige' (BE).

Zusammensetzungen mit *ie-* erhalten eine ähnliche Bedeutung wie diejenigen mit *ete-* und werden zum Teil durch sie verdrängt: *iclich, iczlich, idoch* (*iedoch*), *iderman(n)*.

4.4.5 Das Numerale

4.4.5.1 Kardinalzahlen

ein kann auch unbestimmter Artikel sein. *vir* (*vier, vyer*), *fünf* (*funf, fumf*), *sechs* (*sehs*), *siben* (*sieben, sibun, seben, sebin*), *acht* (*echt*), *newn* (*nun, nün*), *zehen* (*zcen, czen, zehn*), *eilf* (*eylff, einlef, ainlof, elf*), *zwelf* (*czwelf*) stehen unflektiert oder werden in substantivischem Gebrauch adjektivisch dekliniert: *die neune, der Zwelffen einer* (L).

Im 15. Jh. überwiegt *zwene* in md. Texten, *zwen* in obd. Bei Luther steht meist *zwen*, selten *zwene*. Im 16./17. Jh. herrscht *zwen* vor. Im Fem. existieren – besonders im Md. – die Gen.-, Dat.-Formen *zwoer, zwoen*. Flexionslosigkeit ist im Md. seit dem 13./14. Jh. festzustellen und herrscht im 16. Jh. bereits vor. Im Obd. und Wmd. setzt sie sich seit dem 16. Jh. durch: *vor zwo Stunden* (Faustbuch).

Die Genusunterschiede bei *zwei* schwinden seit dem Mhd., im Frnhd. ist der Ausgleichsprozess im Md. seit dem 14./15. Jh. festzustellen, im Obd. erst seit dem 17. Jh. Das neutrale *zwei* setzt sich im Mask. und Fem. durch. Andererseits fordert Gottsched noch die Unterscheidung zwischen *zween, zwo, zwei.*

Beim Zahlwort *drei* sind Geschlechtsunterschiede im Frnhd. nur noch selten.

	Mask.	Neutr.	Fem.
Nom.	*zwene, zwen*	*zwei*	*zwo, zwei*
Gen.	*zweier, zweien*		*zwoer*
Dat.	*zwein, zweien, zwen, zwenen*		*zwoen*
Akk.	*zwene, zwen*	*zwei, zweien*	*zwo, zwei*
Nom.	*dri, drie, drei*	*dri, drei*	*dri, drei*
Gen.		*drier, dreier*	
Dat.		*drin, dren, dreien*	
Akk.	*dri, drie, drei*	*dri, drei*	*dri, drei*

4.4.5.2 Ordinalzahlen

Bis auf Ausnahmen steht nach st. flektiertem Wort die sw. Form: *dem dritten gebote* (BM). Die st. flektierte Form ist selten: *in dem vierzehenhundertestem vnd dem achtendem iare* (Konstanzer Urkunde von 1408).

Die Ordinalzahlen für *eins* und *zwei* lauten *erst* und *ander*, später *zweiter*:

Fridrich der erst, und der ander (L), seit dem 14. Jh. allmählich, seit dem 16. Jh. etwas stärker *zweiter*: *unde quam daz zweite grosz sterben* (Hs. aus dem 16. Jh.), für *drei* bis *neunzehn* werden sie durch Anhängen von *-te*, *-de* gebildet (*der dritte*, *vyrde*, *eilfte*), ab *zwanzig* als Superlativ (*zwenzigeste, nunczigste*), dabei ist besonders im Alem., vereinzelt in der KW das *o* der Mittelsilbe erhalten:

nůnzigosten (spr. nünzigosten) (Alem.), *zweinzigoste* (KW). Bei Luther finden sich noch *das hunderte teyl, der hundirst, Im sechshundertsten und einem jar*.

(Vgl. Grammatik des Frühneuhochdeutschen 1988, VII, 28 ff.; Frnhd. Gramm. 1993, 206 ff.; H. Bach 1943, 139 ff.; Wilmanns 1909, 407 ff.; Schmid 1953, 143 ff.; Hartmann 1922, 65 ff.; Bindewald 1928, 88 ff.; Schmitt 1936, 66 f.; Skála 1967, 213 ff.; Gleißner 1935, 68 ff., 103 f.; Lenz-Kemper 2008, 110 ff.; Große 1964, 91 ff.; Feudel 1961, 154 ff.; Suchsland 1968, 178 ff.; Bentzinger 1973, 127 ff.; Vetter 1937, 28 ff.; Fleischer 1970, 393 ff.; Franke 1914, 274 ff.; H. Bach 1934, 79 ff.)

Den vielfältigen Gebrauch von Pronomen und Numeralien zeigt ein Abschnitt des Kapitels „Von der senger krige zu Warpergk" aus der „Düringischen Chronik" des Johannes Rothe (omd., um 1430, Handschrift aus der zweiten Hälfte des 15. Jh.):

Noch Cristus gebort tussent 206 jar do waren yn lantgraven Hermans houfe zu Doryngen unde Hessin sechs edel unde vornumftige man under dem andern seyme houfegesynde, die hobisch waren mit getichte unde gar toguntsam. sie machten unde tichten nawe gesenge unde kregen dormete weder eynandir. unde dorumbe sso habin dieselben lide noch den namen das man sie nennet den krigk von Warpergk, wen sie zu Warpergk unde zu Isenache geschaen. Der erste senger der hiess er Heynrich Schreiber unde der was eyn guter ritter. der ander hiess Walter von der Vogilweide, der dritte Reynhart von Zwetzen, der virde Wolfferam von Eschinbach. disse waren rittermessige man unde gestrenge weppener. der funffte der hiess Bitterolf unde was eyner von des lantgraven houfegesynde, unde der sechste hiess Heynrich von Aftirdingen, der was eynn burger uss der stat Ysenache von eyme fromen geslechte. Disser kreigk alleyne mit seyme gesange weder die andern alle unde loubete den herzog von Ostirreich vor allen ander fursten yn seyme gesange unde gleichte on der ssonnen. Der krig wart alsso herte mit dem gesange undir on das sie sich vorphlichten, wer do vorlore der sulde Stemphele, alsso hiess zu dem male der femer, zu teile werden.

4.5 Satzbau

Die syntaktischen Erscheinungen des 14./15. Jh. stehen einerseits noch in engem Zusammenhang mit dem Mhd., bereiten aber andererseits – besonders gegen Ende des 15. Jh. – die Entwicklung im 16. Jh. vor. Im 16. Jh. wird die Richtung der weiteren Entwicklung bestimmt (Vgl. ADMONI 1990, 134, 163 f.).

Die Veränderungen seit dem 14. Jh. sind vor allem in Folgendem begründet: Das Deutsche dringt in Bereiche ein, die vorher dem Latein vorbehalten waren (u. a. im Rechtswesen), sodass das Textsortengefüge vielfältiger und differenzierter wird; die Explosion der Textproduktion durch Papierherstellung und Buchdruck erhöht die Bedeutung der Schriftlichkeit und verursacht ein neues Verhältnis von Mündlichkeit und Schriftlichkeit. Der Geltungsbereich der Prosa gegenüber dem Vers wird erweitert; auch der Alltagssprache verwandte Fachtexte, bisher meist nur mündlich tradiert, werden jetzt aufgeschrieben (Gebrauchsprosa). Hier treten auch Satzbrüche – wie in der mündlichen Kommunikation üblich – auf. Andererseits sind die Traditionen der teils der Antike entstammenden Rhetorik so stark, dass in fast allen Textsorten nicht nur der Inhalt, sondern vor allem die Rezipienten-(= Hörer-/Leser-)Bezogenheit den Stil, folglich auch die Syntax bestimmt.

Entscheidend in der Entwicklung seit dem 14. Jh. ist generell die Erhöhung der Satzkomplexität. Das zeigt sich einmal in der Umfangserweiterung der Wortgruppen durch häufige Attribuierungen und Synonymenhäufungen, zum anderen in der Zunahme der Hypotaxe, d. h. der Unterordnung von Gliedsätzen wie auch von satzwertigen Infinitiv- und Partizipialgruppen. Es entstehen vielgliedrige zusammengesetzte Sätze, die sich über ganze Seiten erstrecken können. Dabei sind die Abhängigkeitsverhältnisse nicht immer durchsichtig. So treten noch im 16. Jh. „Abweichungen von dem klaren, exakten Bezug irgendwelcher Folgeglieder auf ihren Oberbegriff" (GUMBEL 1930, 136) auf, und auch im 17. Jh. erscheint als typische Form des Prosasatzes „die größere, logisch ordnende, hypotaktische Periode, in der namentlich die Rolle der Konjunktionen bezeichnend ist" (LANGEN 1978, 984). Diese Entwicklung wird durch die deutlicher werdende formale Unterscheidung von Haupt- und Nebensatz gesteuert, die durch eindeutig werdende Satzverknüpfungsmittel (Konnektoren) und feste Verbstellungsregeln erreicht wird. (Vgl. BESCH/WOLF 2009, 223 f.; HABERMANN 2007, 245 ff.; HABERMANN 2010, 451 ff.)

Diese Prozesse verlaufen in den verschiedenen Textsorten unterschiedlich: Die Hypotaxe ist in Urkunden und sonstiger Geschäftsprosa weiter ausgebaut als in erzählender Prosa (Legende, Fachliteratur, teils auch Roman usw.): Eine Urkunde von 1411 enthält einen Satz mit 44 Elementarsätzen, mit Nebensätzen bis zum 15. Grad.

Allerdings gibt es bisweilen auch beträchtliche Unterschiede zwischen Umfang und Abhängigkeitsgrad untergeordneter Sätze bei erzählenden Texten, z. B. bei Schwank und Roman im 16. Jh., ja sogar bei Werken ein und desselben Autors (z. B. Wickram). (Vgl. ADMONI 1990, 150 ff., 169 f.)

Andererseits sind etliche syntaktische Stilfiguren zahlreichen Textsorten gemeinsam, da sie antiker Rhetorik, also auch teilweise lateinischem Einfluss folgen, wie Synonymen- und Attributhäufung, Periphrasen, auch Parallelismus, rhythmischer Satzschluss u. a. (Vgl. V. POLENZ 2000, 184 ff.; BETTEN 1998, 287 ff.).

4.5.1 Wort und Wortgruppe als Satzglied

Jeder Satz enthält „einen Sinn- und Tonakzent […], der […] auf die Bezeichnung eines für die betreffende Situation primär wichtigen Sachverhaltes" (ERBEN 1954, 16) gesetzt wird. So stehen am Anfang und am Ende des Satzes „die hauptsächlich betonten, in der Mitte die weniger betonten Wörter" (FRANKE 1922, III, 6). Diese für Luther getroffene Feststellung gilt allgemein.

Die starke Erweiterung der Nominalgruppe im Frnhd. erfolgt durch Zunahme der Attribuierung (Adjektiv- und Genitivattribut), besonders in der Urkundensprache, aber auch durch Neben- und (seltener) Unterordnung zusätzlicher Glieder. Meist ist die Reihung zweigliedrig: *kleiner Verstand und geringe Kunst* (Dürer), *mit fruntlichem und ordentlichen rechten* (Nürnberger Polizeiordnung). Die paarigen Ausdrücke sind zum einen Kennzeichen der „geblümten Rede", dienen aber auch der Erklärung eines Dialekt- oder eines Fremdwortes: *hafen oder topf* (Müntzer), *Kopei und Abschrift* (L)

4.5.1.1 Zum Ersatz des Genitivs durch präpositionale Fügungen oder durch andere Kasus

Die Tendenz, reine Kasus – vor allem den Genitiv – durch präpositionale Fügungen oder andere Kasus zu ersetzen, geht u. a. aufgrund der Abschwächung der Endsilben schon in ahd. Zeit vor sich, verstärkt sich im Frnhd. jedoch infolge der Veränderungen im Deklinationssystem während der mhd. und frnhd. Zeit. Der Zusammenfall von Kasusformen hat das Aufkommen der präpositionalen Umschreibung zur Folge. In erstarrten Formen ist mancher Genitiv erhalten geblieben, z. B. *desgleichen, teils.*

Ein solcher Synkretismus vollzieht sich bei substantivierten Infinitiven, z. B. *nach manigfaltigen Fürbringen, Clagens, Anruffens* (Reichstagsabschiede 1466), bei alleinstehenden Substantiven, z. B. Genitivform in nominativischer oder akkusativischer Bedeutung ab 16. Jh., vgl. *das Zeugs, kein leids* (L), ferner bei Substantiven oder substantivierten Adjektiven mit Pronomen, z. B. *er hat seinesgleichen hinder sich gelassen* (L), und bei Pronomen, z. B. *es was niemans uf dem plan* (Apollonius, V. 1496, 15. Jh.).

Der possessive Genitiv, z. B. *Frankono lant* 'das Land der Franken', *Swabe reht* (O), tritt u. a. bei ahd. *eigan* 'eigen', mhd., frnhd. *eigen* auf: *thes thiu scaf eiganiu ni sint* (T), *so würdest du des tiuvels gar und gar eigen* (Berthold). Noch im 16. Jh. ist dieser Genitiv nach *eigen sein* und *eigen werden* belegt: *derselbige mensch ist des todes eigen; die werden Christi eygen.*

Ahd. *filu*, mhd. *vil*, frnhd. *vil, viel* verlangt ursprünglich den partitiven Genitiv: *sinero degano filu* (HL) 'viele von seinen Kämpfern', *wunders vil* (NL); *ßouiel iamers* (L), *mit vil heyratgutes* (E). Jedoch kann im Mhd. schon ein anderer Kasus stehen: *zuo vil liuten* (WA); im Frnhd. wird das Substantiv, da *viel* jetzt dekliniert werden kann, mehr und mehr in den entsprechenden Kasus gesetzt: *mit vielen worten* (F). Auch bei *was* als Interrogativ-, Relativ- oder Indefinitpronomen steht im Mhd. und im Frnhd. der partitive Genitiv: *waz wunders in der werlte vert* (mhd.); *ist dir was vnfals zu gestanden* (S).

Drückt *was* jedoch ein qualitatives Verhältnis aus, wird ein anderer Kasus verwendet: *waz wünne mac sich dâ genôzen zuo* (WA); *Was Uebel und Gewalt uns auch wird angethan* (OP).

Die präpositionale Umschreibung mit *von* ist schon im Tatian belegt: *Sô uuer sô izzit fon thesemo brôte.* Bei Luther steht: *Wer von diesem Brot essen wird*; diese Form geht aber auf die lat. Vorlage zurück: *si quis manducaverit ex hoc pane* (Io 6,52). Ohne lat. Vorbild findet sie sich im Annolied: *da dir restit ein sulich menige van senti Maurizìin herige* 'wo eine solch(e) (große) Menge von Gefolge des Heiligen Moritz weilt'. In der Sächsischen Weltchronik (um 1230) stehen fast unmittelbar nebeneinander: *de grotere des huses* und *de grotere van deme hus.* Bei Meister Eckehart, A. v. Eyb und N. v. Wyle kommt die Umschreibung nicht vor, bei Luther, Fischart und Grimmelshausen ist sie selten. Bei Gryphius ist sie belegt: *eine offerte von seiner kron.*

Die Verwendung von *des* und *wes* als demonstratives Pronominaladverb (vgl. mhd. *des lâzet ir uns bîten* 'darauf lasst ihr uns warten') ist noch im Frnhd. gebräuchlich: *des musz ich in den schuldthurm* (S).

Der Genitivus obiectivus, der im Mhd. gebräuchlich ist, kommt im Frnhd. noch vor: *Ich kenne euch, dass ihr nicht Gottes liebe in euch habt, in der hoffnung des ewigen lebens* (L).

Der ursprünglich übliche Genitiv bei Maßbezeichnungen, z. B. *drîer rosseloufe lanc* (H), schwindet seit dem 15. Jh. mehr und mehr. So stehen bei Martin Luther nebeneinander der Genitiv (*einer quehrhand hoch*) und der Akkusativ des Maßes (*zwo ellen hoch*). Bei Grimmelshausen existiert noch der Genitiv: *einer Erbsen groß.*

Die folgende Übersicht soll den Wandel in der Rektion bei Verben, Adjektiven und Präpositionen in Umrissen zeigen (die hier aufgeführten Beispiele stellen nicht den jeweils ersten Beleg für die betreffende Verwendung des Wortes dar):

Genitiv		Andere reine Kasus oder präKasus	
L:	*der gewalt brauchen*	G:	*das sie ire zungen nit mögen brauchen*
NL:	*diu küneginne eins suns was genësen*	L:	*ob ich von dieser kranckheit genesen werde*
SB:	*und genist si dar nach des kindes*		
Dekameron:	*alle dise wort Toffano seiner eynfeltigen fursachunge nicht bekeren mochten.*	L:	*er hatte grosze gnade das volk zu bekeren*
H:	*ir spottent mîn âne nôt.*	L:	*ey spotten sie mych denn alle.*
L:	*der fasten spotten*		
Heliand:	*fargâtun godes rikiês 'sie vergaßen Gottes Reich'*	L:	*ich wil deinen befelh nimer mehr vergessen.*
H:	*und vil gar vergâzen durch dës kindes minne dër zungen und dër sinne.*		
L:	*der armen kloster nit vorgeß.*		
L:	*das nicht mein feind rhüme, er sei mein mechtig worden.*	L:	*mechtig […] in falschen wundertzeichen*
T:	*uuirdig ist thie vvurhto sines muoses 'der Arbeiter ist seines Lohnes wert'*	L:	*wie solt sie davon zuo etwas wirdig sein?*
K. v. Würzburg:	*der ich nie leider wirdic wart.*		
L:	*des tods wirdig.*		

Die Veränderung in der Rektion vollzieht sich u. a. außerdem bei folgenden Verben: *abkommen* (Gen. bis ins 18. Jh., Rollwagenbüchlein einmal Akk.), *abstehen* (bei Luther schon mit *von* gebräuchlich), *ächten* (Gen. nur noch in Predigtliteratur des 13./14. Jh.), *bedürfen* (mhd. fast ausnahmslos Gen., Akk. jedoch schon bei Berthold), *begehren* (mhd. regelmäßig Gen., aber seit 13. Jh. Akk. vertreten), *beginnen* (Gen. bis ins 15. Jh.), *darben* (Gen. nur noch im SB), *entbehren* (Akk. schon bei Berthold), *fehlen, verfehlen* (frnhd. noch Gen.), *forschen* (Gen. nur noch im SB), *mangeln, meiden* (Gen. in Resten noch bei Luther), *missen, vermissen* (letztmalig Gen. bei Mystikern, die aber auch schon den Akk. verwenden), *schonen* (seit dem 15. Jh. mit Akk.), *verleugnen* (Akk. im Mhd. selten, verdrängt jedoch seit dem 16. Jh. den Gen.), *weigern* (Gen. nur noch im SB), *wünschen* (Gen. schwindet im 13./14. Jh.).

Folgende Adjektive werden u. a. von dieser Entwicklung betroffen: *bereit* (Präp. bei Luther), *besessen* (Präp. bei Luther), *empfänglich* (Gen. noch bei Schiller), *erfahren, frei* (Präp. schon im Mhd.), *fähig* (Inf. mit *zu* bei Lessing), *geizig* (Gen. noch bei Goethe, Präp. bei Lessing), *geübt, gewahr* (Akk. verdrängt Gen. bis ins 18. Jh.), *gewaltig* (Präp. schon bei N), *gewohnt, habhaft* (Präp. bei J. Böhme), *hungrig* (Präp. bei J. Pauli), *ledig* (Präp. bei Luther), *los* (Präp. schon bei Luther), *müde* (Präp. bei Luther), *rein* (Präp. schon im Mhd.), *satt* (Gen. bei Schiller, Akk. bei Lessing), *überdrüssig* (Inf. bei Eberlin v. Günzburg belegt, Akk. seit 18. Jh.), *überzeugt*. (Vgl. BEHAGHEL I, 1923, 479 ff., 485, 552, 559 f.; ERBEN 1954, 33, 41, 68, 79, 93, 101; FRANKE 1922, III, 97 ff., 140, 181; PAUL III, 1919, 286 f., 298 ff.; PAUL 1998, 301, § 219; RAUSCH 1897, 25 ff., 50 ff., 59 ff.; WUNDERLICH/REIS 1925, II, 111 ff., 142, 166 ff.; FISCHER 1987, 276 f., 279 f., 284 ff.; FISCHER 1992, 288, 292 u. ö.)

4.5.1.2 Besonderheiten der Satzgliedstellung

Attributive Adjektive, Partizipien und Possessivpronomen können dem Beziehungsglied nachgestellt werden: *die Pfeil der Sonnen heiß* (Spee); *den vater almechtigen* (L); *dem riche zugehorende*; *sün meiner* (G). Die Voranstellung setzt sich aber mehr und mehr durch, besonders in Prosatexten: *nach hohem vnserm vertrauwen* (HG); das Adj. kann also vor das Poss.-Pron. treten. Wenn zum vorangestellten Adjektiv- oder Partizipialattribut noch eine Präpositionalgruppe tritt, steht diese oft hinter dem Kernsubstantiv: *Christen leyen* [...] *die nit bey sich hetten einen geweyheten priester von einem Bischoff* (L).

Genitivattribute können vom Beziehungswort getrennt werden: *Als aber Petrus an die thür klopffet des thors* (L). Bis ins Frnhd. – und teilweise später – bestand Abneigung „gegen die Zusammenstellung der zusammengehörigen Gruppenglieder [...]“ (NAUMANN 1915, 11). Nach BEHAGHEL stehen die nichtpartitiven Gen. zunächst vor dem Beziehungsglied, wandern dann aber allmählich hinter dieses regierende Satzglied (BEHAGHEL 1932, IV, 181). Um 1500 ist die postnominale Stellung bereits üblich und wird bis ca. 1700 noch häufiger. Das Genitivattribut, das Personen bezeichnet und unmittelbar beim regierenden Subst. steht, kann vor- oder nachgestellt werden (L: *gottis wort, das wort gottis*). Genitivische Nichtpersonenbezeichnungen werden sehr oft nachgestellt. Unterschiede sind vor allem textsortenbedingt: In der Fachprosa und in Flugschriften ist der postnominale Genitiv weit häufiger als in chronikalischen Texten. Zuweilen findet sich ein Gen., der zwischen einem zum regierenden Subst. gehörenden Pron. und diesem Subst. steht: *Ich hätte über dieser deß Oliviers Erzehlung gern gelacht* (Simplizissimus). Bei Zesen ist in der Stellung des Genitivattributs „Abstufung von dem jetzt noch Möglichen bis in den mittelhochdeutschen Stand hinein [...]“ (SÄTERSTRAND 1923, 209) festzustellen: *di algemeinen der Deutschen Fölker namen*. Diese Stellung des Gen. zwischen Subst. und vorangestelltem Adj. ist öfter bezeugt. Generell wird aber die Wortfolge strenger geregelt, außerdem bahnt sich die Ablösung des Genitivattributs durch die präpositionale Fügung an. Die ältere Satzform *den schatten er des fleisches sach* erscheint im Bamberger Druck von Boners Edelstein (1461) bereits als *den schaden von dem fleisch er da sach.* (Vgl. MOSER 1909, 222; PHILIPP 1980, 116 f.; ERBEN 2000, 1587 f.; EBERT 1986, 81 ff.; Frnhd. Gramm. 1993, 342 f.; NÜBLING u. a. 2017, 129 ff.; ADMONI 1990, 145 ff., 187 ff.; HARTWEG/WEGERA 2005, 173 f.)

4.5.1.3 Koordinierung von Satzgliedern

Bisweilen kann asyndetische Koordinierung von Satzgliedern auftreten: *Er nam urloup von im, dankt im des guten mals* (Wickram), manchmal sogar mit einem für alle koordinierten Satzglieder geltenden Bestimmungsglied, das vor dem ersten koordinierten Satzglied steht: *kein schu, kleider, hauß, essen, trincken* (L). Erst seit dem Frnhd. wird wie im Nhd. bei mehreren koordinierten Prädikaten nur das letzte durch *und* an das vorhergehende angeschlossen; noch bei Luther können alle Glieder durch *und* verbunden werden: *rief Paulus die Jünger zu sich und segnete sie und ging aus* (L).

Koordinierte Satzglieder können getrennt werden: […] *die die weyssagen haben gerett zesein kúnftig vnd moyses* (MB). Das ist auch bei Adj. möglich: *ich sach groß doten vnd klein* (MB). (Vgl. Frnhd. Gramm. 1993, 343 f.)

4.5.1.4 Auslassungen

Nach 1450 erscheint der Artikel oft nur bei dem ersten Glied einer Koordination, allen weiteren Gliedern fehlt er: *die dienst und jungfrowen* (W); *der ruten vnd straffe Gottis* (L); im 19. Jh. tritt der Artikel bei den weiteren Gliedern einer Koordination unter bestimmten Bedingungen wieder auf. Auch sonst kann der Artikel fehlen: *sagen zu vater* (L).

Das Subjekt kann fehlen: *Will mich derhalben versehen* (Reformationsdialog 1523), *es jammerte Jhesum vnd recket* (L). Öfter noch werden – meist als Kennzeichen eines gehobenen Stils – die Hilfsverben *haben* und *sein* ausgespart. Das geschieht oft im Gliedsatz: *den ich auffgericht* (L). Das trifft besonders zu, wenn zwei oder mehrere gleiche finite Verbformen erscheinen müssten: *Weil nuhn di* […] *nicht gewust haben, und* […] *nicht* […] *nach gedacht* (Z). Besonders diese Art der Auslassung beim koordinierten Part. Prät. tritt schon von alters her auf: Vielfach erscheint sogar Auslassung, wenn Hilfsverben unterschiedlicher Art zu erwarten wären: *dass der* […] *erstochchen håtte, und selbsten* […] *entleibet worden* (Z). Bei Koordinierung ist Aussparung des finiten Verbs auch im Hauptsatz möglich: *Hymel vnd erden werden vergehen aber meyn wort nit vergehen* (L).

4.5.1.5 Negation

Die Verneinung durch *-ne/en-* (siehe 3.6.2) geht im 15. Jh. stark zurück: *Ir ensolt* (Pontus u. Sidonia, 15. Jh.). Am längsten hält sie sich im Nd. und Wmd. Um 1500 überwiegt bereits die Negation mit *nicht*; um 1700 ist sie alleingültig. Sofern die proklitische Negationspartikel *en-* im Frnhd. noch vorkommt, wird sie meist mit der jüngeren Negation *nicht* verbunden: *des enhat er nit gethan* (Mainz). Im Obd. ist die Partikel *en-* um 1500 nur noch vereinzelt belegt, im Md. hält sie sich etwas länger. – Im Frnhd.

bedeutet doppelte Verneinung meist noch nicht Bejahung: *als were nie nichts dagewesen* (L). Erst im 18. Jh. heben sich mehrere Verneinungen gegenseitig auf. Das Adv. *nichts* (Gen. von *nicht*) und *nicht* können synonym verwendet werden: *als gehorten sie nichts zur kirchen*; *hatten nicht zu essen* (L). Der abhängige Gen. bei *nichts* reicht bis ins 16. Jh., bei *nicht* bis ins Nhd. hinein: *nichts glücks*; *Ich kenne des Menschen nicht* (L). – Im 16. Jh. rückt *nicht* im Gliedsatz an die zweite Stelle. – In frnhd. Zeit überwiegt im Omd. die Form *nicht*, im Obd. und Wmd. dagegen *nit*. (Vgl. PENSEL 1981, 297 ff.; NÜBLING u. a. 2017, 135 ff.)

4.5.1.6 Gliedsatzartige Wortgruppen

Partizipialkonstruktionen. In Anlehnung an das lat. participium coniunctum werden Partizipialkonstruktionen gebildet: *czwene gancze monden noch enander volgende* (KW). Vielfach kann zwischen Part. der Wortgruppe und Verb des Hauptsatzes die Konjunktion *und* gesetzt werden: *des der herre noch größer wunder empfachende, vnd sinem diener hiesz zellen* (W). Wohl nach lat. oder frz. Vorbild wird auch das Part. Prät. in der Partizipialkonstruktion verwendet: [...] *inn schrecken, sorg verwickelt gantz* (S).

Anm: Das 'Participium coniunctum' ist eine mit dem Prädikat verbundene Wortgruppe: Formal kongruiert es mit einem Beziehungswort und besteht aus einem Partizip und davon abhängigen Satzgliedern.

um zu + Infinitiv. Die Konstruktion *um zu* + Inf., z. B. *Esopus gieng umb ze suchen* (SW), hat die mit einfachem *zu* zurückgedrängt und steht für einen Finalsatz. Diese Wortgruppenbildung ist aus einer Gliederungsverschiebung hervorgegangen: „Die Grundlage sind Fügungen, in denen der Infinitiv mit *zu* als Ergänzung eines Substantivs steht, das von *um* mit finaler Bedeutung regiert wird" (DAL/EROMS 2014, 121), z. B. *bit* got *umb vernunft dir zu verleihen* (Ackermann). Dann wird der Akk., der ursprünglich von der Präp. *um* abhängig ist, als Akkusativobjekt aufgefasst, das vom Inf. abhängt, z. B. *um Vernunft zu verleihen*. Die Fügung *um zu* + Inf. erscheint schon im 15. Jh., ist jedoch noch bei Luther sehr selten; *ohne zu* + Inf. wird im Frnhd. bewahrt, z. B. *one den zehenden davon zubezalen* (Mederscher Handelsbuch 1555), und *(an)statt zu* + Inf. gibt es erst seit dem 17. Jh., z. B. [...] *an statt erfreuliche antwort zu erlangen* (Hoffmannswaldau).

A. c. I. Der Akk. mit dem Inf., der auch im Ahd., seltener im Mhd. auftritt, wird vom 14. bis zum 17. Jh. gern benutzt, teilweise unter lat. Einfluss in der Übersetzungsliteratur. Im 18. Jh. tritt er bis auf Reste zurück. Diese Konstruktion ist insgesamt vom Verb des regierenden Satzes abhängig und bei trans. und intr. Verben gebräuchlich: *er bezeúgt den iuden ihesum zesein cristus* (MB) '[...] dass Jesus Christus ist'; *ich red on spott mich gewesen sein in groszer not* (TH) '[...] dass ich in großer Not gewesen bin'. Auch Inf. mit *zu* ist in dieser Konstruktion möglich: *dasz man die Poeten eine* [...] *zusammenkunft* [...] *mit den Göttern zu haben geargwohnet* (OP).

Absoluter Akk./Nom. Im 15. Jh. wird in Nachahmung des lat. Satzbaus ein absoluter Akk. oder Nom. gebildet: *Gute Worte im Munde, und den Huth in der Hand, das kostet kein Geld*, [...] (Schupp 1657), vielfach in Abhängigkeit vom Part.: *diß gesagt, ließ die* [...] *Königin* [...] *schiessen* (Ziegler). Daneben gibt es im 15. Jh. absolute Dat. und Gen.

Für das 16./17. Jh. wird auch frz. Vorbild für die Bildung des absoluten Akk. oder Nom. angenommen. Im 18. Jh. tritt diese Konstruktion häufiger als vorher auf. (Vgl. Frnhd. Gramm. 1993, 400 ff.)

Anm.: Unter absolutem Akkusativ oder Nominativ verstehen wir eine Konstruktion, bei der das Substantiv im Akkusativ oder Nominativ mit einem weiteren Satzglied außerhalb des übergeordneten Satzes steht; diese Wortgruppe ist syntaktisch unabhängig.

4.5.2 Aussagehauptsatz

4.5.2.1 Stellung des finiten Verbs

Das finite Verb steht schon zu Beginn der frnhd. Epoche meist an zweiter Stelle im Aussagehauptsatz: *Do lobte daz folk alles got in sinen heiligen* (LA). Das finite Verb kann an die dritte Stelle, ja sogar noch weiter nach hinten im Satz versetzt werden: *das freuwelin* I *von rehten freuden* I *ward also fro*; *Also nun* I *die huner* I *hie vnd dort* I *kipten vnd schluckten die bissen brots* (Eulenspiegel).

Im ausgehenden 15. Jh. und im 16. Jh. ist hin und wieder Endstellung des finiten Verbs im Aussagehauptsatz zu beobachten; dies ist wohl Ergebnis lat. Einwirkung: *Ein schuster, ein schmid, ein bawr, ein yglicher seyns handtwercks, ampt vnnd werck hat* (L). Diese Erscheinung ist schon im Ahd. und im Mhd. vorhanden. Bei Koordinierung von Hauptsatzverben tritt das letzte Verb häufig ans Ende, sodass eine gliedsatzähnliche Konstruktion entsteht: *Szo seer erbeite ich* [...] *und wider mein bosse natur fechte* (L).

Spitzenstellung des Verbs im Aussagehauptsatz, die im späten Ahd. zurückgegangen ist, tritt in der zweiten Hälfte des 15. Jh. und im 16. Jh.gelegentlich noch auf: *Folget nach der mißprauch fressens vnd sauffens, dauon* (L). Dieser Typ soll wohl den Zusammenhang zum vorhergehenden Satz verdeutlichen und mit Hilfe der Spitzenstellung auf eine gewisse Abhängigkeit von diesem Satz weisen. (Vgl. BEHAGHEL IV 1932, 11 ff.; Frnhd. Gramm. 1993, 430 ff.; BUSCHINGER 2007, 237 ff.)

4.5.2.2 Rahmentendenzen

Im Frnhd. überwiegt im Hauptsatz bereits der volle prädikative Rahmen, d. h. die Distanzstellung der Rahmenpartner finite Verbform – infinite Verbform: *Szo sol man den deutschen den beuttel reumen* (L). Daneben ist im Frnhd. Kontaktstellung von finiter und infiniter Verbform sogar bei reich gegliedertem Nachfeld möglich: *Es werden kummen in meynem namen falsche Christenn vnd falsche propheten* (L); häufig ist Nahstellung von finiter und infiniter Verbform, d. h. Einschub und Nachtrag von Satzgliedern: *yhr habt euch genommen die gewalt zuleren* (L). Die festgewordene Schlussstellung der infiniten Verbform im Nhd. wird u. a. durch die Kanzleisprache beeinflusst worden sein. Im späten 16. und im 17. Jh. wird der volle Rahmen, d. h. also Distanzstellung der Rahmenpartner, zum formalen Merkmal der Struktureinheit des Aussagehauptsatzes. Auch noch im 17. Jh. konnten prinzipiell alle Satzglieder nachgestellt werden, besonders in kanzleisprachlichen Texten, Traktaten, Reisebeschreibungen u. a.

Ausgerahmt werden konnten sogar die notwendigen Glieder, die in der deutschen Gegenwartssprache kaum ausgerahmt werden: z. B. das Subjekt in *dem Koͤnig* ***hat*** *im Regiment* ***nachgefolgt*** *sein Son* (A). Es dominieren aber jene Ausrahmungen, die auch in der deutschen Gegenwartssprache gebräuchlich sind (siehe auch 1.8.5). Ausrahmungen treten auch bei koordinierenden Konjunktionen auf, z. B. bei *denn, ohne* und *wenn* in der Bedeutung 'nur, es sei denn': *dazu hab ichs nicht gehoͤret, denn heute* (L); *ich hab es nie gehoͤrt on heútt* (B); *der mir kan niemandt helfen* [...] *wenn du* (S). Auffallend ist außerdem, dass im Frnhd. die Stellung der Rahmenpartner (infinite Verbform und finite Verbform, die ein Hilfsverb oder ein Modalverb sein kann) austauschbar sind: *den du hast usserwelt – waz wir tuon sollint.* (Vgl. u. a. Betten 1987, 127 ff.; Admoni 1990, 200 f.; Nübling u. a. 2017, 117 ff.; v. Polenz 2000, 190 ff.; Hartweg/Wegera 2005, 175 f.; Lötscher 2010, 607 ff.)

4.5.2.3 Periphrastische Formen

Häufig kommen Tempus- und Aktionsartformen vor, die aus Hilfsverb und Infinitiv oder Part. Präs. bestehen. Sie können folgende Formen und Funktionen haben:

1. Die Futurumschreibung erfolgt durch *sollen/wollen* + Infinitiv. Seit dem 16. Jh. ist sie durch die Form *werden* + Infinitiv verdrängt.

2. Zur Bezeichnung des Handlungsbeginns (Ingressivum) steht *werden* mit dem Part. Präs. oder dem Infinitiv: *so redet sie so süezlich von unserm herren, da sie wainde wurden* (Nonne von Engelthal); *Moses aber ward zittern* (L).

3. Oft begegnet zur Bezeichnung des Progressivums die Form *sein* + Part. Präs./Inf.: *daz wir noch derselben ewerre artwert wartinde sein* (UK); *die veind waren* [...] *eylen* (Joh. Hartlieb). Zu Beginn des 16. Jh. wird diese Periphrase selten.

4. Die Periphrase *tun* + Inf. bezeichnet die Dauer einer Handlung (Durativum) oder das Bewirken einer Handlung (Kausativum): *Also in dem thet Maria sich froͤwen* (G); *er duot syn schellen so erklingen* (SB). Diese Periphrase ist vor allem im Obd. und Wmd. üblich, im Vers mehr als in der Prosa, nimmt aber seit dem 15. Jh. ab.

Am Ende des Frnhd. sind diese Periphrasen nicht mehr üblich, dafür ist das System der zusammengesetzten Zeitformen des Nhd. im Wesentlichen erreicht. (Vgl. Ebert 1986, 140 f.; Frnhd. Gramm. 1993, 391 f.; Erben 2000, 1588 f.; Hartweg/Wegera 2005, 177.)

4.5.3 Abhängiger Satz

4.5.3.1 Stellung des finiten Verbs

Die Stellung des finiten Verbs am Gliedsatzende ist schon im älteren Frnhd. eine Möglichkeit der Gliedsatzkonstruktion: *da sie aber ihn sahe, erschrak sie* (L); daneben wird häufig das finite Verb vor die infiniten Formen gestellt: *die von den winden werden vmbgetragen* (MB). Vorangestelltes finites und nachgestelltes infinites Verb können auch durch ein Satzglied oder mehrere Satzglieder getrennt werden: *so bald er wahr nach hause kommen* (Z). Nachstellung von Satzgliedern hinter dem infiniten Verb ist nicht ungewöhnlich: *wen man hat auff sie drungen mit weltlicher gewalt* (L).

„So dauert es lange, ehe die Bewegung (Entwicklung der Endstellung im Gliedsatz – d. Verf.), deren Anfänge wir im 14. Jahrhundert bei den frühen Humanisten im Osten beobachten können, den Sieg erringt“ (MAURER 1926, 180). Kanzleisprache und Latein haben einen gewissen Anteil an der Formung dieses Typs, der aber auch deutschsprachiger Tradition entspricht.

Bei Koordinierung zweier oder mehrerer Gliedsätze bzw. verschiedener Verben eines Gliedsatzes gibt es häufig nur im ersten Glied- bzw. Teilgliedsatz Endstellung des finiten Verbs; die übrigen Glied- bzw. Teilgliedsätze zeigen Hauptsatzstruktur: *Gleich als ein Mensch, der vber Land zoch vnd lies sein Haus, vnd gab seinen Knechten macht* [...] (L). Das Verbalpräfix kann auch vom Vollverb getrennt werden: *der das fiech an hat gefangen* (Ofener Stadtrecht, vgl. BASSOLA 1985, 190).

Die Endstellung des finiten Verbs im Gliedsatz, die „ein verdienst der theoretischen grammatik und der schuldisciplin [...], wie sie im 17–19. jh. betrieben wurde“ (BIENER 1922, 174), zu sein scheint, ist im Großen und Ganzen im 17. Jh. entschieden und ist zum Strukturmerkmal des Gliedsatzes geworden. (Vgl. BETTEN 1987, 73 f.; EBERT 1981.)

Anm.: Nicht immer lassen sich Haupt- und Nebensatz formal deutlich unterscheiden.

4.5.3.2 Subordinierende Konjunktionen

Die Variantenreduzierung und Monosemierung der Konjunktionen im Frnhd. führte dazu, dass die gramm. Bedeutung und der Inhalt der Nebensätze innerhalb der Satzgefüge klarer zum Ausdruck gebracht werden konnte. Genauer als im Mhd. können nun die subordinierenden Konjunktionen die modalen, kausalen, finalen, konzessiven u. a. Beziehungen zwischen Haupt- und Nebensatz im Satzgefüge verdeutlichen. Einige Konnektoren (*sint, echte*) schwinden, die Polysemie der meisten (*do/da, daz, sô, und*) wird reduziert, und andere Konnektoren übernehmen die Funktionen. Das führt u. a. zu folgenden Verschiebungen:

als verdrängt *danne/denne* in Vergleichssätzen, auch nach Komparativen, und leitet oft diese Vergleichssätze ein. Die Konjunktion *dass* wird im 16. Jh. durch unterschiedliche Schreibung vom Demonstr.-Pron./Relativpron. *das* unterschieden und leitet vor allem Subjekt- und Objektsätze ein, *dieweil* bezeichnet bei temporalem Gebrauch die Gleichzeitigkeit, dient aber meist als kausale Konjunktion; *weil*, das *dieweil* zurückdrängt, hat seit dem 15. Jh. ebenfalls außer der temporalen auch kausale Bedeutung und steht neben seltenerem *sintemalen* ('weil'). Die temporale Bedeutung übernimmt dann das im Frnhd. aufkommende *während*.

ob ('wenn') als im Frnhd. häufigste Konditionalkonjunktion erscheint zwar noch im 16. Jh.: *Und ob jemand sundiget/So haben wir einen Fürsprecher* (L). Es wird aber mehr und mehr durch *wenn* ersetzt, das seine temporale Bedeutung zu einem Großteil aufgibt. *ob* wird auch als Konzessivkonjunktion gebraucht: *Ob* ('wenn auch') *die christenliche kirch erkleret, ßo were es dennocht besser* (L).

Andere subordinierende Konjunktionen sind: *als* in temporaler und *als/also* – *als/also* in komparativischer Bedeutung: *hab also* ('so') *vil kleider/also* ('wie') *dir not sind* (G); temporales *bis* löst älteres *untz* ab; *da/do* 'als', im Frnhd. auch schon kausal, 'weil'; finales *da(r)mit, umbe das, auf das* ersetzt das vieldeutige *das*; *derhalben* ist subordinierende und koordinierende Konjunktion mit kausaler Bedeutung; *echt(er)* 'wenn nur'; *ehe denn* 'eher als'; *im Falle dass, falls* entsteht im Frnhd.; *indem*; *indes(sen)*; *nachdem*; *ohne dass*; *sam* 'als ob'; *sider, sint, sintdem* 'seitdem'; *seit, seint, sint* 'weil': *Seid aber das nitt gesein moch* (G) 'weil aber das nicht sein kann' (*seit, seint, sint* werden ebenso wie *wande, wan* von *weil/da* verdrängt, und die temporale Bedeutung von *seit* setzt sich zum Ende des Frnhd. durch); *so* 'als, da, sobald, wenn, wenn auch'; *so doch* 'obgleich'; *wann* und *wenn* stehen zuweilen mit der konditionalen Bedeutung 'wenn' nebeneinander; selbst *wo* kann diese Funktion haben: *wo er dises erlanget/solt er ledig sein* (S. Franck). Dies ist später nicht mehr möglich. *so* und zuweilen auch *und* können die Relativpron. *der, die, das* vertreten: *gut Getrenck ist bitter denen so es trincken* (L); *mit allem dem flis und sy möcht erzögen* (St. Gallen 1464). Nach Konditionalsatz kann *so* den Hauptsatz einleiten: *glaubstu, so hastu, glaubstu nit, so hastu nit* (L). (Vgl. DAL/EROMS 2014, 229 ff.; PHILIPP 1980, 142 ff.; HARTWEG/WEGERA 2005, 177 f.; RÖSSING-HAGER 2010, 711 ff.; SCHULZE 2010, 497 ff.; DEMSKE 2011, 17 ff.; GAGEL 2017, 184 f., 277 ff.,). Dies wurde gegen Ende des Frnhd. beseitigt.

4.5.4 Satzgefüge

Die Satzgefüge werden einerseits umfangreicher, andererseits kompakter in ihren Strukturen. Es gibt Gefüge, besonders gegen Ende des 16. Jh., in denen der Nebensatz wichtiger als der Hauptsatz sein kann. Zuweilen sind auch „Obersatz und Untersatz [...] nicht mehr klar zu trennen, oft ist überhaupt kein Obersatz mehr vorhanden" (GUMBEL 1930, 75): *Dieses ist die erste Anzeigung* [...] *der liebe des Frewlins O. und* [...] *welcher anfang, wo er den Leser klein und* [...] *bedüncken möcht, soll er doch daneben ir junges Alter bedenken, als die in dieser Kunst* [...] *noch nicht geübt* [...] *waren* (Amadis). Im Frnhd. sind Satzgefüge möglich, denen der Hauptsatz fehlt, sodass nur Nebensätze auftreten: *Were eyn man erfordert für gericht vnd lest ym gepiten der richter/das er kumen solle sich berichten mit dem cleger* (Leutenberg 1496).

Ein Nebensatz niederen Grades kann vor einem Nebensatz höheren Grades stehen: *ich habe keinen Menschen, wenn das Wasser sich beweget, der mich in den Teich lasse* (L). Im 15./16. Jh. wird der Nebensatz häufig vor den Hauptsatz gesetzt: *Damit aber auch durch die vollmachten / mit den bawenden Gewercken nicht gefehrlichen gehandelt / sol es folgender gestalt damit gehalten werden* (JB).

Ein einfaches Satzglied kann einem Nebensatz beigeordnet werden, sodass vom Hauptsatz ein Nebensatz und ein verselbstständigtes Satzglied abhängig sind: *sagten jnen, was dem Besessenen widerfaren war, vnd von den Sewen* (L).

Bis ins 17. Jh. wird meist das finite Verb des Hauptsatzes eines mit *je – je* 'je – desto' gebildeten Satzgefüges in Analogie zum Nebensatz ans Satzende gestellt: *Je mehr jr wird, je mehr sie wider mich sündigen* (L); nhd. dagegen: 'desto mehr versündigen sie sich an mir'.

In der Sachprosa, seltener in künstlerischer Literatur begegnet der weiterführende Relativsatz, in dem inhaltlich Neues ausgesagt wird: *Welchs wir nach der ordenung hie erzelen wollen*; *Derhalben wir uns schlechts müssen davon wenden.* (RÖSSING-HAGER 1998, 301, 303). Asyndetische Relativsätze, die sich ohne Initialelement auf einen das Bezugswort enthaltenden übergeordneten Satz beziehen, treten öfters auf: *den ersten fisch du fehist, den nym* (L). Sie können sogar Spitzenstellung des finiten Verbs aufweisen: *Sie fiengen ain edelman, hies Kontz von Riethain* (Chroniken schwäb. Städte). (Frnhd. Gramm. 1993, 444.)

4.5.5 Satzverbindung

Auch im 16. Jh. wird gern die Möglichkeit parataktischen Satzbaus genutzt: *Ich bin ein Leßmeister gewesen in einer stat, da waren zween brůder, vnd het jeglicher ein Frau, die hetten zwo Metzen überkomen* [...] (Pauli). So stellt Luther noch Hauptsätze in einer Satzverbindung unverbunden nebeneinander, jedoch setzt er auch Konjunktionen zu ihrer Verbindung ein, vor allem in seinen späteren Werken.

Bis ins 18. Jh. wird in der Sprache der schönen Literatur häufig der zweite Satz einer Satzverbindung mit dem finiten Verb nach dem Konnektor begonnen, d. h. mit sog. Inversion nach *und*: *der strick ist zerbretten und sint wir erlöset* (W). Diese Erscheinung wird u. a. damit erklärt, dass *und* auch adverbial gebraucht worden sei und als erstes Satzglied dem finiten Verb *habe* vorausgehen können.

nun und *nur* erscheinen in der Bedeutung 'es sei denn': *Ir sehet nit min antlútz nůn ir fúret her mit úch úwern minsten brůder* (B); *Ich lasse dich nit nur du gesegnest mich* (B). *wan* als koordinierende und subordinierende Konjunktion hat noch im 15. Jh. kausale Bedeutung 'denn, weil, aber': *bleib da, wann es ist spat* (S); *wan* kann bis ins 16. Jh. die Ausnahme bezeichnen und wird dann durch *ausgenommen* ersetzt. Andere frnhd. koordinierende Konjunktionen sind *aber*; *also* 'so, ebenso'; *anders(t)* 'andernfalls, sonst'; *beide – und/beides – und (auch)* 'sowohl – als auch'; *derhalben*; *deswegen*; *dester* als Teil einer zweigliedrigen Konjunktion ('je – desto') ist kaum gebräuchlich; *deswegen*; *entweder – oder*; *etwen – etwen* 'teils – teils'; *hergegen* 'hingegen'; *me(h)r* 'vielmehr'; *mer – nicht* 'sondern vielmehr' geht unter; *nicht allein – auch/nicht allein – sunder (auch)* 'nicht nur – sondern auch'; *sonst(en)/sunst(en)* 'so', 'andernfalls', 'zu anderer Zeit'; *sowohl – als (auch)* sind zunächst Vergleichspartikeln; *und*; *weder – noch*; *weder – weder* 'weder – noch'. (Vgl. Erben 1954, 103 ff.; Philipp 1980, 131 ff.; Rieck 1977, 47 ff.)

Einige syntaktische Merkmale, vor allem Vielfalt und Polysemie der Konjunktionen, zeigt der 1520 wohl in St. Gallen verfasste und 1521 in Straßburg gedruckte Humanisten-Dialog Karsthans:

Ich hőr lesen im euangelio, das Christus gesagt hat: ich bin der weg, das leben vnd die warheit. Item Joan. viij: So ich zügniß gib von mir selber, so ist min zügniß warhafftig. Nun ist christus auch ein man gewesen. Item der zwőlffbot Mattheus in seiner vorred sins Euangelij am end spricht er also: Vnß ist vrsach diser arbeit gewest (vermeint er, warum er das euangelium geschriben hab), für zůlegen ein warheit oder glauben geschehener ding etc. das ist ye ein růmen der warheit. Item der drit euangelist Lucas in seiner vorred synes euangelij berümpt sich, das viel seind gewesen, die sich haben vnderstanden nach geschicklicheit die geschichten zů schreiben der ding, so durch jn erfült seind etc. do berümet er sich, das vil vnuolkommen das euangelium beschriben haben, aber er habs erfült etc. Item der heilig zwőlffbot Joannes in seiner ersten epistel hebt er an in dise wort: das do gewesen ist von anbegin, das so wir gehőrt haben, das wir gesehen haben mit vnsern augen, das wir besehen haben und unser hend getast, von dem wort des lebens etc., wie künd doch offenlicher berůmnüß der warheit zů schreiben berümpt werden? Item Johannes der apostel in seim bůch der heimlichen offenbarung kan nit genůgsam gebenedyen den, so das selbige bůch vngefelschet lassen, dargegen wünschet er alle die plagen über den, so das selbig bůch felschen, wan das selbig bůch so vol worheit sey, das ein yegklichs wo̊rtlin groß heimlicheit in habe. Item im euangelio Joannis. xix. da bezeügt Joannes der euangelist nur fast die warheit, so er gesehen hat, do man dem herren Jesum sein heilige seitten vff thet, wie sein zeügnüß warhafftyg sey etc. Item leß diser theologus viler berümnüß den heiligen paulum, der berümpt sich nahent in allen episteln seins apostolats – wellichs nit anders ist, dan ein bott der warheit – berümpt sich, wie er das euangelium on mittel von Christo gelernet hab.

Literaturverzeichnis

Das Verzeichnis enthält die im Buch zitierte Literatur. Folgende Abkürzungen werden verwendet:

Adelung	Sprache und Kulturentwicklung im Blickfeld der deutschen Spätaufklärung. Der Beitrag Johann Christoph Adelungs. Hg. von WERNER BAHNER. Berlin 1984.
Althochdeutsch	Althochdeutsch. 2 Bände. In Verb. mit HERBERT KOLB/KLAUS MATZEL/KLAUS STACKMANN hg. von ROLF BERGMANN/HEINRICH TIEFENBACH/LOTHAR VOETZ. Heidelberg 1987.
BES	Beiträge zur Erforschung der deutschen Sprache. Leipzig.
Beiträge	Beiträge zur Geschichte der deutschen Sprache und Literatur. H = Halle, T = Tübingen.
DaF	Deutsch als Fremdsprache.
Dialektologie	Dialektologie. Ein Handbuch zur deutschen und allgemeinen Dialektforschung. Hg. von WERNER BESCH/ULRICH KNOOP/WOLFGANG PUTSCHKE/HERBERT ERNST WIEGAND. 2 Halbbde. Berlin/New York 1982/1983.
Dt. Sprachgesch.	Deutsche Sprachgeschichte 1990. Grundlagen, Methoden, Perspektiven. Fs. für Johannes Erben. Hg. von WERNER BESCH. Bern/Frankfurt (Main)/New York/Paris.
DUDEN-WB	DUDEN. Das große Wörterbuch der deutschen Sprache, Bd. 1–6. Mannheim/Wien/Zürich 1976–1981. 3. Aufl. in 10 Bden. 1999.
DUDEN-UWB	DUDEN. Deutsches Universalwörterbuch. 2. Aufl. Mannheim/Wien/Zürich 1989. 3. Aufl. 1996. 4. Aufl. 2001. 5. Aufl. 2003. 7. Aufl. 2011.
DWB	GRIMM, JACOB/WILHELM GRIMM: Deutsches Wörterbuch. Bd. 1–16. Leipzig 1854–1971. Neubearbeitung Bd. 1 ff. Stuttgart/Leipzig 1965 ff. Digitale Ausgabe 2004.
EWBD	Etymologisches Wörterbuch des Deutschen. Erarbeitet von einem Autorenkollektiv unter Leitung von WOLFGANG PFEIFER. 3 Bde. Berlin 1989. 2. Aufl. in 2 Bden. 1993. 5. Aufl. 2000.
Grundriß	Kurzer Grundriß der germanischen Philologie bis 1500. Bd. 1: Sprachgeschichte. Hg. von LUDWIG ERICH SCHMITT. Berlin 1970.
GSR	Gesellschafts- und sprachwissenschaftliche Reihe.

HWDG	Handwörterbuch der deutschen Gegenwartssprache. 2 Bde. Von einem Autorenkollektiv unter der Leitung von Günter Kempcke. Berlin 1984.
LGL	Lexikon der Germanistischen Linguistik. Hg. von Hans Peter Althaus/Helmut Henne/Herbert Ernst Wiegand. 2. Aufl. Tübingen 1980.
LiLi	Zeitschrift für Literaturwissenschaft und Linguistik.
LS/ZISW/A	Linguistische Studien des Zentralinstituts für Sprachwissenschaft der Akademie der Wissenschaften der DDR, Reihe A.
Muttersprache	Muttersprache. Zeitschrift zur Pflege und Erforschung der deutschen Sprache.
Nd. Jb.	Jahrbuch des Vereins für niederdeutsche Sprachforschung.
SB AdW	Sitzungsberichte der Akademie der Wissenschaften der DDR.
Sprachgeschichte[1]	Sprachgeschichte. Ein Handbuch zur Geschichte der deutschen Sprache und ihrer Erforschung. Hg. von Werner Besch/Oskar Reichmann/Stefan Sonderegger. 2 Halbbde. Berlin/New York 1984/85.
Sprachgeschichte[2]	Sprachgeschichte. Ein Handbuch zur Geschichte der deutschen Sprache und ihrer Erforschung. 2. Aufl. Hg. von Werner Besch/Anne Betten/Oskar Reichmann/Stefan Sonderegger. Berlin/New York. 1. Tlbd. 1998. 2. Tlbd. 2000. 3. Tlbd. 2003. 4. Tlbd. 2004.
Stud. Frnhd.	Studien zum Frühneuhochdeutschen 1988. Emil Skála zum 60. Geburtstag. Hg. von Peter Wiesinger. Göppingen.
VL[2]	Die deutsche Literatur des Mittelalters. Verfasserlexikon. 2. Aufl. 14 Bde. Berlin/New York 1978 ff.
WDG	Wörterbuch der deutschen Gegenwartssprache. Hg. von Ruth Klappenbach/Wolfgang Steinitz. Bd. 1–6. Berlin 1954–1977.
WW	Wirkendes Wort.
WZ	Wissenschaftliche Zeitschrift Jena: der Friedrich-Schiller-Universität Jena. Potsdam: der Pädagogischen Hochschule Potsdam. Zwickau: der Pädagogischen Hochschule Zwickau.
ZfAA	Zeitschrift für Anglistik und Amerikanistik.
ZfdA	Zeitschrift für deutsches Altertum und deutsche Literatur.
ZfdMaa	Zeitschrift für deutsche Mundarten.
ZfdPh	Zeitschrift für deutsche Philologie.
ZDL	Zeitschrift für Dialektologie und Linguistik.
ZfG	Zeitschrift für Germanistik.
ZfMaf	Zeitschrift für Mundartforschung.
ZGL	Zeitschrift für Germanistische Linguistik.
ZPSK	Zeitschrift für Phonetik, Sprachwissenschaft und Kommunikationsforschung.

Literaturverzeichnis

ADELUNG, JOHANN CHRISTOPH 1795: Die Deutsche Sprachlehre für Schulen. 3. Aufl. Berlin.

ADMONI, V[LADIMIR] G[RIGOREVIČ] 1963: Istoričeskij sintaksis nemeckogo jazyka. Moskva.

ADMONI, V[LADIMIR] G[RIGORJEWITSCH] 1967: Der Umfang und die Gestaltungsmittel des Satzes in der deutschen Literatursprache bis zum Ende des 18. Jahrhunderts. In: Beiträge H 89, S. 144 ff.

ADMONI, V[LADIMIR] G[RIGORJEWITSCH] 1990: Historische Syntax des Deutschen. Tübingen.

ADMONI, WLADIMIR G. 1985: Syntax des Neuhochdeutschen seit dem 17. Jahrhundert. In: Sprachgeschichte[1] 1985, S. 1538 ff.

ADMONI, WLADIMIR G. 1990: Historische Syntax des Deutschen. Tübingen.

AHLSSON, LARS-ERIK 1965: Zur Substantivflexion im Thüringischen des 14. und 15. Jahrhunderts. Uppsala.

ALM, ERIK 1936: Der Ausgleich des Ablauts im starken Präteritum der ostmitteldeutschen Schriftdialekte. Diss. Uppsala.

ARNDT, ERWIN/GISELA BRANDT 1983: Luther und die deutsche Sprache. Wie redet der Deudsche man jnn solchem fall? Leipzig.

AUSENDA, GIORGIO (Hg.) 2009: The Langobards before the Frankish conquest. An ethnographic perspective. Woodbridge u. a.

BACH, ADOLF 1970: Geschichte der deutschen Sprache. 9. Aufl. Heidelberg.

BACH, HEINRICH 1934: Laut- und Formenlehre der Sprache Luthers. Kopenhagen.

BACH, HEINRICH 1937/1943: Die thüringisch-sächsische Kanzleisprache bis 1325. 2 Bde. Kopenhagen.

BACH, HEINRICH 1974: Handbuch der Luthersprache. Laut- und Formenlehre in Luthers Wittenberger Drucken bis 1545. Bd. 1. Kopenhagen.

BARUFKE, BIRGIT 1995: Attributstrukturen des Mittelhochdeutschen im diachronischen Vergleich. Hamburg.

BASSOLA, PETER 1985: Wortstellung im Ofner Stadtrecht. Ein Beitrag zur frühneuhochdeutschen Rechtssprache in Ungarn. Berlin.

BECH, GUNNAR 1963: Zur Morphologie der deutschen Substantive. In: Lingua 12, S. 177 ff.

BEHAGHEL, OTTO 1923–1932: Deutsche Syntax. Eine geschichtliche Darstellung. 4 Bde. Heidelberg.

BEHAGHEL, OTTO 1928: Geschichte der deutschen Sprache. 5. Aufl. Berlin/Leipzig.

BEHAGHEL, OTTO 1930: Von deutscher Wortstellung. In: Zeitschrift für Deutschkunde 44, S. 81 ff.

BENTZINGER, RUDOLF 1973: Studien zur Erfurter Literatursprache des 15. Jahrhunderts an Hand der Erfurter Historienbibel vom Jahre 1428. Berlin.

BENTZINGER, RUDOLF 1987: Zur Verwendung von Adjektivsuffixen in Erfurter Frühdrucken. In: Autorenkollektiv unter der Leitung von JOACHIM SCHILDT: Zum Sprachwandel in der deutschen Literatursprache des 16. Jahrhunderts. Studien – Analysen – Probleme. Berlin, S. 151 ff.

BENTZINGER, RUDOLF 1990: Die mittelhochdeutsche ‚Dichtersprache' im sprachgeschichtlichen Kontext. In: Autorenkollektiv unter Leitung von ROLF BRÄUER: Der Helden minne, triuwe und êre. Literaturgeschichte der mittelhochdeutschen Blütezeit. Berlin, S. 57 ff.

BENTZINGER, RUDOLF 1992: Zur Verwendung von Adjektivsuffixen in der deutschen Literatursprache (1570–1730). In: JOACHIM SCHILDT (Hg.): Aspekte des Sprachwandels in der deutschen Literatursprache 1570–1730. Berlin, S. 119 ff.

BERG, KLAUS 1984: Zur Interpunktion des Textes. In: >Das bůch der tugenden<: Ein Compendium des 14. Jahrhunderts über Moral und Recht nach der >Summa theologiae< I-II des Thomas von Aquin und anderen Werken der Scholastik und Kanonistik. Bd. I. Einleitung, Mittelhochdeutscher Text. Hg. von KLAUS BERG/ MONIKA KASPER. Tübingen, S. LXVIII ff.

BERGMANN, ROLF/DIETER NERIUS (Hg.) 1998: Die Entwicklung der Großschreibung im Deutschen von 1500 bis 1700. 2 Bde. Heidelberg.

BESCH, WERNER 1967: Sprachlandschaften und Sprachausgleich im 15. Jahrhundert. Studien zur Erforschung der spätmittelhochdeutschen Schreibdialekte und zur Entstehung der neuhochdeutschen Schriftsprache. München.

BESCH, WERNER 1980: Frühneuhochdeutsch. In: LGL, S. 588 ff.

BESCH, WERNER/NORBERT RICHARD WOLF 2009: Geschichte der deutschen Sprache. Längsschnitte – Zeitstufen – Linguistische Studien. Berlin.

BETTEN, ANNE 1998: Zur Textsortenspezifik der Syntax im Frühneuhochdeutschen. In: JOHN OLE ASKEDAL u. a. (Hg.): Historische germanische und deutsche Syntax. Osloer Beiträge zur Germanistik 21. Frankfurt (Main) u. a., S. 287 ff.

BETTEN, ANNE 2016 (1987): Grundzüge der Prosasyntax. Stilprägende Entwicklungen vom Althochdeutschen zum Neuhochdeutschen. Tübingen.

BIENER, CLEMENS 1922: Wie ist die neuhochdeutsche regel über die stellung des verbums entstanden? In: ZfdA 59, S. 165 ff.

BINDEWALD, HELENE 1985: Die Sprache der Reichskanzlei zur Zeit König Wenzels. Ein Beitrag zur Geschichte des Frühneuhochdeutschen. Nachdruck der 1. Ausg. 1928. Hildesheim.

BISCHOFF, KARL 1957: Zur Geschichte des Niederdeutschen südlich der ik/ich-Linie zwischen Harz und Saale. Berlin.

BITTNER, ANDREAS/KLAUS-MICHAEL KÖPCKE 2008: Sprachwandel – oder Verlotterungsprozesse – Versuch einer Versachlichung. In: MARKUS DENKLER u. a. (Hg.): Frischwärts und unkaputtbar. Sprachverfall oder Sprachwandel im Deutschen. Münster, S. 59 ff.

BOCK, ROLF/HELMUT LANGNER 1984: Zur Darstellung der Ablautreihen im Frühneuhochdeutschen unter besonderer Berücksichtigung phonologischer Aspekte. In: WZ Potsdam 28, S. 287 ff.

BÖGL, HERBERT 2006: Abriss der mittelhochdeutschen Metrik: mit einem Übungsteil. Hildesheim u. a.

BOGNER, ISTVAN 1989: Zur Entwicklung der periphrastischen Futurformen im Frühneuhochdeutschen. In: ZsfdPh 108, S. 56 ff.

BRAUNE, WILHELM 1994: Althochdeutsches Lesebuch, 17. Aufl. bearb. von ERNST A. EBBINGHAUS. Tübingen.

BRAUNE, WILHELM 2018: Althochdeutsche Grammatik I. Laut- und Formenlehre. 16. Aufl. neu bearb. von FRANK HEIDERMANNS. Berlin/Boston.

BRAUNE, WILHELM/INGO REIFFENSTEIN 2004: Althochdeutsche Grammatik I. Laut- und Formenlehre. 15. Aufl. Tübingen.

BUSCHINGER, DANIELLE 2007: Zur Verbstellung im frühneuhochdeutschen Prosaroman, exemplifiziert am „Prosa-Tristrant" (1484). In: Probleme der historischen deutschen Syntax unter besonderer Berücksichtigung ihrer Textsortengebundenheit. Akten zum Internationalen Kongress an der Freien Universität Berlin 29. Juni bis 3. Juli 2005. Hg. von FRANZ SIMMLER/CLAUDIA WICH-REIF. Berlin, S. 237 ff.

BÜTHE-SCHEIDER, EVA 2017: Die e-Apokope im Ripuarischen. Eine korpuslinguistische Untersuchung spätmittelhochdeutscher und frühneuhochdeutscher Quellen. Berlin/Boston.

CHIRITA, DIANA 1988: Der Ausgleich des Ablauts im starken Präteritum im Frühneuhochdeutschen. Frankfurt (Main) u. a.

DAL, INGERID 1966: Kurze deutsche Syntax. Auf historischer Grundlage. Berlin/Boston.

DAL, INGERID/HANS-WERNER EROMS 2014: Kurze deutsche Syntax auf historischer Grundlage. Berlin/Boston.

DEMSKE, ULRIKE 2011: Subordinationsmarker im Deutschen: Zur Geschichte hypothetischer Vergleichssätze. In: FRANZ SIMMLER/CLAUDIA WICH-REIF (Hg.): Geschichte der Gesamtsatzstrukturen vom Althochdeutschen bis zum Frühneuhochdeutschen. Bern/Berlin u. a., S. 9 ff.

DENTLER SIGRID 1997: Zur Perfekterneuerung im Mittelhochdeutschen: die Erweiterung des zeitreferentiellen Funktionsbereichs von Perfektfügungen. Göteborg.

DIEWALD, GABRIELE 1997: Grammatikalisierung. Eine Einführung in Sinn und Werden grammatischer Formen. Tübingen.

DÜWEL, KLAUS 2008: Runenkunde. 4. Aufl. Stuttgart/Weimar.

EBERT, ROBERT PETER 1978: Historische Syntax des Deutschen. Stuttgart.

EBERT, ROBERT PETER 1986: Historische Syntax des Deutschen II: 1300–1750. Bern/Frankfurt (Main)/New York.

EBERT, ROBERT PETER/OSKAR REICHMANN/HANS-JOACHIM SOLMS/KLAUS-PETER WEGERA 1993: Frühneuhochdeutsche Grammatik. Tübingen.

EGGERS, HANS 1986: Deutsche Sprachgeschichte. 2 Bde. Reinbek bei Hamburg.

EIS, GERHARD 1958: Historische Laut- und Formenlehre des Mittelhochdeutschen. Halle (Saale).

ERBEN, JOHANNES 1954: Grundzüge einer Syntax der Sprache Luthers. Vorstudie zu einer Luther-Syntax, zugleich ein Beitrag zur Geschichte der deutschen Hochsprache und zur Klärung der syntaktischen Grundfragen. Berlin.

ERBEN, JOHANNES 1970: Frühneuhochdeutsch. In: LUDWIG ERICH SCHMITT (Hg.): Kurzer Grundriß der germanischen Philologie bis 1500. Bd. 1: Sprachgeschichte. Berlin, S. 386 ff.

ERBEN, JOHANNES 2000: Syntax des Frühneuhochdeutschen. In: Sprachgeschichte², S. 1584 ff.

ERBEN, JOHANNES 2006: Einführung in die deutsche Wortbildungslehre. 5. Aufl. Berlin.

ERNI, CHRISTIAN 1949: Der Übergang des Schrifttums der Stadt Bern zur neuhochdeutschen Schriftsprache. Diss. Thusis.

ESSEN, OTTO V. 1979: Allgemeine und angewandte Phonetik. 5. Aufl. Berlin.

FERRARESI, GISELLA 2014: Grammatikalisierung. Heidelberg.

FEUDEL, GÜNTER 1961: Das Evangelistar der Berliner Handschrift Ms. germ. 4° 533. 2 Tle. Berlin.

FISCHER, ANNETTE 1987: Das Genitivobjekt und damit konkurrierende Objekte nach Verben in Leipziger Frühdrucken. In: Autorenkollektiv unter der Leitung von JOACHIM SCHILDT: Zum Sprachwandel in der deutschen Literatursprache des 16. Jahrhunderts. Studien – Analysen – Probleme. Berlin, S. 267 ff.

FISCHER, ANNETTE 1992: Varianten im Objektbereich genitivfähiger Verben in der deutschen Literatursprache (1570–1730). In: Joachim Schildt (Hg.): Aspekte des Sprachwandels in der deutschen Literatursprache 1570–1730. Berlin, S. 273 ff.

Fleischer, Jürg/Oliver Schallert 2011: Historische Syntax des Deutschen. Eine Einführung. Tübingen.

Fleischer, Wolfgang 1965: Zum Verhältnis von Phonem und Graphem bei der Herausbildung der neuhochdeutschen Schriftsprache. In: WZ Jena 14, S. 461 ff.

Fleischer, Wolfgang 1970: Untersuchungen zur Geschäftssprache des 16. Jahrhunderts in Dresden. Berlin.

FOURQUET, JEAN 1963: Einige unklare Punkte der deutschen Lautgeschichte in phonologischer Sicht. In: SIEGFRIED GUTENBRUNNER/FRIEDRICH MAURER: Die Wissenschaft von deutscher Sprache und Dichtung. Methoden, Probleme, Aufgaben. Fs. F. Maurer. Stuttgart, S. 84 ff.

FRANGK, FABIAN 1532: Ein Cantzley vnd Titel buechlin. Darinnen gelernt wird/wie man Sendebriefe foermlich schreiben/vnd einem jdlichen seinen gebuerlichen Titel geben sol. Orthographia Deutsch Lernt recht buchstaebig schreiben. Wittenberg. 1532.

FRANKE, CARL 1913–1922: Grundzüge der Schriftsprache Luthers in allgemeinverständlicher Darstellung. 3 Bde. 2. Aufl. Halle (Saale).

FRINGS, THEODOR 1956: Sprache und Geschichte III. Mit Beiträgen von KÄTHE GLEISSNER/RUDOLF GROSSE/HELMUT PROTZE. Halle (Saale).

FRINGS, THEODOR 1957: Grundlegung einer Geschichte der deutschen Sprache. 3. Aufl. Halle (Saale).

GABRIELSSON, ARTUR 1983: Die Verdrängung der mittelniederdeutschen durch die neuhochdeutsche Schriftsprache. In: GERHARD CORDES/DIETER MÖHN (Hg.): Handbuch zur niederdeutschen Sprach- und Literaturwissenschaft. Berlin, S. 119 ff.

GAGEL, SEBASTIAN 2017: Frühneuhochdeutsche Konnektoren. Entwicklungslinien kausaler Verknüpfungen auf dem Gebiet der Modalität. Berlin/Boston.

GERNENTZ, HANS JOACHIM 1980: Niederdeutsch – gestern und heute. Beiträge zur Sprachsituation in den Nordbezirken der Deutschen Demokratischen Republik in Geschichte und Gegenwart. Rostock.

GILLMANN, MELITTA 2016: Perfektkonstruktionen mit >haben< und >sein<. Eine Korpusuntersuchung im Althochdeutschen, Altsächsischen und Neuhochdeutschen. Berlin/Boston.

GLASER, ELVIRA 1999: Der bestimmte Artikel in den althochdeutschen Glossen. In: YVON DESPORTES (Hg.): Zur Geschichte der Nominalgruppe im älteren Deutsch. Fs. Paul Valentin. Akten des Pariser Kolloquiums, März 1999. Heildelberg, S. 187 ff.

GLEISSNER, KÄTHE 1935: Urkunde und Mundart auf Grund der Urkundensprache der Vögte von Weida, Gera und Plauen. Halle (Saale).

GREEN, DENNIS H. 2001: The beginnings of literacy in the Erarly Germanic world. In: URSULA SCHAEFER/EDDA SPIELMANN (Hg.): Varieties and consequences of literacy and orality. Tübingen, S. 185 ff.

GREULE, ALBRECHT 1999: Syntaktisches Verbwörterbuch zu den althochdeutschen Texten des 9. Jahrhunderts. Frankfurt (Main) u. a.

GRIMM, JACOB 1847/1879: Ueber das pedantische in der deutschen sprache. In: K[ARL] MÜLLENHOFF (Hg.): Kleinere Schriften von Jacob Grimm. 2. Aufl. Berlin.

GROSSE, RUDOLF 1955: Die Meißnische Sprachlandschaft. Dialektgeographische Untersuchungen zur obersächsischen Sprach- und Siedlungsgeschichte. Halle (Saale).

GROSSE, RUDOLF 1964: Die mitteldeutsch-niederdeutschen Handschriften des Schwabenspiegels in seiner Kurzform. Sprachgeschichtliche Untersuchung. Berlin.

GUCHMANN, M[IRRA] M[OISSEJEWNA]/ N[ATALJA] N[IKOLAJEWNA] SEMENJUK 1981: Zur Ausbildung der Norm der deutschen Literatursprache im Bereich des Verbs (1470–1730). Tempus und Modus. Berlin.

GUMBEL, HERMANN 1930: Deutsche Sonderrenaissance in deutscher Prosa. Strukturanalyse deutscher Prosa im sechzehnten Jahrhundert. Frankfurt (Main). Nachdruck Hildesheim 1965.

GÜRTLER, HANS 1912/1913: Zur geschichte der deutschen *-er*-plurale, besonders im frühneuhochdeutschen. In: Beiträge H 37, S. 492 ff.; 38, S. 67 ff.

GÜTTER, ADOLF 2003: Zur Chronologie des Primärumlauts von /a/ im Altoberdeutschen, vor allem im Altbairischen. In: PBB 125, S. 1 ff.

HAARMANN, HARALD 1990: Universalgeschichte der Schrift. Frankfurt (Main). 2. Aufl. 1991. 4. Aufl. 1998.

HABERMANN, MECHTHILD 2007: Koordination und Subordination in der Syntax von Gebrauchstexten aus der Inkunabelzeit. In: FRANZ SIMMLER/CLAUDIA WICH-REIF (Hg.): Probleme der historischen deutschen Syntax unter besonderer Berücksichtigung ihrer Textsortengebundenheit. Akten zum Internationalen Kongress an der Freien Universität Berlin 29. Juni bis 3. Juli 2005. Berlin, S. 245 ff.

HABERMANN, MECHTHILD 2010: Pragmatisch indizierte Syntax des Mittelhochdeutschen. In: ARNE ZIEGLER/CHRISTIAN BRAUN (Hg.): Historische Textgrammatik und Historische Syntax des Deutschen. Traditionen, Innovationen, Perspektiven. Bd. 1: Diachronie, Althochdeutsch, Mittelhochdeutsch. Berlin/ New York, S. 451 ff.

HARM, VOLKER 2001: Zur Genese der verallgemeinernden Relativsätze des Althochdeutschen. In: Indogermanische Forschungen 106, S. 241 ff.

HARTMANN, ERICH 1922: Beiträge zur Sprache Albrecht Dürers. Diss. Halle (Saale).

HARTMANN, STEFAN 2018: Deutsche Sprachgeschichte. Grundzüge und Methoden. Tübingen.

HARTWEG, FRÉDÉRIC/KLAUS-PETER WEGERA 2005: Frühneuhochdeutsch. Eine Einführung in die deutsche Sprache des Spätmittelalters und der frühen Neuzeit. 2. Aufl. Tübingen.

HELBIG, GERHARD 2001: Grundzüge der Grammatik. In: WOLFGANG FLEISCHER/ GERHARD HELBIG/GOTTHARD LERCHNER (Hg.): Kleine Enzyklopädie Deutsche Sprache. Frankfurt (Main) u. a., S. 218 ff.

HERRLITZ, WOLFGANG 1970: Historische Phonologie des Deutschen. Teil 1: Vokalismus. Tübingen.

HEUSLER, ANDREAS 1956: Deutsche Versgeschichte. 3 Bde. 2. Aufl. Berlin.

HOTZENKÖCHERLE, RUDOLF 1962: Entwicklungsgeschichtliche Grundzüge des Neuhochdeutschen. In: WW 12, S. 321 ff.

KELLER, RUDOLF E. 1995: Die deutsche Sprache und ihre historische Entwicklung. Bearb. und übertr. aus dem Englischen, mit einem Begleitwort sowie einem Glossar versehen von KARL-HEINZ MULAGK. Hamburg.

KEMPF, LUISE 2016: Adjektivsuffixe in Konkurrenz. Wortbildungswandel vom Frühneuhochdeutschen zum Neuhochdeutschen. Berlin/Boston.

KERN, PETER CHR[ISTOPH]/HERTA ZUTT 1977: Geschichte des deutschen Flexionssystems. Tübingen.

KETTMANN, GERHARD 1969: Die kursächsische Kanzleisprache zwischen 1486 und 1546. Studien zum Aufbau und zur Entwicklung. 2. Aufl. Berlin.

KETTMANN, GERHARD 1987: Zum Graphemgebrauch in der Wittenberger Druckersprache. Variantenbestand und Variantenverwendung. In: Autorenkollektiv unter der Leitung von JOACHIM SCHILDT: Zum Sprachwandel in der deutschen Literatursprache des 16. Jahrhunderts. Studien – Analysen – Probleme. Berlin, S. 21 ff.

KIENLE, RICHARD VON 1969: Historische Laut- und Formenlehre des Deutschen. 2. Aufl. Tübingen.

KLEIN, DOROTHEA 2006: Mittelalter. Stuttgart/Weimar.

KOENRAADS, W[ILLY] H[ENRI] A[UGUST] 1953: Studien über sprachökonomische Entwicklungen im Deutschen. Amsterdam.

KÖNIG, WERNER 2015: dtv-Atlas Deutsche Sprache. 18. Aufl. München.

LANGEN, AUGUST 1978: Deutsche Sprachgeschichte vom Barock bis zur Gegenwart. In: Deutsche Philologie im Aufriss. Bd. 1. 2. Aufl. (unveränderter Nachdruck) Berlin, Sp. 931 ff.

LASCH, AGATHE 1914: Mittelniederdeutsche Grammatik. Halle (Saale). 2. Aufl. Tübingen 1974. Reprint Berlin/Boston 2011.

LENZ-KEMPER, BARBARA 2008/2009: Die Hessischen Reimpredigten. 2 Bde. Berlin.

LEXER, MATTHIAS 1992: Mittelhochdeutsches Taschenwörterbuch. 38. Aufl. Stuttgart.

LINDGREN, KAJ B. 1953: Die Apokope des mhd. -e in seinen verschiedenen Funktionen. Helsinki.

LINDGREN, KAJ B. 1961: Die Ausbreitung der nhd. Diphthongierung bis 1500. Helsinki.

LOCKWOOD, WILLIAM B. 1968: Historical German Syntax. Oxford.

LÖTSCHER, ANDREAS 2010: Verbstellung im zweiteiligen Verbalkomplex im Frühneuhochdeutschen – Textlinguistik und Grammatik. In: ARNE ZIEGLER/CHRISTIAN BRAUN (Hg.): Historische Textgrammatik und Historische Syntax des Deutschen. Traditionen, Innovationen, Perspektiven. Bd. 2: Frühneuhochdeutsch, Neuhochdeutsch. Berlin/New York, S. 607 ff.

MAURER, FRIEDRICH 1926: Untersuchungen über die deutsche Verbstellung in ihrer geschichtlichen Entwicklung. Heidelberg.

MAZAL, OTTO 1986: Lehrbuch der Handschriftenkunde. Wiesbaden.

MEIER-BRÜGGER, MICHAEL 2010: Indogermanische Sprachwissenschaft. 9. Aufl. Berlin/New York.

MEINHOLD, GOTTFRIED/EBERHARD STOCK 1982: Phonologie der deutschen Gegenwartssprache. 2. Aufl. Leipzig.

METTKE, HEINZ 1958: Die Beichte des Cunrad Merbot von Weida. Halle (Saale).

METTKE, HEINZ 1989/2000: Mittelhochdeutsche Grammatik. 6. Aufl. Leipzig.; 8. Aufl. Tübingen.

MIHM, AREND 2007: Zur Geschichte der Auslautverhärtung und ihrer Erforschung. In: AREND MIHM (Hg.): Sprachwandel im Spiegel der Schriftlichkeit. Studien zum Zeugniswert der historischen Schreibsprachen des 11. bis 17. Jahrhunderts. Frankfurt (Main) u. a., S. 101 ff.

MOENNIGHOFF, BURKHARD 2004: Metrik. Stuttgart.

MOLZ, HERMANN 1902/1906: Die substantivflexion seit mittelhochdeutscher zeit. In: Beiträge H 27, S. 209 ff.; 31, S. 277 ff.

MOSER, HUGO 1965/1969: Deutsche Sprachgeschichte. 5./6. Aufl. Tübingen.

MOSER, HUGO/HUGO STOPP/WERNER BESCH (Hg.) 1970 ff.: Grammatik des Frühneuhochdeutschen. Beiträge zur Laut- und Formenlehre. Bd. 1 ff. Heidelberg.

MOSER, VIRGIL 1909: Historisch-grammatische Einführung in die frühneuhochdeutschen Schriftdialekte. Halle (Saale). Nachdruck Darmstadt 1971.

MOSER, VIRGIL 1929/1951: Frühneuhochdeutsche Grammatik. Bd. 1/1 und 1/3/2. Heidelberg.

MOSKALSKAJA, OLGA I. 1985: Deutsche Sprachgeschichte. Moskau.

MOULIN, CLAUDINE 1990: Der Majuskelgebrauch in Luthers deutschen Briefen (1517–1546). Heidelberg.

NAUMANN, HANS 1915: Kurze historische Syntax der deutschen Sprache. Straßburg.

NIBELUNGENLIED 2003: St. Galler Nibelungenhandschrift (Cod. Sng. 857). CD-ROM. St. Gallen.

NIBELUNGENLIED 2007/1949: Das Nibelungenlied. Nach der Ausgabe von KARL BARTSCH/HELMUT DE BOOR hg. und übers. von Siegfried Grosse. Stuttgart.

NIEVERGELT, ANDREAS 2009: Althochdeutsch in Runenschrift. Geheimschriftliche volkssprachige Griffelglossen. Stuttgart.

NIEVERGELT, ANDREAS 2011: Zur gegenwärtigen Quellen- und Editionslage der althochdeutschen Glossen. In: Sprachwissenschaft 36, S. 307 ff.

NORDSTRÖM, TORSTEN 1911: Studien über die Ausbildung der neuhochdeutschen starken Präsensflexion. Diss. Uppsala.

NÜBLING, DAMARIS 2016: Braucht man Sprachgeschichte? Berlin.

NÜBLING, DAMARIS 2016: Und sie leben doch: Zur Reorganisation starker Verben in germanischen Sprachen. In: SARAH KWEKKERBOOM/SANDRA WALDENBERGER (Hg.): PerspektivWechsel oder: Die Wiederherstellung der Philologie. Bd. 1: Sprachdaten und Grundlagenforschung in der Historischen Linguistik. Berlin, S. 273 ff.

NÜBLING, DAMARIS in Zusammenarb. mit ANTJE DAMMEL/JANET DUKE/RENATA SZCZEPANIAK 2006/2017: Historische Sprachwissenschaft des Deutschen. Eine Einführung in die Prinzipien des Sprachwandels. 1. Aufl./5. Aufl. Tübingen.

OCHS, HANS 1921: Studien zur Grammatik Fischarts. Diss. Marburg.

OUBOUZAR, ERIKA 1974: Über die Ausbildung der zusammengesetzten Verbformen im Deutschen. In: Beiträge H 95, S. 5 ff.

OUBOUZAR, ERIKA 1999: Die Ausbildung der zusammengesetzten Verbformen im Deutschen. In: Beiträge H 95, S. 5 ff.

OUBOUZAR, ERIKA 1999: Zur Entwickelung von *ein* in der Nominalgruppe des Althochdeutschen. In: YVON DESPORTES (Hg.): Zur Geschichte der Nominalgruppe im älteren Deutsch. Fs. für Paul Valentin. Akten des Pariser Kolloquiums, März 1999. Heidelberg, S. 255 ff.

PARASCHKEWOFF, BORIS 1967: Entwicklung der Adjektivadverbien im Ostmitteldeutschen vom Beginn der Überlieferung bis Luther. Diss. Leipzig.

PAUL, HERMANN 1916–1920: Deutsche Grammatik. 5 Bde. Halle (Saale).

PAUL, HERMANN 1998/2007: Mittelhochdeutsche Grammatik. 24. Aufl. Tübingen; 25. Aufl., neu bearb. von THOMAS KLEIN/HANS-JOACHIM SOLMS/KLAUS-PETER WEGERA. Syntax von INGEBORG SCHÖBLER BEARB. HEINZ-PETER PRELL. Tübingen.

PEILICKE, ROSWITHA 1992: Zur Verwendung der Modalverben/können/und/mögen/in der deutschen Literatursprache (1570–1730). In: JOACHIM SCHILDT (Hg.): Aspekte des Sprachwandels in der deutschen Literatursprache 1570–1730. Berlin, S. 343 ff.

PENSEL, FRANZJOSEF 1981: Die Satznegation. In: GERHARD KETTMANN/JOACHIM SCHILDT (Hg.): Zur Ausbildung der Norm der deutschen Literatursprache auf der syntaktischen Ebene (1470–1730). Der Einfachsatz. 2. Aufl. Berlin, S. 285 ff.

PENZL, HERBERT 1984: Frühneuhochdeutsch. Bern/Frankfurt (Main)/Nancy/New York.

PENZL, HERBERT 1988: Zum Stand der Forschung im Frühneuhochdeutschen. In: PETER WIESINGER (Hg.): Studien zum Frühneuhochdeutschen. Emil Skála zum 60. Geburtstag. Göppingen, S. 1 ff.

PHILIPP, GERHARD 1980: Einführung ins Frühneuhochdeutsche. Sprachgeschichte – Grammatik – Texte. Heidelberg.

PIIRAINEN, ILPO TAPANI 1985: Die Diagliederung des Frühneuhochdeutschen. In: Sprachgeschichte[1], S. 1368 ff.

POLENZ, PETER von 1999/2000/2013: Deutsche Sprachgeschichte vom Spätmittelalter bis zur Gegenwart. Bd. 1: 2. Aufl. 2000. Bd. 2: 2. Aufl. 2013. Bd. 3: 1999. Berlin/New York.

POVEJŠIL, JAROMÍR 1980: Das Prager Deutsch des 17. und 18. Jahrhunderts. Ein Beitrag zur Geschichte der deutschen Schriftsprache. Praha.

RAMERS, KARL HEINZ 1992: Ambisilbische Konsonanten im Deutschen. In: PETER EISENBERG/KARL-HEINZ RAMERS/HEINZ VATER (Hg.): Silbenphonologie des Deutschen. Tübingen, S. 246 ff.

RAUSCH, GEORG 1897: Zur Geschichte des deutschen Genitivs seit der mittelhochdeutschen Zeit. Diss. Gießen. Darmstadt.

REICHMANN, OSKAR 2000: Die Diagliederung des Frühneuhochdeutschen. In: Sprachgeschichte[2], S. 1623 ff.

REIFFENSTEIN, INGO 1988: Der „Parnassus Boicus" und das Hochdeutsche. Zum Ausklang des Frühneuhochdeutschen im 18. Jahrhundert. In: Stud. Frnhd., S. 27 ff.

REIFFENSTEIN, INGO 2000: Die Anfänge der neuhochdeutschen Diphthongierung im Bairischen. In: HEINZ DIETER POHL (Hg.): Sprache und Name im Mittelalter. Fs. Maria Hornung. Wien, S. 325 ff.

RIECK, SUSANNE 1977: Untersuchungen zu Bestand und Varianz der Konjunktionen im Frühneuhochdeutschen unter Berücksichtigung der Systementwicklung zur heutigen Norm. Heidelberg.

RIECKE, URSULA 1998: Studien zur Herausbildung der neuhochdeutschen Orthographie. Die Markierungen der Vokalquantitäten in deutschsprachigen Bibeldrucken des 16.–18. Jahrhunderts. Heidelberg.

ROELCKE, THORSTEN 2000: Die frühneuhochdeutsche Brücke. Überlegungen zur sprachtypologischen Periodisierung der deutschen Sprachgeschichte. In: ZfdPh 119, S. 369 ff.

ROELCKE, THORSTEN 2011: Typologische Variation im Deutschen. Grundlagen – Modelle – Tendenzen. Berlin.

RÖSSING-HAGER, MONIKA 2010: Konkurrierende Strukturen für die Relation *Voraussetzung – Folge in* frühreformatorischen Schriften Martin Luthers. Beobachtungen zu ihrer textkonstitutiven und kommunikativen Funktion. In: ARNE ZIEGLER/CHRISTIAN BRAUN (Hg.): Historische Textgrammatik und Historische Syntax des Deutschen. Bd. 2. Berlin/New York, S. 711 ff.

SANDERS, WILLY 1982: Sachsensprache, Hansesprache, Plattdeutsch. Sprachgeschichtliche Grundzüge des Niederdeutschen. Göttingen.

SÄTERSTRAND, B[IRGER] 1923: Die Sprache Zesens in der „Adriatischen Rosenmund". Diss. Greifswald.

SCHIEB, GABRIELE 1970: Mittelhochdeutsch. In: Grundriß, S. 347 ff.

SCHIRMUNSKI, VIKTOR M. 2010: Deutsche Mundartkunde. Vergleichende Laut- und Formenlehre der deutschen Mundarten. Hg. und kommentiert von LARISSA NAIDITSCH unter Mitarbeit von PETER WIESINGER. Aus dem Russischen übersetzt von WOLFGANG FLEISCHER. Frankfurt (Main) u. a.

SCHIROKAUER, ARNO 1957: Frühneuhochdeutsch. In: WOLFGANG STAMMLER (Hg.): Deutsche Philologie im Aufriss. Bd. 1. 2. Aufl. Berlin, Sp. 855 ff.

SCHMID, HANS 1953: Die St. Galler Urkundensprache in der zweiten Hälfte des XIV. Jahrhunderts. Diss. Zürich.

SCHMID, HANS ULRICH 2017: Einführung in die deutsche Sprachgeschichte. 3. Aufl. Stuttgart/Weimar.

SCHMIDT, WILHELM 1977: Grundfragen der deutschen Grammatik. Eine Einführung in die funktionale Sprachlehre. 5. Aufl. Berlin.

SCHMITT, LUDWIG ERICH 1936: Die deutsche Urkundensprache in der Kanzlei Kaiser Karls IV. (1346–1378). Halle (Saale).

SCHNEIDER, KARIN 1987: Gotische Schriften in deutscher Sprache I. Vom späten 12. Jahrhundert bis um 1300. Textband. Wiesbaden.

SCHNEIDER, KARIN 1999: Paläographie und Handschriftenkunde für Germanisten. Eine Einführung. Tübingen.

SCHOTTELIUS, JUSTUS G[EORG] 1663/1995: Ausführliche Arbeit Von der Teutschen HaubtSprache. Braunschweig. Neudruck Tübingen.

SCHULZE, URSULA 2010: Nebensatztypen in der Urkundensprache des 13. Jahrhunderts. Zur syntaktischen und semantischen Wertigkeit mittelhochdeutscher Subjunktionen. In: ARNE ZIEGLER/CHRISTIAN BRAUN (Hg.): Historische Textgrammatik und Historische Syntax des Deutschen. Bd. 1. Berlin/New York, S. 497 ff.

SIMMLER, FRANZ 1983: Konsonantenschwächung in den deutschen Dialekten. In: Dialektologie. Zweiter Halbbd. Berlin/New York, S. 1121 ff.

SIMMLER, FRANZ 2000: Phonetik und Phonologie, Graphetik und Graphemik des Mittelhochdeutschen. In: Sprachgeschichte^2, S. 1129 ff.

SINGER, JOHANNES 1996: Grundzüge einer rezeptiven Grammatik des Mittelhochdeutschen. Paderborn u. a.

SKÁLA, EMIL 1967: Die Entwicklung der Kanzleisprache in Eger 1310–1660. Berlin.

SKÁLA, EMIL 1972: Zum Prager Deutsch des 16. Jahrhunderts. In: Beiträge T 95 (Sonderband), S. 283 ff.

SOLMS, HANS-JOACHIM 2000: Soziokulturelle Voraussetzungen und Sprachraum des Frühneuhochdeutschen. In: Sprachgeschichte^2, S. 1513 ff.

SONDEREGGER, STEFAN 1979: Grundzüge deutscher Sprachgeschichte. Diachronie des Sprachsystems. Bd. 1: Einführung – Genealogie – Konstanten. Berlin/New York.

SPARMANN, HEINZ 1961: Die Pronomina in der mittelhochdeutschen Urkundensprache. In: Beiträge H 83, S. 1 ff.

SPEYER, AUGUSTIN 2010: Deutsche Sprachgeschichte. Göttingen.

STARCK, JOHN 1912: Studien zur Geschichte des Rückumlauts. Ein Beitrag zur historischen Formenlehre. Diss. Uppsala.

STOPP, HUGO 1974: Veränderungen im System der Substantivflexion vom Althochdeutschen bis zum Neuhochdeutschen. In: Studien zur deutschen Literatur und Sprache des Mittelalters. Fs. Hugo Moser. Berlin, S. 324 ff.

STOPP, HUGO 1976: Schreibsprachwandel. Zur großräumigen Untersuchung frühneuhochdeutscher Schriftlichkeit. München.

STOPP, HUGO/HUGO MOSER 1967: Flexionsklassen der mittelhochdeutschen Substantive in synchronischer Sicht. In: ZfdPh 86, S. 70 ff.

STRÖMBERG, EDVARD 1907: Die Ausgleichung des Ablauts im starken Präteritum mit besonderer Rücksicht auf oberdeutsche Sprachdenkmäler des 15. bis 16. Jahrhunderts. Göteborg.

STURM, HERIBERT 1955: Einführung in die Schriftkunde. München-Pasing.

SUCHSLAND, PETER 1968: Die Sprache der Jenaer Ratsurkunden. Entwicklung von Lauten und Formen von 1317 bis 1525. Berlin.

SUCHSLAND, PETER 1969: Zum Strukturwandel im morphologischen Teilsystem der deutschen Nominalflexion. In: WZ Jena 18, S. 97 ff.

SZULC, ALEXANDER 1987: Historische Phonologie des Deutschen. Sprachstrukturen. Tübingen.

TAUBERT, GESINE 1995: Mittelhochdeutsche Kurzgrammatik mit Verslehre. Erding.

TERVOOREN, HELMUT 1979: Minimalgrammatik zur Arbeit mit mittelhochdeutschen Texten. 3. Aufl. Göppingen.

THEOBALD, ELKE 1992: Sprachwandel bei deutschen Verben. Flexionsklassenschwankungen starker und schwacher Verben. Tübingen.

THOMAS, BARBARA 2002: Adjektivderivation im Nürnberger Frühneuhochdeutsch um 1500. Eine historisch-synchrone Analyse anhand von Texten Albrecht Dürers, Veit Dietrichs und Heinrich Deichslers. Berlin/New York.

TROST, PAVEL 1981: Neuhochdeutsche Monophthongierung und Diphthongierung. In: ZDL 48, S. 222 ff.

TSCHIRCH, FRITZ 1983/1989: Geschichte der deutschen Sprache. 2 Bde. 3. Aufl. bearb. von WERNER BESCH. Berlin.

VETTER, WALTER 1937: Die persönlichen Fürwörter im thüringischen Sprachraum. Weimar.

WEDDIGE, HILKERT 2015: Mittelhochdeutsch. Eine Einführung. 3. Aufl. München.

WEDDIGE, HILKERT 2017: Einführung in die germanistische Mediävistik. 9. Aufl. München.

WEGERA, KLAUS-PETER/HANS-JOACHIM SOLMS 2000: Morphologie des Frühneuhochdeutschen. In: Sprachgeschichte², S. 1542 ff.

WEGERA, KLAUS-PETER/SIMONE SCHULTZ-BALLUFF/NINA BARTSCH 2011: Mittelhochdeutsch als fremde Sprache. Berlin.

WEINHOLD, KARL 1968: Kleine mittelhochdeutsche Grammatik. Fortgef. von GUSTAV EHRISMANN. Neu bearb. von HUGO MOSER. 15. Aufl. Wien/Stuttgart.

WELLS, C[HRISTOPHER] J[an] 1990: Deutsch: Eine Sprachgeschichte bis 1945. Aus dem Englischen übers. von Rainhild Wells. Tübingen.

WERNER, OTMAR 1969: Das deutsche Pluralsystem. Strukturelle Diachronie. In: Sprache – Gegenwart und Geschichte. Düsseldorf, S. 92 ff.

WIESINGER, PETER 1983a: Dehnung und Kürzung in den deutschen Dialekten. In: Dialektologie. Zweiter Halbbd. Berlin/New York, S. 1088 ff.

WIESINGER, PETER 1983b: Diphthongierung und Monophthongierung in den deutschen Dialekten. In: Dialektologie. Zweiter Halbbd. Berlin/New York, S. 1076 ff.

WIESINGER, PETER 1983c: Hebung und Senkung in den deutschen Dialekten. In: Dialektologie. Zweiter Halbbd. Berlin/New York, S. 1106 ff.

WIESINGER, PETER 1983d: Rundung und Entrundung, Palatalisierung und Entpalatalisierung, Velarisierung und Entvelarisierung in den deutschen Dialekten. In: Dialektologie. Zweiter Halbbd. Berlin/New York, S. 1101 ff.

WIESINGER, PETER 1983e: Phonologische Vokalsysteme deutscher Dialekte. Ein synchronischer und diachronischer Vergleich. In: Dialektologie. Zweiter Halbbd. Berlin/New York, S. 1042 ff.

WIESINGER, PETER 1990: Zur Periodisierung der deutschen Sprachgeschichte aus regionaler Sicht. In: Werner Besch (Hg.): Deutsche Sprachgeschichte. Grundlagen, Methoden, Perspektiven. Fs. Johannes Erben. Bern/Frankfurt (Main)/New York/Paris, S. 403 ff.

WIESINGER, PETER 1991: Zur Reimgrammatik des Mittelhochdeutschen. Methodik – Anwendung – Perspektiven. In: ZfDPh 100, Sonderheft: Mittelhochdeutsche Grammatik als Aufgabe, S. 56 ff.

WILMANNS, WILHELM 1893–1909: Deutsche Grammatik. Gotisch, Alt-, Mittel- und Neuhochdeutsch. 3 Bde. Straßburg. Nachdruck Berlin 1967.

WOLF, NORBERT RICHARD 1989a: Zur Periodisierung der deutschen Sprachgeschichte. Eine Notiz. In: Soziokulturelle Kontexte der Sprach- und Literaturentwicklung. Fs. Rudolf Große zum 65. Geburtstag. Stuttgart, S. 121 ff.

WOLF, NORBERT RICHARD 1989b: Mittelhochdeutsch aus Handschriften. Hinweise zum Problem der historischen Grammatik und der Überlieferungsgeschichte. In: Überlieferungsgeschichtliche Editionen und Studien zur deutschen Literatur des Mittelalters. Kurt Ruh zum 75. Geburtstag. Tübingen, S. 100 ff.

WOLF, NORBERT RICHARD 1991: Mittelhochdeutsch aus Handschriften II: Zur Adjektivflexion. In: ZfdPh 110, Sonderheft: Mittelhochdeutsche Grammatik als Aufgabe, S. 93 ff.

WOLF, NORBERT RICHARD 1997: Herzog August der Jüngere von Braunschweig und Lüneburg und das Ende des Frühneuhochdeutschen. In: ELVIRA GLASER/MICHAEL SCHLAEFER (Hg.): Grammatica Janua Artium. Fs. Rolf Bergmann. Heidelberg, S. 357 ff.

WOLF, NORBERT RICHARD 2000: Phonetik und Phonologie, Graphetik und Graphemik des Frühneuhochdeutschen. In: Sprachgeschichte², S. 1527 ff.

WOLF, NORBERT RICHARD 2000a: Syntax des Mittelhochdeutschen. In: Sprachgeschichte², S. 1351 ff.

WOLF, NORBERT RICHARD 2000b: Die Diagliederung des Mittelhochdeutschen. In: Sprachgeschichte², S. 1385 ff.

WOLFF, GERHARD 2009: Deutsche Sprachgeschichte von den Anfängen bis zur Gegenwart. Tübingen/Basel.

WORONOW, A. 1962: Die Pluralbildung der Substantive in der deutschen Sprache des XIV.-XVI. Jahrhunderts (dargestellt nach den Chroniken von Nürnberg und Augsburg). In: Beiträge H 84, S. 173 ff.

WORONOW, A. 1967: Zur Geschichte der Pluralsuffixe der Substantive in der deutschen Sprache (dargestellt nach den Chroniken der deutschen Städte des XIV.-XVI. Jahrhunderts). In: Beiträge H 88, S. 395 ff.

WUNDERLICH, HERMANN/HANS REIS 1924/1925: Der deutsche Satzbau. 2 Bde. Berlin.

WYLE, NICLAS V. 1478/1967: Translationen. Hg. von ADELBERT VON KELLER. Hildesheim.

Gesamt-Sachregister

Sachregister zu Teil 1 und 2 einschl. Register der Wortbildungsmorpheme

Teil 2 beginnt mit der Seite 261; zur Verdeutlichung ist den Seitenangaben zu Teil 2 immer die römische Zahl II vorangesetzt.

C

D

E

F

Gesamt-Wortregister

Wortregister zu Teil 1 und 2

Teil 2 beginnt mit der Seite 261; zur Verdeutlichung ist den Seitenangaben zu Teil 2 immer die römische Zahl II vorangesetzt.

1. Althochdeutsch

2. Mittelhochdeutsch

3. Neuhochdeutsch

Dieses Register listet auch einen großen Teil des Wortschatzes in Kap. 1.6 auf, da in dem behandelten Zeitraum das Deutsche zu einer funktionsfähigen Literatur- und Wissenschaftssprache ausgebaut wurde. Demgegenüber werden die Fach- und Sonderwortschätze in den folgenden Abschnitten hier nicht vollständig verzeichnet.